COMMUNICATION ET INTERACTIONS

LA PSYCHOLOGIE DES RELATIONS HUMAINES

Ronald B. Adler
Neil Towne

Adaptation de
Jacques Shewchuck

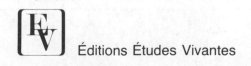

Éditions Études Vivantes

Communication et Interactions: la psychologie des relations humaines

Traduction de:
  Looking Out Looking In, sixth edition, de Ronald B. Adler et Neil Towne
    Copyright © 1990, 1987, 1984, 1981, 1978, 1975 by Holt, Rinehart and Winston,
    Inc.
  Understanding Human Communication, third edition, de Ronald B. Adler et George
    Rodman (chapitres 9 et 10)
    Copyright © 1988, 1985, 1982 by Holt, Rinehart and Winston, Inc.

Traduction, édition et production: **Les Éditions de la Chenelière (Montréal)**
  Traduction: Élizabeth Dumont
  Révision linguistique: Olivier Reguin
  Correction d'épreuves: Hélène Beauregard
  Infographie: Pauline Lafontaine
  Conception graphique: Norman Lavoie
  Maquette de la couverture et montage: Michel Bérard graphiste inc.
  Épreuves de photocomposition: Typoform inc.
  Impression : Interglobe Inc.

ÉDITIONS ÉTUDES VIVANTES
Édifice Éducalivres ● 955, rue Bergar
Laval (Québec) H7L 4Z7
Téléphone : (514) 334-8466

ISBN 2-7607-0490-4

Dépôt légal: 2e trimestre 1991
Bibliothèque nationale du Québec
Bibliothèque nationale du Canada

Imprimé au Canada

  3 4 5   95 94 93

Introduction

Les relations humaines sont une partie intégrante de nos activités quotidiennes. Il nous est presque impossible de ne pas être en relation avec d'autres personnes. Peu importe l'endroit, nous sommes pratiquement toujours en communication avec quelqu'un, quelque part... même avec nos silences les plus profonds.

Communication et Interactions est un manuel complet, tant sur le plan théorique que pratique. Écrit sur un ton personnel, mais sans que l'aspect scientifique soit négligé, *Communication et Interactions* se veut d'abord un outil à partir duquel vous pourrez améliorer vos rapports humains. De nombreux exemples et exercices accompagnent la matière présentée tout au long de l'ouvrage, de même que des citations d'auteurs québécois, français ou américains et des textes personnels illustrant de façon créative l'à-propos des informations. C'est donc un volume qui allie une présentation rigoureuse des informations, un ton personnalisé manié avec brio par les auteurs, des avenues de réflexions offertes par le biais des citations et des textes de divers auteurs, et enfin des pistes qui permettront de poursuivre une étude plus approfondie d'un sujet en particulier.

Ce manuel se divise en trois parties:

Regards intérieurs traite des aspects liés à l'individu dont il faut tenir compte lors des communications interpersonnelles. Une présentation brève des concepts de base en communication, l'étude du concept de soi, le phénomène de la perception et son importance dans la communication ainsi que l'étude des émotions et de leur rôle dans la coloration des interactions humaines composent le premier volet de l'ouvrage.

Regards sur les communications comporte trois thèmes. Dans le premier, qui porte sur le langage, les auteurs expliquent comment les mots façonnent la réalité et conditionnent en quelque sorte la nature de nos communications. Suit l'étude des communications non verbales, où vous serez sensibilisé à certains aspects de la communication qui ont une influence certaine sur la qualité des échanges interpersonnels, mais qui ne sont pas — dans tous les cas — révélés par les mots. Le troisième thème, qui présente les formes et les styles d'écoute — ou de «non-écoute» — vous familiarisera avec cet aspect essentiel de la communication.

Regards sur les interactions se veut, en quelque sorte, une synthèse des deux premières parties puisqu'elle vise la *pratique* de la communication. L'intimité et la distance dans les relations interpersonnelles, l'amélioration de ses communications, la nature des conflits et la manière de les résoudre de façon constructive, tels sont les thèmes principaux de cette dernière partie. Enfin, nous discuterons de la communication dans les groupes en abordant des sujets comme les types de groupes, le travail en groupe, les façons de communiquer dans les groupes, etc.

Communication et Interactions est un outil complet et utile pour l'étude des relations humaines.

- Chacun des chapitres forme un tout et peut être consulté individuellement selon les besoins et l'orientation du cours.

- À la fin de chaque chapitre se trouve la liste des mots clés qui facilite l'identification des concepts les plus importants du thème à l'étude. Ces mots clés se retrouvent au glossaire en fin de volume.

- Dans plusieurs chapitres apparaissent des sections intitulées «Dialogues»; ce sont des comptes rendus d'interactions commentés par les auteurs. Ces dialogues illustrent la façon d'appliquer les concepts présentés dans le chapitre.

- Tout au long des chapitres, des exercices sont proposés pour aider le lecteur à intégrer, de manière pratique, les concepts développés; les titres de ces exercices figurent en gras dans l'index.

- Le style réaliste et personnel des auteurs rend la matière accessible tout en respectant l'aspect scientifique des informations présentées.

- Chaque chapitre se termine par une bibliographie commentée d'ouvrages en langue française, qui pourra satisfaire les personnes qui veulent en savoir davantage sur le contenu du chapitre.

Remerciements

Un tel projet ne peut se réaliser qu'avec l'aide d'une équipe dont la compétence est irréprochable. Je voudrais donc remercier Mme **Annie Sentieri**, directrice de l'édition, pour sa confiance en ce projet et ses encouragements tout au long de sa réalisation; Mme **Ginette Gratton**, chargée de projet, pour son efficacité exemplaire, sa disponibilité et la générosité qui la caractérise si bien; Mmes **Louise Demers** et **Michèle d'Argencourt**, collègues et amies, dont les commentaires sur chacun des chapitres remaniés furent précieux; et finalement **Jean-François Lemire**, un étudiant qui s'amusait à faire des dessins dans ses examens! (*Voir au début et à la fin de ce livre.*) Pour terminer, un merci bien spécial à Mme **Élizabeth Dumont**, traductrice, pour avoir su respecter à la fois la rigueur et la simplicité du texte original.

Jacques Shewchuck

Sommaire

Table des matières

Chapitre 3
La perception: une fenêtre sur la réalité   61

Chapitre 6
La communication non verbale: des messages sans mots   146

Chapitre 7
Écouter ou entendre   184

TROISIÈME PARTIE REGARDS SUR LES INTERACTIONS 211

Chapitre 8
L'intimité et la distance dans les relations interpersonnelles 212

Chapitre 9
Améliorer son style de communication interpersonnelle   241

Chapitre 10

La résolution des conflits interpersonnels   266

Chapitre 11
La communication dans les groupes   299

Première partie

Regards intérieurs

Chapitre 1

Premier regard sur les relations interpersonnelles

«Une île entre le ciel et l'eau... Une île... euh... Une île... » Je ne me rappelle plus les paroles! Bof... c'est pas grave. «Cette île, mon île...»...«Un culte, un peu comme une insulte... » Que des bribes de cette chanson de Lama. C'est déjà ça.

Ces bribes de paroles... comme si elles disaient ce que je suis capable de distinguer de récifs et de falaises enfouis dans le brouillard. Une île sans arbres, balayée par le vent et les marées, asséchée par le soleil, inondée par les tempêtes. Une île pourtant solide, petite et brave défiant les railleries de ce qui l'entoure.

Cette image occupe ma pensée en cette journée du 25 juillet.

Il y a 15 ans déjà qu'ils m'ont fait ce coup-là. Quinze ans et j'ai l'impression que c'est encore hier qu'ils décidaient, d'un commun accord, de m'isoler complètement du groupe. Comme ça. Plus de regards posés, plus de paroles prononcées, plus de gestes d'amitié. Rien, absolument rien.

Une impression de vide profond m'a envahi de manière irrémédiable, comme une empreinte laissée à vif dans la mémoire du corps. L'irréparable. J'ai pourtant fait comme si de rien n'était. Mais cette lourdeur restait bien présente, en bloc dans ma poitrine. Là. Bien assise. Campée. Indélébile.

Les salauds.

Ça a duré trois semaines exactement. Trois semaines sans jeux, sans espoir de retour. Trois longues semaines à me demander ce qui m'arrivait, pourquoi ils me faisaient ça à moi. Qu'est-ce que je leur avais fait?

Pierre, Jean-Yves, Momo, Josette, Laurence et Denis. Ce sont eux qui décidèrent de m'écarter du groupe pour me casser — c'est l'expression qu'ils ont employée pour justifier leur décision. Casser quoi? Je me le demande encore! Une décision cruelle et stupide d'adolescents en mal d'aventures.

Et quelles aventures! Je mangeais seul à ma table tandis qu'eux devaient s'amuser ensemble autour de la leur. Plus personne ne me parlait en public, même pas Pierre, mon meilleur ami. Je les imaginais pourtant dans certaines de leurs activités: promenade dans les bois, baignade au lac Noir, tours en ville... mais toujours ce jeu du silence. Un solitaire entouré, voilà ce que j'étais devenu.

Maintenant, adulte, j'observe que les «solitaires entourés» peuplent le monde dans lequel on vit. C'est un style de vie qui peut avoir ses moments de satisfaction. Rien à redire là-dessus. Mais un solitaire «entouré» qui connaît et voit les barreaux qui délimitent sa prison, comme c'était le cas avec mes «amis», est isolé malgré lui, reste isolé malgré lui. Une vision obsédante.

Comme cette île.

Et sur cette île, le vent est le maître incontesté des lieux. Aidé par le soleil ardent le jour, il saisit l'habitant davantage lorsque vient la froideur de la nuit. De tous côtés la rocaille et les falaises. Rien ne peut l'arrêter, nul ne peut le retenir. Balayé par ce vent, l'habitant de cette île tente d'en saisir le sens le plus profond, d'en tirer quelque chose d'essentiel. Comme je tente de le comprendre, quinze ans après...

De cette expérience désolante sur le moment, j'appris que le souffle de la liberté peut faire très mal. Selon les circonstances et les raisons, il peut être vivifiant ou mortel dans tout ce qu'il a de splendide et de cruel...

Lorsque le «jeu» prit fin, aussi abruptement qu'il avait commencé, que mes «amis» me prêtèrent à nouveau une attention chaleureuse et amicale, je compris l'importance que les autres avaient à mes yeux. Pas ces personnes-là en particulier, mais les autres en général... J'appris que cette liberté n'existe pas, qu'elle reste une impression, un état dans lequel on évolue et que, lorsqu'elle nous est imposée, eh bien cette liberté tant recherchée devient la pire des prisons.

Jacques Shewchuck

> La solitude en effet est une amante cruelle mais fidèle et droite. Elle ne vous ment jamais. Si vous la videz à fond, elle vous préserve de vous mentir à vous-même. Sur des bases de solitude, on peut construire un monde.
>
> François Hertel

Enfant, il vous est peut-être arrivé de jouer à ce jeu. Le groupe choisit une victime — soit comme punition pour avoir commis une offense réelle ou imaginaire, soit seulement pour «s'amuser». Puis, pendant un certain temps, on fait subir à cette victime l'épreuve du silence. Personne ne lui parle ou ne répond à ce qu'elle dit ou à ce qu'elle fait.

Si vous avez déjà été cette victime, vous avez donc eu l'expérience de passer par toute une gamme d'émotions. Au début, vous avez été — ou du moins vous avez fait semblant d'être — indifférent. «Je m'en moque!» avez-vous pu lancer à la ronde. «De toute façon, je n'ai aucunement besoin de vous.» Mais au bout d'un certain temps, l'inconvénient de ne plus être considéré comme une personne à part entière a commencé à se faire sentir. Si le jeu s'était prolongé assez longtemps, vous auriez risqué soit de sombrer dans un état de dépression, soit de laisser éclater votre hostilité, en partie pour afficher votre colère, en partie pour obtenir une réaction des autres.

Depuis des siècles, les recherches ont prouvé l'importance de la communication. Frédéric II, empereur germanique de 1212 à 1250, fut sans doute le premier «spécialiste des sciences humaines» à le démontrer d'une manière systématique. Un historien du Moyen Âge décrit une de ses célèbres, sinon inhumaines, expériences en ces termes:

«Il ordonna aux nourrices d'allaiter les enfants, de les baigner et d'en prendre soin, mais de ne babiller avec eux en aucune façon, car il voulait savoir si les enfants allaient parler l'hébreu (la langue la plus ancienne), le grec, le latin ou l'arabe, ou éventuellement la langue de leurs parents naturels. Peine perdue, car tous les bébés moururent. Ils ne pouvaient tout simplement pas vivre sans les caresses, les sourires et les mots d'amour de leurs mères nourricières[1].»

Les chercheurs d'aujourd'hui ont heureusement des méthodes moins extrêmes pour démontrer l'importance de la communication. Dans une étude sur l'isolement, on avait proposé à des volontaires, moyennant une rétribution, de se laisser enfermer seuls dans une pièce. Des cinq personnes consentantes, une a résisté pendant huit jours, trois autres pendant deux jours, l'une d'elles s'étant écriée: «Jamais plus!» La cinquième personne n'a tenu le coup que deux heures[2].

Le besoin de contact et de compagnie est tout aussi fort en dehors du laboratoire, comme l'éprouvent ceux qui mènent une vie solitaire, par choix ou par nécessité. W. Carl Jackson, un aventurier qui a traversé l'Atlantique seul sur son voilier pendant 51 jours, résume ainsi ses impressions, communes à la plupart des solitaires:

«La solitude ressentie le deuxième mois a été épouvantable. Moi qui me croyais autonome, j'ai trouvé que la vie toute seule n'avait plus aucun sens. J'avais réellement besoin de quelqu'un à qui parler, quelqu'un de bien vivant qui bouge et qui respire[3].»

Pourquoi nous communiquons

Vous pouvez mettre en doute des affirmations comme celle-ci, alléguant que la solitude serait au contraire un remède salutaire contre les vicissitudes de la vie quotidienne. Il est certain que nous avons tous besoin de solitude, souvent plus que nous pouvons en préserver. Par contre, nous avons tous une limite au-delà de laquelle nous ne *désirons* plus être seuls. La solitude, pour avoir été jusque-là agréable, nous deviendrait pesante. Autrement dit, nous avons tous besoin des autres. Nous avons tous besoin de communiquer.

> En fait, la solitude devient misère quand elle s'accompagne d'un besoin déçu ou réprimé de partager ses sentiments, sa chair, ses émotions, sa parole, de consommer dans l'intimité de l'énergie affective et psychique.
>
> Robert Blondin

Besoins physiques La communication est tellement importante que sa manifestation ou son absence conditionne notre santé physique. Les faits suggèrent que l'absence d'une communication satisfaisante peut mettre en danger la vie elle-même. Des chercheurs en médecine ont recensé une grande variété de risques pour la santé résultant d'un manque de relations interpersonnelles intimes. Ainsi:

1. Les personnes isolées socialement risquent de mourir prématurément, deux ou trois fois plus que celles qui ont des liens sociaux importants. Peu importe semble-t-il le genre de relations interpersonnelles: mariage, amitié, liens religieux ou communautaires; tous semblent contribuer à prolonger la vie[4].

2. Avant l'âge de 70 ans, deux fois plus d'hommes divorcés que d'hommes mariés meurent de crise cardiaque, de cancer ou d'embolie. Trois fois plus meurent d'hypertension; cinq fois plus se suicident; sept fois plus décèdent de cirrhose du foie et dix fois plus de tuberculose[5].

3. Le taux de cancers de tous genres est cinq fois plus élevé chez les hommes et les femmes divorcés que chez leurs homologues célibataires[6].

4. Une communication déficiente peut entraîner des maladies coronariennes. Une étude suédoise s'est penchée sur le cas de 32 paires de jumeaux identiques. Dans chaque paire, un des jumeaux souffrait de maladie cardiaque, tandis que l'autre était en parfaite santé. Les recherches ont montré que l'obésité, les méfaits de la cigarette et les taux de cholestérol des jumeaux malades ou en bonne santé ne différaient pas de manière significative. Parmi les différences significatives, cependant, on faisait état de «mauvaises relations interpersonnelles pendant l'enfance et l'âge adulte», ce qui se traduit par l'incapacité à résoudre des conflits et le manque de soutien émotionnel apporté par les autres[7].

5. La probabilité de décès augmente lorsqu'un parent proche disparaît. Parmi les habitants d'un village du Pays de Galles, la proportion de ceux qui avaient perdu un membre de leur famille proche et qui étaient décédés dans l'année suivante était cinq fois plus élevée que pour ceux qui n'avaient pas souffert d'une disparition dans leur famille[8].

Une autre façon de voir la solitude?

Sans pénétrer les arcanes de l'ethnographie, on peut facilement observer que, dans de nombreuses cultures dites primitives, une des conditions de l'initiation tribale est un séjour prolongé dans la solitude des montagnes ou des forêts, séjour qui doit faire découvrir à l'adolescent ce que signifient la solitude et la non-humanité de la nature. L'initié parvient ainsi à la conscience de ce qu'il est vraiment. Découverte presque impossible tant que la communauté lui dicte ce qu'il est ou devrait être.

Tous ces rites initiatiques font découvrir que le sentiment de la solitude pénible n'est que la crainte marquée de l'inconnu et que l'aspect inquiétant des forêts est la projection, sur elles, de la peur de se dégager d'une façon conventionnelle de sentir. Tout donnerait à penser que l'initié, une fois franchi le mur de la solitude, voit son sentiment d'isolement éclater, en vertu même de son paroxysme, pour se résoudre à un sentiment d'accord avec l'univers tout entier.

Robert Blondin

Ces recherches corrélationnelles montrent l'importance que revêtent de bonnes relations interpersonnelles. Retenez une chose: personne n'a besoin de la même quantité de contacts personnels, et la qualité de la communication est certainement aussi importante que sa quantité. La communication est essentielle à notre bien-être.

Besoins d'identité La communication fait plus que de nous permettre de survivre. C'est le moyen — en fait le *seul* moyen — de savoir qui nous sommes. Comme l'explique le chapitre 2, la notion de notre identité dépend de la façon dont nous dialoguons avec les autres. Sommes-nous intelligents ou stupides, beaux ou laids, doués ou sots? La réponse à ces questions n'apparaît pas dans un miroir. Nous apprenons qui nous sommes d'après les réactions des autres à notre égard.

Privés de communications, nous n'aurions aucune idée de notre identité. Dans son livre intitulé *Des ponts, non des murs*, John Stewart illustre fort bien ce fait en citant le cas du célèbre «enfant sauvage de l'Aveyron» qui avait passé son enfance sans aucun contact humain. On avait découvert l'enfant dans un village français, en janvier 1800, alors qu'il creusait la terre pour y chercher des légumes. Son comportement n'était pas du tout celui d'un humain socialisé. L'enfant ne savait pas parler, mais poussait seulement des cris bizarres. L'absence de tout sentiment d'identité en tant qu'être humain était plus significative encore que son incapacité à vivre en société. Comme l'auteur Roger Shattuck le soulignait: «L'enfant ne montrait aucun signe d'appartenance au monde, n'avait nullement l'impression d'être relié de quelque façon que ce fût aux autres humains[9].» Ce n'est qu'après avoir subi l'influence d'une «mère» aimante que le jeune garçon commença à se comporter — et nous pouvons l'imaginer — à se considérer comme un être humain.

Comme l'enfant de l'Aveyron, nous arrivons au monde avec peu ou même pas du tout de

> En fait ce n'est pas la solitude qui est mal faite, c'est l'isolement.
>
> Robert Blondin

sentiment d'identité. Nous nous faisons une idée de ce que nous sommes par la façon dont les autres nous définissent. Comme l'explique le chapitre 2, les messages que nous recevons dans notre petite enfance sont les plus forts, même si l'influence des autres continue a se faire sentir tout au long de notre vie.

Besoins sociaux   En plus de contribuer à définir ce que nous sommes, la communication est la voie par laquelle nous établissons des liens sociaux avec les autres. Le psychologue William Schutz décrit trois types de besoins sociaux que nous nous efforçons de combler par la communication[10]. Le premier est le besoin d'**inclusion**, le besoin de se sentir partie d'une certaine relation interpersonnelle. Ce besoin est parfois assouvi par des alliances informelles: des amis qui étudient ensemble, un groupe de joggers ou des voisins qui s'entraident. Dans d'autres cas, nous développons le sentiment d'appartenance grâce à des relations plus formelles: communauté religieuse, travail, mariage, etc.

Un deuxième type de besoin social est le désir d'**autorité** — le désir d'avoir une certaine influence sur les autres, de ressentir une impression de pouvoir sur sa propre vie. Certains types d'autorité sont évidents, tels celui du patron ou du capitaine d'une équipe dont les directives permettent de faire avancer les choses. Certains types de pouvoir sont cependant plus subtils et sont souvent exercés par des personnes qui ne sont pas en situation d'autorité. Des spécialistes en développement de l'enfant soulignent que des enfants qui demandent à aller se coucher plus tard le soir, ou à ce qu'on leur achète des sucreries au supermarché, tiennent moins à obtenir ces choses elles-mêmes qu'à savoir qu'ils sont capables d'exercer une certaine forme de pouvoir pour obtenir ce qu'ils veulent. De même, les discussions apparemment anodines d'un couple sur des sujets sans importance comme le film à regarder ou le menu du souper peuvent davantage être reliées à un besoin de pouvoir qu'au sujet de discussion lui-même.

Le troisième besoin social est le besoin d'**affection**, que l'on peut définir plus largement comme le besoin de **respect**. Nous avons tous besoin de savoir que nous comptons pour les autres, car notre estime de soi voit le jour et grandit par le regard que les autres portent sur

nous. Sans le respect et l'affection des autres, le simple fait d'être accepté n'apporte que peu de satisfaction. Même le pouvoir d'influencer les autres ne sera qu'une piètre consolation si ces derniers ne font pas attention à nous.

Besoins pratiques   Nous ne devrions pas oublier le rôle important et quotidien que la communication remplit. La communication est l'outil qui nous permet de dire au coiffeur de dégager légèrement les côtés de la tête, au médecin où nous avons mal, ou au plombier qu'il vienne immédiatement réparer le tuyau qui a éclaté! La communication permet d'apprendre une foule de choses à l'école. C'est le moyen que vous utilisez pour convaincre un employeur éventuel que vous êtes la personne idéale qu'il recherche, et c'est

également la façon de persuader votre patron que vous méritez bien une augmentation. La liste des services anodins mais essentiels remplis par la communication est longue, et cela vaut la peine de noter que l'incapacité de vous exprimer de façon claire et efficace dans différentes situations peut vous empêcher d'atteindre vos objectifs.

Le psychologue Abraham Maslow affirme que les besoins humains que nous venons d'examiner se divisent en cinq catégories, chacune d'elles devant être satisfaite avant que nous passions aux suivantes[11]. Tout en poursuivant votre lecture, pensez aux situations dans lesquelles la communication permet de combler tel ou tel besoin. Les besoins les plus fondamentaux sont les besoins *physiques*: nous avons besoin d'une quantité suffisante d'air, d'eau, de nourriture et de repos, et nous avons besoin de pouvoir nous reproduire en tant qu'espèce. Les seconds besoins, selon Maslow, concernent la *sécurité*, la protection contre d'éventuelles atteintes à notre bien-être. En plus des besoins physiques et des besoins de sécurité, il y a les besoins *sociaux* dont nous avons déjà fait mention. D'après Maslow toujours, au-delà se trouve le besoin d'**estime de soi**: le désir de croire que nous sommes des personnes importantes et utiles. La dernière catégorie de besoins décrits par Maslow concerne l'**accomplissement de soi**: le désir de développer notre potentiel au maximum, de devenir la meilleure des personnes que nous puissions être.

Mécanisme de la communication

Jusqu'ici, nous avons parlé de communication, comme si les mécanismes décrits par ce mot étaient parfaitement clairs. Nous nous sommes rendu compte, cependant, que la plupart des gens ignorent complètement ce que l'échange d'idées entre deux personnes implique réellement. Avant d'aller plus loin, nous voudrions vous expliquer ce qui se produit exactement lorsqu'une personne exprime une pensée ou une émotion à une autre. Ce faisant, nous allons vous présenter une base de terminologie qui vous sera utile au long de votre lecture, tout en vous annonçant quelques-uns des sujets que nous aborderons dans les chapitres suivants.

Une vision linéaire Il y a seulement 40 ans, les chercheurs considéraient la communication comme quelque chose qu'une personne «fait» à une autre (Shannon et Weaver, 1949). Dans ce **schéma de communication linéaire**, la communication ressemble à une injection: un **émetteur encode** des idées ou des émotions dans une sorte de **message** qu'il envoie à un **récepteur** par l'intermédiaire d'un **canal** (oral, écrit, etc.) (voir la figure 1-1).

Cette manière de voir fournit certaines informations utiles. Elle souligne par exemple comment différents canaux peuvent modifier la façon dont le récepteur réagit au message. Devriez-vous dire: «Je vous aime.» en personne? Au téléphone? En retenant un espace sur un panneau d'affichage? En envoyant des fleurs et une carte? Au moyen d'un télégramme chanté? Chaque canal présente ses particularités.

Le modèle linéaire introduit également la notion de **bruits** — terme utilisé par les spécialistes des sciences humaines pour décrire tout facteur important qui entrave la bonne communication. Les bruits peuvent survenir à n'importe quel stade de la communication. Trois types de bruits peuvent interrompre la communication: les bruits externes, les bruits physiologiques et les bruits psychologiques. Les **bruits externes** sont ceux qui entourent le récepteur et l'empêchent d'entendre. Ils incluent aussi différentes sortes de distractions. Trop de fumée de cigarette dans une pièce close, par exemple, peut vous empêcher de prêter attention à une autre personne; être assis au fond d'un auditorium peut rendre pratiquement inaudibles les paroles d'un orateur. Les bruits externes peuvent entraver la communication à presque tous les stades de notre schéma — au niveau de l'émetteur, du canal, du message ou du récepteur. Les **bruits physiologiques** proviennent de facteurs biologiques chez le récepteur et l'empêchent d'obtenir une réception adéquate: surdité, maladie, etc.

Par **bruits psychologiques**, on entend les tendances personnelles du communicateur qui l'empêchent d'exprimer ou de comprendre clairement un message. Un pêcheur peut, par exemple, exagérer la taille et le nombre des poissons qu'il a attrapés dans le but de se persuader et de persuader les autres qu'il est très doué. De la même façon, une étudiante peut être tellement déçue en apprenant qu'elle vient d'échouer à un examen qu'elle sera incapable de comprendre (ou ne *voudra* pas comprendre, pour être plus exact) clairement ce qui n'a pas marché. Les bruits psychologiques constituent

Figure 1-1 Schéma de communication linéaire

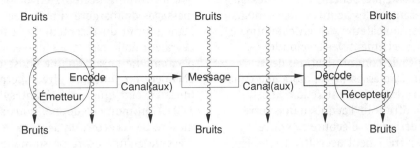

un problème si important en communication que nous avons consacré une grande partie du chapitre 9 à en étudier une des conséquences les plus manifestes, la défensive.

Mais le modèle linéaire, en dépit de ses avantages, induit de façon inexacte que la communication ne se fait que dans un seul sens, de l'émetteur au récepteur. Bien que certains types de messages (écrits et radiodiffusés, par exemple) soient transmis de cette façon, d'après un schéma linéaire, la plupart des types de communications — particulièrement les communications interpersonnelles — sont des échanges qui se font dans les deux sens. Pour l'exprimer d'une autre manière, le point de vue linéaire ne tient pas compte du fait que les récepteurs réagissent aux messages en renvoyant eux-mêmes d'autres messages.

Pensez, par exemple, à ce que signifie le bâillement d'un ami lorsque vous êtes en train de lui expliquer vos problèmes de cœur. Ou imaginez le rougissement que vous provoquez chez une nouvelle connaissance lorsque vous lui racontez une de vos blagues les plus osées. Des comportements non verbaux comme ceux-ci prouvent bien que la majorité des communications de personne à personne se font dans les deux sens. La réaction perceptible d'un récepteur au message de l'émetteur s'appelle **rétroaction**. Les rétroactions ne sont pas toutes non verbales, bien sûr. Parfois, elles sont orales, comme lorsque vous posez des questions à un professeur sur un test qui va avoir lieu ou lorsque vous donnez votre opinion sur la nouvelle coupe de cheveux d'un ami. Dans d'autres cas, elles sont écrites, par exemple lorsque vous répondez à des questions à un examen partiel ou lorsque vous répondez à la lettre d'un ami éloigné.

Une vision interactive Lorsque nous ajoutons l'élément de rétroaction à notre schéma, la communication ressemble donc moins à l'administration d'une injection linguistique qu'à une partie de tennis verbale ou non verbale dans laquelle les messages vont et viennent entre les deux partenaires (voir figure 1-2).

Un rapide coup d'œil sur le **schéma de communication interactif** de la figure 1-2 nous montre que, après une période de dialogue, les images mentales de l'émetteur et du récepteur devraient correspondre. Si c'est le cas, on peut affirmer que la communication a bien eu lieu. Cependant, votre expérience personnelle vous enseigne qu'il peut survenir des malentendus. Votre allusion qui se voulait constructive est interprétée comme une critique; votre blague amicale passe pour une insulte; vos sous-entendus sont totalement ignorés. De tels malentendus surviennent souvent du fait que les émetteurs et les récepteurs se trouvent dans des environnements différents. Dans le vocabulaire de la communication, le mot **environnement** fait référence non seulement à un endroit physique, mais également au passé personnel de chacun des participants. Même s'ils partagent certaines expériences, ils jugent la situation de façon particulière. Pensez seulement à quelques facteurs qui pourraient contribuer à produire des environnements différents:

A pourrait être bien reposé et B très fatigué;

A pourrait être riche et B pauvre;

A pourrait être pressé et B ne pas savoir où aller;

A pourrait avoir une vie longue et bien remplie derrière lui et B être jeune et sans expérience;

A pourrait se sentir passionnément affecté par le sujet et B y être totalement indifférent.

Notez que dans la figure 1-2, les environnements de A et de B se chevauchent. Les parties qui se recoupent représentent les acquis et les connaissances que les communicateurs ont en commun. La taille de ce chevauchement varie selon les personnes et le sujet de communication: dans certains cas, il peut être assez large, alors que dans d'autres, il peut être extrêmement réduit. Il est impossible de connaître tout l'acquis d'une autre personne, mais la démarche d'écoute attentive décrite dans le chapitre 7 peut accroître le chevauchement environnemental et permettre une communication plus satisfaisante et plus exacte.

Même en y ajoutant les notions de rétroaction et d'environnement, le schéma de la figure 1-2 n'est pas complètement satisfaisant. Il décrit la communication comme une activité statique, constituée d'«actes» successifs commençant et se terminant à des moments précis. Le schéma indique que le message de l'émetteur provoque un effet sur le récepteur. De plus, il laisse entendre qu'au moment considéré une personne est en train de transmettre *ou* de recevoir un message, exclusivement.

Une vision transactionnelle  Les schémas linéaire ou interactif ne sont ni l'un ni l'autre valables dans la majorité des types de communications. La démarche de communication est mieux représentée dans le **schéma de communication transactionnel**. Cette vision diffère de maintes façons des points de vue plus simplistes expliqués auparavant.

Tout d'abord, un schéma transactionnel montre que les communicateurs envoient et reçoivent des messages de manière simultanée; les images de l'émetteur et du récepteur de la figure 1-2 ne devraient donc pas être séparées comme si une personne ne faisait qu'une chose ou l'autre; elles devraient au contraire être superposées et redéfinies en tant que «participantes»[12] (voir figure 1-3). À un moment donné, nous sommes en mesure de recevoir, de **décoder** et de réagir au message qu'une autre personne nous envoie, en même temps que cette autre personne peut recevoir le nôtre et y réagir. Pensez par exemple à ce qui pourrait arriver lorsque vous discutez avec votre compagnon ou avec votre compagne de la façon de vous acquitter des corvées ménagères. Dès que vous commencez à entendre (à recevoir) les mots que vous envoie votre partenaire: «J'aimerais maintenant parler du nettoyage de la cuisine...», vous grimacez et serrez les dents (vous envoyez un message non verbal alors que vous êtes en train d'en recevoir un verbal). Cette réaction oblige votre partenaire à s'interrompre et à envoyer un nouveau message d'une manière défensive: «Attends une minute...»

En plus d'illustrer le caractère simultané d'un dialogue face à face, cet exemple montre qu'il est difficile d'isoler un acte séparé de communication des événements qui le précèdent ou le suivent. La réflexion de votre partenaire à propos du nettoyage de la cuisine (et la façon de la présenter) s'est effectuée en tenant compte des échanges que vous avez eus l'un avec l'autre dans le passé. De la

Figure 1-2 Schéma de communication interactif

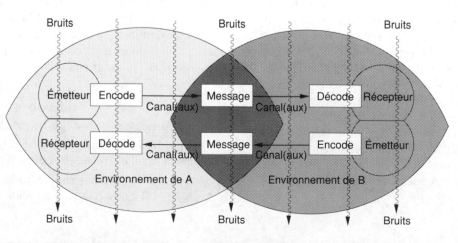

Figure 1-3 Schéma de communication transactionnel

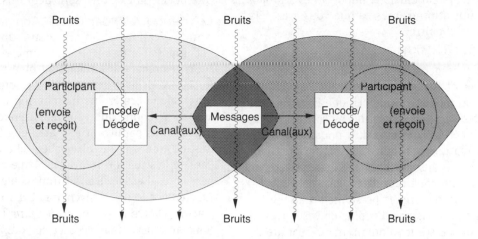

même façon, votre comportement futur dépendra de l'issue de la conversation. Vous avez maintenant conscience qu'un schéma de communication transactionnel devrait davantage ressembler à un film qu'à une galerie de photos figées. Bien que la figure 1-3 remplisse assez bien la fonction de décrire le phénomène que nous appelons communication, une version animée dans laquelle les deux environnements, les communicateurs et les messages changeraient constamment serait une façon encore meilleure d'en saisir le mécanisme. Vous pouvez donc comprendre que la communication n'est pas une chose que deux personnes se *font* l'une à l'autre, mais qu'il s'agit d'un processus par lequel elles établissent des relations personnelles en dialoguant l'une avec l'autre.

En résumé, nous pouvons donner de la **communication** la définition suivante: c'est un *mécanisme continu, transactionnel*, impliquant des *participants* qui se trouvent dans des *environnements* différents pouvant parfois se chevaucher et qui créent des relations personnelles *en envoyant et en recevant simultanément* des messages, dont la plupart sont déformés par des bruits physiques, physiologiques ou psychologiques.

Établissez votre propre schéma

Vérifiez que vous avez bien compris le schéma de la communication en l'appliquant à votre vie personnelle.

1. Seul (ou en groupe de trois), identifiez deux messages importants que vous voulez exprimer cette semaine.
2. Pour chaque message, décrivez:
   a. L'idée que vous désirez faire passer et les différentes façons de l'encoder.
   b. Les canaux par lesquels vous pouvez la transmettre.
   c. Les problèmes que votre récepteur peut rencontrer pour le décodage.
   d. Les différences éventuelles entre votre environnement et celui du récepteur, et comment elles pourraient rendre difficile la compréhension de l'ensemble de votre message.
   e. Les sources possibles de bruits physiques, physiologiques ou psychologiques qui pourraient vous empêcher d'exprimer clairement votre message ou empêcher votre récepteur de bien le comprendre.
   f. Les façons dont vous pouvez vous assurer que votre récepteur fera usage de rétroactions, pour vérifier la bonne compréhension du message.

Principes de la communication et idées fausses

Avant de nous pencher sur les critères spécifiques de la communication interpersonnelle, il est important de distinguer ce que la communication est de ce qu'elle n'est pas, et de voir ce qu'elle permet ou ce qu'elle ne peut accomplir.

Principes de la communication Il est possible de tirer plusieurs conclusions importantes à propos de la communication d'après ce que vous avez déjà appris dans ce chapitre.

LA COMMUNICATION PEUT ÊTRE INTENTIONNELLE OU ACCIDENTELLE Les gens soupèsent généralement leurs mots avant de demander une augmentation à leur patron ou d'émettre une critique constructive. Tous les actes de communication ne sont pourtant pas aussi délibérés. Tôt ou tard, il nous arrivera de faire une remarque qu'il eût mieux valu taire. Il se peut que vous perdiez patience et laissiez échapper une réflexion que vous regretterez plus tard, ou que l'une de vos remarques personnelles ait été entendue par un assistant. En plus de ces lapsus, il nous arrive d'émettre involontairement quantité de messages non verbaux. Il se peut que vous ne soyez pas conscient de l'air maussade que vous affichez, des mouvements d'impatience ou des signes d'ennui que vous manifestez, mais qu'ils n'échappent pas aux personnes qui vous entourent.

IL EST IMPOSSIBLE DE NE PAS COMMUNIQUER Les expressions du visage, les gestes et autres comportements non verbaux signifient que, même si nous pouvons nous arrêter de parler, nous ne pouvons pas nous arrêter de communiquer. Le chapitre 6 expose les multiples façons dont nous envoyons des messages sans même murmurer une seule parole: notre attitude, nos gestes, les distances que nous prenons, notre posture et la façon de nous habiller en sont des exemples. Le silence d'un ami traduit-il par exemple la colère, la satisfaction ou la fatigue? Que ces types de messages soient compris ou non, la communication est constante.

LA COMMUNICATION EST IRRÉVERSIBLE Nous souhaiterions parfois pouvoir faire marche arrière à temps, effacer des paroles ou des actes et les remplacer par des manifestations plus heureuses. Malheureusement, ce renversement est impossible. Il y a des occasions dans lesquelles une explication ultérieure peut aider à dissiper la confusion qui a été semée, ou bien une parole d'excuse peut parfois apaiser la personne que vous avez blessée; dans d'autres cas, par contre, aucune explication ne peut venir effacer l'impression que vous avez créée. Malgré les mises en garde des juges dans les procès avec jurés — sur les éléments dont il faut tenir compte ou non —, il est impossible de «ne pas recevoir» un message. Les paroles et les actes qui ont été prononcés ou exécutés sont définitifs.

LA COMMUNICATION EST UNIQUE Comme la communication est un processus suivi, il est tout à fait impossible de répéter le même événement. Le sourire amical qui a tellement bien porté ses fruits lorsque vous avez croisé cette personne inconnue la semaine dernière ne marchera pas forcément avec la personne que vous allez rencontrer demain: il peut vous paraître usé et artificiel la seconde fois, ou tout à fait déplacé avec telle personne ou dans telle situation nouvelle. Même avec la même personne, il est tout à fait impossible de recréer exactement le même événement. La raison? Ni vous ni l'autre personne *n'êtes plus* les mêmes. Vous avez davantage vécu et ce comportement n'est plus original. Vos sentiments l'un envers l'autre peuvent avoir changé. Vous n'avez pas pour autant à inventer sans cesse de nouveaux comportements avec les personnes de votre entourage, mais vous devez comprendre que des mots et un comportement qui semblent identiques *sont* différents chaque fois que vous les prononcez ou que vous les manifestez. Le chapitre 8 attirera votre attention sur les stades par lesquels progressent les relations personnelles.

Idées fausses sur la communication Il est tout aussi important de savoir ce que la communication n'est pas que de savoir ce qu'elle est[13]. Si vous évitez les malentendus suivants, vous vous épargnerez beaucoup de problèmes personnels.

LA SIGNIFICATION EST DANS LES MOTS La plus grande erreur que nous puissions faire est de supposer que «dire» une chose revient à la «communiquer». Pour reprendre la terminologie de nos schémas de communication, il n'est pas assuré qu'un récepteur décode un message d'une manière qui corresponde aux intentions de l'émetteur. (Si vous mettez en doute cette affirmation, faites la liste de toutes les fois où vous avez été mal compris au cours de la semaine écoulée.) Le chapitre 3 explique les diverses raisons qui font que certaines personnes peuvent interpréter vos déclarations de façon fort différente de ce que vous prévoyiez, et le chapitre 5 décrit les types les plus fréquents de malentendus verbaux, tout en proposant des solutions pour les réduire au minimum. Le chapitre 7 présente des techniques d'écoute qui vous permettront de vous

> Un mot n'est pas comme un oiseau. Une fois envolé, on ne peut pas le rattraper.
>
> Proverbe russe

assurer que la façon dont vous recevez les messages correspond bien à l'idée que l'émetteur essaie de transmettre.

COMMUNIQUER DAVANTAGE EST PRÉFÉRABLE Si le manque de communication peut être la source de problèmes, il se trouve également des situations où trop parler peut être une erreur. Un excès de communication peut parfois être tout simplement improductif, comme lorsque deux personnes discutent d'un problème à n'en plus finir, revenant toujours sur le même sujet sans faire de progrès notable. Il arrive parfois que trop parler aggrave même un problème. Nous avons tous eu l'expérience de nous enfoncer, rendant une situation encore pire qu'elle ne l'était, en continuant à parler. Comme le soulignent McCroskey et Wheeless: «Une communication de plus en plus négative conduit inévitablement à des résultats de plus en plus négatifs[14].»

Il y a même des circonstances où il est bon de ne pas communiquer du tout. Tout bon vendeur vous dira qu'il est souvent préférable d'arrêter de parler pour laisser le client réfléchir. Lorsque deux personnes sont en colère et blessées, elles peuvent dire des choses qu'elles ne pensent aucunement et qu'elles regretteront un peu plus tard. En pareil cas, il est certainement préférable de prendre le temps de se calmer, de penser à ce que l'on va dire et à la façon dont on va le dire. Le chapitre 4 vous aidera à voir comment partager vos émotions.

LA COMMUNICATION RÉSOUDRA TOUS LES PROBLÈMES La communication la mieux planifiée et la mieux programmée ne résoudra pas toujours un problème. Imaginez par exemple que vous demandiez à votre professeur de vous expliquer la raison pour laquelle vous avez obtenu une mauvaise note à un travail qui selon vous méritait des félicitations. Le professeur vous expose clairement les raisons qui ont justifié votre mauvaise note, mais reste sur ses positions après avoir écouté attentivement votre plaidoyer. La communication a-t-elle résolu le problème? Certainement pas.

Une communication trop claire est parfois même la *cause* de problèmes. Supposez, par exemple, qu'un de vos amis vous demande ce que vous pensez réellement d'un vêtement à 200 $ qu'il vient d'acheter. Une réponse franche et sincère comme: «À mon avis, il te grossit.» pourrait causer plus de mal que de bien. Décider quand et comment on peut s'ouvrir totalement aux autres n'est pas toujours facile. Le chapitre 8 rassemble quelques suggestions à ce sujet.

LA COMMUNICATION EST UN DON NATUREL La plupart des gens pensent que la communication est un talent qui se développe tout seul, sans entraînement — un peu comme le fait de respirer. Bien que pratiquement tout le monde réussisse à fonctionner relativement bien sans beaucoup d'entraînement formel, la plupart des gens le font à un degré d'efficacité bien inférieur à leur potentiel. Apprendre et pratiquer les techniques présentées dans ce livre peut aider chaque lecteur à devenir un meilleur communicateur.

Communication impersonnelle et communication interpersonnelle

Maintenant que vous saisissez mieux l'ensemble du processus de la communication humaine, il est temps de nous pencher sur la spécificité des relations *interpersonnelles*.

Définition de la communication interpersonnelle
Une des façons de définir la **communication interpersonnelle** est d'observer le nombre de personnes engagées. Dans ce sens, nous pouvons définir la communication interpersonnelle comme un dialogue entre deux personnes, généralement en face à face. Ainsi, un vendeur et son client ou un agent de police en train de donner une contravention à un chauffard seraient de parfaits exemples d'actes interpersonnels, alors qu'un professeur devant sa classe ou des auteurs (comme nous) et des lecteurs (comme vous) ne le seraient pas.

Vous avez probablement l'impression que quelque chose ne va pas dans cette définition. Certains échanges entre deux personnes — des vendeurs avec leurs clients ou des fonctionnaires avec le public, par exemple — ne semblent pas du tout personnels. De fait, après avoir vécu des situations peu satisfaisantes de ce genre, nous faisons souvent la réflexion suivante: «J'aurais pu tout aussi bien parler avec une machine.» Inversement, des communications dites «publiques» peuvent sembler très personnelles. Les enseignants, les ministres du culte et les artistes établissent souvent une relation très personnelle avec leur public. Nous pouvons espérer également que ce livre aura une touche quelque peu personnelle!

Si le nombre de personnes engagées n'est pas une limite à la communication personnelle, le cadre dans lequel s'effectue la communication est peut-être un critère plus sûr. Serait-ce donc affirmer que les amoureux et les familles communiquent de manière interpersonnelle, alors que les gens au travail ou à l'école ont des relations moins personnelles? De nouveau, votre expérience vous enseigne sans doute que cette distinction n'est pas significative. Les membres de certaines familles ne se comportent même pas entre eux de manière civilisée, et ils n'ont certes pas de relations très personnelles. En revanche, certaines personnes dans des situations potentiellement impersonnelles se bâtissent de fortes relations interpersonnelles.

Si le nombre de personnes et le cadre ne rendent pas les relations interpersonnelles, qu'est-ce qui le fait donc? Dans ce livre, lorsque nous parlons de communication interpersonnelle, nous faisons référence à la *qualité* du dialogue entre des individus. Dans les pages qui suivent, nous allons expliquer les critères qui distinguent la communication interpersonnelle de la **communication impersonnelle**.

Caractéristiques des relations interpersonnelles

«Nous avons une "super" relation interpersonnelle.»

«Je recherche une meilleure relation interpersonnelle.»

«Notre relation a beaucoup changé.»

Relation est un de ces mots que les gens utilisent souvent, mais qu'ils ont beaucoup de difficultés à définir. Réfléchissez vous aussi quelques instants à la définition que vous pouvez lui donner. Ce n'est pas aussi facile que cela paraît.

Le dictionnaire définit le mot «relation» comme «le rapport, le lien que l'esprit constate entre plusieurs objets distincts». C'est assez juste: vous êtes grand par rapport à certaines personnes et petit par rapport à d'autres; nous sommes plus ou moins riches en comparaison seulement avec d'autres personnes. Mais la relation physique ou économique ne nous donne pas beaucoup de renseignements utiles sur la communication interpersonnelle.

Les relations interpersonnelles impliquent la façon dont les personnes se comportent les unes avec les autres sur *le plan social*. Mais qu'est-ce qui définit les relations personnelles? Qu'est-ce qui fait que certaines relations soient bonnes et

---

La télévision et le cinéma sont venus troubler les moments les plus intimes de notre vie. Ils ont établi des conventions qui dominent nos attentes dans des moments qui eussent autrement été empreints de spontanéité et tout à fait uniques. Nous avons maintenant des conventions pour manifester notre peine, nous les avons apprises des Kennedy; des gestes prescrits pour marquer la victoire, imitant les athlètes que nous voyons à l'écran, ces derniers ayant appris ces choses d'autres sportifs qu'ils ont vus eux-mêmes à la télévision. La séduction a maintenant aussi ses normes, ses moments «regards de biche», ses réparties langoureuses.

Nous avons fini par devenir doucereux et désabusés, bravement composés comme tous ces couples du cinéma superbes et soi-disant équilibrés, probablement parce que nous ne savions pas comment nous comporter autrement. Et pourtant, il y avait de l'animation dans l'air, il régnait un courant d'excitation qui m'empêchait de rester en place, de bouger les lèvres ou de lever mon verre pour boire.

Scott Turow
Présumé innocent

---

d'autres mauvaises? Nous pouvons répondre à cette question en nous rappelant les types de besoins sociaux que la communication comble, comme les besoins d'appartenance, d'autorité et d'affection. Lorsque nous jugeons de la qualité des relations personnelles, nous prêtons souvent attention à la façon dont ces besoins sociaux sont assouvis. Nous pouvons ainsi définir une **relation interpersonnelle** comme une association dans laquelle les parties comblent leurs besoins sociaux réciproques à un degré plus ou moins élevé.

acceptation (appartenance) autorité et affection

Certains critères rendent les relations interpersonnelles qualitativement différentes des types moins personnels[15]. Voyez dans quelle mesure chacune des caractéristiques suivantes décrit bien vos relations personnelles importantes.

UNICITÉ Il n'existe pas deux relations interpersonnelles identiques; les schémas de communication reflètent d'ailleurs ces différences.

L'unicité de la communication interpersonnelle prend souvent la forme de règles particulières qui se développent entre les deux parties. Dans telle relation, vous pouvez échanger des injures bon enfant, tandis que dans telle autre vous faites très attention à ne pas offenser votre partenaire. De même, vous pouvez décider de régler un conflit avec un ami ou un membre de votre famille en exprimant votre désaccord dès son apparition, alors que l'entente tacite, dans un autre type de relation, sera de retenir votre ressentiment jusqu'à ce qu'il ait bien mûri et de clarifier l'atmosphère périodiquement.

Contrairement aux relations interpersonnelles et à leur caractère distinctif, les relations impersonnelles sont soumises à des usages dictés par la politesse: dire s'il vous plaît et merci, serrer la main des personnes que vous rencontrez pour la première fois, éviter les jurons. De telles règles ne sont pas factices: ce sont simplement des normes à suivre jusqu'à ce que nous ayons établi nos propres conventions interpersonnelles.

Même les schémas linguistiques reflètent la différence qui existe entre les relations interpersonnelles tout à fait uniques et les relations impersonnelles plus communes. Dans les relations moins personnelles, nous avons tendance à classer l'autre personne sous une étiquette: homo, femme, contestataire, etc. Une telle classification est peut-être valable en elle-même, mais elle décrit bien peu ce qu'il y a d'important chez l'autre personne. Par contre, il vous est pratiquement impossible de vous limiter à un ou deux qualificatifs pour décrire quelqu'un avec qui vous avez une relation interpersonnelle solide: «Elle n'est pas qu'une simple agente de police.» voulez-vous dire. Ou bien: «C'est vrai, il s'oppose à l'avortement, mais en plus...»

CARACTÈRE IRREMPLAÇABLE Étant donné que les relations interpersonnelles sont uniques, elles ne peuvent donc pas être remplacées. Ceci explique que nous soyons généralement si tristes lorsqu'une amitié très profonde ou une liaison amoureuse perd de son ardeur. Nous savons très bien que peu importe le nombre des autres relations personnelles qui meublent notre vie, aucune d'elles ne sera jamais tout à fait identique à celle qui vient de finir. Les personnes avec lesquelles nous entretenons des relations moins personnelles sont plus faciles à remplacer. La communication qui s'établit avec telle préposée aux réservations de billets d'avion, ou avec tel garçon de café ou tel autre, est à peu près similaire. Les mêmes principes s'appliquent dans des situations qui semblent plus personnelles: si vous recherchez seulement dans le compagnon ou la compagne de chambre une

Prisonnière du large
Comme un bateau brisé dans les glaces
J'voudrais m'en aller
J'peux plus m'envoler
Je reste figée dans mon cauchemar
Ça fait longtemps que j'attends
Que l'on m'aime un peu de temps en
    temps
J'ai besoin d'air
Et j'ai besoin d'exister

Oh non
Encore un autre rêve lourd
Oh non
Encore le cœur qui meurt

Quand on n'a personne
On rend les gens impardonnables
On voit des choses épouvantables
On se demande s'il vaut mieux pas passer
    ailleurs

Mais quand on est seul
On est mi-maître mi-esclave
D'une liberté indiscutable
La fin du monde est pour demain

Alors on va
Dans un désert impitoyable
Une solitude inoubliable
On se demande s'il vaut mieux pas passer
    ailleurs

Mais quand on est seul
On est mi-maître mi-esclave
Du genre de vie qu'on se prépare
La fin du monde est pour demain

Véronique Sanson

personne qui gardera l'endroit propre et partagera les dépenses, il y a certainement une foule de candidats valables.

INTERDÉPENDANCE Dans les relations interpersonnelles, les destins des parties en cause sont liés. Vous pouvez oublier la colère, l'affection, l'excitation ou la dépression d'une personne avec laquelle vous n'êtes pas tellement lié, mais dans des relations plus personnelles, la vie de l'autre vous affecte directement. L'interdépendance qui en découle est parfois une source de plaisir, comme lorsque vous vous sentez grandi par les succès d'un ami. Dans d'autres circonstances, cependant, être très lié à une autre personne est un fardeau, comme lorsque l'humeur maussade d'un membre de la famille rend votre vie impossible. Dans les deux cas, l'interdépendance est une réalité de la vie dans les relations personnelles.

OUVERTURE Le grand nombre d'idées personnelles que les parties échangent constitue une autre caractéristique des relations interpersonnelles. Dans des relations impersonnelles, nous ne dévoilons pas beaucoup de choses sur nous; dans des relations interpersonnelles, nous nous sentons beaucoup mieux si nous partageons nos pensées et nos émotions. Cela ne signifie pas que toutes les relations interpersonnelles soient chaleureuses et affectueuses, ou que l'expression d'une pensée soit toujours positive. Il arrive que l'on révèle des sentiments personnels négatifs comme: «Je suis vraiment furieux contre toi...»

COMPENSATION INTRINSÈQUE Dans la communication impersonnelle, nous recherchons des résultats qui ont peu de choses à voir avec les personnes engagées. Lorsque vous passez une annonce pour vendre votre voiture, par exemple, vous vous adressez à d'éventuels acheteurs dans le but de réaliser une affaire, non pas de vous faire des amis. De la même façon, la plupart des gens s'inscrivent à un cours pour y apprendre quelque chose et obtenir un diplôme, non pas pour se lier d'amitié avec le professeur. C'est la compétence de celui-ci qui les intéresse. À l'opposé de ces deux situations, la communication qui s'établit dans des relations interpersonnelles en est la propre récompense. Peu importe le sujet de conversation, ce qui compte c'est que les liens puissent s'établir.

RARETÉ Nos communications sont en majorité impersonnelles. Nous bavardons agréablement avec les commerçants ou avec les autres passagers dans l'autobus ou l'avion; nous parlons du temps ou de sujets courants avec la plupart de nos compagnons de classe et nos voisins; nous avons des rapports polis avec nos collègues de bureau et nos professeurs. Étant donné le nombre considérable de personnes avec qui nous communiquons, les relations interpersonnelles sont de loin les moins nombreuses.

La rareté des relations interpersonnelles n'est pas nécessairement à regretter. La majorité d'entre nous n'avons pas le temps ou l'énergie d'établir des relations personnelles avec tous ceux que nous rencontrons. De fait, la rareté des communications interpersonnelles en fait la valeur. Comme des bijoux ou une œuvre d'art originale, les relations interpersonnelles sont précieuses du fait de leur rareté.

Communication impersonnelle et interpersonnelle: une question d'équilibre

Maintenant que vous avez fait la différence entre la communication impersonnelle et la communication interpersonnelle, nous devons poser certaines questions importantes. La communication interpersonnelle est-elle supérieure à la communication impersonnelle? L'objectif visé est-il une plus grande communication interpersonnelle?

La plupart des liens que nous avons avec les autres ne sont ni tout à fait interpersonnels, ni tout à fait impersonnels. Ils oscillent plutôt entre ces deux pôles. Pensez à la façon dont vous-même communiquez, et vous vous apercevrez qu'il y a souvent un élément personnel même dans la plus impersonnelle des situations. Vous pouvez apprécier le sens de l'humour incomparable du caissier de votre supermarché ou passer quelques instants à partager des confidences avec votre coiffeur. Le patron le plus strict, le plus tyrannique et le plus exigeant peut parfois montrer un éclair d'humanité…

Tout comme il y a un élément personnel dans beaucoup de situations impersonnelles, il y a également un côté impersonnel dans les relations que nous entretenons avec les gens qui nous tiennent à cœur. Il y a des circonstances dans lesquelles nous ne tenons pas à nous montrer trop intimes, comme lorsque nous sommes distraits, fatigués ou, tout simplement, indifférents. De fait, les communications interpersonnelles ressemblent

à une nourriture riche: il est bon d'en user avec modération.

Il est évident que dans votre vie il y a de la place pour des communications impersonnelles *et* pour des communications interpersonnelles, chaque genre étant différemment utilisé. Le vrai défi est donc de trouver le juste équilibre entre les deux.

Votre communication interpersonnelle

En vous servant des caractéristiques décrites dans les pages 14 à 18, pensez à vos relations personnelles. Dressez la liste de plusieurs personnes qui sont proches de vous: membres de la famille, personnes avec qui vous habitez, amis, collègues, etc.

Où situeriez-vous chacune de ces relations sur un éventail indiquant «impersonnelle» à une extrémité et «interpersonnelle» à l'autre?

Servez-vous des renseignements que vous venez de lire pour répondre aux questions suivantes:

Ces liens sont-ils uniques et irremplaçables?

Êtes-vous dans une situation d'interdépendance par rapport à l'autre ou aux autres?

Vous faites-vous des confidences réciproques?

Ces liens vous apportent-ils des compensations intrinsèques aussi bien que pratiques?

Posez-vous ensuite la question la plus importante:

Quelle satisfaction tirez-vous des réponses que vous avez obtenues?

Communication à propos des relations personnelles

Vous devez maintenant saisir les caractères distinctifs des relations interpersonnelles. Mais quels genres de messages échangeons-nous lorsque nous établissons nos relations personnelles?

Contenu des messages et messages relationnels Toute déclaration verbale a toujours un **contenu**, à savoir le sujet dont on discute. Le contenu de déclarations comme: «C'est à toi de faire la vaisselle.» ou «Je suis occupé samedi soir.» est évident.

Lorsque deux personnes communiquent entre elles, les messages ne sont pas la seule chose qui soit échangée. Chaque message verbal ou non verbal a une deuxième dimension, relationnelle celle-ci, qui renseigne sur les sentiments qu'éprouvent les deux parties l'une pour l'autre[16]. Ces **messages relationnels** concernent un ou plusieurs besoins sociaux, en général le sentiment d'appartenance, l'autorité, l'affection ou le respect. Pensez aux exemples que nous venons de citer:

Imaginez deux façons de dire: «C'est à ton tour de faire la vaisselle»: l'une d'une manière autoritaire et l'autre faisant état d'une simple réalité. Remarquez comment les différents messages non verbaux déterminent la façon dont l'émetteur considère l'élément autorité dans cette relation. Le ton exigeant dit en effet: «J'ai le droit de te dire quoi faire dans la maison», alors que la deuxième façon sous-entend: «Je te le rappelle simplement, au cas où tu aurais oublié.»

Vous pouvez aisément imaginer deux façons de transmettre le message suivant: «Je suis occupé samedi soir.» L'une est assez sèche et l'autre, empreinte de tendresse.

Remarquez que, dans chacun de ces exemples, la dimension relationnelle du message n'est pas apparente. De fait, la plupart du temps, nous n'avons pas conscience de la multitude des messages relationnels qui nous assaillent quotidiennement. C'est parce qu'ils correspondent à nos attentes de respect, de sentiment d'appartenance, d'autorité et d'affection. Vous ne vous offusquerez sans doute pas si votre patron vous dit de faire un certain travail, car vous êtes bien d'accord qu'un directeur a le droit de donner des ordres à son personnel. Dans d'autres cas, cependant, des conflits peuvent survenir à propos des messages relationnels, même si le contenu du message n'est aucunement mis en doute. Si votre patron vous donne le même ordre sur un ton condescendant, sarcastique ou offensant, vous vous en offusquerez probablement. Vos griefs ne porteront pas sur l'ordre lui-même, mais sur la façon dont il a été donné: «Je peux bien travailler pour cette compagnie, penserez-vous, mais je ne suis pas un esclave ou un imbécile. J'ai le droit d'être traité comme un être humain.»

Comment sont donc communiqués les messages relationnels? Comme le laisse entendre l'exemple du patron et de son employé, ils sont généralement exprimés de façon non verbale. Pour vous en rendre compte, imaginez quelle serait votre attitude si vous aviez à dire: «Peux-tu m'aider une minute?» d'une façon qui traduise chacun des sentiments suivants:

supériorité   bienveillance   désir sexuel
impuissance   attitude distante   colère

Alors que les comportements non verbaux sont une source importante de messages relationnels, il demeure qu'ils sont ambigus. Le ton pincé que vous prenez pour une insulte personnelle peut être attribuable à de la fatigue; l'interruption que vous considérez comme un refus de vous écouter peut être un signe d'impatience qui n'a rien à voir avec vous. Avant de sauter aux conclusions, il est bon de vérifier verbalement tous les indices relationnels. Le chapitre 3 vous renseignera sur la façon de vérifier votre perception des choses — un outil fort utile pour vous assurer de la justesse de vos intuitions en matière de comportement non verbal.

Métacommunication   Tous les messages relationnels ne sont pas non verbaux! Les spécialistes des sciences humaines utilisent le terme de **métacommunication** pour décrire les messages que les gens échangent à propos de leurs relations personnelles. Autrement dit, la métacommunication est une communication sur la communication. Lorsque nous parlons de relations personnelles avec les autres, nous métacommuniquons: «J'aimerais que nous arrêtions de tant nous disputer.» ou «J'apprécie l'honnêteté dont vous avez fait preuve envers moi.» La métacommunication verbale est un ingrédient essentiel dans le cadre de relations personnelles fructueuses. Tôt ou tard, il y aura des moments où il deviendra nécessaire de parler de ce qui se passe entre vous et la personne qui vous fait face. Pouvoir faire le point sur le genre de questions abordées dans ce chapitre peut être le moyen de garder des relations sur les rails.

La métacommunication est une méthode très valable pour traiter des conflits de manière constructive. Elle permet de faire passer une discussion du niveau du contenu à celui des questions relationnelles, là où se situe bien souvent le problème. Pensez par exemple au couple qui se querelle, décrit dans l'article «La télé, oui ou non» à la page 20. Imaginez combien les chances d'en arriver à un

dénouement positif auraient été supérieures si le couple s'était servi de la métacommunication pour se pencher sur les problèmes relationnels qui se cachaient derrière leur querelle: «Remarque, ce n'est pas le fait de regarder la télévision qui me dérange en lui-même. C'est le fait de penser que tu la regardes autant parce que tu es fâché contre moi ou que tu t'ennuies. Tu as une si mauvaise impression du couple que nous formons?»

La métacommunication n'est pas seulement un outil pour traiter des problèmes. C'est aussi une façon de renforcer les aspects positifs d'une relation personnelle: «J'ai vraiment beaucoup apprécié que tu me complimentes sur mon travail devant le patron.» Des réflexions comme celles-ci ont deux fonctions: elles font d'abord savoir aux autres que vous appréciez leur comportement, et de plus elles augmentent les chances que l'autre personne persévère dans cette voie.

En dépit des avantages présentés par la métacommunication, dévoiler des questions relationnelles au grand jour comporte certains risques. Discuter de ses problèmes peut être interprété de deux façons. D'un côté, l'autre personne peut voir cela sous un éclairage positif: «Notre relation tient toujours parce que nous sommes encore capables d'en discuter.» D'un autre côté, votre désir de faire le point sur la relation elle-même peut passer pour un mauvais présage: «Notre relation ne marche pas si nous devons constamment en discuter[17]». De plus, la métacommunication sous-entend une certaine forme d'analyse («Il semble que tu sois furieux contre moi.») et certaines personnes refusent catégoriquement de faire l'objet d'une analyse.

Ces réserves ne veulent aucunement dire que la métacommunication verbale soit une mauvaise idée en elle-même. Elles veulent simplement laisser entendre que c'est un outil dont il faut user avec circonspection.

Types de messages relationnels   Sur le plan du contenu, le nombre de messages possibles est infini et leur variété, illimitée. Contrairement à cela, il y a étonnamment peu de types de messages relationnels. Pratiquement tous rentrent dans une des trois catégories suivantes:

AFFINITÉ   L'expression de l'affinité est une part importante de la communication relationnelle. Elle

Le dialogue suivant montre comment même les conversations les plus banales ont des effets à la fois sur le plan du contenu et sur le plan relationnel du message. Notez que trois dimensions de la relation du couple sont ici en jeu. Au début, l'épouse cherche à se sentir incluse dans le temps libre de son mari et espère également recevoir davantage d'affection de sa part. Au fur et à mesure que le conflit s'envenime, le besoin de pouvoir devient la question principale.

Imaginez combien plus constructif aurait été leur échange si le mari et la femme s'étaient rendu compte que le fait de regarder la télévision n'était qu'un symptôme parmi les nombreux problèmes relationnels qu'ils avaient besoin de résoudre.

La femme: «Tu regardes beaucoup trop la télé.»

Tandis que le contenu du message vise un comportement spécifique, le niveau relationnel semble insinuer: «J'aimerais que tu n'aies pas tant de choses qui détournent ton temps et ton attention de moi. La télé est seulement un exemple accessoire qui me vient à l'esprit pour le moment.»

Le mari: «Ce n'est pas vrai.»

Le message relationnel a été complètement ignoré et le mari se prépare à une bataille imminente sur la question de regarder ou non la télévision.

La femme: «Mais si, chéri... c'est bien ce que tu fais.»

La femme se sent obligée de justifier sa réflexion initiale. Elle ne peut pas ou ne veut pas verbaliser le problème majeur de leur relation, mais essaie quand même de ne pas se montrer trop ergoteuse. Elle espère encore que son mari va répondre aux signaux qu'elle envoie et qui dévoilent le message relationnel — le fait de s'asseoir sur le bras du fauteuil de son mari et de lui entourer les épaules de ses bras.

Le mari: «D'accord, alors je ne regarderai plus du tout la télé de toute la semaine, bon Dieu!»

Il essaie de gagner sur le plan du contenu. Sa stratégie du «donne-moi des coups de pied pendant que je suis à terre» est astucieuse, parce que si sa femme est d'accord, c'est vraiment une garce, car elle sait très bien quel sacrifice cela représenterait pour lui. (Le «bon Dieu!» dramatise encore davantage le sacrifice.) De plus, si elle y acquiesce, il sortira encore «gagnant» parce qu'elle se sentira coupable de lui avoir fait perdre un point — ce qui, bien sûr, lui en fera gagner automatiquement un autre.

La femme: «Oh, oublie ça! Fais ce que tu veux, après tout.»

L'épouse se rend compte du piège que lui a tendu son mari sur le plan du contenu. Elle renonce à avoir une communication positive sur le plan relationnel, quitte sa chaise et s'apprête à partir.

Le mari: «Comment oublier? Comment pourrais-je ne plus y penser? Tu viens ici faire tout un plat sur mes habitudes de regarder la télé. Alors pour te satisfaire, je consens à la supprimer complètement et tu dis ensuite: "Oublie ça!" Mais qu'est-ce qui ne tourne pas rond chez toi?»

Il se rend compte qu'il a «gagné» sur le plan du contenu et se branche finalement sur le plan relationnel — seulement pour y trouver des signaux négatifs. Semblant apprécier une relation dans laquelle il domine, il essaie de prolonger sa victoire en continuant la discussion — ne se rendant pas compte qu'il prolonge de ce fait la défaite de sa partenaire.

L'épouse évalue maintenant ses relations maritales. Son mari ne prête pas assez attention à elle; il s'est montré insensible à sa métacommunication sur leur relation; il aime la dominer et il a maintenant mis en doute sa santé mentale parce qu'elle voulait laisser tomber un problème qu'elle avait elle-même soulevé plus tôt. On peut prévoir, dans l'immédiat, la poursuite d'une longue et pénible discussion au sujet de la télé. À plus long terme, le pronostic ferait état d'un mari frustré et confus qui ne comprendrait pas pourquoi sa femme le quitte, d'autant plus que la seule chose sur laquelle ils se soient disputés est si futile: regarder ou non la télé.

Mark Knapp

□

indique le degré auquel les personnes s'aiment et s'apprécient mutuellement. Les messages d'affinité ne sont pas tous positifs. Un regard furieux ou un mot de colère indiquent le degré de sympathie aussi clairement qu'un sourire ou une déclaration d'amour. L'éventail des messages d'affinité montre que les relations interpersonnelles ne sont pas toujours amicales. Les amis qui ne sont pas d'accord ou les amants qui se disputent sont encore des partenaires. Aussi longtemps que ces relations affichent toutes les caractéristiques qui les distinguent comme interpersonnelles — l'unicité, le caractère irremplaçable, l'interdépendance, etc. —, nous pouvons affirmer que ce sont des relations interpersonnelles. Dans ce sens, la sympathie ou l'antipathie (toutes deux des signes indiquant que nous *faisons attention* à l'autre personne) sont beaucoup plus proches l'une de l'autre qu'elles ne le sont toutes deux de l'indifférence.

RESPECT Au premier abord, le respect peut paraître identique à l'affinité; les deux attitudes sont pourtant différentes. Il est possible d'aimer les autres sans pour autant les respecter. Vous pouvez, par exemple, aimer et même adorer votre cousine de deux ans sans pour autant avoir du respect pour elle. De la même façon, vous pouvez avoir beaucoup d'affection pour des amis et ne pas respecter la façon dont ils se comportent. L'inverse est également vrai. Il est possible de respecter des personnes que nous n'aimons pas. Vous pouvez tenir une relation en haute estime pour son ardeur au travail, son honnêteté, ses capacités, son habileté, et ne pas apprécier particulièrement sa compagnie.

Être respecté est parfois plus important qu'être aimé. Songez aux occasions où, à l'école, vous vous êtes senti offensé lorsqu'un professeur ou vos compagnons de classe ne semblaient pas prendre vos commentaires ou vos questions au sérieux. Le même principe vaut au travail, lorsque le fait que l'on tienne compte de votre opinion signifie plus que le fait d'être populaire. Même dans les relations plus personnelles, les conflits surviennent souvent sur la question du respect. Être pris au sérieux est un des ingrédients essentiels de l'estime de soi.

CONTRÔLE Un examen des relations personnelles englobe encore la question du **contrôle de la relation** — le degré auquel les parties engagées dans la relation ont le pouvoir de s'influencer l'une l'autre.

Type de contrôle Les chercheurs en communication ont généralement identifié l'équilibre du pouvoir relationnel de deux façons. Le **pouvoir décisionnel** établit qui a l'autorité de déterminer ce qui va se passer dans la relation. «Que ferons-nous samedi soir?» «Utiliserons-nous nos économies pour réparer la maison ou pour prendre des vacances?» «Combien de temps devrions-nous passer ensemble ou combien de temps séparés?» Comme le laissent entendre ces exemples, certaines décisions sont mineures, tandis que d'autres sont vitales. Il est important de se rendre compte que même les plus petites décisions dévoilent certains éléments de l'équilibre des forces dans la relation.

Pour comprendre d'un point de vue différent comment les deux partenaires peuvent s'influencer mutuellement, on tient compte du **pouvoir conversationnel**. Les éléments suivants sont habituellement indicatifs: qui parle le plus, qui interrompt qui, et qui change de sujet le plus souvent. La personne qui exerce le plus de pouvoir conversationnel ne prend pas toujours les décisions. Un compagnon de chambre qui bavarde constamment peut ne pas réussir à vous convaincre d'adhérer à ses principes. Néanmoins, la capacité de déterminer qui parle de quoi constitue bien un type d'influence.

Répartition du contrôle Dans une relation personnelle, le contrôle peut être réparti de trois façons différentes[18]. Tout au long de cette lecture, établissez quel schéma décrit le mieux chacune de vos relations.

Une **relation** est dite **complémentaire** lorsque la répartition de l'autorité est inégale. Un des partenaires dit: «Allons danser ce soir.» et l'autre répond: «Très bien.» Le patron demande à plusieurs employés de travailler plus tard le soir, et ils sont tous d'accord. Vous savez que le moral de votre amie était assez bas ces derniers jours et vous êtes prêt à partager ses problèmes, même si vous avez bien d'autres choses à faire.

Dans les situations de complémentarité comme celles-ci, une des parties exerce l'autorité et l'autre consent à suivre. Ce schéma explique pourquoi la personne qui exerce l'autorité est souvent appelée dans le jargon de la communication le meneur et l'autre personne qui subit cette autorité le suiveur. Aussi longtemps que les deux parties se sentent à l'aise dans leur rôle, une relation de complémentarité peut être stable. Mais des problèmes relationnels surviennent forcément si les deux parties luttent pour occuper la place du meneur.

Si l'autorité est inégale dans des relations complémentaires, dans des **relations symétriques**, au contraire, les parties recherchent l'égalité dans chaque situation. Aucune des deux parties ne domine dans les conversations, et toutes les décisions sont prises en commun. Si cette approche sonne bien en théorie, elle n'est pas facile à mettre en pratique. Imaginez le temps et les efforts nécessaires pour arriver à équilibrer les besoins de deux partenaires qui tiennent à avoir un pouvoir décisionnel identique. Sur des questions sans grande importance (comme manger au souper, acheter des balles de tennis jaunes ou vertes), prendre une décision commune ne mérite pas qu'on en fasse l'effort. Sur les questions majeures (déménager ou non en ville, avoir ou non des enfants), c'est parfois impossible. En dépit de ces difficultés, le partage de l'autorité dans une relation symétrique est souvent l'objectif visé. Ainsi, les couples «modernes» remettent en question la structure de pouvoir (relation complémentaire inégale) dans le mariage traditionnel.

Évitant le déséquilibre des relations complémentaires et l'égalité totale dans des relations symétriques, les **relations parallèles** permettent de gérer l'autorité d'une façon beaucoup plus souple. Les partenaires oscillent entre le rôle de meneur et celui de suiveur, chaque personne menant le jeu dans certains domaines et se contentant de suivre l'autre dans d'autres. Jean peut prendre les décisions quant aux réparations de la voiture ou à la planification des repas; il peut être la vedette dans les soirées entre amis. Marie s'occupe des finances et prend la plupart des décisions concernant les enfants; elle mène la conversation lorsque Jean et elle sont seuls. Lorsqu'un choix est vraiment très important pour un des deux partenaires, l'autre se plie de plein gré à sa décision, sachant très bien que cette faveur lui sera rendue plus tard. Lorsque certaines questions sont très importantes pour les deux partenaires, ils essaient de partager l'autorité de façon équitable. En cas d'impasse, ils renoncent à leur projet ou font un compromis pour conserver intact l'équilibre des forces.

Aptitudes à communiquer: Qu'est-ce qui rend un communicateur efficace?

Il est facile de reconnaître les bons communicateurs, et même plus encore ceux qui ne le sont pas! Mais quels sont les critères qui distinguent les communicateurs efficaces de leurs congénères moins habiles? Répondre à cette question a été l'un des défis majeurs des spécialistes de la communication[19]. Bien que toutes les réponses ne soient pas encore connues, les recherches ont permis de rassembler un grand nombre de renseignements utiles et importants sur la **compétence à communiquer**.

Qu'appelle-t-on compétence en communication?
La plupart des experts sont d'accord pour affirmer que l'art de la communication est la capacité d'obtenir ce que l'on désire des autres d'une manière qui maintienne la relation dans des termes acceptables pour chacune des deux parties. Cette définition peut paraître vague et verbeuse en même temps, mais si on la regarde de plus près, elle semble regrouper plusieurs caractéristiques importantes de la compétence en communication.

IL N'EXISTE PAS DE FAÇON «IDÉALE» DE COMMUNIQUER Votre propre expérience vous enseigne que plusieurs styles de communication peuvent se montrer efficaces. Certains communicateurs efficaces sont sérieux, tandis que d'autres font preuve d'humour; certains sont sociables, alors que

d'autres sont plus réservés; certains sont plus directs, alors que d'autres font des insinuations adroites. Comme il existe quantité de belles musiques, il existe toutes sortes de communications efficaces.

De plus, un type de communication efficace dans une situation donnée peut passer pour une bévue monstre dans une autre. Les insultes bon enfant que vous échangez couramment avec un ami pourraient offenser un membre sensible de votre famille et vos avances romantiques du samedi soir seraient plutôt déplacées au bureau le lundi matin. Cela signifie qu'il n'existe pas de liste infaillible de règles ou de conseils qui garantissent votre succès en tant que communicateur.

La compétence est fonction de la situation Du fait que cette aptitude varie tellement d'une situation et d'une personne à l'autre, c'est une erreur de penser que ce talent est inné ou totalement absent. Il est plus exact de parler de *degrés* ou de *sphères* de compétence. Les gens que vous connaissez et vous-même êtes certainement plus compétents dans certains domaines et moins compétents dans d'autres. Vous pouvez vous sentir très à l'aise avec vos pairs, par exemple, et vous sentir maladroit avec des personnes plus jeunes ou plus âgées, plus riches ou moins aisées, plus ou moins séduisantes que vous l'êtes vous-même. En fait, votre compétence face à une personne peut varier d'une situation à l'autre. Cela signifie qu'il est bien exagéré d'affirmer dans un moment de détresse: «Je suis vraiment un très mauvais communicateur!» quand il serait plus exact de dire: «Je n'ai pas tellement bien réussi cette fois-ci, même si je suis meilleur d'habitude.»

La compétence a une dimension relationnelle Étant donné que la définition que nous avons donnée de la communication efficace implique la satisfaction des deux parties, nous ne pouvons juger de la compétence d'une personne qu'en regardant comment les besoins de l'autre personne impliquée sont satisfaits. Dans ce sens, la communication se compare à la danse. Un danseur brillant et talentueux qui ne peut évoluer avec grâce avec une partenaire manque de compétence sur un point important. Après tout, la communication interpersonnelle ne peut pas se faire *sans* les autres.

Caractéristiques présentées par les communicateurs compétents Même si une communication efficace peut varier d'une situation à l'autre, les experts ont identifié plusieurs dénominateurs communs qui la caractérisent dans la plupart des situations:

Un large eventail de comportements Les communicateurs chevronnés ont à leur disposition une vaste gamme de comportements. Pour comprendre l'importance de posséder un large répertoire de comportements de communication, imaginez qu'une personne que vous connaissez répète continuellement les mêmes blagues — des blagues racistes ou sexistes peut-être — que vous trouvez offensantes. Vous pouvez réagir à ces blagues de plusieurs façons:

Vous pouvez décider de ne rien dire, jugeant que les risques de ramener le sujet sur le tapis seraient plus grands que les bénéfices retirés.

Vous pouvez demander à une tierce personne d'intervenir auprès de la personne en question pour lui dire que ses blagues sont déplacées.

Vous pouvez faire allusion à votre gêne, espérant que votre ami comprendra de lui-même.

Vous pouvez à votre tour blaguer sur l'insensibilité de votre ami, misant sur l'humour pour adoucir la portée de votre critique.

Vous pouvez exprimer votre gêne d'une manière très directe, demandant à votre ami d'arrêter de raconter des blagues offensantes, tout au moins lorsque vous êtes présent.

Vous pouvez même exiger de votre ami qu'il s'arrête.

Ayant ce choix de réactions à votre disposition (et vous pouvez encore en trouver d'autres), vous pourrez sélectionner celle qui a le plus de chances de réussir. Mais si vous n'êtes capable d'utiliser

> Pour qu'elle ait un sens, la communication doit avoir une vie. Elle doit transcender «toi et moi» et devenir «nous». D'une certaine façon, nous développons quelque chose de nouveau issu de ce que nous étions auparavant.
>
> Hugh Prather

qu'une ou deux de ces réactions lorsque vous soulevez une question délicate — vous contenter toujours de ne pas bouger ou de ne faire que des allusions, par exemple — vos chances de succès seront beaucoup plus minces. On repère facilement les communicateurs peu efficaces à leur éventail limité de réactions. Quelques-uns sont des blagueurs nés, d'autres d'éternels querelleurs, d'autres encore sont réservés quelle que soit la situation. Comme un pianiste qui ne connaît qu'une mélodie ou un chef qui ne sait préparer qu'un nombre limité de plats, ces personnes en sont réduites à se fier constamment à un éventail restreint de réactions, que ces dernières soient efficaces ou non.

Capacité de choisir le comportement le plus approprié
Le fait de posséder un large éventail de techniques de communication n'est pas un gage d'efficacité. Il est également nécessaire de savoir quel comportement sera le meilleur dans telle situation donnée. Choisir la meilleure façon de transmettre un message ressemble à la façon de choisir un cadeau: ce qui est bon pour une personne ne conviendra pas nécessairement à telle autre. Cette capacité de choisir la meilleure approche possible est capitale, puisqu'une réaction qui aurait du succès dans une situation donnée pourrait échouer misérablement dans une autre.

Bien qu'il soit impossible de dire avec précision comment agir dans chaque situation, il y a au moins trois facteurs à considérer lorsque vous décidez quelle réaction choisir:

Le contexte Le moment et l'endroit influenceront presque toujours votre comportement. Demander une augmentation à votre patron ou un baiser à votre amoureux produiront de bons résultats si le moment est approprié; la même demande pourrait par contre échouer si le moment est mal choisi. De même, la blague qui conviendrait tout à fait dans une soirée entre célibataires serait plutôt déplacée à un enterrement.

Vos objectifs La façon dont vous devriez communiquer dépend des résultats que vous en attendez. Inviter un nouveau voisin à prendre une tasse de café ou à venir souper chez vous peut être

la bonne approche si vous voulez encourager une amitié; si vous désirez plutôt garder votre intimité, il serait plus sage de vous montrer poli mais réservé. De la même façon, vos objectifs détermineront votre approche dans des situations où vous voulez rendre service à une autre personne. Comme vous allez le voir dans le chapitre 7, il y a des moments où donner des conseils est la seule chose nécessaire. Si vous voulez aider les autres à trouver une méthode pour résoudre leurs propres problèmes, il est préférable de mettre de côté vos idées et de relancer les leurs, pour leur permettre de considérer les possibilités qui s'offrent à eux et de décider eux-mêmes des solutions à adopter.

L'autre personne Votre connaissance de l'autre personne devrait également modeler l'approche que vous adoptez. Si vous vous trouvez en face d'une personne très sensible ou qui manque de sécurité, une attitude de soutien et de prudence serait souhaitable. Avec un vieil ami en qui vous avez toute confiance, vous pouvez vous montrer plus direct. En fait, comprendre l'autre est tellement important que des chercheurs considèrent l'empathie comme l'élément le plus important de la capacité à communiquer[20]. C'est pour cette raison qu'une grande partie du chapitre 3 est consacrée au développement de vos aptitudes à communiquer avec les autres.

La position sociale de votre interlocuteur influencera souvent aussi votre façon de communiquer. Vous agirez probablement différemment, par exemple, avec une personne de 84 ans ou avec un adolescent. Votre comportement ne serait sans doute pas le même avec le président de votre établissement qu'avec un compagnon de classe, dans des circonstances pourtant identiques. Tout compte fait, il y a peut-être aussi des situations où il est préférable de se comporter d'une certaine façon avec un homme, et différemment avec une femme, même en ces temps d'égalité des sexes!

APTITUDE À REMPLIR SON RÔLE Après avoir porté votre choix sur la façon de communiquer qui vous semble la plus appropriée, il est encore nécessaire de savoir appliquer les techniques requises de manière efficace. Il y a une grande différence entre connaître une technique et être capable de la mettre en pratique. Être seulement au courant des possibilités n'est pas d'un grand secours, à moins

de savoir comment en tirer le meilleur parti possible.

Une simple lecture des techniques de communication dans les chapitres qui suivent ne garantira pas que vous puissiez les appliquer de manière parfaite. Comme pour n'importe quel autre art ou habileté — jouer d'un instrument de musique ou apprendre un nouveau sport, par exemple — la route vers la compétence n'est pas des plus courtes. Tout au long de votre apprentissage et de votre pratique, il faut vous attendre à passer par plusieurs stades[21].

Sensibilisation de départ La première étape dans l'apprentissage d'un nouveau savoir-faire est d'y être d'abord sensibilisé. C'est l'étape au cours de laquelle vous apprenez qu'il existe une façon nouvelle et meilleure de vous comporter. Si vous jouez au tennis, par exemple, cette sensibilisation peut se faire au moment où vous apprenez une nouvelle technique de service qui peut améliorer votre puissance et votre précision. Dans le domaine de la communication, ce livre devrait pouvoir vous apporter cette sorte de prise de conscience.

Maladresse Étiez-vous assez gauche lorsque vous êtes monté sur une bicyclette ou avez conduit une voiture pour la première fois? De même, vos premiers essais pour communiquer d'une façon nouvelle peuvent être maladroits. Cela ne veut pas dire que la méthode soit mauvaise, mais plutôt que vous avez besoin de plus de pratique. Après tout, s'il est tout à fait raisonnable de s'attendre à éprouver des difficultés lorsqu'on apprend de nouvelles techniques, vous devriez vous attendre aux mêmes tâtonnements pour ce qui est des concepts véhiculés dans ce livre. Comme l'exprimait Ringo Starr en parlant de musique: «Si vous voulez jouer du blues, vous devez en payer la note. [...] car cela ne vient pas facilement.»

Maîtrise Si vous consentez à persévérer pour venir à bout des maladresses de vos premiers essais, vous atteindrez le troisième palier d'apprentissage, qui est celui de la maîtrise. À ce stade, vous serez en mesure de bien vous prendre en main, même si vous avez encore besoin de penser à ce que vous faites. Comme dans l'apprentissage d'une langue étrangère, c'est la période où l'on possède la grammaire et le vocabulaire, mais où l'on doit faire encore certains efforts pour s'exprimer de façon correcte. En tant que communicateur interpersonnel, vous pouvez vous attendre à ce que le stade de la maîtrise soit marqué de beaucoup de réflexions et de conjectures, mais qu'il vous apporte également des résultats satisfaisants.

Intégration Finalement, après la maîtrise, vous vous retrouverez à l'étape finale, celle de l'intégration. À ce stade, vous serez en mesure de fonctionner parfaitement sans même y penser. Ce comportement devient automatique, partie intégrante de votre personne. Les orateurs chevronnés dans une langue étrangère parlent sans faire de traduction mentale en langue maternelle. Les cyclistes expérimentés roulent avec adresse et assurance, comme si la bicyclette était en quelque sorte le prolongement de leur corps. Les communicateurs expérimentés s'expriment avec talent; ce n'est pas un acte timide qu'ils exécutent: ils sont devenus réellement chevronnés.

Il est important de garder ces différentes étapes à l'esprit lorsque vous allez mettre à l'essai les idées présentées dans ce livre. Préparez-vous à passer par des stades de maladresse, en sachant bien que si vous avez la motivation de continuer à pratiquer ces nouvelles techniques, vous vous sentirez de plus en plus à l'aise et efficace. Songez que le jeu en vaut la chandelle, car une fois que vous aurez appris de nouvelles méthodes de communication, vous en serez récompensé par des relations personnelles beaucoup plus satisfaisantes.

EMPATHIE (ENTRER DANS LE CONTEXTE) On a les meilleures chances de transmettre un message efficace lorsqu'on comprend bien le point de vue de ses partenaires. Étant donné que ceux-ci ne savent pas toujours comment exprimer clairement leurs pensées et leurs émotions, il est essentiel de pouvoir imaginer comment une situation se présente à leurs yeux. L'utilité de cette mise en perspective explique en partie l'importance accordée à l'écoute. Non seulement elle permet de comprendre les autres, mais elle nous renseigne

également sur les stratégies à adopter pour exercer une meilleure influence sur eux.

COMPLEXITÉ COGNITIVE La **complexité cognitive** est la capacité d'élaborer plusieurs scénarios différents lorsqu'on se penche sur une question. C'est un élément de compétence en communication, car elle permet de comprendre son interlocuteur à partir de différentes hypothèses. Imaginez par exemple qu'un de vos amis de longue date paraisse en colère contre vous. Que votre ami soit offensé pour une chose que vous lui avez faite, c'est plausible. Une autre possibilité c'est qu'un événement survenu dans une autre partie de sa vie privée le contrarie. Peut-être même qu'il n'y a rien du tout d'anormal chez lui, mais que c'est vous qui êtes trop sensible. Les chercheurs soutiennent que la capacité à considérer le comportement des autres sous différents angles augmente les chances d'une communication efficace.

AUTO-OBSERVATION Les psychologues utilisent le terme d'**auto-observation** pour décrire le processus de surveillance attentive de son comportement personnel et l'utilisation de ces observations pour le modeler en conséquence. Certaines personnes sont ainsi en mesure d'isoler une partie de leur conscience et d'observer leur comportement d'un point de vue détaché, en faisant des remarques comme:

«Je me conduis bien mal.»

«Il vaudrait mieux que je parle franchement maintenant.»

«Cette approche donne de bons résultats. Je vais m'y tenir.»

Il n'est pas surprenant que l'auto-observation augmente l'efficacité du communicateur. La capacité de se poser la question: «Comment est-ce que j'agis?» et de modifier son comportement en fonction de la réponse est un atout de taille pour

Figure 1-4 Étapes de l'apprentissage des techniques de communication

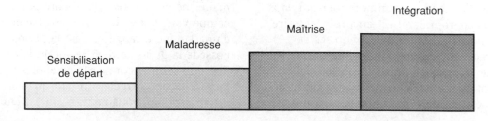

Sensibilisation de départ — Maladresse — Maîtrise — Intégration

des communicateurs. Les personnes qui ne s'auto-observent pas avancent à l'aveuglette dans la vie, connaissant parfois le succès, mais également l'échec, sans avoir jamais la possibilité d'en comprendre la raison.

ENGAGEMENT DANS LA RELATION L'engagement est l'un des traits qui distinguent une communication efficace dans presque n'importe quel contexte. Autrement dit, les personnes qui semblent prendre à cœur une relation communiquent mieux que celles qui ne le font pas[22]. Ce souci apparaît dans plusieurs types d'engagement:

Engagement envers l'autre personne Ce souci de l'autre personne se manifeste de plusieurs façons: désir de passer du temps avec elle, volonté de l'écouter attentivement et non de mobiliser la conversation, utilisation de mots qu'elle peut facilement saisir, ouverture au changement une fois ses idées entendues.

Engagement à l'égard du message Les communicateurs efficaces font également très attention à ce qu'ils ont à dire. Ils se montrent sincères, semblent savoir ce dont ils parlent et démontrent par des mots et par des gestes qu'ils tiennent à leurs idées. Une communication fausse ne suscite aucun intérêt, pas plus d'ailleurs que des avis mitigés ou des déclarations mal fondées qui trahissent l'ignorance.

Désir d'un bienfait réciproque La meilleure communication est celle qui laisse les deux parties sur une impression de victoire, chacune ayant gagné à l'échange. Au contraire, lorsque les communicateurs se montrent égoïstes ou manipulateurs, les relations en souffrent. Le chapitre 10 explique comment les parties peuvent en venir à sortir perdantes lorsqu'elles ne font attention qu'à leur bien-être personnel.

Désir de dialoguer et de poursuivre la relation C'est lorsque les personnes font attention les unes aux autres que la communication est la plus efficace. Cela ne veut pas dire qu'il soit nécessaire pour le pompiste ou la téléphoniste d'établir des relations très profondes avec chaque client. Une opération commerciale est cependant plus satisfaisante lorsque le message implicite ressemble à celui-ci: «Je désire sincèrement vous servir, et j'espère que vous serez un client satisfait.»

Comment vous évaluez-vous en tant que communicateur compétent? La compétence n'est pas un trait de caractère inné ou absent. C'est plutôt un état auquel on parvient plus ou moins fréquemment. Il ne s'agit pas de devenir parfait, mais d'intensifier les moments de communication selon les voies que nous avons tracées dans cette section.

Vérifiez vos compétences

Les autres sont les mieux placés pour juger de vos compétences en tant que communicateur. Si vous voulez connaître leur évaluation, suivez les directives suivantes:

1. Choisissez une ou deux personnes importantes à vos yeux. Pour voir comment votre compétence peut varier d'un type de relation à l'autre, vous pourriez choisir un ami, un membre de votre famille, un compagnon d'études ou un collègue.

2. Demandez à chaque personne que vous avez choisie de vous évaluer en fonction de chacun des critères décrits dans la section précédente.

RÉSUMÉ

La communication est primordiale sur bien des plans. En plus de répondre à des besoins pratiques, la communication efficace peut améliorer votre santé physique et votre bien-être émotionnel. Enfants, nous découvrons notre identité à travers les messages que nous envoient les autres; adultes, notre concept de soi est façonné et affiné grâce à l'interaction sociale. La communication répond également à des besoins sociaux: implication avec les autres, pouvoir sur notre environnement, affection donnée et reçue.

Le processus de communication n'est pas un processus linéaire selon lequel une personne «fait» quelque chose à un autre personne, non plus qu'un processus interactif dans lequel des personnes échangent des messages dans une sorte de partie de tennis verbale ou non verbale. La communication est plutôt un processus transactionnel dans lequel les participants établissent une relation en envoyant et en recevant simultanément des messages dont plusieurs peuvent être déformés par différents types de bruits.

Telle qu'elle est définie dans ce livre, la communication interpersonnelle se distingue des autres types de communications plus impersonnelles pour ce qui est de la qualité, et non pas au nombre de personnes engagées ou par la situation dans laquelle elle se fait. Les relations interpersonnelles sont uniques et irremplaçables. Moins communes que les relations impersonnelles, elles sont caractérisées par une ouverture accrue aux autres, une interdépendance, et par les compensations intrinsèques qu'en reçoivent les participants. Les communications impersonnelles et interpersonnelles sont toutes deux utiles, et la plupart des relations renferment des éléments des deux types.

La communication se fait à deux niveaux: celui du contenu et celui de la relation. La communication relationnelle peut être à la fois verbale et non verbale. La métacommunication consiste en des messages qui font référence à la relation existant entre les communicateurs. Les messages relationnels font généralement référence à l'une des trois dimensions de la relation: affinité, respect et autorité.

Toute communication, personnelle ou impersonnelle, à simple contenu ou relationnelle, suit les mêmes principes de base. Les messages peuvent être intentionnels ou non. Il est cependant impossible de ne pas communiquer. La communication est irréversible et ne peut en aucun cas se répéter. Quelques malentendus fréquents pourraient être évités si l'on réfléchissait davantage à ce qu'est la communication: la signification ne se trouve pas dans les mots, mais dans les personnes. Une communication plus abondante n'améliore pas nécessairement les choses. La communication ne résout pas tous les problèmes. Enfin, contrairement à la croyance populaire, l'art de la communication efficace n'est pas un don inné.

Un bon communicateur est celui qui obtient ce qu'il désire des autres, mais de manière à maintenir la relation dans des conditions acceptables pour les deux parties. Être compétent ne veut pas dire se comporter de la même façon dans toutes les situations et avec toutes les personnes; la compétence varie plutôt d'une situation à l'autre. Les communicateurs les plus compétents possèdent un vaste répertoire de comportements parmi lesquels ils sont en mesure de choisir celui qui conviendra le mieux dans une situation donnée; ils peuvent s'en servir avec discernement. Ils sont en mesure de tenir compte des points de vue des autres et d'analyser la situation de différentes façons. Ils s'auto-observent également et se sentent engagés dans leurs relations.

Mots clés

Accomplissement de soi
Affection
Auto-observation
Autorité
Bruits
Bruits extérieurs
Bruits physiologiques
Bruits psychologiques
Canal
Communication
Communication impersonnelle
Communication interpersonnelle
Compétence à communiquer

Complexité cognitive
Contenu (des messages)
Contrôle de la relation
Décodage
Émetteur
Encodage
Environnement
Estime de soi
Inclusion (appartenance)
Message
Message relationnel
Métacommunication
Pouvoir conversationnel

Pouvoir décisionnel
Récepteur
Relation complémentaire
Relations interpersonnelles
Relations parallèles
Relations symétriques
Respect
Rétroaction
Schéma de communication interactif
Schéma de communication linéaire
Schéma de communication transactionnel

Bibliographie spécialisée

ALBERTINI, Jean-Marie. «Les théories de la communication», *Sciences et Avenir,* n° 44 (numéro hors-série), 1983, p. 24 à 30.

Un texte qui fait l'historique des théories de la communication en tenant compte de l'évolution de la technologie. Un rapprochement intéressant entre la théorie et la pratique, où l'auteur pointe du doigt le retard de nos idées sur la technologie. Bibliographie intéressante.

CRÉPAULT, Michel. «Êtes-vous télégénique?», *L'Actualité*, Maclean Hunter Canada, janvier 1988, p. 47 à 52.

«Des marchands de communication se portent au secours des martyrs de l'information et leur enseignent l'art de déjouer les animateurs vicieux.» Alors, si une carrière publique vous intéresse, vous serez probablement soulagé d'apprendre que des spécialistes peuvent vous aider à affronter le «pire» des animateurs!

DE BALEINE, Marina. «L'enfer, c'est nous», *Psychologies,* n° 9, Loft international, mars 1984, p. 30 à 33.

Un court article sur la solitude traitée de manière un peu culpabilisante, mais qui se prête à merveille à la réflexion. De plus, on y trouve plusieurs témoignages de gens vivant la solitude... les célibataires comme les couples.

DE GRAMONT, Monique. «On est deux, faut se parler!», *Châtelaine,* n° 4, vol. 27, Maclean Hunter Canada, avril 1986, p. 50 à 58.

Un article du magazine bien connu qui aborde le mythe de «l'incommunicabilité», la plaie des temps modernes... L'auteure soulève les différentes difficultés rencontrées par les couples au fur et à mesure que se développe la relation et propose quelques solutions pour les aplanir. Un texte intéressant et accessible.

GERGEN, Kenneth J., GERGEN, Mary M. *Psychologie sociale,* Montréal, Études Vivantes, 1984, 528 p.

Le chapitre 3 sur l'attraction interpersonnelle présente des informations sur les variables impliquées dans la formation des liens avec les autres. Les auteurs n'y traitent pas explicitement de communication, mais de notions qui y sont connexes. Au chapitre 5, sur le changement des attitudes, les auteurs présentent une discussion intéressante sur ce qui fait d'un communicateur un communicateur «persuasif»...

GERMAIN, Bernard, LANGIS, Pierre. *La sexualité: regards actuels,* Montréal, Études Vivantes, 1990, 602 p.

On le sait! La communication et la sexualité sont inséparables... Au chapitre 16, les auteurs québécois discutent de l'importance de la communication dans la sexualité en abordant des notions telles que les peurs paralysantes ou les moyens de faciliter la communication à un niveau intime.

LIBOIS, Louis-Joseph, VIARD, Jean-Joseph. «L'explosion des télécommunications», *Sciences et Avenir,* n° 44 (numéro hors-série), 1983, p. 14 à 22.

Pour ceux et celles qui sont intéressés par la place tenue par les communications dans l'entreprise et par leur rôle de plus en plus grand au sein de l'entreprise. Analyse économique et politique des télécommunications du point de vue européen.

NAVARRE, Yves. *Le cœur qui cogne,* Paris, Flammarion, 1974, 285 p. (Offert aussi en Livre de poche, n° 5413.)

Un excellent roman où l'auteur met en scène une famille dont les membres sont perturbés par une communication «acidifiée». Un livre captivant par l'intensité des émotions qui y sont exprimées.

WATZLAWICK, Paul, BEAVIN, Janet H., JACKSON, Don D. *Une logique de la communication,* Paris, Seuil, 1972, 286 p. (Offert dans la collection Points, n° 102.)

C'est dans ce livre que vous retrouverez les principes qui régissent la communication et que nous avons présentés succinctement au début de ce chapitre.

Chapitre 2

Le concept de soi: clé de la communication

Le voyage intérieur

«Qui es-tu, dis-moi?»

— Je l'ignore. Certains soirs, je me sens communier avec l'Univers. Il me semble saisir l'essence de ma personne dans tout ce qu'elle a d'humain et de bon avec ses projets, ses doutes, ses joies, etc. Tandis qu'à d'autres moments, je saisis mal qui je suis et ce que je fais ici. Cela m'arrive lorsque je me demande ce que je ferai dans quelque temps, quelques jours, quelques années. Chaque fois, je me laisse prendre par l'inquiétude. À la recherche de moi-même, je m'entends décrire des activités, des gestes, des projets qui appartiennent au commun des mortels sans me soucier, il me semble, de ce qui m'est essentiel. À ce moment, je me dis: «Qu'est-ce qui me caractérise en tant qu'individu, indépendamment des activités, codes ou lois régissant le comportement d'une personne? Est-il possible d'atteindre cette réponse sans référence au temps qui passe, sans s'arrêter à ce qui est fini pour oser toucher, sentir, croire — que sais-je encore? — ce qui fait de moi, moi?»

Quand j'étais petit, je restais assis dans mon lit et je me demandais, en regardant les murs de ma chambre, ce que je pourrais bien voir si je n'avais pas ces yeux pour voir; en touchant les draps du lit, ce que je toucherais à ce moment si je n'avais pas ces mains pour toucher; en humant l'air de la pièce, quelles odeurs m'envahiraient, si je n'avais pas ce nez pour sentir... Évidemment... je n'obtenais aucune réponse et le mystère demeurait entier! Il m'arrive rarement de me poser de telles questions aujourd'hui. Je me suis contenté, me semble-t-il, des réponses faciles de tous les jours, de la qualité de celles qui soulagent l'entourage «parce que quand tu poses de telles questions...»

Je me dis qu'avec toutes les activités qui peuplent notre vie, il est facile de se sentir bien, d'avoir de l'estime personnelle, de bien fonctionner dans notre monde occidental en partageant les valeurs qui régissent quelque peu nos vies. Il est facile, encore une fois, de trouver des réponses à la question: «Qui suis-je?» Et je décris plein de choses qui me caractérisent en tant qu'individu à un moment donné, description concernant ma personne corporelle, mes goûts, mes intérêts, mes aspirations, mes rêves, mes réussites, mes échecs..., mes joies, l'amour vécu jusqu'à ce jour, etc. O.K. Mais est-ce la bonne réponse? Est-ce qu'elle m'appartient? Et c'est là que je doute!

Je sais très bien ce que j'aime, même s'il reste encore des endroits nébuleux à découvrir ou à explorer; je sais très bien ce que je fais et désire faire comme travail; je ne suis pas aveugle, j'ai mes yeux pour voir, mes mains pour toucher et mon cerveau pour réfléchir, mais ce que je ne sais pas, ce qui m'échappe, il me semble, est l'essence même de mon humanitude.

Parfois, il me semble communiquer avec l'Univers où je me sens participer à la marche du monde — ce qui arrive tous les jours, comme dit mon patron... — mais où je sens aussi, par le fait d'être vivant, d'être humain, que je change la face du monde. Ce n'est pas de l'exaltation pure et simple, ce n'est pas un voyage avec comme point de départ une drogue quelconque, et ce n'est pas non plus le fait d'avoir couru 10 km en un temps record! C'est un état d'être dans lequel il est permis de trouver une réponse à la recherche de son humanitude. «Qu'est-ce qui fait de moi un être **humain**?» C'est comme ça que j'interprète la question: «Qui es-tu?»

Et c'est durant ces moments de communion avec l'Univers que la réponse m'apparaît clairement. À ce moment, l'expérience transcende la signification des mots, mais, je te le jure, je suis presque assuré que la réponse a la saveur de l'amour...

Jacques Shewchuck

> Vaine est la sagesse de celui qui ne se connaît pas lui-même.
>
> Érasme

Qui êtes-vous? Réfléchissez quelques instants avant de répondre à cette question. Comment vous définissez-vous? En tant qu'étudiant? En tant qu'homme ou femme? D'après votre âge? Votre religion? Vos activités? Il existe bien sûr plusieurs façons de s'identifier.

Prolongez votre réflexion pendant quelques instants et dressez une liste aussi exhaustive que possible des façons dont vous pouvez vous identifier. Étant donné que vous aurez besoin de cette liste un peu plus tard dans le chapitre, assurez-vous de l'établir le mieux possible dès maintenant. Essayez d'y inclure tous les éléments qui vous décrivent le mieux:

Vos sentiments ou émotions

Votre apparence et votre condition physique

Votre caractère

Vos qualités et vos défauts

Vos capacités intellectuelles

Vos convictions

Votre comportement social

Définition du concept de soi

Jetez maintenant un coup d'œil sur ce que vous venez d'écrire. Vous vous apercevrez certainement que les mots que vous avez choisis tracent le profil de ce que vous considérez comme vos caractéristiques les plus importantes. Autrement dit, si on vous demandait de donner une description de votre «moi réel», cette liste pourrait en constituer un bon résumé.

Ce que vous avez fait en dressant cette liste, c'est de donner une définition partielle de votre **concept de soi**: l'ensemble relativement stable de la perception que vous avez de vous-même. Si vous vous trouviez devant un miroir qui non seulement vous renvoie l'image de votre apparence physique, mais vous permet également de visualiser les autres aspects de votre personne — vos états d'âme, vos qualités, vos préférences et vos aversions, vos valeurs, votre rôle social, etc. —, l'image qu'il vous renverrait constituerait alors votre concept de soi*.

Vous admettrez sans aucun doute que la liste que vous avez établie n'est que partielle. Pour que la description soit complète, il vous faudrait encore y ajouter plusieurs éléments, et votre liste atteindrait facilement quelques centaines de mots.

Prenez quelques instants maintenant pour décrire les différentes facettes de votre concept de soi en répondant encore et encore à la question suivante: «Qui suis-je?» Ajoutez ces réponses à la liste que vous avez dressée plus tôt.

Il est bien évident que les éléments de votre liste n'ont pas tous la même importance. Il se peut par exemple que l'élément fondamental du concept de soi, pour une personne, soit son rôle social, tandis que pour une autre ce serait son aspect physique, sa santé, ses amis, ses talents ou ses aptitudes.

Vous pouvez découvrir l'importance que vous accordez à chacun des éléments recueillis sur la liste en les classant par ordre de priorité. Essayez maintenant de le faire: vous donnez le chiffre 1 à l'élément de votre personnalité qui vous paraît le plus fondamental, le chiffre 2 au deuxième élément en importance, et ainsi de suite jusqu'à la fin de la liste.

Le concept de soi que vous venez de définir est extrêmement important. Pour en juger, essayez de faire l'exercice suivant.

Pour la plupart des gens, cet exercice illustre très bien l'importance que revêt le concept de soi. Même si l'on met de côté un élément qui n'est pas

---

* Vous pouvez contester l'idée qu'il n'existe qu'un seul concept de soi, alléguant que l'image que vous avez de vous-même change fréquemment, comme le laisse entendre Alice à la chenille, dans la citation de la page 51. Vous pouvez par exemple être pleinement satisfait de votre image un certain jour et vous trouver affreux le lendemain. Bien que ces changements puissent exister, il est cependant utile de considérer le concept de soi comme une entité définie, relativement stable, tout au moins dans un court laps de temps.

Un à un

1. Jetez un coup d'œil sur la liste des mots que vous avez utilisés pour vous décrire. Si vous ne l'avez pas encore fait, choisissez les dix éléments qui dépeignent le mieux votre personnalité. Assurez-vous d'avoir classé ces éléments dans le bon ordre afin que le numéro 1 représente bien l'élément le plus important et le numéro 10 celui qui est le moins représentatif de tous, les autres trouvant leur place entre ces deux extrêmes.

2. Trouvez-vous ensuite un endroit tranquille où vous ne risquez pas d'être dérangé. Vous pouvez faire cet exercice en groupe, avec une personne qui donne les instructions, ou le faire tout seul en lisant les instructions à votre rythme.

3. Fermez les yeux et cherchez à obtenir une image de votre personne. En plus de votre apparence physique, essayez de visualiser vos caractéristiques les moins apparentes: votre état d'esprit, vos espoirs, vos soucis... y compris tous les éléments que vous avez donnés à l'étape 1.

4. Gardez cette image à l'esprit, puis imaginez que l'élément numéro 10 disparaisse de votre classification. En quoi seriez-vous différent? L'idée de mettre de côté cet élément vous soulage-t-elle ou au contraire vous contrarie-t-elle? Cette démarche a-t-elle été pénible à effectuer?

5. En continuant d'oublier le dixième élément de votre liste, laissez tomber maintenant le neuvième et constatez le changement que cela produit sur vous. En observant une pause, le temps de faire l'examen de vos pensées et de vos émotions, laissez tomber un à un chacun des éléments de la liste.

6. Après avoir mis de côté l'élément numéro 1, celui qui vous caractérise le plus, prenez maintenant quelques instants pour assembler de nouveau toutes les parties de votre personnalité et reprenez votre lecture.

très plaisant, il est souvent difficile de le laisser complètement à part. Et lorsqu'on demande à certaines personnes d'oublier quelques instants leurs émotions ou leurs pensées les plus intimes, la plupart hésitent. «Sans cet élément, ce ne serait plus *moi*», insistent-elles. Cela veut donc bien dire

que le concept de soi est fondamental. Il est primordial de savoir qui nous sommes, car sans cela il nous serait impossible d'établir les liens avec le monde qui nous entoure.

Le développement du concept de soi

La plupart des chercheurs s'accordent pour dire que nous arrivons au monde sans concept de soi. L'enfant dans son berceau n'a aucune notion de lui-même, aucune notion pour répondre à la question «Qui suis-je?» (dans le cas où il aurait par miracle la possibilité de s'exprimer). Songez à ce que cela serait de n'avoir aucune idée de ses états d'âme, de son apparence physique, de son caractère, de ses aptitudes, de ses capacités intellectuelles, de ses convictions ou du rôle que l'on joue dans la société. Si vous êtes capable d'imaginer cela — cette sorte de *vide total* —, vous pouvez commencer à comprendre comment apparaît le monde à celui qui ne possède aucune conscience de soi.

Peu après sa naissance, le bébé commence à faire des différences entre les stimuli que lui envoie son environnement: les visages connus et inconnus, les sons associés aux repas, les bruits qui font peur, le chat qui saute dans son berceau, sa sœur qui le chatouille — chaque élément devenant une partie distincte de son monde. La reconnaissance, dans l'environnement, d'événements distincts précède probablement la découverte de soi.

À six ou sept mois environ, l'enfant commence à reconnaître son «moi» en tant qu'élément distinct des choses qui l'entourent. Si vous avez déjà observé des enfants de cet âge, vous vous êtes certainement étonné de leur fascination pour un de leurs pieds, leurs mains ou une autre partie de leur corps, comme s'ils étaient des objets inconnus appartenant à une autre personne. La relation s'établit alors comme si l'enfant venait de prendre soudain conscience que cette main est la *sienne*,

> Pour me connaître moi-même, j'ai besoin des autres. Les autres sont indispensables à ma propre existence comme à la connaissance de moi-même.
>
> Jean-Paul Sartre

que ce pied est le *sien*. Ce sont les premières manifestations du concept de soi chez l'enfant. À cet âge, le concept de soi est à peu près exclusivement physique; l'enfant prend conscience qu'il existe et qu'il peut exercer une sorte de contrôle sur certaines parties de son corps. Ce concept de soi pourtant assez limité ressemble en tous points aux concepts plus développés que des enfants plus âgés ont d'eux-mêmes.

Bien que les enfants puissent se comporter d'une manière plus ou moins sociable, ils ne se voient pas automatiquement d'une façon qui reflète leur comportement de communication réel. De fait, l'inverse est plutôt vrai: l'image qu'on a de soi est extrêmement subjective, étant presque totalement le fruit de notre interaction avec les autres. Vous pouvez commencer à vous faire une idée du développement de votre concept de soi en essayant l'exercice suivant. Assurez-vous de le faire jusqu'au bout avant de reprendre votre lecture.

Nos stimulateurs et nos détracteurs

1. Seul ou avec un partenaire, rappelez-vous une personne qui a été pour vous un «stimulateur» — pour avoir contribué à vous rehausser dans votre propre estime, à vous sentir accepté, compétent, utile, important, apprécié et aimé. Cette personne n'a pas besoin d'avoir joué un rôle important dans votre vie, pour autant que ce rôle ait été positif. Votre concept de soi est souvent façonné par une foule de petits riens aussi bien que par des événements importants. Un membre de votre famille avec lequel vous avez passé une grande partie de votre vie peut être un stimulateur, tout comme peut l'être un parfait étranger que vous croisez dans la rue, qui vous sourit spontanément et entame une conversation amicale.

2. Rappelez-vous ensuite un «détracteur» — quelqu'un qui a contribué d'une façon ou d'une autre à abaisser l'estime que vous vous portez. Comme pour ceux des stimulateurs, les messages envoyés par les détracteurs ne sont pas toujours intentionnels. Telle personne qui oublie votre nom après que vous lui avez été présenté, ou l'ami qui bâille lorsque vous lui expliquez un problème important, peuvent contribuer à diminuer l'estime que vous vous portez.

3. Maintenant que vous avez réfléchi au fait que les autres peuvent contribuer à façonner votre concept de soi, rappelez-vous une occasion où vous vous êtes montré vous-même un stimulateur — lorsque vous avez, délibérément ou non, contribué à rehausser l'estime qu'une autre personne avait d'elle-même. Ne cherchez pas un exemple où vous vous êtes montré simplement aimable: pensez plutôt à une occasion où vous avez vraiment valorisé une personne, montré de l'amour pour elle, où vous lui avez fait sentir

«Devine qui Miss Price a choisi pour jouer le rôle du lierre vénéneux dans la pièce de théâtre?»

qu'elle était importante, etc. Il se peut que vous ayez besoin de l'aide des autres pour répondre à cette question.

4. Finalement, rappelez-vous une circonstance récente où vous avez été un détracteur. Qu'avez-vous fait pour abaisser l'estime d'elle-même de l'autre personne? Étiez-vous vraiment conscient de l'effet que votre comportement allait produire?

Votre réponse pourrait montrer que certains événements que nous pensons être des stimulations ont, au contraire, l'effet de détractions. Vous pourriez, par exemple, blaguer amicalement avec quelqu'un qui vous est cher et vous rendre compte que vos remarques sont perçues comme des critiques.

Une fois que vous avez terminé l'exercice sur les stimulateurs et les détracteurs (vous devez aller jusqu'au bout), vous devriez commencer à voir comment les gens qui vous entourent façonnent votre concept de soi. Ce processus s'effectue de deux façons: par l'évaluation réfléchie et par la comparaison sociale.

> Si l'homme souffre de son âme à travers son corps, c'est que, malgré lui, il retourne dans son souvenir au premier temps d'après sa naissance. Comme on l'a vu, l'enfant naissant est un être essentiellement biologique dont la conscience n'est pas développée. Tout ce qui lui arrive sur le plan relationnel est immédiatement utilisé dans son corps.
>
> Denise Bombardier et Claude St-Laurent

Le jugement réfléchi: le miroir du soi Dès 1912, le psychologue Charles Cooley se servait de l'image du miroir pour définir le processus du **jugement réfléchi**: le fait que nous développions chacun un concept de soi qui correspond à la façon dont nous pensons que les autres nous voient[1]. Autrement dit, nous avons tendance à nous sentir moins sûrs de notre valeur, de l'amour que l'on nous porte ou de nos aptitudes dans la mesure où les autres nous envoient des signaux négatifs; nous aurons, au contraire, une meilleure opinion de nous-mêmes dans la mesure où les autres nous envoient des signaux positifs. La validité de ce principe devient encore plus évidente lorsque vous prenez conscience que votre concept de soi, tel que vous l'avez décrit sur la liste du début du chapitre, est le résultat des messages négatifs ou positifs reçus tout au long de votre vie.

Pour illustrer encore ce point, repartons du début. Les nouveau-nés viennent au monde sans aucune notion de leur identité; ils apprennent à porter un jugement sur leur personne uniquement

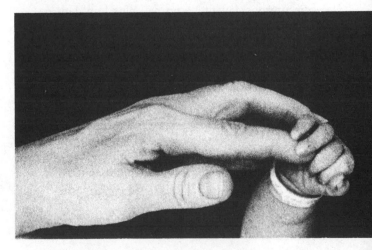

par la façon dont les autres les traitent. À ce stade, leur évaluation ne se traduit pas en mots. Néanmoins, même les premiers jours de la vie sont remplis de messages qui constituent les premières stimulations ou les premières détractions et qui commencent à façonner le concept de soi de l'enfant. Le temps que les parents mettent à répondre aux appels de leur enfant finit par communiquer, de manière non verbale, l'importance que l'enfant revêt à leurs yeux. La façon dont ils prennent soin de l'enfant est également très révélatrice: les parents le cajolent-ils affectueusement ou bien le considèrent-ils comme une chose qu'il faut changer, nourrir et baigner d'une manière brusque et professionnelle? Le ton de leur voix exprime-il l'amour et la joie ou au contraire la contrariété et la colère?

La nature de cette communication non verbale semble si importante dans le développement de l'enfant que de nombreux psychologues se sont penchés sur la nature de la relation parent-enfant. Brazelton, par exemple, insiste sur le synchronisme entre le comportement du parent et celui de l'enfant, qui refléterait la plus ou moins grande sensibilité du parent aux besoins de l'enfant. Il croit que la qualité de ce synchronisme influence de manière déterminante le développement affectif de l'enfant. En effet, que ce soit en relation avec le développement des liens affectifs ou avec la formation de l'identité, tous les psychologues s'accordent sur l'importance des premières expériences d'interactions non verbales entre le parent nourricier et l'enfant. Le rôle de cette «empreinte corporelle» est repris abondamment dans la littérature psychanalytique et psychologique, et nous en discuterons davantage un peu plus loin dans ce chapitre.

La plupart des messages qui façonnent notre concept de soi ne sont pas intentionnels. Il est plutôt rare qu'un parent essaie délibérément de dire à son enfant qu'il n'est pas adorable. Peu importe qu'ils soient intentionnels ou non, les messages non verbaux jouent un grand rôle dans la formation des émotions du jeune enfant, dans le fait qu'il se sente bien ou non.

Lorsque l'enfant apprend à parler et à comprendre sa langue, les messages verbaux vont contribuer à développer son concept de soi. L'enfant est quotidiennement assailli d'une foule de messages qui lui sont destinés. Certains sont pour lui des stimulations, par exemple:

«Tu es adorable!»

«Je t'aime.»

«Quelle grande fille tu fais!»

«C'est bien agréable de jouer avec toi.»

tandis que d'autres sont des détractions du genre:

«Tu ne peux vraiment rien faire de bien?»

«Qu'est-ce qui t'arrive?»

«Quel sale gamin!»

«Laisse-moi tranquille. Tu m'énerves.»

Des évaluations comme celles-ci sont le miroir à travers lequel nous apprenons à nous connaître. Comme les enfants sont des êtres confiants qui n'ont pas d'autres moyens à leur disposition pour se juger, ils acceptent sans discuter les évaluations négatives ou positives des adultes qui les entourent, qui possèdent semble-t-il toute la connaissance et tous les pouvoirs.

Les mêmes principes continuent à prévaloir plus tard dans la vie, particulièrement lorsque les messages proviennent de ce que les sociologues appellent une **personne déterminante**, c'est-à-dire d'une personne dont l'opinion compte vraiment beaucoup pour nous. Un regard sur les stimulations ou les détractions décrites dans l'exercice précédent (aussi bien que sur d'autres dont vous pouvez vous souvenir) vous montre que les évaluations venant de personnes qui comptent particulièrement pour vous peuvent avoir des effets prolongés. Un ancien professeur, un ami ou un parent en particulier, ou peut-être une vague relation pour qui vous avez du respect, peuvent tous laisser une empreinte sur l'image que vous vous faites de vous-même. Pour comprendre l'importance particulière de ces personnes, demandez-vous comment vous en êtes arrivé à vous juger de la façon dont vous le faites, en tant qu'étudiant, en tant qu'individu séduisant pour l'autre sexe, en tant que travailleur

> La réalisation de soi est une démarche strictement personnelle, et l'autre n'est qu'un des nombreux «outils» disponibles. On ne construit pas une maison avec un seul outil, serait-il le plus précieux des marteaux!
>
> Robert Blondin

L'amour et le chauffeur de taxi

L'autre jour, je me trouvais à New York avec un ami. En sortant du taxi, mon ami dit au chauffeur: «Merci pour la course. Vous vous êtes vraiment bien débrouillé dans la circulation.»

Le chauffeur de taxi parut surpris quelques instants, puis répliqua: «Vous allez bien, vous?

— Mais oui, je suis sérieux. J'admire vraiment la façon dont vous vous en sortez.

— Ah bon! dit le chauffeur, et il s'en alla.

— Qu'est-ce que tout cela veut dire? demandai-je.

— J'essaie de ramener un peu d'amour dans New York, répondit mon ami. Je suis persuadé que c'est la seule chose qui puisse sauver la ville.

— Comment un seul homme peut-il sauver New York?

— Ce n'est pas l'affaire d'un seul homme. Je pense que j'ai éclairé la journée du chauffeur de taxi. Imagine qu'il fasse une vingtaine de courses aujourd'hui. Il va se montrer aimable avec les 20 personnes qu'il va transporter, parce qu'on s'est montré aimable avec lui. Ces personnes, à leur tour, vont se montrer aimables avec leurs employés, leur personnel, les serveurs ou même leur famille. Cette bonne volonté va toucher éventuellement mille personnes. Ce n'est pas si mal après tout.

— Mais cela dépend bien sûr de la bonne volonté du chauffeur de taxi.

— Pas nécessairement, répondit mon ami. Je sais très bien que le système n'est pas infaillible. Je peux avoir affaire à 10 personnes différentes aujourd'hui et, sur ces 10 personnes, je peux en rendre trois heureuses, donc pouvoir en influencer indirectement trois mille autres.

— Sur le papier, cela paraît bien, admis-je. Mais je ne suis pas aussi certain que cela se passe ainsi dans la réalité.

— Cela ne coûte rien d'essayer. Je n'ai pas perdu beaucoup de temps à dire à cet homme qu'il faisait un bon travail. Il n'a pas reçu un plus gros ou un plus petit pourboire pour autant. Et même si cela était tombé dans l'oreille d'un sourd? Demain, il se présentera bien un autre chauffeur de taxi que je pourrai essayer de rendre heureux.

— Tu es plutôt spécial, ajoutai-je.

— Cela montre bien à quel point tu es devenu cynique. J'ai bien étudié la question. Ce qui semble manquer le plus chez nos employés des postes, à part bien sûr l'argent, c'est que personne ne prend le temps de leur dire qu'ils font du bon travail.

— Mais ils ne font pas un bon travail.

— Ils ne font pas un bon travail parce qu'ils ont l'impression que personne ne se soucie de ce qu'ils font. Pourquoi ne leur glisserait-on pas un mot gentil de temps à autre?

Nous passions devant un chantier de construction où cinq ouvriers étaient en train de casser la croûte. Mon ami s'arrêta. «C'est un travail fantastique que vous êtes en train de faire. Ça doit être dangereux et difficile.»

Les cinq hommes regardèrent mon ami avec méfiance.

«Quand le chantier va-t-il être terminé?

— En juin, répondit l'un d'eux en grommelant.

— Ah! c'est vraiment très impressionnant. Vous devez tous être très fiers.

Nous nous éloignâmes et je dis à mon ami: «Je n'ai jamais rencontré quelqu'un comme toi depuis l'homme de la Mancha.

— Lorsque ces hommes auront assimilé les paroles que je viens de leur dire, ils vont se sentir mieux. La ville va, d'une certaine façon, bénéficier de leur état d'âme.

— Mais tu ne peux pas faire cela tout seul! ajoutai-je. Tu es vraiment seul.

— Le principal, c'est de ne pas se décourager. Ce n'est pas facile de rendre les habitants d'une ville à nouveau aimables, mais je peux entraîner d'autres personnes à ma suite...

— Tu viens juste de faire un clin d'œil à une femme tout à fait ordinaire, lui dis-je.

— Je sais, répondit-il. Et si elle est enseignante, toute sa classe va pouvoir passer une merveilleuse journée.

Art Buchwald

compétent... et vous vous rendrez compte que ces auto-évaluations ont été probablement influencées par la façon dont les autres vous ont considéré.

Comparaison sociale   Nous avons vu jusqu'ici la façon dont les messages des autres façonnent l'image de notre concept de soi. Il faut ajouter à ces messages l'image personnelle que chacun d'entre nous se forge à partir du processus de **comparaison sociale**.

Examinons deux types de comparaisons: le premier nous fait décider de notre *supériorité* ou de notre *infériorité* par rapport aux autres. Sommes-nous beaux ou laids? Incarnons-nous le succès ou l'échec? Sommes-nous intelligents ou bêtes? C'est notre cadre de référence qui le détermine, et non la réalité. Il se peut que vous vous sentiez médiocre, moins doué ou moins séduisant, en comparaison des personnes que vous choisissez comme modèles. Peut-être n'avez-vous pas la beauté d'une star d'Hollywood, la souplesse d'un acrobate ou la richesse d'un millionnaire... Et après? Si vous considérez les choses froidement, cela ne signifie nullement que vous ne valez rien. Malheureusement,

bien des personnes s'imposent des normes de référence qui ne sont pas à leur portée et en souffrent en conséquence. Vous apprendrez comment éviter de vous fixer des seuils de perfection irréalistes dans le chapitre 3.

En plus d'être à la source de sentiments de supériorité ou d'infériorité, la comparaison sociale est une manière de savoir si nous sommes *semblables* aux autres ou si nous sommes *différents*. Un enfant qui s'intéresse à la danse classique, mais qui vit dans un milieu où cette activité est considérée comme étrange, en viendra à tenir le même raisonnement que son entourage s'il n'obtient pas l'appui d'autres personnes. De même, des adultes qui souhaitent améliorer la qualité de leurs rapports personnels, mais qui sont entourés d'une famille et d'amis qui n'ont pas conscience de l'importance de leur démarche, se considéreront comme des excentriques. Aussi, est-il facile de conclure que les **groupes de référence** avec lesquels nous établissons des comparaisons jouent

un rôle important dans le façonnement de notre propre image.

Se servir de cadres de référence pour savoir si nous sommes différents des autres peut présenter des pièges, car les autres ne montrent pas toujours ce qu'ils sont ou ce qu'ils pensent réellement. Beaucoup d'étudiants, dans les cours de communication interpersonnelle, découvrent que d'autres autour d'eux souffrent de la même insécurité qu'il leur arrive de ressentir — et qu'ils trouvent bizarre. C'est pour cette raison qu'il est important de se rappeler que les gens n'agissent pas toujours selon ce qu'ils sont, et qu'il est possible que vous ne soyez pas aussi différent que vous pensez l'être. Le chapitre 8 traite de l'ouverture de soi et propose quelques lignes directrices pour aller au-delà des masques et du jeu qui empêchent souvent les gens de se trouver des points de ressemblance avec les autres.

Vous pourriez cependant prétendre que le concept de soi n'est pas uniquement façonné par les autres, et qu'il existe bien certaines réalités objectives, reconnaissables. Ainsi, on n'a pas besoin de dire à telle personne qu'elle est plus grande que les autres, qu'elle parle avec un accent, qu'elle a de l'acné, etc. Ces faits sont évidents.

S'il est vrai que certaines caractéristiques sont immédiatement identifiables, l'*importance* que nous leur accordons — le rang que nous leur attribuons sur notre liste et l'interprétation que nous en donnons — dépend en grande partie de l'opinion des autres. Après tout, il y a beaucoup de vos traits facilement reconnaissables que vous ne jugez pas importants, parce que personne ne les a vus comme tels.

Nous écoutions récemment une femme de 80 ans décrire sa jeunesse en ces termes: «Lorsque j'étais jeune fille, nous ne faisions pas attention au poids. Certaines personnes étaient maigres, d'autres plus en chair, et nous nous acceptions toutes très bien telles que le bon Dieu nous avait faites.» À cette époque, il est peu probable que le poids ait figuré sur la liste des éléments importants du concept de soi, car il n'était pas considéré comme significatif. Comparez avec ce qui se passe aujourd'hui: il est rare que vous ouvriez un magazine populaire ou que vous entriez dans une librairie sans que l'on vous fasse l'éloge des derniers régimes à la mode; la publicité télévisée ne montre que des scènes où apparaissent des personnes minces et heureuses. Cela a pour résultat qu'il est bien rare de rencontrer maintenant une personne (particulièrement une femme) qui ne se plaigne pas de devoir perdre quelques kilos. La raison d'une telle préoccupation relève davantage de l'attention que l'on porte actuellement à la minceur que de l'augmentation du nombre des personnes obèses. Qui plus est, l'interprétation d'éléments comme le poids dépend beaucoup de la façon dont les gens importants à

> Beaucoup plus profond, plus fondamental, est le besoin d'être unique pour être vraiment. L'obsession d'être reconnu comme une personne originale, irremplaçable, nous attire tous. Nous sommes réellement uniques, mais nous ne sentons jamais assez que notre entourage en est conscient. Quel plus beau cadeau peut nous faire l'autre que de renforcer notre unicité, notre originalité, en étant différent de nous?
>
> Robert Blondin

nos yeux les considèrent. Les bourrelets sont peu enviables parce que c'est ce que les autres nous disent. Dans une société où l'obésité est le critère idéal (et il en existe), une personne très forte passera pour une beauté. De la même façon, le fait d'être marié ou célibataire, solitaire ou sociable, actif ou passif, dépend de l'interprétation qu'en donne la société. Ainsi, l'importance d'un élément donné du concept de soi dépend beaucoup de la signification que vous et les autres lui accordez.

Il est donc juste d'envisager le concept de soi selon deux perspectives interdépendantes. D'une part, grâce à l'évolution de ses capacités intellectuelles, affectives et sociales, l'individu est capable d'acquérir une conscience de soi pour soi. D'autre part, l'histoire relationnelle de l'individu, marquée par les événements de la vie, façonne son image sociale à partir des indices qu'il reconnaît comme venant d'autrui. René L'Écuyer rend bien compte de ce processus complexe dans le développement du concept de soi de l'individu[2]. D'ailleurs, bien qu'il laisse une large part à l'individu dans la description que celui-ci peut faire de sa propre personne, L'Écuyer s'appuie sur les grands moments de la vie — dans le contexte du Québec — pour décrire les étapes dans le développement du concept de soi.

Dans son livre intitulé précisément *Le Concept de soi*, L'Écuyer identifie six étapes correspondant chacune à un moment décisif dans l'évolution de la perception qu'a l'individu de sa personne:

1. L'*émergence du soi* caractérise la période qui va de la naissance jusqu'à l'âge de deux ans. Ce qui domine durant cette période, c'est la distinction progressive entre ce qui est soi et ce qui ne l'est pas. Durant cette étape, l'enfant développe graduellement l'idée ou la conscience d'exister dans un corps — cette conscience étant absente à la naissance. En termes techniques, on parle de différenciation soi non-soi (se reconnaître parmi d'autres objets et individus, et non plus s'y confondre) et de la création d'une image corporelle. Nous signalions plus tôt l'importance de la communication non verbale entre le parent nourricier et l'enfant. C'est durant cette période de notre vie que nous y sommes le plus sensibles, puisque c'est l'unique façon d'être en *contact* avec les autres. Le langage non verbal (voir le chapitre 6 pour connaître toute la signification du langage non verbal) est notre façon de *communiquer*. Les mots, eux, viennent plus tard.

Vous avez dressé une liste au début de ce chapitre. Une liste de mots qui, selon vous, vous décrivent en tant que personne et que nous avons qualifiée comme un compte rendu acceptable et probablement fidèle de votre concept de soi. Cependant, il faut garder à l'esprit que ces mots sont une façon de se décrire, de prendre conscience de soi. Si la première étape dans la constitution d'un concept de soi passe par la conscience croissante de ce qui est soi et non-soi et de l'image corporelle, nous sommes en droit de postuler l'existence d'une facette de soi indépendante de l'usage des mots, qui prendrait naissance dans les *sensations* ressenties à l'intérieur de notre corps. En d'autres termes, notre conception de nous-mêmes va au-delà des mots. Il y aura toujours un aspect de nous-mêmes qui ne pourra être décrit par des mots.

2. La *confirmation de soi* caractérise la deuxième étape et s'étend de l'âge de deux à cinq ans. Les capacités grandissantes de l'enfant sur le plan verbal, physique et social permettent de croire à une période d'implantation ou de consolidation des premiers acquis dans la conception de soi. L'usage progressif du vocabulaire et l'emploi des pronoms possessifs, le négativisme* ainsi que le type de relations nouvelles que l'enfant entretient avec les adultes et les autres enfants expriment une confiance accrue en sa propre identité.

3. L'étape de l'*expansion du soi* recouvre toute la période de l'enseignement primaire, soit de l'âge de 5 ans à l'âge de 10-12 ans environ. À l'école, l'enfant fréquente un milieu riche et stimulant: de nouveaux enfants, de nouveaux adultes, de nouvelles structures, de nouvelles règles, de nouveaux défis, de nouvelles frustrations, de grandes joies, etc. Ce qui importe ici, c'est la nouveauté des événements qui marquent le rythme de croissance de l'enfant. De nouvelles images se présentent à lui, images issues de ses interactions avec ses pairs, avec ses animateurs dans toutes sortes d'activités. De là, l'enfant perçoit une forme de rétroaction sur ce qu'il est capable de faire, sur ce qu'il n'aime pas faire, sur ce qu'il n'a pas le droit de faire... Toute cette variété de représentations enrichit la conception que peuvent avoir d'eux-mêmes les jeunes. D'ailleurs, cette période de la vie se traduit, dans les résultats de recherche de L'Écuyer, par un accroissement du nombre de catégories utilisées par les enfants pour se décrire (voir le tableau 2-1 pour connaître les différents types de catégories utilisés).

4. La *différenciation du soi* caractérise la période de l'adolescence. Qu'arrive-t-il durant cette période? Au moins trois événements d'importance marquent le passage à l'adolescence. Un changement sur le plan cognitif où le matériau sur lequel portent les pensées n'est plus de l'ordre du concret, mais inclut tout autant le monde des hypothèses et des possibilités. Un changement sur le plan corporel, exigeant de l'adolescent une «mise à jour» de son image corporelle. Celle-ci se caractérise par une préoccupation accrue de son

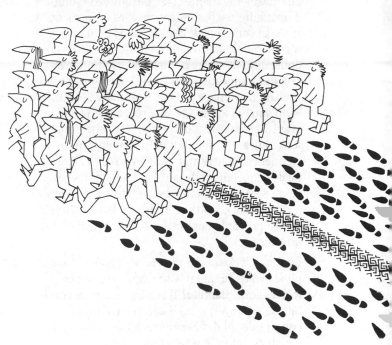

allure générale et par un questionnement sur la normalité de sa croissance: il s'agit d'accepter de nouveaux attributs corporels issus de la libération des hormones dans le sang et façonnant le corps de manière décisive. Enfin, le dernier changement porte sur l'importance de plus en plus grande accordée aux relations entre pairs, démontrant un souci de se démarquer du milieu social conventionnel représenté ici par la famille. Le psychanalyste Erikson a traité de ce sujet de manière fort intéressante et pertinente. Ainsi, dans cet effort de différenciation du soi, la personne est susceptible de parvenir à un concept de soi plus stable, plus solide, parce que, pour employer le terme de L'Écuyer, «plus personnalisé».

5. La *maturité adulte* définit toute la période de l'âge adulte (20 à 60 ans). Imaginez-vous dans la situation de décider d'une carrière. Quelles questions allez-vous vous poser? Qu'allez-vous remettre en question? Comment vous percevoir

---

* La période du négativisme est le moment de la vie où l'enfant dit: «Non!» à beaucoup de choses... On croit alors qu'il exerce son pouvoir de contrôle sur l'environnement. C'est ce type de comportement qui laisse croire aux théoriciens que, si l'enfant est capable de dire «non», c'est qu'il se sent de plus en plus fort dans son identité.

dans un nouveau rôle, non plus d'étudiant mais de travailleur? Même si les raisons de l'évolution d'un adulte se confondent avec les événements de sa vie et sont le fruit des décisions qu'il prend, il n'en demeure pas moins, comme vous vous en doutez, qu'il y a des remises en question marquantes obligeant, parfois douloureusement, à se «refaire une image de soi», à se poser la question: «Qui suis-je?» Mariage, divorce, carrière, enfant, aventures, maladie, décès d'un être cher, nouvelles valeurs, etc. sont autant d'éléments qui viennent s'ajouter au concept de soi de l'individu. Le développement durant l'âge adulte intéresse de plus en plus de chercheurs, et vous trouverez à la fin de ce chapitre certaines références qui seront probablement utiles si le sujet vous intéresse.

6. Le *concept de soi des personnes âgées* (60 ans et plus) évolue lui aussi. Croissance continue? Régression? Stabilité? Il semble, selon les résultats de L'Écuyer, que les caractéristiques du concept de soi des personnes âgées soient très variables, selon le sexe ou selon l'évolution particulière de chacun. On doit, à ce moment de la vie, tenir compte des histoires personnelles: 70 ans d'expériences, d'événements décisifs,

> Pourtant, tu te souviens? Nous avons par ailleurs su créer tant d'échanges parfaits, nous avons vécu tant d'attentes comblées, de bonheurs de connivence, d'amitié partagée. Étaient-ils vrais ou était-ce encore un jeu à sens unique de moi à moi dans ma citadelle? Comment avons-nous pu être tantôt merveilleux, tantôt sordides, tantôt bons, tantôt mauvais, avec des frontières totalement étanches entre ces états?
>
> Véra Pollak

d'espoirs et d'idéaux encore à atteindre... Il devient très difficile de dégager une séquence développementale dans l'évolution du concept de soi de la personne âgée. Malgré tout, le laboratoire de recherche sur le concept de soi du département de psychologie de l'Université de Sherbrooke continue la recherche en ce sens.

Après ce bref survol des étapes dans l'évolution du concept de soi, nous constatons qu'il nous est impossible de développer une conscience de soi, une idée de nous-mêmes, sans référence aux autres et aux événements marquants de notre vie. Vous

À l'école? Mais bien sûr !

De nombreux enseignants sont extrêmement sensibles au bien-être des enfants dont ils ont la responsabilité. Une expérience échelonnée sur plusieurs mois a permis de rendre concrète une démarche visant à favoriser le développement de l'estime de soi. Cette expérience a eu lieu à l'école Saint-Joseph, à Lauzon, au Québec. L'objectif de cette recherche était d'amener les enfants de cinq et six ans à prendre conscience de leurs capacités, de leurs pouvoirs et de leurs droits et à décider de ce qu'ils veulent pour eux-mêmes. Il devenait impératif, selon Véronique Brisson, d'offrir à ces jeunes les moyens d'y parvenir. Que ce soit par le biais des «soleils de l'estime de soi et

> Il est impossible de ne pas tenir compte de l'image de soi. Elle existe, elle agit. Et quoi qu'on fasse, on doit nécessairement partir d'elle. Il nous reste donc à devenir conscient de notre image, c'est notre première responsabilité.
>
> Véronique Brisson

de la volonté» par lesquels l'enfant exprime une de ses réalisations et la fierté d'y être parvenu, par le «personnage intérieur», par le «coin à penser» ou encore par la «visualisation», ces techniques encourageant la vie intérieure, l'animatrice met donc en place les conditions dans lesquelles l'enfant est invité à exploiter certaines facettes de lui-même. Toute démarche personnelle prend du temps et du soutien, et cela est d'autant plus vrai avec les plus jeunes. Avec des moyens adaptés à l'enfant d'âge préscolaire, la vie intérieure et la prise de conscience de ses capacités et de ses faiblesses deviennent possibles.

> Nous sommes des histoires vivantes. Ce qui nous arrive est préparé par notre propre histoire intérieure. Nos nouvelles amours sont préparées par nos amours anciennes, nos nouveaux plaisirs sont la reproduction de nos plaisirs passés. Nous sommes des êtres qui s'élaborent dans le temps. Toute tentative de nous débrancher de ce passé ne doit-elle pas être interprétée comme une agression ou du moins comme une menace à notre intégrité et à notre mystère?
>
> Denise Bombardier et Claude St-Laurent

pourriez alors penser: «Adler et Towne sont en train de me dire que ce n'est pas ma faute si j'ai toujours été timide et si je manque de confiance en moi. Puisque j'ai développé une image de ma personne qui est le résultat de la façon dont les autres m'ont traité, je ne peux m'empêcher d'être tel que je suis.» Bien qu'il soit exact que vous soyez jusqu'à un certain point le produit de votre environnement, croire que vous êtes condamné éternellement à vous en tenir à une image peu enviable de votre personne serait une grave erreur. Que vous vous soyez contenté d'en afficher une semblable jusqu'ici ne justifie pas que vous continuiez à le faire à l'avenir. Vous *pouvez* modifier

votre attitude et votre comportement, comme vous allez le voir très bientôt. Ne désespérez pas, et surtout n'utilisez pas le fait que les autres ont façonné votre concept de soi comme excuse pour vous apitoyer sur votre propre sort ou pour agir de manière négative. Maintenant que vous êtes conscient de l'effet trop souvent détracteur que les évaluations ont eu sur vous dans le passé, vous serez dans une meilleure position pour corriger votre perception de vous-même.

Le concept de soi, la personnalité et la communication

Nous utilisons le terme **personnalité** pour décrire un ensemble relativement constant de traits de caractère que les individus affichent dans une foule de situations[3]. Nous qualifions les autres d'affables ou de distants, d'énergiques ou de paresseux, d'intelligents ou de stupides, et de milliers d'autres façons.

En dépit de son usage courant, le terme personnalité fait souvent l'objet d'une simplification excessive. Notre comportement dans son ensemble n'est pas cohérent; il varie plutôt d'une situation à l'autre. Vous pouvez être réservé au milieu de personnes étrangères et très sociable avec des amis ou avec votre famille. Vous pouvez vous montrer

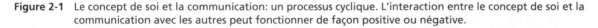

Figure 2-1 Le concept de soi et la communication: un processus cyclique. L'interaction entre le concept de soi et la communication avec les autres peut fonctionner de façon positive ou négative.

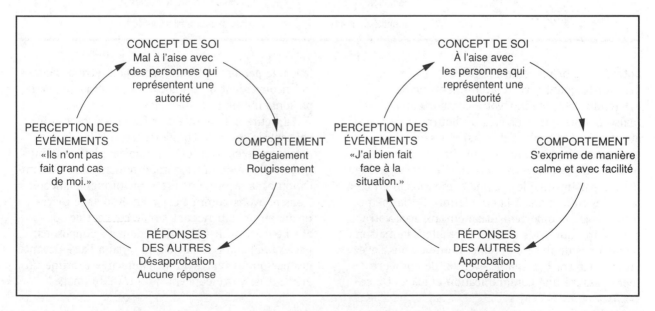

Tableau 2-1 Le modèle multidimensionnel du concept de soi développé par René L'Écuyer.   Les éléments du concept de soi sont organisés de manière hiérarchique en structures, sous-structures et catégories. Cette pluralité de concepts veut rendre compte des particularités individuelles dans la représentation du concept de soi. Par exemple, deux personnes peuvent se retrouver avec une structure identique (soi matériel), mais dont la source peut être différente. Dans un cas, il pourrait s'agir de la sous-structure soi somatique avec ses catégories représentatives, tandis que chez l'autre personne il s'agirait de la sous-structure soi possessif avec ses catégories de possession d'objets et de personnes. De plus, le modèle veut rendre compte des perceptions centrales et secondaires constitutives de la façon dont la personne se définit. C'est à l'aide d'un tel modèle que L'Écuyer tente de rendre compte de l'évolution de ces éléments durant toute la vie.

Structures	Sous-structures	Catégories	Exemples de discours
Soi matériel	Soi somatique	traits et apparence physique	Je suis un peu trop grosse.
		condition physique	Je suis allergique aux chats.
	Soi possessif	possession d'objets	J'ai un «10 vitesses».
		possession de personnes	C'est ma mère.
Soi personnel	Image de soi	aspirations	J'aimerais travailler en informatique.
		énumération d'activités	Je fréquente les «arcades».
		sentiments et émotions	Je déteste le prof de maths.
		goûts et intérêts	J'aime tricoter.
		capacités et aptitudes	Je peux nager 12 longueurs de piscine.
		qualités et défauts	Je suis rancunière.
	Identité de soi	dénominations simples	Je suis une fille de 17 ans.
		rôle et statut	Je suis étudiant.
		consistance	J'ai l'impression de ne plus savoir qui je suis.
		idéologie	Je suis contre le nucléaire.
		identité abstraite	Je suis une fille *libérée*.

optimiste dans vos études ou votre carrière et pessimiste quant à votre avenir sentimental. «Détendu» peut définir votre comportement à la maison, alors que vous êtes un bourreau de travail au bureau. Cette pluralité n'est pas seulement courante: elle est souvent souhaitable. Votre manière de discuter avec vos amis ne sera pas bien perçue par un juge lors d'une comparution en cour pour des infractions à la circulation. De la même façon, votre comportement amoureux avec votre partenaire, que vous trouvez agréable à la maison, ne sera pas de mise en public. Comme vous l'avez vu au chapitre 1, un large éventail de comportements assure une communication efficace. De ce fait, une personnalité uniforme peut être davantage un inconvénient qu'un atout — à moins que cette personnalité ne soit «flexible».

La figure 2-1 montre la relation existant entre le concept de soi et le comportement. Elle illustre comment le concept de soi modèle à la fois la plus grande partie de notre comportement de communication et la façon dont il en est lui-même affecté. Nous pouvons commencer à en étudier le mécanisme en nous penchant sur le concept de soi affiché devant un événement donné[4]. Supposons, par exemple, que le fait d'être «mal à l'aise devant des personnes représentant l'autorité» exprime un élément de votre concept de soi. Cette image

Tableau 2-1 (suite)

Structures	Sous-structures	Catégories	Exemples de discours
Soi adaptatif	Valeur de soi	compétence	Je connais le basic mieux que tous mes amis.
		valeur personnelle	Je suis foncièrement honnête.
	Activité du soi	stratégie d'adaptation	Quand mon père me fait la tête, je mets mon baladeur.
		autonomie	Si j'ai un problème, je sais très bien me débrouiller.
		ambivalence	Je ne sais pas si je dois aller en histoire ou en économie.
		dépendance	Je me fie toujours à ma sœur pour me dire comment m'habiller.
		actualisation	Je me sens en pleine transformation pour devenir un être équilibré.
		style de vie	Ma vie est très organisée.
Soi social	Préoccupations et activités sociales	réceptivité	J'aime discuter et être avec mes amis.
		domination	Il essaie toujours de me dire quoi faire.
		altruisme	Je fais du bénévolat à l'hôpital pour enfants.
	Référence au sexe	référence simple	J'ai une amie.
		attrait et expérience sexuelle	Mon ami embrasse bien.
Soi non-soi	Référence à l'autre	nil	Mon ami a un micro-ordinateur.
	Opinion des autres sur soi		Les gens pensent que je suis une «bol».

Source: Adapté de L'Écuyer, 1978.

provient sans doute d'évaluations reçues, dans le passé, de personnes importantes à vos yeux — peut-être d'anciens professeurs ou d'anciens employeurs. Si vous vous sentez mal à l'aise devant de telles autorités, vous ressentirez probablement le même malaise lorsque vous vous trouverez dans des situations semblables à l'avenir — comme lors d'une rencontre enseignant-élève ou lors d'une entrevue pour un emploi. Ce comportement tendu influencera sans doute la réponse que vous donneront les autres, d'une façon qui renforcera encore davantage votre concept de soi initial — avec lequel vous aurez abordé l'événement. Finalement, la réponse des autres influencera la façon dont vous allez percevoir les événements futurs: d'autres entrevues, d'autres réunions avec des professeurs, et ainsi de suite. Ce cycle illustre bien la nature «en cercle vicieux» du concept de soi: il est à la fois modelé par les personnes qui ont eu de l'importance pour vous dans le passé, et il influence également la façon dont les personnes qui auront de l'importance à vos yeux vous verront à l'avenir.

Un rien du tout dans la neige

Tout a commencé de façon tragique par un froid matin de février. Je suivais l'autobus de Milford Corners comme je le faisais presque tous les matins pour me rendre à l'école. L'autobus tourna soudainement et s'arrêta devant l'hôtel, ce qu'il n'avait pas l'habitude de faire; j'étais ennuyé de faire cette halte imprévue. Un gamin sortit de l'autobus, fit quelques pas en titubant, puis alla s'effondrer sur un banc de neige, dans le tournant. Le chauffeur de l'autobus et moi-même le rejoignîmes au même moment. Le visage de l'enfant, anguleux et creusé, était aussi pâle que la neige.

«Il est mort», murmura le chauffeur.

Je ne compris pas sur le moment. Je jetai un coup d'œil rapide sur les visages effrayés des enfants qui nous regardaient de l'autobus. «Un médecin! Vite! Je vais téléphoner de l'hôtel...

— Pas la peine, je vous dis qu'il est mort.

Le chauffeur regarda le corps inerte. «Il n'a même pas dit qu'il se sentait mal, murmura-t-il. Il m'a juste tapé sur l'épaule et dit très calmement: "Je m'excuse beaucoup, mais je dois descendre à l'hôtel." C'est tout. Poli et s'excusant à la fois.»

À l'école, les bruits de rires du matin s'estompèrent au fur et à mesure que la nouvelle se répandit dans les couloirs. Je dépassai un petit groupe de filles. «Qui était-ce? Qui est mort en venant à l'école?» entendis-je demander dans un demi-murmure.

«On ne connaît pas son nom; un garçon de Milford Corners», fut la réponse. La même ambiance régnait dans la salle des professeurs et dans le bureau du directeur. «J'aimerais bien que vous alliez prévenir les parents, me dit le directeur. Ils n'ont pas le téléphone et, de toute façon, il est préférable que quelqu'un de l'école s'y rende en personne. Je m'occupe de vos classes.

— Pourquoi moi? demandai-je. Ne serait-il pas préférable que vous y alliez vous-même?

— Je ne connaissais pas ce garçon, répliqua le directeur d'un ton égal. Et dans le rapport des professeurs de l'an dernier, vous êtes mentionné comme le professeur qu'il préférait.»

Je me rendis dans la neige et le froid en bas de la vallée jusqu'à la maison des Evans, tout en pensant à ce garçon. Cliff Evans. Son professeur

préféré! Il ne m'avait pas dit deux mots en deux ans! Je le revoyais bien au fond de la classe de littérature de l'après-midi. Il y arrivait tout seul et repartait tout seul. «Cliff Evans, marmonnais-je, un garçon qui ne parlait jamais.» J'y songeai un instant. «Un garçon qui ne souriait jamais. Je ne l'avais jamais vu sourire une seule fois.»

La grande cuisine de la ferme était propre et chaleureuse. Je laissai échapper mon message, je ne sait trop comment. Mme Evans se dirigea en aveugle vers une chaise et dit: «Il ne nous a jamais dit qu'il était malade.»

Son beau-père renifla. «Il n'a jamais dit quoi que ce soit depuis que je suis arrivé ici.»

Madame Evans poussa une casserole à l'arrière de la cuisinière et commença à enlever son tablier. «Une minute, interrompit son mari, j'ai besoin de déjeuner avant de partir en ville. Il n'y a rien que nous puissions faire de toute façon, maintenant. Si Cliff n'avait pas été si fermé, il nous aurait dit qu'il ne se sentait pas bien.»

Après les cours, je m'assis dans le bureau et jetai un regard vide sur les papiers étalés devant mes yeux. Je devais clore le dossier et écrire la rubrique nécrologique pour les registres de l'école. Les pages pratiquement blanches se moquaient de mon entreprise. Cliff Evans, de race blanche, jamais officiellement adopté par son beau-père, avait cinq demi-frères et sœurs. Ces maigres informations et la liste des D qu'il avait obtenus étaient tout ce que les dossiers avaient à offrir.

Cliff Evans avait franchi silencieusement les portes de l'école chaque matin et les avait franchies de la même façon l'après-midi, c'était tout. Il n'avait jamais fait partie d'un club. Il n'avait jamais joué dans une équipe. Il n'avait jamais tenu de rôle. Aussi loin que je me souvienne, il n'avait jamais manifesté une seule réaction bruyante et heureuse à laquelle on peut s'attendre d'un garçon de son âge. Il n'avait jamais été quelqu'un.

Comment la vie d'un garçon peut-elle se résumer à rien? Les dossiers scolaires me le montraient. Les annotations des professeurs de première et de deuxième années disaient «enfant timide et doux» ou «timide mais de bonne volonté». Le bulletin de troisième année avait ouvert le feu. Un professeur avait écrit d'une main assurée: «Cliff ne veut pas parler. Ne coopère pas. Lent à l'étude.» Les autres annotations étaient ensuite du même genre: «triste; peu éveillé; QI peu élevé». Elles étaient cependant justes. Le quotient intellectuel du garçon en neuvième année était de 83. Son quotient en troisième année avait été de 106 et n'était jamais descendu en dessous de 100 avant la septième année. Même s'ils sont timides, les enfants doux offrent de la résistance. Il faut du temps pour les détruire.

Je me dirigeai brusquement vers la machine à écrire et rédigeai un rapport enflammé en faisant ressortir ce que l'éducation avait apporté à Cliff Evans. J'en jetai un exemplaire sur le bureau du directeur et un autre dans le dossier triste et écorné. Je frappai violemment la machine à

écrire, fermai le classeur de même, puis claquai furieusement la porte, mais je ne m'en sentis pas soulagé pour autant. Un jeune garçon continuait à me suivre, un petit garçon au visage anguleux et pâle, au corps maigre dans des jeans passés, aux grands yeux qui avaient regardé et cherché pendant longtemps et qui s'étaient ensuite voilés.

Je pouvais imaginer combien de fois on l'avait choisi en dernier dans les jeux, combien de conversations d'enfants, murmurées à voix basse, l'avaient exclu, combien de fois on ne l'avait pas interrogé. Je pouvais entendre et même voir les visages qui répétaient inlassablement: «Tu n'es rien du tout, Cliff Evans.»

Un enfant est un être qui croit. Cliff les croyait, sans aucun doute. Soudain, tout devint clair pour moi: lorsque Cliff Evans s'était aperçu qu'il n'y avait plus d'issue pour lui, il avait disparu dans un banc de neige et s'en était allé. Le médecin pouvait avoir diagnostiqué un arrêt du cœur comme raison de son décès, cela ne me ferait pas changer d'idée.

Nous n'avons pas pu trouver 10 élèves de l'école qui aient suffisamment bien connu Cliff pour aller assister à ses funérailles en tant qu'amis. Aussi, des représentants des élèves et un comité des petites classes se rendirent en groupe à l'église, affichant un air de circonstance. J'assistai au service avec eux, un poids énorme sur la poitrine, mais armé d'une grande résolution.

Je n'ai jamais oublié Cliff Evans, non plus que la résolution que j'avais prise ce jour-là. Il a été mon défi année après année, classe après classe.

J'ai recherché les regards perdus ou les corps affalés sur leurs sièges, errant dans un monde étranger. «Les enfants, disais-je silencieusement, il se peut que je ne fasse rien d'autre pour vous cette année, mais aucun d'entre vous ne va sortir de cette classe comme un rien du tout. Je vais faire tous les efforts possibles et engager une bataille contre la société et le milieu scolaire, mais aucun d'entre vous ne pourra plus se sentir comme un rien du tout.»

La plupart du temps, pas toujours, mais la plupart du temps, j'y ai réussi.

Jean Mizer

Caractéristiques du concept de soi

Puisque vous avez une meilleure idée de l'évolution du concept de soi, nous pouvons nous pencher maintenant sur quelques-unes de ses caractéristiques.

Le concept de soi est subjectif Bien des personnes se jugent beaucoup plus sévèrement que ne le justifie la réalité. Vous en avez sans doute rencontré qui soutiennent qu'elles ne sont pas séduisantes ou qu'elles ne sont pas compétentes, en dépit de vos affirmations sincères faisant état du contraire. D'autres personnes ont par contre une image d'elles-mêmes déraisonnablement positive. Telle personne se considère comme une conteuse de blagues géniale, alors que tout le monde autour d'elle a du mal à supporter son esprit soi-disant humoristique. Telle autre personne peut se croire super-intelligente, alors qu'elle passe pour avoir des aptitudes plutôt moyennes.

Des évaluations déformées comme celles que nous venons de voir apparaissent pour plusieurs raisons. Une information périmée en est une. Les effets d'échecs antérieurs, à l'école ou dans les relations sociales, peuvent se faire sentir bien longtemps après qu'ils se sont produits, même si de tels événements ne prédisent pas d'échecs futurs. De même, des succès antérieurs ne peuvent garantir des succès futurs. Vos blagues étaient peut-être bien perçues, ou votre travail supérieur auparavant, mais les choses ont maintenant changé.

Une rétroaction déformée peut également contribuer à créer une image de soi meilleure ou pire que ne le justifient les faits. Des parents trop critiques sont la cause la plus fréquente d'une image négative que les enfants ont d'eux-mêmes. Dans d'autres cas, les remarques désobligeantes d'amis, de professeurs maladroits, d'employeurs trop exigeants, ou même de personnes étrangères qui nous ont fortement marqués, peuvent avoir des effets prolongés. D'autres messages déformés sont au contraire positifs à l'excès. Un patron peut se croire excellent gestionnaire parce que ses assistants le flattent dans le but de conserver leur poste ou d'obtenir une promotion. De même, le moi surévalué d'un enfant peut reposer sur les éloges exagérés des parents.

L'accent que l'on met sur la perfection, phénomène courant dans notre société, est une troisième cause à l'origine d'un concept de soi peu réaliste. Dès l'instant où nous commençons à comprendre le langage, nous sommes confrontés à des modèles symbolisant la perfection. Les histoires d'enfants et la publicité sous-entendent que pour être un héros, pour être aimé et admiré, il ne faut pas avoir de défauts. Malheureusement, bien des parents perpétuent ce mythe de la perfection en refusant d'admettre qu'ils font fausse route ou qu'ils se montrent injustes. Les enfants acceptent bien sûr cette façade perfectionniste pendant très longtemps, n'étant pas en position de mettre en doute la sagesse de personnes si puissantes. Du comportement affiché par les adultes qui les entourent provient le message suivant: «Une personne bien adaptée et qui a du succès n'a pas de défauts.» Ainsi, les enfants apprennent que pour se faire accepter, il faut nécessairement prétendre «avoir tout ce qu'il faut avoir», même s'ils savent fort bien que ce n'est pas le cas. À croire naïvement que les autres sont parfaits, et que soi-même on ne l'est pas, le concept de soi va en souffrir, c'est évident.

Ne vous méprenez pas: il n'est pas mauvais en soi de viser la perfection en tant qu'idéal. Nous voulons simplement souligner qu'atteindre cet état est généralement impossible. S'attendre à y parvenir est la meilleure manière d'acquérir un concept de soi erroné et inutilement bas.

Les attentes de la société expliquent aussi que les gens ont trop souvent tendance à se mésestimer. La société perfectionniste à laquelle nous appartenons récompense curieusement les personnes qui minimisent l'importance des talents qu'elle leur demande de posséder (ou de prétendre posséder). Nous qualifions ces personnes de modestes et jugeons leur comportement agréable. Par contre, nous traitons ceux qui ont une conscience honnête de leurs forces de vantards ou d'égoïstes, les

> Je ne suis pas ce que je pense être. Je ne suis pas ce que vous pensez que je suis. Je suis ce que je pense que vous pensez que je suis.
>
> Aaron Bleiberg et Harry Leubling

Gracieuseté de Mell Lazarus et du News America Syndicate.

confondant avec les personnes qui se glorifient de talents qu'elles n'ont pas dans la réalité. Cet usage nous conduit, pour la majorité d'entre nous, à parler ouvertement de nos défauts, tout en minimisant l'importance de nos talents. Il est bien vu de proclamer à haute voix sa déception devant l'échec d'un projet, mais considéré comme de la vantardise d'exprimer sa fierté pour un travail bien fait. Il est de bon ton de se dire peu séduisant, mais égocentrique d'affirmer que l'on se trouve au contraire pas mal du tout.

À la longue, nous en venons à croire réellement ce genre de réflexions que nous faisons constamment. Les remarques peu flatteuses que nous nous adressons passent pour de la modestie et deviennent partie intégrante de notre concept de soi; nos points forts et nos talents n'étant jamais mentionnés, ils sont de ce fait oubliés. Cela nous conduit à nous considérer comme beaucoup plus mauvais que nous le sommes en réalité.

Pour faire contraste avec ce genre de distorsion, essayez de faire l'exercice suivant. Il vous donnera la chance de mettre en veilleuse pendant quelques instants les principes que nous venons d'énoncer, en vous laissant vous apprécier ouvertement, pour une fois.

Flatteries de groupe

1. Cet exercice peut se faire seul ou en groupe. Si vous le faites à plusieurs, asseyez-vous en cercle de manière à ce que tout le monde puisse se voir.

2. Chacun se vante de trois choses qui le concernent. Ces vantardises n'ont pas nécessairement trait aux domaines où vous êtes un expert, et elles ne constituent pas forcément de grands exploits. Au contraire, il est tout à fait concevable que vous vous glorifiiez de petites choses qui vous laissent une impression de satisfaction ou de fierté. Par exemple, vous pouvez vous vanter: d'avoir terminé un travail scolaire avant la dernière minute; d'avoir parlé franchement à un ami alors que vous craigniez sa désapprobation; d'avoir confectionné un magnifique gâteau au chocolat; de prendre souvent des auto-stoppeurs et de les conduire à destination, même si ce n'est pas votre chemin.

3. Si vous êtes à court d'exemples, demandez-vous:
   a. Quels sont les domaines dans lesquels vous avez progressé cette année? Dans quelle mesure êtes-vous plus habile, plus expert ou meilleur que vous ne l'étiez auparavant?
   b. Pourquoi représentez-vous tant pour certains de vos amis ou certains membres de votre famille? Que recherchent-ils en vous?

4. Quand vous aurez terminé l'exercice, réfléchissez à l'expérience que vous venez de vivre. Cela vous a-t-il paru difficile de vous vanter? Aurait-il été plus facile de dresser la liste de ce qui *ne va pas* chez vous? Le cas échéant, est-ce parce que vous êtes vraiment une personne minable ou parce que vous avez l'habitude de mettre en évidence vos faiblesses et d'ignorer vos points forts?

Pensez à l'impact que la répétition d'un tel exercice aurait sur votre concept de soi, et demandez-vous s'il ne serait pas plus sage de trouver un meilleur équilibre dans l'évaluation de vos forces et de vos faiblesses.

Le concept de soi est multidimensionnel

C'est simplifier à l'extrême que de parler *du* concept de soi comme si chacun n'en possédait qu'un seul. Il existe au moins trois niveaux du soi, qui entrent en jeu d'une manière ou d'une autre en communication.

LE «SOI» PERSONNEL Le **soi personnel** est la personne que vous croyez être dans vos moments de sincérité. Le soi personnel comprend plusieurs éléments: confiance en vous, en votre apparence, conscience de votre intelligence, de vos aptitudes, de vos défauts, etc. Comme vous l'avez déjà vu, ce soi personnel n'est peut-être pas une image juste, mais il est très influent, parce qu'il incarne ce que vous *croyez* vraiment être et parce que vous agissez en conséquence.

LE «SOI» IDÉAL Si le soi personnel reflète le genre de personne que vous *pensez* être, le **soi idéal** est l'image de la personne que vous *voulez* être. Certains éléments du soi idéal correspondent au soi personnel. Il se peut par exemple que vous soyez satisfait du genre d'étudiant ou d'ami que vous représentez. Dans d'autres domaines, cependant, votre soi idéal peut être complètement différent de votre soi personnel.

LE «SOI» PUBLIC Le **soi extérieur** est le visage que vous essayez de présenter aux autres. Le soi extérieur peut correspondre parfois au soi personnel. Vous pouvez par exemple avouer en toute franchise que vous vous êtes comporté admirablement bien ou au contraire que vous avez fait rire de vous le samedi précédent. Dans d'autres cas, vous vous présentez aux autres d'une manière qui se rapproche davantage du soi idéal, comme lorsque vous savez pertinemment que votre conduite n'a pas été

> L'amour que l'on se porte, Sire, n'est pas un péché aussi infâme que celui de se négliger.
>
> Shakespeare, *Henri V*

exemplaire, mais que vous essayez de la faire passer pour justifiée ou même vertueuse. («Je n'ai pas rempli de formulaire d'impôt parce que je voulais faire connaître mon point de vue sur les activités anticonstitutionnelles du ministère du Revenu.») Il y a également des moments où l'image que vous présentez aux autres se situe quelque part entre le soi personnel et le soi idéal, comme lorsque vous dites: «Eh bien! il se peut que j'aie *quelque peu* mal agi...»

LE CONCEPT DE SOI AFFECTE LA COMMUNICATION La façon dont nous nous percevons a un impact direct sur notre comportement avec les autres. Plusieurs recherches ont mis à jour des différences comme celles qui suivent[5]:

Les personnes ayant une haute estime d'elles-mêmes...

1. ont tendance à penser du bien des autres;
2. s'attendent à ce que les autres les acceptent;
3. évaluent leurs propres performances d'une façon plus positive que les personnes ayant une piètre estime d'elles-mêmes;
4. fonctionnent bien même lorsqu'on les observe: ne craignent pas la réaction des autres;
5. travaillent encore plus pour les personnes qui exigent d'elles un rendement élevé;
6. ont tendance à se sentir à l'aise avec les personnes qu'elles considèrent comme supérieures à elles d'une façon ou d'une autre;
7. sont capables de se défendre face à des réflexions négatives des autres.

Les personnes ayant une piètre estime d'elles-mêmes...

1. ont tendance à désapprouver les autres;
2. s'attendent à ce que les autres les rejettent;
3. évaluent leurs performances d'une manière moins positive que les personnes ayant une haute estime d'elles-mêmes;
4. fonctionnent mal lorsqu'elles se sentent observées: appréhendent une réaction négative;
5. travaillent plus pour des personnes peu exigeantes et moins critiques;
6. se sentent menacées par les personnes qu'elles considèrent comme supérieures à elles d'une façon ou d'une autre;

7. éprouvent des difficultés à se défendre face aux réflexions négatives des autres: sont plus facilement influençables.

Ces différences trouvent tout leur sens lorsque vous prenez conscience que les personnes qui ne s'aiment pas ont tendance à croire que les autres ne les aimeront pas non plus. D'une façon réaliste ou non, elles s'imaginent que les autres les jugent toujours de façon négative, et elles acceptent ces critiques réelles ou imaginaires comme une preuve encore plus évidente de leur incompétence ou de leur impossibilité à se faire aimer. Pour reprendre les termes bien connus du psychiatre Eric Berne, elles adoptent une orientation de vie du genre: «Pour moi, ça ne va pas bien. Pour vous, oui.»

Les relations existant entre l'estime de soi et d'autres aspects de la vie semblent complexes. Dans une étude comparative de la représentation de soi chez l'enfant de 9 ans, Chalom remarque qu'il n'y a pas de différence entre le niveau d'estime de soi des enfants provenant d'un milieu socioculturel favorisé ou défavorisé, toutes deux s'avérant positives[6]. Par contre, les relations entre le sentiment de solitude et l'estime personnelle semblent exister, comme l'ont souligné Ouellet et Joshi dans leur revue de la littérature à ce sujet, ces deux variables étant à la fois une cause et une conséquence de l'autre[7]. Cette observation répétée indique bien le cercle vicieux dans lequel certaines personnes se retrouvent, et qui perpétue les difficultés de communication.

Un concept de soi sain est flexible Les gens changent. Nous évoluons d'un moment à l'autre. Nous nous levons de bonne humeur le matin et devenons maussades à l'heure du dîner. Nous nous passionnons pour un certain sujet de conversation

> «Qui êtes-vous, vous?» demanda la chenille. Ce n'était pas un début bien encourageant pour une conversation. Alice répondit avec une certaine hésitation: «Je n'en sais trop rien pour le moment, monsieur. Je sais qui j'étais quand je me suis levée ce matin, mais je crois bien que j'ai subi plusieurs métamorphoses depuis ce moment-là.»
>
> Lewis Carroll, *Alice au pays des merveilles*

à un moment donné, puis nous y perdons tout intérêt. Un moment de colère fait vite place au pardon. À la santé succède la maladie, et vice versa. La vivacité devient fatigue, la faim assouvissement, la confusion clarté.

Nous changeons également d'une situation à l'autre. Nous pouvons être des causeurs détendus avec des personnes que nous connaissons bien, mais chercher nos mots avec des étrangers. Nous pouvons faire preuve de patience pour expliquer certaines choses au travail et nous montrer intolérants à la maison. Nous pouvons être des génies pour résoudre des problèmes mathématiques et avoir énormément de difficultés à exprimer notre pensée par des mots. En dépit de ces fluctuations, plusieurs personnes pensent — généralement par erreur — que leur personnalité est statique. Dans une étude, des chercheurs ont découvert qu'il existait très peu de différences de comportement entre les personnes qui se définissaient comme des timides et celles qui se définissaient comme des «non timides». Autrement dit, dans les deux groupes, on disait réagir à certaines rencontres en ayant le cœur battant et des crampes à l'estomac et en rougissant. La différence se situait dans la façon

de reconnaître les choses. Si certains sujets avouaient: «Je suis timide», ceux qui avaient davantage confiance en eux — mais qui réagissaient exactement de la même manière — choisissaient plutôt de dire: «Il m'arrive d'être timide.»

Il n'est pas difficile de se rendre compte que cette deuxième façon de voir les choses mène à une appréciation plus satisfaisante — et dans la plupart des cas plus réaliste — de sa personne. Nous reparlerons plus à fond des pensées et des émotions dans le chapitre 4.

Sur de plus longues périodes de temps, nous changeons également. Nous vieillissons, apprenons des choses nouvelles, adoptons d'autres attitudes ou philosophies, fixons et atteignons des objectifs nouveaux, et nous nous apercevons que les autres changent aussi dans leur façon de penser et d'agir envers nous.

Comme nous changeons de bien des façons, nous devons également modifier notre concept de soi pour conserver une image réaliste de nous-mêmes. Ainsi, un autoportrait fidèle du genre de celui qui est décrit à la page 40 serait probablement différent de celui qui aurait été tracé une année ou quelques mois plus tôt, ou même la veille. Cela ne veut pas dire que vous changiez radicalement du jour au lendemain. Il y a bien entendu des caractéristiques fondamentales de votre personnalité qui resteront identiques pendant des années, peut-être durant toute votre vie. Il est probable cependant que, dans d'autres secteurs importants, vous changiez — physiquement, intellectuellement, émotionnellement ou spirituellement.

Le concept de soi résiste au changement En dépit du fait que nous nous transformions et qu'un concept de soi réaliste devrait le refléter, nous avons tendance à faire preuve d'une grande résistance à réviser la perception que nous avons de nous-mêmes. Lorsque nous sommes confrontés à des faits qui contredisent l'image mentale que nous avons de notre personne, nous avons tendance à contester ces faits et à nous accrocher à une perception des choses dépassée.

Il est compréhensible que nous nous montrions peu disposés à réviser un concept de soi qui nous était auparavant favorable. En écrivant ces mots, nous pensons à certains de ces athlètes professionnels qui soutiennent aveuglément qu'ils apportent encore beaucoup à leur équipe, alors qu'ils ne sont plus du tout dans la fleur de l'âge. Il doit leur être terriblement difficile de renoncer à toute cette vie d'exaltation, de célébrité et de récompenses dues à leur talent. Confronté à une si formidable perte, l'athlète pourrait tenter de jouer une saison de plus, alléguant qu'il n'a rien perdu de ses capacités physiques. De la même façon, un étudiant qui réussissait bien les années précédentes, mais qui vient de subir un échec, peut difficilement admettre que la mention «bon étudiant» ne s'applique désormais plus à lui; une employée auparavant très appliquée, se référant à des éloges antérieurs portés dans les dossiers du personnel et soutenant qu'elle fait bien partie de l'élite professionnelle, peut avoir du mal à accepter qu'un surveillant fasse mention de ses absences répétées ou d'un rendement inférieur. (Souvenez-vous que toutes ces personnes, dans ces exemples ou dans d'autres, ne *mentent* pas lorsqu'elles soutiennent qu'elles font du bon travail en dépit des faits qui prouvent le contraire; elles croient sincèrement que les «vieilles» vérités tiennent toujours, précisément parce que leur concept de soi a résisté au changement.)

Curieusement, la tendance à s'accrocher à une perception dépassée de sa personne persiste également lorsque la nouvelle image serait plus favorable que l'ancienne. Telle cette étudiante que tout le monde ou presque aurait qualifiée de belle, tant elle avait un physique séduisant digne de figurer dans n'importe quelle revue de mode de prestige. Pourtant, durant un exercice fait en classe, cette jeune femme s'était qualifiée d'ordinaire et même de laide. Lorsque les autres étudiants lui ont demandé quelle en était la raison, elle a expliqué que lorsqu'elle était plus jeune, elle avait les dents fortement de travers, ce qui l'avait obligée à porter des broches pendant plusieurs années. Pendant tout ce temps, ses amis l'avaient si souvent taquinée qu'elle n'avait jamais pu oublier «sa bouche en métal», comme elle disait. Bien qu'elle ne portât plus son appareil depuis déjà deux ans, notre étudiante disait qu'elle se sentait encore affreuse et repoussait les compliments que nous lui faisions, alléguant que nous disions ces choses simplement pour être gentils avec elle et qu'elle savait très bien comment elle était *en réalité*.

Des exemples comme celui-ci montrent le problème qui survient lorsque nous nous interdisons de modifier un concept de soi erroné.

L'étudiante se refusait une vie beaucoup plus heureuse en s'accrochant à une image dépassée de sa personne. De la même façon, certains communicateurs soutiennent qu'ils sont moins doués ou moins dignes d'amitié que les autres le laissent entendre, ce qui les pousse à se créer leur propre monde de misère qui n'aurait tout simplement pas de raison d'exister. Ces esprits malheureux offrent une résistance au changement, probablement parce qu'ils ne veulent pas passer par la phase de désorientation qui ne manque pas de se présenter lorsque l'on se remet en question. Ils prévoient avec raison que le fait de «se repenser» d'une nouvelle manière demande des efforts. Quelles que soient leurs raisons, il est triste de voir des gens dans un état qui ne se justifie absolument pas.

Un deuxième problème surgit lorsqu'on s'acharne à conserver un concept de soi erroné: c'est l'auto-illusion et sa conséquence, la stagnation. Si vous persistez à garder une image déraisonnablement favorable de votre personne, vous ne vous apercevrez pas du besoin réel de changement qui peut exister. Au lieu de développer de nouvelles aptitudes, de travailler à modifier une relation ou d'améliorer votre condition physique, vous vous complairez dans vos illusions habituelles et confortables selon lesquelles tout va pour le mieux. Avec le temps, ces illusions deviennent de plus en plus difficiles à entretenir et conduisent vers un troisième type de problème: la défensive.

Pour comprendre ce problème, vous devez vous souvenir que les communicateurs confrontés à des données qui contredisent la perception qu'ils ont de leur personne se trouvent devant un choix: soit ils acceptent les nouvelles données et modifient leur perception en conséquence, soit ils s'en tiennent à leur idée originale et réfutent d'une certaine façon les nouvelles données. Comme la plupart des gens hésitent à dévaloriser une image plutôt favorable qu'ils ont d'eux-mêmes, ils ont généralement tendance à opter pour la réfutation; ils ne tiennent pas compte des nouvelles données et les repoussent — en se justifiant ou bien en attaquant la personne qui les leur a transmises. Le problème de la défensive est tellement important que nous l'étudierons au chapitre 9.

On peut se demander comment de telles choses sont possibles, se dire que ce sont des enfantillages et n'y plus penser. Cependant, la réalité est beaucoup plus originale que toutes nos spéculations en ce domaine. Jacques-Philippe Leyens, dans son excellent essai intitulé *Sommes-nous tous des psychologues?*[8], veut rendre compte d'un phénomène psychologique fort intéressant: celui des théories implicites de la personnalité. En bref, ce sont des théories et des idées que nous entretenons sur la nature humaine, sur lesquelles nous nous basons pour rendre compte du comportement de quelqu'un dans une situation donnée, c'est-à-dire de sa personnalité. C'est à partir de telles théories implicites de la personnalité que nous nous forgeons une première impression. Avec seulement quelques traits de sa personnalité, nous sommes capables de nous construire une idée assez cohérente d'un individu, peu importe la réalité de notre conclusion. Mais le point sur lequel nous voulons attirer votre attention est la façon dont on peut expliquer ce phénomène, explication pertinente pour éclairer un comportement comme celui de notre étudiante de tantôt.

Il semble que nous ayons tendance à rechercher la confirmation de nos hypothèses plutôt qu'à nous confronter à des informations qui viendraient les infirmer. «Et alors?», nous direz-vous. De nombreuses recherches* en ce domaine démontrent que, placés devant des faits qui viennent contredire une idée, nous avons tendance à rechercher des «excuses» pour expliquer cette contradiction plutôt qu'à réviser notre connaissance originale ou, ce qui est encore plus gênant, à admettre que nous faisons des erreurs de raisonnement logique. Le résultat est prévisible: nous gardons intacte notre idée originale, qu'elle ait des conséquences positives ou négatives. Et cette façon de penser est une caractéristique assez troublante de notre psychologie: que nous soyons d'excellents psychologues, ingénieurs ou mathématiciens, nous avons tendance à rechercher les faits qui maintiennent intact ce que nous connaissons déjà.

Ainsi, en ayant une certaine connaissance de soi peuplée d'images particulières, nous tenterons donc de rechercher la confirmation des idées que nous entretenons vis-à-vis de nous-mêmes et nous nous retrouverons, pour le meilleur ou pour le pire, dans le cercle vicieux de l'autoréalisation des prophéties.

* Très bien expliquées aux chapitres 6 et 7 du livre de Jacques-Philippe Leyens *Sommes-nous tous des psychologues?*

L'autoréalisation des prophéties et la communication

Le concept de soi a une telle emprise sur la personnalité qu'il détermine la façon dont vous vous voyez vous-même dans le présent, et il peut également influer sur votre comportement futur comme celui des autres. De tels événements peuvent se produire grâce à un phénomène appelé l'autoréalisation des prophéties.

L'**autoréalisation des prophéties** a lieu lorsque les attentes d'une personne à propos d'un événement particulier rendent l'issue plus susceptible d'arriver qu'elle ne l'aurait été autrement. Ce phénomène survient constamment, bien qu'on ne lui appose pas toujours cette étiquette. Pensez par exemple à certaines situations que vous avez vécues.

> Vous pensiez que votre nervosité allait compromettre une entrevue pour un emploi, et c'est ce qui s'est réellement produit.
>
> Vous prévoyiez de vous amuser (ou de vous ennuyer) à une soirée, et vos prévisions se sont révélées justes.
>
> Un professeur ou un patron vous a expliqué un nouveau travail en vous prévenant que vous n'y réussiriez probablement pas la première fois. Et vous l'avez raté.
>
> Un ami vous parlait d'une personne que vous alliez rencontrer, vous disant que vous n'alliez sûrement pas l'aimer. La prédiction était exacte: vous n'avez pas aimé cette nouvelle connaissance.

Dans chaque cas, il y avait de fortes chances que l'événement se produise, parce qu'il avait été prédit. Vous n'auriez pas eu besoin de saboter l'entrevue; la soirée aurait pu être ratée simplement parce que vous auriez contribué à ce qu'elle le soit; vous auriez pu mieux exécuter votre nouvelle tâche si votre patron ne vous avait pas averti; vous auriez pu mieux apprécier cette nouvelle connaissance si votre ami ne vous avait pas donné d'idées préconçues. Autrement dit, ce qui a aidé à provoquer les événements, c'est l'attente que vous en aviez.

Types d'autoréalisation des prophéties Il existe deux types d'autoréalisation des prophéties. Celles que l'on *s'impose* se réalisent lorsque nos propres attentes influencent notre comportement. En sport, vous vous êtes probablement déjà préparé psychologiquement à jouer mieux ou moins bien qu'à l'ordinaire; la seule explication à votre performance inhabituelle est donc due à votre attitude. De la même façon, vous vous êtes sûrement un jour ou l'autre retrouvé devant un auditoire en ressentant une crainte qui vous a conduit à oublier votre discours; ce n'était pas dû à un manque de préparation, mais simplement au fait que vous vous étiez dit: «Je sais que je vais rater.»

Vous vous êtes très certainement réveillé un matin en colère en vous disant: «La journée va être mauvaise.» Après avoir pris une telle résolution, vous avez pu faire en sorte que cela se produise effectivement. Si vous êtes allé à un cours en vous disant que vous alliez probablement vous ennuyer, vous en avez sans doute perdu tout intérêt, du fait d'un manque d'attention de votre part. Si vous avez évité de vous retrouver avec les autres parce que vous prévoyiez qu'ils n'avaient rien à vous apporter, vos doutes auront été confirmés, rien d'excitant ou de nouveau ne sera effectivement arrivé. Par contre, si vous vous êtes présenté avec l'idée que la journée serait bonne, cette attente se sera probablement réalisée. Souriez aux autres, et ils vont sûrement vous sourire à leur tour. Assistez à un cours avec la conviction d'y apprendre quelque chose, et c'est ce qui va probablement se passer — même si vous y apprenez comment «ne pas enseigner» à des étudiants! Approchez beaucoup de personnes avec l'idée qu'un certain nombre d'entre elles vous apporteront quelque chose, et vous vous ferez de nouveaux amis. Dans ces cas comme dans d'autres semblables, votre attitude est grandement responsable de la vision que vous avez de vous-même et de celle que les autres ont de vous.

Un deuxième type d'autoréalisation des prophéties est celui qui est imposé par une personne à une autre, avec pour conséquence que les attentes d'une personne règlent les actions de l'autre. L'exemple classique en a été donné par Robert Rosenthal et Lenore Jacobson dans une étude qu'ils ont décrite dans leur livre *Pygmalion à l'école*[9]. Les chercheurs ont fait savoir à des enseignants que 20 % des enfants de leur école élémentaire montraient un potentiel inhabituel de développement intellectuel. Les noms de ces enfants avaient été pris à partir d'une liste de numéros tirés au

hasard; autant dire que les noms avaient été tout simplement sortis d'un chapeau. Huit mois plus tard, ces enfants peu ordinaires, un peu «magiques», affichaient de façon évidente des gains plus importants en QI que les autres enfants qui n'avaient pas été signalés à l'attention des professeurs. La modification des attentes des professeurs concernant la performance intellectuelle de ces enfants prétendument «spéciaux» avait conduit à un changement réel de leurs performances, alors qu'ils avaient été choisis au hasard. Autrement dit, les enfants réussissaient mieux, non pas parce qu'ils étaient plus intelligents que leurs congénères, mais parce qu'ils avaient appris que leurs professeurs — des personnes déterminantes à leurs yeux — croyaient qu'ils l'étaient.

Pour relier ce phénomène au concept de soi, nous pouvons dire que lorsqu'un professeur communique à un enfant le message: «Je pense que tu es brillant», l'enfant accepte cette évaluation et modifie son concept de soi en conséquence.

Malheureusement, nous pouvons supposer que le même principe est vrai pour les élèves à qui le professeur envoie le message: «Je pense que tu n'es vraiment pas intelligent.»

On peut se demander: «Comment des attentes peuvent-elles être transmises d'une personne à une autre?» Selon différentes recherches, il s'agirait de transmission par le comportement non verbal. Par exemple, en ce qui concerne les attentes d'un professeur vis-à-vis d'un étudiant «brillant», il suffit de penser aux questions que le professeur peut poser à cet étudiant au détriment du reste de sa classe, aux commentaires formulés sur un travail qui, aux yeux d'un autre collègue, semblerait bien ordinaire mais qui, aux yeux du professeur manifestant certaines attentes, semble excellent. Bref, par des subtilités comportementales ignorées des uns et des autres, on arrive à transmettre des messages de manière inconsciente... mais combien efficace!

Ce genre d'autoréalisation des prophéties apparaît donc comme une force très vive dans le façonnement du concept de soi, comme dans celui du comportement des gens dans maintes situations en dehors de l'école. En médecine, les patients qui utilisent sans le savoir des placebos — comme des injections d'eau stérile ou des pilules sucrées sans valeur curative — répondent souvent aussi bien à un traitement que les patients qui ont reçu le véritable médicament. Ces patients ont la certitude qu'ils ont pris un médicament qui les aidera à se sentir mieux et cette conviction apporte effectivement une «guérison». En psychothérapie, Rosenthal et Jacobson décrivent plusieurs études qui laissent entrevoir que des patients qui croient pouvoir retirer certains bienfaits d'un traitement les retirent en effet, peu importe le genre de traitement qu'ils suivent. De la même façon, lorsqu'un médecin estime que la condition d'un patient va s'améliorer, il se peut que cela arrive précisément du fait de cette attente, alors qu'un autre patient sur lequel le médecin fonde peu d'espoir de rétablissement ne guérira pas. Apparemment, le concept de soi du patient — appliqué à son état et tel que modelé par le médecin — joue un rôle important dans l'évolution de sa santé.

L'effet de l'autoréalisation des prophéties

L'influence exercée par l'autoréalisation des prophéties sur la communication peut être forte et améliorer ou détériorer les rapports personnels. Si, par exemple, vous présumez qu'une personne donnée est peu sympathique, vos sentiments vont peut-être se refléter dans votre conduite. Dans une telle situation, le comportement de l'autre personne va probablement correspondre à vos attentes: nous ne nous montrons généralement pas très aimables avec les personnes qui ne nous sont pas sympathiques. Si, par contre, vous traitez l'autre personne comme si elle vous était sympathique, les résultats auront tendance à être plus positifs.

L'autoréalisation des prophéties est une force importante en communication interpersonnelle, mais nous ne voulons pas insinuer qu'elle explique l'ensemble du comportement. Il existe certainement des cas où l'attente de l'issue d'un événement ne le fera pas survenir. Votre espoir de tirer un as aux cartes n'affectera en aucune façon les probabilités que cette carte sorte dans un jeu déjà battu.

Croire que le beau temps va arriver n'empêchera aucunement la pluie de tomber. De la même façon, penser que vous réussirez bien une entrevue pour un emploi, alors que de toute évidence vous n'avez pas les qualifications requises, est totalement irréaliste. Il se trouvera toujours des personnes que vous n'aimez pas et des situations que vous ne trouvez pas agréables, peu importe l'attitude que vous afficherez alors. *Relier l'autoréalisation des prophéties au «pouvoir de la pensée positive» est une grossière simplification.*

Dans d'autres cas, vos attentes seront confirmées parce que vous aurez fait les bonnes prédictions, et non pas du fait de leur autoréalisation. Les enfants, par exemple, n'ont pas tous les mêmes dispositions pour réussir à l'école; dans tel ou tel cas, il serait faux de prétendre que le succès scolaire de l'enfant a été conditionné par un parent ou par un professeur, même si son comportement ne correspondait pas à celui auquel on s'attendait. Ainsi, certaines personnes réussissent dans leur travail, alors que d'autres échouent; certains patients guérissent et d'autres pas, en accord ou contrairement à nos prédictions, mais non pas à cause d'elles.

Gardant ces considérations à l'esprit, vous jugerez important de reconnaître l'influence considérable que l'autoréalisation des prophéties joue dans nos vies. Nous sommes en grande partie ce que nous croyons être. Dans ce sens, les personnes qui nous entourent et nous-mêmes créons constamment nos concepts de soi et, par là même, nos propres personnes.

Modification du concept de soi

Après cette lecture, vous devez mieux saisir ce qu'est le concept de soi, la façon dont il se modèle, et la manière dont il affecte la communication. Mais nous ne nous sommes pas encore penchés directement sur ce qui constitue peut-être la question primordiale: comment modifier les éléments d'un concept de soi qui ne nous satisfont pas? Il n'existe vraisemblablement pas de recette miracle pour devenir la personne que vous voudriez être. Le développement personnel et l'auto-amélioration sont l'affaire de toute une vie. Nous pouvons cependant émettre quelques suggestions qui vous permettront peut être de vous rapprocher un peu plus des objectifs que vous vous êtes fixés.

Avoir des attentes réalistes Il est extrêmement important de prendre conscience qu'une partie de votre insatisfaction peut venir du fait que vous attendez trop de vous-même. Si vous avez comme exigence de réussir parfaitement chaque acte de communication, vous allez au devant de déceptions. Personne n'est capable de mener chaque lutte de façon bénéfique, de se sentir complètement détendu et totalement maître de ses capacités dans n'importe quelle conversation, de poser toujours des questions sensées ou de se montrer d'un grand secours lorsque les autres ont des problèmes. Vous attendre à atteindre des objectifs si peu réalistes revient à vous condamner au malheur dès le départ.

Parfois, il est tentant de vous montrer exigeant envers vous-même, quand tout le monde autour de vous semble réussir tellement mieux que vous ne le faites. Il est important de prendre conscience que la plus grande partie de ce qui passe pour de la confiance ou de l'habileté chez les autres n'est qu'une façade pour cacher les doutes. Comme vous, les autres peuvent très bien s'être imposé les mêmes aspirations de perfection, si peu réalistes.

Même dans les cas où les autres semblent assurément plus compétents que vous l'êtes, il est important de vous juger en fonction de votre développement personnel et non pas par rapport au comportement des autres. Plutôt que de vous sentir malheureux parce que vous ne possédez pas tous les talents d'un expert, prenez conscience que vous êtes probablement une personne plus qualifiée, plus sage que vous ne l'étiez auparavant, et que vous pouvez en tirer légitimement de la satisfaction. La perfection est bonne en tant qu'idéal, mais vous vous montrez injuste envers vous-même si vous vous attendez à l'atteindre réellement.

Avoir une perception réaliste de soi-même Une perception erronée de sa propre personne peut être la cause d'un concept de soi limitatif. Comme vous l'avez vu auparavant, certaines images irréalistes viennent parfois d'une trop grande sévérité envers vous-même, si vous êtes persuadé d'être pire que ne l'indiquent les faits. En

montrant aux personnes qui vous connaissent la liste que vous avez établie à la page 32, il vous sera possible de voir si vous vous êtes ou non sous-estimé. Il serait bien sûr stupide de nier que vous pourriez vous améliorer, mais il est tout aussi important de reconnaître vos points forts. Une séance périodique comparable à celle que vous avez essayée plus tôt dans ce chapitre, et qui vous permette de vanter vos mérites, est souvent un bon moyen de mettre en perspective vos points forts et vos faiblesses.

Un concept de soi sous-évalué peut aussi provenir des rétroactions dévalorisantes des autres. Vous vous trouvez peut-être dans un environnement où vous recevez un nombre excessif de messages négatifs, pour la plupart non mérités, et où les messages stimulants sont peu nombreux. Nous avons rencontré plusieurs mères de familles qui sont retournées étudier après avoir passé de nombreuses années à la maison, où leurs compétences intellectuelles n'étaient pratiquement pas reconnues. Il est même surprenant que ces femmes aient le courage de retourner étudier, tellement leur concept de soi est bas; mais elles y vont, et la plupart s'étonnent de se voir plus brillantes et plus qualifiées intellectuellement qu'elles ne le soupçonnaient. De la même façon, les employés qui ont des superviseurs trop critiques, les enfants qui ont des «amis» cruels ou les étudiants qui ont des professeurs qui ne les soutiennent pas suffisamment sont tous sujets à avoir des concepts de soi assez bas, en raison des réactions excessivement négatives qu'ils perçoivent.

Si vous appartenez à cette catégorie, il est important de replacer dans leur contexte les évaluations peu réalistes que vous recevez et de rechercher ensuite l'aide de personnes plus coopératives qui sauront reconnaître vos talents aussi bien qu'indiquer vos faiblesses. En faisant cela, vous obtenez un coup de pouce rapide et sûr.

Avoir la volonté de changer Nous disons souvent que nous voulons changer, mais nous ne voulons pas prendre les moyens de le faire. Dans de tels cas, il est évident que la responsabilité de vous améliorer repose entièrement sur vos épaules, comme le montre l'exemple qui suit l'exercice suivant.

Réévaluez les «Je ne peux pas»

1. Choisissez un partenaire et, à tour de rôle pendant environ cinq minutes, dressez une liste de réflexions qui commencent par: «Je ne peux pas...» Essayez d'orienter vos recherches sur les rapports personnels que vous entretenez avec votre famille, vos amis, vos confrères, vos étudiants et même les personnes étrangères: bref, toute personne avec laquelle vous avez des difficultés à communiquer.

    En voici quelques exemples:

    «Je ne peux pas être moi-même avec des personnes dont j'aimerais pourtant faire la connaissance dans des soirées.»

    «Je ne peux pas dire à mon amie combien elle m'est chère.»

    «Je ne peux pas me décider à demander une augmentation à mon patron — alors que je pense bien la mériter.»

    «Je ne peux pas poser de questions en classe.»

2. Notez les émotions que vous ressentez lorsque vous faites ces réflexions: pitié pour vous-même, regret, inquiétude, frustration, etc., et faites-en part à votre partenaire.

3. Répétez maintenant tout haut chaque phrase que vous venez d'exprimer mais au lieu de dire:«Je ne peux pas», dites: «Je ne veux pas.» Après chaque affirmation, faites part de vos pensées à votre partenaire sur ce que vous venez de dire.

4. Une fois cela terminé, décidez laquelle des deux formules — «Je ne peux pas» ou «Je ne veux pas» — est la plus appropriée pour chaque affirmation, et expliquez votre choix à votre partenaire.

5. Y a-t-il des exemples d'autoréalisation des prophéties sur votre liste — des cas où votre choix, selon lequel vous ne «pouviez pas» faire une chose donnée, était la seule force qui vous empêchait de la faire?

L'idée derrière cet exercice devrait être claire. Nous conservons souvent un concept de soi peu réaliste en disant que nous *ne pouvons pas* être la personne que nous souhaiterions être, alors qu'en fait nous ne voulons tout simplement pas faire ce qui s'impose. Vous *pouvez* changer de bien des façons, si vous êtes motivé à le faire.

Vous pourriez par exemple décider que vous aimeriez avoir plus de conversation. En demandant l'aide de votre professeur ou d'un autre conseiller en communication, vous recevez deux avis. On vous dit d'abord de passer les trois premières semaines à observer des personnes très à l'aise dans une conversation et d'enregistrer exactement ce qu'elles font pour être si compétentes. En deuxième lieu, votre conseiller vous suggère de lire plusieurs livres sur le sujet. Vous vous lancez donc dans cette entreprise avec les meilleures intentions qui soient, mais après quelques jours recueillir les conversations des autres devient pour vous une corvée — il serait tellement plus facile de les écouter seulement! Votre programme de lecture assidue s'enlise, car vos autres occupations prennent tout votre temps. Autrement dit, vous trouvez que vous ne *pouvez* tout simplement pas faire entrer votre plan d'amélioration personnelle dans un horaire déjà très chargé.

Soyons réalistes. Devenir un meilleur communicateur est probablement un des nombreux objectifs de votre vie. Il est cependant possible que vous ayez des besoins plus pressants, ce qui est tout à fait compréhensible. Vous devrez cependant prendre conscience que modifier votre concept de soi exige souvent un grand engagement de votre part, et que sans ces efforts vos meilleures intentions seules ne vous rapprocheront pas de votre objectif... En communication, comme dans la plupart des autres secteurs de la vie, on n'a rien sans peine.

Avoir la capacité de changer Essayer n'est pas toujours suffisant. Vous aimeriez parfois changer, si vous en connaissiez le moyen. Pour savoir si c'est votre cas, revenez à votre liste des «Je ne peux pas» et des «Je ne veux pas» et voyez si certains éléments ne sont pas plutôt des «Je ne sais pas comment». Le cas échéant, la façon de les modifier est d'apprendre à le faire. Voici deux suggestions:

La première est d'obtenir des renseignements à partir de livres comme celui-ci, par exemple en consultant les références à la fin de chaque chapitre, ou bien à partir d'autres publications. Vous pouvez également demander conseil à des professeurs, des conseillers et d'autres spécialistes, ainsi qu'à des amis. Les conseils que vous recevrez ne seront sans doute pas tous utiles, mais si vous lisez beaucoup et parlez à suffisamment de personnes, vous avez de bonnes chances d'apprendre les choses que vous désirez connaître.

Une deuxième méthode consiste à observer des modèles — des personnes qui ont bien réussi à maîtriser cet art, selon vous. On dit souvent que c'est en observant que l'on apprend le mieux. En tirant avantage de ce principe, vous vous rendrez compte que le monde est rempli de professeurs qui peuvent vous enseigner à communiquer d'une manière plus satisfaisante. Devenez alors un bon observateur. Regardez ce que font et ce que disent les personnes que vous admirez, non pas dans le but de les copier, mais dans celui d'adapter leur comportement à votre style personnel.

Sur ce point, il se peut que vous vous sentiez accablé devant la difficulté que représente un tel changement dans votre façon de penser et d'agir. Souvenez-vous, nous n'avons jamais dit que cette démarche serait facile (bien que parfois elle le soit effectivement). Mais, même lorsque le changement est difficile, vous savez qu'il est possible, dans la mesure où vous êtes sérieux. Il n'est pas nécessaire d'être parfait; vous pouvez cependant améliorer votre concept de soi si vous choisissez de le faire.

RÉSUMÉ

Le concept de soi est un ensemble de perceptions relativement stable que les individus ont d'eux-mêmes. Il commence à se développer peu après la naissance; il est façonné par les messages verbaux ou non verbaux qui proviennent de personnes importantes à nos yeux; il se constitue aussi à partir de notre évaluation réfléchie fondée sur la comparaison avec des groupes de référence. Selon L'Écuyer, le concept de soi évolue au cours d'étapes bien déterminées: l'émergence du soi, la confirmation du soi, l'expansion du soi, la différenciation du soi, la maturité adulte et le soi vieillissant. Le concept de soi est subjectif et peut varier considérablement selon la manière dont on est perçu par les autres. Il est tridimensionnel, composé d'un soi personnel, d'un soi idéal et d'un soi extérieur. Le concept de soi affecte la communication et est lui-même affecté par les interactions avec les autres. Il résiste au changement, bien qu'un concept de soi sain évolue effectivement avec le temps.

Il y a autoréalisation des prophéties lorsque les attentes d'une personne par rapport à un certain événement en influencent le dénouement. Un premier type d'autoréalisation des prophéties provient de l'influence des autres, un deuxième pouvant être celui que l'on s'impose à soi-même. L'autoréalisation des prophéties peut être positive ou négative.

Il est possible de modifier son concept de soi pour arriver à une communication plus efficace. Il est nécessaire cependant d'avoir des attentes réalistes quant à la possibilité des changements et de commencer cette démarche par une bonne évaluation de sa personne. La volonté de fournir des efforts est primordiale, les changements nécessitant dans certains cas de nouvelles informations ou de nouvelles aptitudes.

Mots clés

Autoréalisation des prophéties	Jugement réfléchi	Soi extérieur
Comparaison sociale	Personnalité	Soi idéal
Concept de soi	Personnes déterminantes	Soi personnel
Groupes de référence		

Bibliographie spécialisée

GOLDHABER, Dave. *Psychologie du développement*, Montréal, Études Vivantes, 1988, 564 p.

Un livre de référence sur le développement de la personne s'avère indispensable lorsqu'on s'intéresse au développement du concept de soi. L'auteur en discute pour chaque tranche d'âge.

L'ÉCUYER, René. *Le Concept de soi*, Paris, PUF (Psychologie d'aujourd'hui), 1978, 211 p.

Un excellent livre pour connaître toutes les facettes théoriques relatives à l'étude du concept de soi, tant du côté américain et québécois que du côté européen. On y trouve l'étude de cette notion sous forme de clarifications, théories, méthodes d'exploration et développement.

LEYENS, Jacques-Philippe. *Sommes-nous tous des psychologues?*, Bruxelles, Mardaga, 1983, 288 p.

Un livre qui traite des théories implicites de la personnalité. Les chapitres 6 et 7 sont particulièrement intéressants et discutent des stratégies que nous utilisons pour maintenir intacte l'idée que nous nous faisons de nous-mêmes et des autres. Ici aussi, l'auteur présente une bonne synthèse des recherches en ce domaine (autoréalisation des prophéties, raisonnement logique, etc.)

MUCHIELLI, Alex. *L'identité,* Collection «Que Sais-je?» (no 2288), Paris, PUF, 1986, 128 p.

Petit livre de la collection bien connue qui aborde tout l'historique de l'étude du concept de soi. Les informations y sont accessibles et bien présentées.

ROSENTHAL, Robert, JACOBSON, Lenore. *Pygmalion à l'école,* Tournai, Casterman, 1971.

Ce livre présente une foule de renseignements sur la façon dont opère l'autoréalisation des prophéties dans le monde social, éducationnel, scientifique, médical et... dans la vie de tous les jours.

Chapitre 3

La perception: une fenêtre sur la réalité

Examinez de près l'image de la page précédente. Que représente-t-elle d'après vous? Y voyez-vous le profil d'une vieille femme avec un gros nez ou celui d'une jeune femme qui détourne la tête vers la gauche? Si vous ne parvenez pas à distinguer les deux visages, nous allons vous y aider. La longue ligne verticale qui dessine le nez de la vieille femme représente le bas du visage de la jeune femme; la bouche de la vieille femme, le ruban autour du cou de la jeune femme; et l'œil gauche de la vieille femme, l'oreille de la jeune femme. Les voyez-vous toutes les deux maintenant?

Supposons que vous n'ayez vu qu'un des deux visages d'abord, comme la plupart des gens. Qu'auriez-vous pensé de quelqu'un qui, contrairement à vous, aurait aperçu l'autre visage? Peu familiarisé avec ce genre d'expérience, n'appréciant pas particulièrement la personne en question ou faisant preuve d'impatience ce jour-là, vous auriez peut-être été tenté de dire à la personne qui n'était pas d'accord avec vous qu'elle avait tort ou même qu'elle était stupide. Il est possible que tout cela se soit terminé par une horrible dispute pour savoir qui avait raison, chacun de vous avançant son propre point de vue, sans reconnaître que les deux interprétations étaient correctes.

Beaucoup de problèmes de communication suivent ce scénario: nous ne tenons pas compte du fait que nous sommes tous différents et que ces différences nous font voir le monde en privilégiant notre point de vue. Nous dépensons généralement plus d'énergie à défendre notre idée qu'à essayer d'en comprendre une autre.

Ce chapitre vous aidera à affronter ce genre de problème en vous entraînant à voir le monde à travers les yeux des autres aussi bien qu'à travers les vôtres. Nous examinerons certaines des raisons qui expliquent pourquoi le monde paraît différent à chacun d'entre nous.

Dans notre étude, nous aborderons plusieurs sujets: comment notre tempérament, nos besoins personnels, nos intérêts et nos préjugés façonnent notre perception des choses; les facteurs physiologiques qui influencent le regard que nous portons sur le monde qui nous entoure; les rôles sociaux qui conditionnent notre vision des événements; finalement, le rôle que la culture joue en nous imposant notre comportement. Nous couvrirons de ce fait une grande partie des types de bruits physiologiques et psychologiques décrits dans le schéma de communication du premier chapitre.

Le processus de perception

Nous ouvrirons notre débat sur la perception en jetant un regard sur le fossé qui sépare ce qui existe réellement de ce dont nous avons connaissance. À un moment ou à un autre, vous avez probablement pu voir des photos d'éléments invisibles à l'œil nu: peut-être une photo à l'infrarouge d'un endroit familier ou l'image d'un minuscule objet considérablement grossi au microscope électronique. Vous savez aussi que certains animaux sont capables d'entendre des sons et de sentir des odeurs que les humains ne peuvent percevoir. Des expériences comme celles-ci nous rappellent que le monde est rempli de bien plus de choses que nos sens limités ne nous le communiquent et que l'idée que nous nous faisons de la réalité n'est en fait que très partielle.

Même dans les domaines couverts par nos sens, nous n'avons conscience que d'une infime partie des choses qui nous entourent. La plupart des gens qui habitent dans les grandes villes, par exemple, finissent par perdre conscience des bruits de la circulation, de la foule ou des travaux de construction. D'autres se promènent en forêt et n'arrivent pas à distinguer le cri de tel oiseau de celui de tel autre ou à reconnaître les espèces végétales. À un niveau personnel, nous avons déjà tous fait l'expérience de ne pas avoir remarqué quelque chose d'inhabituel chez un ami — une nouvelle coiffure ou une expression triste sur son visage — avant que ce dernier nous le fasse lui-même remarquer.

Le fait de ne pas voir certaines choses, mais d'en remarquer certaines autres, est parfois dû à un manque d'attention de notre part. Dans d'autres cas, il nous est tout simplement impossible d'avoir conscience de toutes les choses qui nous entourent, peu importe notre niveau d'attention. Il y en a tout simplement trop.

William James disait que «pour le nourrisson, le monde n'est qu'un énorme désordre éclatant et bourdonnant». Une des raisons en est que les très jeunes enfants ne sont pas encore en mesure de mettre de l'ordre dans cette myriade d'impressions qui nous assaillent tous. En grandissant, nous apprenons à gérer toutes ces données et, par le fait même, à comprendre le monde qui nous entoure.

Notre organisme ne subit pas passivement les stimuli de l'environnement. Il sélectionne, organise et interprète. C'est ce qui s'est produit lorsque vous avez regardé le dessin du personnage: sélection de certains traits dans le dessin, organisation en un tout cohérent permettant une interprétation de ces traits comme représentant le visage d'une jeune ou d'une vieille femme. La capacité d'organiser nos perceptions de manière efficace étant l'un des facteurs les plus déterminants de notre comportement, nous commencerons notre étude sur la perception en examinant plus attentivement ce mécanisme. Nous nous pencherons d'abord sur les trois étapes interdépendantes qui nous permettent de donner une signification à nos expériences.

Sélection Comme nous recevons plus d'impressions que nous ne pouvons en gérer, la première démarche consiste à sélectionner celles auxquelles nous prêterons attention. Il y a plusieurs facteurs qui nous font remarquer certains messages et en ignorer d'autres.

Des stimuli *intenses* retiennent souvent notre attention. Un élément plus sonore, plus grand et plus brillant tranche. Cela explique pourquoi — dans un environnement par ailleurs uniforme — nous sommes plus à même de nous rappeler les personnes très grandes ou très petites, et pourquoi une personne qui rit ou qui parle très fort dans une soirée attire davantage l'attention (pas toujours favorablement) que des invités plus tranquilles.

Des stimuli à répétition, à répétition, à répétition, à répétition, à répétition, à répétition attirent également notre attention*; tout comme un robinet qui goutte de façon continue peut s'imposer à notre conscience, les personnes que nous rencontrons fréquemment deviennent plus perceptibles.

L'ATTENTION EST ÉGALEMENT SOLLICITÉE PAR LE contraste OU PAR UNE modification DANS LA STIMULATION. Autrement dit, les personnes ou les choses qui ne changent jamais deviennent moins perceptibles. Ce principe explique (ou excuse?) le fait que nous considérions des personnes extraordinaires comme faisant partie du décor lorsque nous avons affaire fréquemment à elles. Ce n'est que lorsqu'elles changent ou qu'elles disparaissent que nous commençons à les apprécier.

Nos *besoins* déterminent également les informations que nous allons sélectionner dans notre environnement. Si vous avez peur d'arriver en retard à un rendez-vous, vous ne manquerez pas de remarquer toutes les horloges qui se trouvent autour de vous; si vous avez faim, vous aurez conscience de tous les restaurants, marchés ou panneaux publicitaires de produits alimentaires le long de votre chemin. Les besoins déterminent également notre façon de percevoir les autres. Une personne à la recherche d'une aventure sentimentale, par exemple, remarquera la présence de tous les partenaires potentiels séduisants, alors que la même personne, à un autre moment, pourrait seulement prêter attention à des policiers ou à du personnel médical dans un cas d'urgence.

La sélection n'est pas toujours une démarche objective. Le fait de prêter attention à certaines choses et d'en ignorer d'autres déforme immanquablement nos observations. Une partie de ces distorsions est due à l'*oubli*. Songez par exemple aux occasions où un ami vous a demandé de raconter ce qui s'était passé à une soirée ou dans une autre circonstance. Nous avons déjà relevé qu'il serait impossible de préciser le déroulement d'un événement: les tenues des invités, le nombre et le genre de boissons qu'ils ont consommées, l'ordre dans lequel se sont déroulés les numéros musicaux, chaque parole échangée, etc.

Comme le montrent ces exemples, beaucoup des détails que nous oublions sont insignifiants. Dans d'autres cas, cependant, nous laissons de côté des renseignements importants. Ce genre d'oubli est dû principalement à une simplification à l'extrême de notre part. Une longue et sérieuse explication peut se résumer par: «Il a dit non.» «Comment est-elle?» pouvez-vous demander et obtenir comme réponse: «Elle vient d'Angleterre et elle est très jolie.» Si cette description est exacte, elle ne tient cependant pas compte du fait que la personne décrite peut être également un parent unique, un génie, une personne névrosée, une skieuse hors pair et autres caractéristiques d'importance. La tendance que nous avons de simplifier les choses à l'extrême lorsque nous faisons une sélection des informations nous rappelle la personne à qui l'on

---

* Nous avons emprunté les modèles graphiques de ce paragraphe et des suivants à *Introduction to Psychology* de Dennis Coon, 3e édition (St Paul, Minn., West Publishing Co., 1983).

avait demandé de décrire le roman *Guerre et Paix* et qui a simplement répondu: «Cela se passe en Russie.»

Organisation   En même temps que nous sélectionnons les informations reçues de notre environnement, nous devons les ordonner de façon logique. Vous pouvez comprendre le fonctionnement de ce principe d'organisation en regardant la figure 3-1. Sur cette image, vous pouvez apercevoir soit un vase, soit deux visages jumeaux, selon que vous concentrez votre regard sur les zones blanches ou sur les zones noires du dessin. Dans des exemples comme celui-ci, nous parvenons à comprendre des stimuli en distinguant certains traits plus frappants, qui se détachent comme une forme sur un fond plus neutre. Le dessin du vase-visages est intéressant, car il nous permet de choisir entre deux groupes de relations forme-fond.

Le principe d'organisation forme-fond fonctionne également de manière non visuelle. Que l'on songe par exemple à la manière dont certaines paroles peuvent brusquement se détacher d'un brouhaha de voix. Vous arrivez à percevoir certaines phrases parce qu'elles mentionnent votre nom ou qu'elles sont prononcées par une voix familière.

Le processus d'organisation est relativement simple dans des exemples comme ceux que nous venons de voir. Les messages sont parfois plus ambigus et peuvent s'organiser de plusieurs façons. Vous en avez un exemple visuel avec la figure 3-2. De combien de façons pouvez-vous regarder ces cubes? Une? Deux? Trois? Continuez à chercher. Si vous ne trouvez pas, la figure 3-3 va vous y aider.

Figure 3-1

Figure 3-2

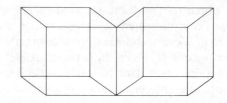

Nous pouvons vérifier le principe de schémas d'organisation multiples dans les relations humaines. Les enfants très jeunes ne classifient pas encore les personnes d'après la couleur de leur peau. Ils vont tout simplement identifier une personne noire, anglophone ou asiatique comme une personne qui est grande, qui porte des lunettes ou qui est déjà d'un certain âge. Lorsqu'ils deviennent plus socialisés, ils vont certainement apprendre qu'un des principes d'organisation courant dans la société actuelle se fait d'après la race; lorsqu'ils vont le faire, la perception qu'ils ont de leur entourage va changer. De la même manière, il est possible de classifier des gens ou des comportements d'après plusieurs schémas, chacun d'entre eux entraînant des conséquences différentes. Quel schéma d'organisation utilisez-vous? D'après l'âge, le niveau de scolarité, les activités professionnelles, l'aspect physique des personnes, les signes astrologiques ou d'autres types de classement? Imaginez comment vos relations pourraient être différentes si vous ne faisiez pas usage de ces méthodes.

La façon d'ordonner les événements est bien souvent la cause de nombreux conflits interpersonnels[1]. Le processus de **ponctuation** peut être représenté par une dispute incessante entre un mari et son épouse. Le mari accuse sa femme de le harceler continuellement, alors que de son côté elle se plaint qu'il s'éloigne d'elle.

Remarquez que l'ordre dans lequel chacun des partenaires ponctue le cycle conditionne la visualisation de la dispute. Le mari commence par blâmer sa femme: «Je m'éloigne de toi parce que tu me harcèles.» Sa femme considère la situation différemment, en disant de son côté: «Je te harcèle parce que tu t'éloignes de moi.» Une fois que le cercle est établi, il est impossible de dire quelle accusation est exacte. La réponse dépend de la ponctuation que l'on donne aux événements. La figure 3-4 illustre ce processus.

Figure 3-3

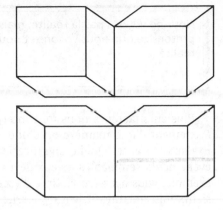
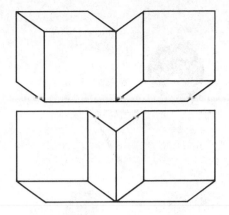

Rappelez-vous un différend personnel qui s'est intensifié avec le temps. Ponctuez deux fois la dispute: d'abord d'une façon qui jette le blâme sur l'autre personne, puis d'une autre qui laisse entendre que c'est votre comportement qui est à l'origine du conflit.

Il existe bien d'autres règles qui régissent l'organisation de nos perceptions. Rathus définit les principes de fermeture (ou de clôture), de proximité, de similarité, de continuité et de symétrie[2]. Nous ne présenterons que le principe de fermeture, qui est pertinent lorsque nous l'appliquons aux relations humaines.

Le principe de fermeture consiste à percevoir des figures complètes ou entières même lorsqu'il y a des trous dans les données sensorielles. Notre cerveau a une tendance innée à compléter les formes incomplètes. Ainsi, quand un stimulus est incomplet, l'organisme le complète, pour en faire une entité significative comme c'est le cas à la figure 3-5: vous voyez bien un triangle, n'est-ce pas? Mais, encore une fois, ce processus peut fonctionner de manière non visuelle. Nous pouvons facilement imaginer une situation où un patron propose une idée à ses employés durant une réunion. Plusieurs se prononcent en sa faveur. Certains ne disent mot. Le patron pourra penser avoir obtenu l'approbation unanime de ses employés. Il aura comblé les «trous» d'information en pensant que ceux qui ne se sont pas prononcés sont d'accord.

Le cerveau décode donc toutes les informations reçues à tout moment (sélection et organisation). Mais il transforme aussi ces informations en une expérience psychologique qui a une signification, un sens particulier: c'est le processus d'interprétation.

Interprétation La troisième étape du processus de perception est l'interprétation que l'on donne aux choses. Reprenez la querelle du mari et de sa femme. Supposez que la femme suggère à son mari d'aller passer une fin de semaine de vacances. Si le mari interprète l'idée de sa femme comme la continuation de son harcèlement («Tu ne fais

Figure 3-4 Le même événement peut être ponctué de plus d'une façon.

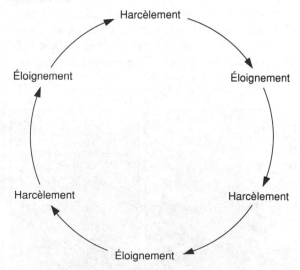

Figure 3-5

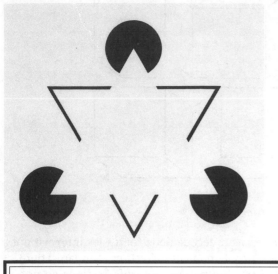

> C'est la théorie qui décide de ce que nous sommes en mesure d'observer.
>
> Albert Einstein

> Nous ne voyons pas la réalité, mais nous interprétons ce que nous voyons et nous l'appelons réalité.
>
> Rubbins

Plusieurs facteurs nous font interpréter un événement d'une manière ou d'une autre:

EXPÉRIENCE PASSÉE Quelle signification revêtent des événements semblables à ceux déjà vécus? Si, par exemple, vous avez été victime d'escroqueries plusieurs fois auparavant, vous pourriez vous montrer sceptique quant aux assurances d'un nouveau propriétaire qui vous garantit le remboursement intégral de votre dépôt si vous entretenez correctement la maison.

IDÉES TOUTES FAITES SUR LE COMPORTEMENT HUMAIN. «En général, les gens en font le moins possible pour s'en sortir.» «En dépit de leurs erreurs, ils font de leur mieux.» Des croyances comme celles-ci conditionnent notre interprétation des actions des autres.

ATTENTES Nos attentes conditionnent nos interprétations. Si vous imaginez par exemple que votre patron n'est pas satisfait de votre travail, vous vous sentirez probablement menacé lorsqu'il vous demandera de «passer le voir dans son bureau» à la première heure le lundi suivant. Par contre, si vous pensez que vous allez être félicité pour votre travail, vous passerez sans aucun doute une excellente fin de semaine.

CONNAISSANCE. Si vous savez qu'un ami vient d'être abandonné par la personne qu'il aime ou qu'il vient de perdre son travail, vous interpréterez son comportement distant autrement que si vous n'avez pas été mis au courant de ce qui lui est arrivé. Si vous savez que tel professeur s'adresse à

jamais attention à moi.») le conflit va perdurer. S'il la considère comme un intermède romantique, sa réaction risque d'être positive. Ce n'est pas l'événement en lui-même qui déterminera l'issue du problème, mais seulement la manière dont le mari l'aura interprété.

L'interprétation joue un rôle dans pratiquement tous les actes interpersonnels. La personne qui vous sourit de l'autre côté d'une pièce pleine de monde recherche-t-elle une aventure ou veut-elle simplement se montrer polie? Les plaisanteries d'un ami sont-elles un signe d'affection ou d'irritation? Devriez-vous prendre au pied de la lettre une invitation comme: «Vous pouvez venir chez moi quand il vous plaira»?

© 1987 Glénat

C'était au printemps 1973, et ce jour-là, Zakarakis était revenu pour trouver le magasin où tu cachais tes poèmes. «Où est-il? Dis-moi où il est?

— Je te l'ai déjà dit, Zakarakis, dans ma tête.

— Ce n'est pas vrai! Ce n'est pas possible! Tu ne peux pas te souvenir de tout!» Tout d'un coup, son regard était tombé sur un petit billet où tu avais écrit: «$X^n + Y^n = Z^n$.» Il le saisit d'un bond: «Et ça, c'est quoi? Je ne vois pas de chiffre ici. Ah, c'est un code, salopard!

— Mais non, ce n'est pas un code, Zakarakis.

— Ah! oui? Tu veux que j'appelle le brigadier général? Tu veux qu'il te fasse dire qui sont X, Y et Z? Et les n? Qui sont les n?» Tu lui as montré le bat-flanc et tu l'as invité à s'asseoir. «Viens ici, Zakarakis.

— Non, non, après tu arraches mon pantalon et tu essayes de me violer, comme l'autre jour.

— Je ne vais pas te violer, Zakarakis, je te le promets!

— Tu me diras qui sont X, Y et Z et qui sont les n?

— Je te le dirai, Zakarakis. Les n sont des nombres et X, Y et Z sont des inconnues.

— Salaud! Menteur! Tu crois te payer ma tête, hein? Je découvrirai qui sont ces inconnus, moi!

— Tu serais vraiment un génie, Zakarakis, car depuis trois cents ans personne n'y est parvenu!

— Trois cents ans? Tu vois bien, tu te moques de moi, tu vois? Gardes! Attachez-le!» Ils t'avaient attaché au lit, et tu étais étrangement docile. Zakarakis, en revanche, était de plus en plus en colère. «Et maintenant, vas-tu parler?

— Je vais parler, Zakarakis. Mais si tu ne comprends pas, dès que tu me détaches, je te déculotte.

— Parle!

— Bon, écoute-moi bien. Si n est un entier positif supérieur à deux, l'équation ne peut être résolue par des valeurs entières différentes de zéro pour les inconnues X, Y et Z, donc...

— Vaurien! Ordure! Voilà ce que tu es, une ordure!

— Et toi, tu es un imbécile, Zakarakis! Est-ce de ma faute si l'équation est comme je te le dis?

— Quelle équation? Salaud!

— Celle que tu as à la main: $X^n + Y^n = Z^n$. C'est une équation, Zakarakis, une équation

mathématique. Tu sais bien que j'étudiais les mathématiques à Polytechnique. Et si tu poses comme hypothèse que le calcul différentiel...

— Assez!» Il est sorti presque en pleurant. Il tenait dans sa main le papier qui lui servirait à éventer le complot. Car il ne pouvait s'agir que de cela, bien sûr, un complot pour t'évader à nouveau. Et il voulait trouver l'explication, te démontrer que l'imbécile, c'était toi.

Pendant des nuits entières, Zakarakis l'a étudié, décidé à recueillir les éloges de Joannidis. Naturellement, il aurait pu s'adresser au Service de renseignements, au KYP, mais cela aurait été faire cadeau à d'autres d'un triomphe qu'il voulait tout entier pour lui. Et sans l'aide de quiconque, il est arrivé aux conclusions suivantes: les trois n, c'était trois soldats qui faisaient partie du complot et qui devaient t'aider à fuir; monsieur X, monsieur Y et monsieur Z étaient trois civils qui agissaient de l'extérieur. X signifiait Xristos, ou Xristopoulos, ou Xarakalopoulos; à moins qu'au lieu de représenter des personnes, X, Y, Z n'indiquent des noms de villes ou de pays; dans ce cas, X pourrait avoir rapport avec Xania, la capitale de la Crète, Y avec le Yémen et Z avec Zurich. Ou bien X voulait dire Xristougena, c'est-à-dire Noël? Oui, c'est cela, Noël! Voilà le sens du message: avec la complicité de trois soldats, le jour de Noël, tu t'enfuirais à Zurich via le Yémen. Il est revenu te voir. «Tu me prends pour un idiot, hein! Mais, j'ai tout compris, j'ai trouvé la solution!

— La solution? Incroyable, Zakarakis! Mais non, ce n'est pas possible, je te jure que ce n'est pas possible.

— Bien sûr que si. Je sais qui sont X, Y et Z; tu veux fuir à Zurich, hein, fumier?

— Qu'est-ce que tu dis, Zakarakis?

— Je sais très bien que Z veut dire Zurich!

— Et si ça voulait dire Zakarakis?» Silence de mort. Zakarakis te regardait, complètement hébété. Bon Dieu, il n'y avait pas pensé! Si Z représentait son nom, cela ne pouvait signifier qu'une seule chose: avec la complicité de trois soldats et d'un monsieur Y, tu voulais le tuer à Noël. «Tu veux me tuer, hein? J'aurais dû m'en douter?

— Mais non, Zakarakis, tu es tellement bête que

tous ses étudiants de manière sarcastique, vous ne vous sentirez pas personnellement visé par ses remarques.

HUMEURS PERSONNELLES Si vous vous sentez inquiet, le monde vous apparaît d'une manière bien différente de ce qu'il serait si vous aviez pleinement confiance en vous. Le bonheur ou la tristesse ont le même effet, en s'opposant, comme d'autres sentiments. Vos émotions déterminent votre interprétation des événements.

CONTEXTE Imaginez un homme en train de courir dans votre direction: l'interprétation de ce que vous voyez sera différente si vous vous trouvez dans une ruelle en pleine nuit ou dans la rue en plein jour. Bien des politiciens connaissent cette influence, lorsqu'ils racontent qu'ils ont été cités «hors contexte» par des journalistes, pour se sortir d'une gaffe impardonnable…

Nos interprétations ne sont pas toutes exactes, bien sûr; mais qu'elles le soient ou non, elles modèlent nos pensées et notre comportement. Pour comprendre les facteurs qui déforment la perception que nous avons des choses, poursuivez votre lecture.

Qu'est-ce qui influence notre perception?

Ayant considéré les processus psychologiques qui conditionnent notre perception, nous allons maintenant aborder quelques-unes des influences qui nous font choisir, mettre en ordre et interpréter les informations que nous recevons.

Influences physiologiques

Le premier groupe d'influences que nous étudierons concerne notre constitution physique. À l'intérieur du large éventail des similitudes humaines, chacun de nous perçoit le monde de façon unique du fait de facteurs physiologiques. Autrement dit, malgré le fait que les «mêmes» événements sont «là», chacun de nous en reçoit une image différente du fait de sa constitution perceptive. Jetez un coup d'œil sur la longue liste des facteurs qui conditionnent notre vision du monde.

LES SENS Nos différentes façons de voir, d'entendre, de goûter, de toucher et de sentir les stimuli peuvent avoir un effet sur nos relations interpersonnelles. Pensez aux situations de la vie quotidienne suivantes:

«Baisse la radio! Elle va me rendre sourd.»

«Elle n'est pas si forte que cela. Si je baisse le son, je ne pourrai plus rien entendre.»

«On gèle ici.»

«Es-tu fou? Nous allons mourir de chaleur si tu montes le chauffage!»

«Pourquoi ne dépasses-tu pas ce camion? La route est libre sur plus de 500 mètres.»

«Je ne peux pas voir si loin et je ne tiens pas à ce que nous soyons tués.»

De tels affrontements ne sont pas toujours affaire d'opinion. Nos perceptions sensorielles sont différentes. Les différences de vision et d'ouïe sont les plus faciles à détecter, mais de tels écarts existent tout autant dans d'autres domaines. Certaines recherches démontrent que des mets identiques paraissent différents au palais de certains individus[3]. Des odeurs qui plaisent à certains répugnent à d'autres[4]. Des variations de température qui affectent certains d'entre nous n'ont aucun effet sur d'autres. Se rappeler ces différences ne les

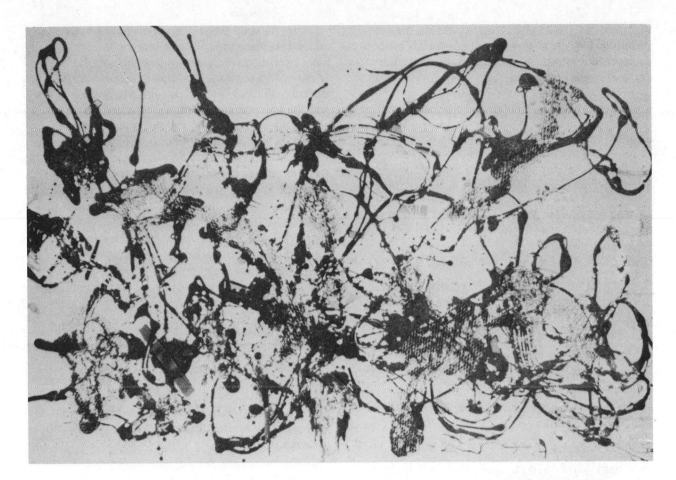

éliminera pas, mais il sera plus facile d'admettre que les préférences de l'autre personne ne sont pas stupides, mais simplement autres.

ÂGE Le nombre et la variété des expériences qu'elles ont vécues amènent les personnes âgées à voir le monde autrement que les jeunes. Des différences de développement conditionnent également notre perception. Le psychologue suisse Jean Piaget décrit une série d'étapes que les enfants doivent franchir avant de devenir adultes[5]. Selon lui, les jeunes enfants sont incapables d'opérations mentales pourtant naturelles pour les adultes.

Jusqu'à sept ans environ, ils ne sont pas en mesure de prendre en considération l'opinion des autres. Cela explique pourquoi les jeunes enfants passent souvent pour des êtres égoïstes et excessivement personnels. La réflexion d'un parent exaspéré: «Tu ne vois pas que je suis trop fatigué pour jouer?» n'a aucun sens pour un enfant de quatre ans plein d'énergie, qui pense que tout le monde est comme lui.

SANTÉ Rappelez-vous la dernière fois que vous avez eu un rhume, une grippe ou une autre maladie de ce genre. Vous souvenez-vous comment vous vous sentiez différent? Vous aviez sans doute moins d'énergie qu'à l'ordinaire, vous vous sentiez moins sociable et vos pensées étaient plus lentes à

«Ce n'est rien du tout. Lorsque j'avais ton âge, il y avait tellement de neige que j'enfonçais jusqu'au menton!»

venir. Ces sortes de changements ont un impact certain sur vos relations avec les autres. Il est bon de comprendre que le comportement d'une autre personne peut être affecté par son état de santé. De la même façon, il est bon de prévenir les autres lorsque vous ne vous sentez pas bien pour leur permettre de se montrer plus compréhensifs envers vous.

FATIGUE Un surcroît de fatigue peut affecter vos relations personnelles, tout comme la maladie. De nouveau, il est important de reconnaître que les autres personnes et vous-même pouvez avoir un comportement différent lorsque vous êtes fatigués. Essayer de traiter des questions importantes à ce moment-là peut être une source d'ennuis.

FAIM Les gens ont tendance à se montrer maussades lorsqu'ils n'ont pas encore mangé et endormis lorsqu'ils sont bien rassasiés. Plusieurs changements physiologiques surviennent au cours du cycle alimentaire. Se risquer à traiter des affaires importantes à un moment mal choisi du cycle peut entraîner des problèmes inutiles.

CYCLES BIOLOGIQUES Ne sommes-nous pas de bonne humeur aux premiers signes du printemps? Ou

encore, ne vous a-t-on jamais dit que si vous êtes un peu déprimé à la fin de l'hiver, c'est probablement dû au manque de lumière durant plusieurs mois? Nous sommes tous sensibles aux cycles d'ensoleillement qui varient durant l'année[6]. Nous ne sommes pas conscients de cette influence, mais il semble, statistiques à l'appui, que plus nous habitons au nord de l'équateur, plus nous sommes sujets à ces périodes de dépression. Évidemment, cet état affecte la qualité de nos communications.

Bien qu'il soit possible de tempérer l'effet déprimant du manque de lumière, savoir qu'un tel phénomène a des conséquences sur le plan psychique permet de mieux faire face à cette situation et peut ainsi nous aider grandement à améliorer notre communication avec l'entourage. Si les gens autour de vous peuvent attribuer votre mauvaise humeur au manque de lumière, peut-être ne se fâcheront-ils pas contre vous!

À corps nouveau, perspectives nouvelles

Vous aurez une idée plus précise de la façon dont la physiologie influence la perception en essayant l'exercice suivant:

1. Choisissez une des situations suivantes:

    Une soirée dans un bar pour célibataires

    Une partie de volley-ball

    Un examen chez le médecin

2. En quoi l'événement que vous avez choisi serait-il différent si:

    Votre vision était bien plus mauvaise (ou meilleure)?

    Vous étiez sourd?

    Vous aviez 20 cm de plus ou de moins?

    Vous étiez fortement grippé?

    Vous apparteniez au sexe opposé?

    Vous aviez 10 ans de plus (ou de moins)?

Différences culturelles Nous avons vu jusqu'ici comment des facteurs physiologiques peuvent nous faire voir le monde de manière particulière. Il existe également, dans notre perception, une autre sorte de brèche qui entrave souvent la communication: l'écart entre les personnes de différentes cultures. Chaque culture a sa propre vision du monde et ses idées. Lorsque nous avons conscience de ces différences de perspective, nous pouvons apprendre davantage de choses à la fois sur nous-mêmes et sur les autres. Il est cependant facile d'oublier que les gens qui viennent d'ailleurs ne voient pas les choses comme nous.

L'éventail des différences culturelles est large. Dans les pays du Moyen-Orient, les odeurs jouent un rôle très important dans les relations inter-personnelles. Les Arabes soufflent constamment sur les gens lorsqu'ils parlent. Explication de l'anthropologue Edward Hall:

> *«Respirer l'odeur d'un ami est non seulement agréable mais désirable, car refuser de laisser respirer son haleine est un signe de honte. En revanche, la politesse des Américains, qui ont appris à ne pas laisser percevoir leur haleine, est immédiatement interprétée comme de la honte. Qui soupçonnerait nos plus éminents diplomates de pareils contresens? C'est pourtant là leur lot puisque aussi bien la diplomatie concerne finalement l'affrontement des haleines et celui des regards[7].»*

Nos croyances sur la véritable valeur du discours diffèrent aussi d'une culture à l'autre[8]. En Occident, on considère le fait de parler comme positif, et l'échange verbal remplit une fonction importante dans toutes les relations. Le silence, au contraire, paraît négatif. Il peut être interprété comme un manque d'intérêt, un refus de communiquer, de l'hostilité, de l'anxiété, de la timidité ou comme un signe d'incompatibilité entre les personnes. Les Occidentaux se sentent mal à l'aise face au silence qu'ils trouvent embarrassant et maladroit.

En revanche, les cultures asiatiques accordent une place toute différente au discours. Depuis des milliers d'années, elles ont découragé l'expression des pensées et des sentiments. Le silence est précieux et comme les dictons taoïstes l'indiquent: «Les paroles finissent par lasser» ou «Celui qui parle n'est pas un sage; le sage ne dit rien.» À la différence des Occidentaux qui se sentent mal à l'aise face au silence, les Chinois et les Japonais estiment que de rester silencieux est la meilleure attitude à adopter lorsqu'il n'y a rien à dire. Pour les Orientaux, une personne bavarde passe pour crâneuse ou hypocrite.

Il est facile de voir comment des visions si opposées sur le discours et le silence peuvent

Regarde-les
Écoute-les
Rêver d'autre part
De gloire et de tout
Enfin d'une autre vie
Ce n'est pas comme nous
Les gens des villes
Dans nos prisons tranquilles
Qui rêvons d'autre part...

Véronique Sanson

mener à des problèmes de communication lorsque des personnes de différentes cultures se rencontrent. Les Occidentaux bavards et les Orientaux silencieux se comportent de la façon qu'ils jugent la plus appropriée, chacun considérant cependant l'autre sévèrement et avec méfiance. Ce n'est que lorsqu'ils admettent qu'il existe différentes normes de comportement qu'ils peuvent s'adapter les uns aux autres ou du moins comprendre et respecter leurs différences.

Il n'est pas nécessaire de voyager très loin pour se trouver dans un contexte culturel différent. À l'intérieur même de ce pays, il existe plusieurs cultures dont les membres reçoivent une éducation qui leur fait voir les choses à leur façon. Ne pas reconnaître ces différences peut mener à des malentendus malheureux et inutiles. Un professeur ou un agent de police mal renseignés pourraient par exemple interpréter le regard baissé d'une femme sud-américaine comme un signe de dérobade ou même de malhonnêteté; c'est pourtant la conduite à adopter pour une femme de sa culture lorsqu'un homme plus âgé qu'elle lui adresse la parole. Regarder son interlocuteur dans les yeux dans un cas semblable passerait pour de l'impertinence pure et simple ou même pour une avance sexuelle.

Les échanges de regards diffèrent également de la culture blanche à la culture noire traditionnelle. Tandis que les Blancs ont tendance à détourner le regard de leur interlocuteur lorsqu'ils parlent, mais à regarder l'autre personne lorsqu'ils écoutent, les Noirs font exactement le contraire: ils regardent davantage leur interlocuteur lorsqu'ils lui parlent et moins lorsqu'ils l'écoutent[9]. Cette différence de comportement peut occasionner des problèmes sans qu'aucune des parties n'en connaisse la raison. Un Blanc croise le regard de son interlocuteur pour savoir s'il est écouté: plus l'autre

«Je ne le comprends pas! Pourquoi n'a-t-il pas épousé les deux?»

regarde, plus il semble faire attention à ce qui se dit. Un interlocuteur blanc, par conséquent, pourrait interpréter la fuite du regard de son interlocuteur noir comme un signe d'inattention ou d'impolitesse, quand c'est tout à fait le contraire qui est vrai. Ce genre d'interprétation étant généralement inconsciente, la personne qui parle n'aurait même pas l'idée de vérifier ces hypothèses, comme vous allez apprendre à le faire un peu plus loin dans le chapitre.

Rôles sociaux   Vous avez vu jusqu'ici comment des variations culturelles et physiologiques peuvent entraver la communication. Outre ces différences, un autre groupe de facteurs perceptifs peut conduire à des ruptures de communication.

Dès l'instant où nous venons au monde ou presque, on nous attribue à chacun un ensemble de rôles que l'on s'attend à nous voir jouer. Dans un sens, ces prescriptions sont nécessaires, car elles permettent à une société de fonctionner normalement. Par ailleurs, le fait de savoir ce que l'on attend de vous apporte une certaine sécurité. Par contre, le fait d'avoir des rôles bien définis à l'avance peut conduire à creuser un fossé entre les individus. Lorsqu'ils ne remettent pas leurs rôles en question, les gens ont tendance à voir le monde selon leur perspective propre, n'ayant aucune expérience qui leur enseigne comment d'autres personnes peuvent le voir, elles. Dans une situation semblable, c'est la communication qui va naturellement en souffrir.

RÔLE SELON LE SEXE   Dans toutes les sociétés, le sexe est l'un des facteurs les plus importants dans la détermination des rôles à jouer. Comment une femme doit-elle agir? Quel comportement attend-on d'un homme? Jusqu'à tout récemment, on n'avait jamais mis en doute les réponses que la société apportait à ces questions. Les garçons, disait-on, sont des êtres plus «costauds» et sont éduqués pour devenir les pourvoyeurs de leur famille; les petites filles sont «douces»; les mères sont irrationnelles, intuitives et d'humeur instable. Tout le monde ne peut s'insérer dans ce genre de moule, qui était pourtant si bien établi et qui n'était jamais remis en question.

Ces dernières années, cependant, beaucoup d'hommes et de femmes ont trouvé que le fait de se conformer aux rôles qui leur étaient assignés les obligeait à vivre selon des règles qui ne leur correspondaient que très partiellement, et ils en ont conclu que ce genre de vie ne les satisfaisait pas. Ils veulent de plus en plus se considérer et considérer les autres comme des **androgynes**, composés d'un mélange de traits de caractère perçus autrefois comme typiquement masculins ou typiquement féminins. Ainsi, il devient de plus en

plus courant et acceptable pour les femmes de se comporter d'une manière assurée, de poursuivre des carrières professionnelles et de ne pas choisir comme responsabilité première l'éducation des enfants; les hommes, quant à eux, commencent à se sentir plus à l'aise pour extérioriser leurs émotions, pour s'engager davantage dans l'éducation des enfants, etc.

RÔLES PROFESSIONNELS Le genre de travail que nous faisons conditionne souvent la vision que nous avons du monde. Imaginez cinq personnes qui se promènent dans un parc. La première, botaniste, est fascinée par la variété des arbres et des plantes qu'elle y voit. La deuxième, zoologiste, recherche des animaux intéressants. La troisième personne, météorologue, garde un œil rivé sur le ciel, guettant tout changement dans les conditions atmosphériques. La quatrième personne, psychologue de métier, n'a pas du tout conscience de la nature, se concentrant plutôt sur les relations qui s'établissent entre les différentes personnes en présence dans le parc. La cinquième personne, quant à elle, pickpocket de profession, tire rapidement avantage de la concentration des autres personnes sur d'autres sujets pour se faire de l'argent. Il y a deux leçons à tirer de cette petite histoire. La première, bien sûr, est de surveiller attentivement votre portefeuille. La deuxième, c'est que nos activités professionnelles gouvernent bien nos perceptions.

Même dans un milieu de travail identique, les rôles différents joués par les participants peuvent conditionner leur perception des choses. Considérez une salle de cours classique d'un collège, par exemple: l'expérience du professeur et celle des élèves ne sont pas semblables. Ayant consacré une grande partie de leur vie à leur enseignement, la majorité des professeurs considèrent la matière qu'ils enseignent comme primordiale — que ce soit la littérature française, la physique ou la psychologie.

Les étudiants qui suivent le cours pour satisfaire aux exigences d'un programme de culture générale peuvent voir les choses de façon assez différente: le cours est peut-être un des nombreux obstacles qui les séparent de leur diplôme final ou bien l'occasion pour eux de faire de nouvelles connaissances. Le volume de connaissances véhiculées par chacune des parties est une autre différence à considérer. Pour un professeur qui a donné le même cours plusieurs années de suite, la matière enseignée apparaît certainement fort simple; pour l'étudiant qui la voit pour la première fois, elle peut paraître étrange et déroutante. À la fin d'un trimestre ou d'un semestre, il se peut que le professeur veuille accélérer le rythme du cours pour être en mesure de boucler le programme; les étudiants, eux, ressentant une certaine fatigue, souhaiteraient aller plus lentement. Il n'est pas nécessaire d'expliquer plus en détail les tensions et le stress qui découlent de perceptions si différentes.

L'illustration la plus spectaculaire, peut-être du fait que les activités professionnelles façonnent la perception, a été donnée en 1971[10]. Le psychologue Philip Zimbardo recruta un groupe de jeunes hommes de bonne éducation, appartenant à la classe moyenne, tous de race blanche à l'exception d'un Oriental. Il en sélectionna 11 au hasard pour jouer le rôle de «gardiens» d'une simili-prison dans le sous-sol du bâtiment d'études psychologiques de l'université de Stanford. Il leur distribua des uniformes, des menottes, des sifflets et des matraques. Les 10 autres jeunes gens seraient les «prisonniers»; ils furent placés dans des cellules à barreaux, avec des seaux hygiéniques et des lits de camp.

Pour l'expérience, Zimbardo laissa les pseudo-gardiens établir leurs propres règlements. Ces derniers étaient particulièrement sévères: interdiction de parler pendant les repas, pendant les périodes de repos et après l'extinction des feux. Contrôle des présences à 2 h le matin. Les fauteurs de troubles étaient rationnés.

Face à ces conditions, les prisonniers commencèrent à offrir de la résistance. Certains se barricadèrent en dressant leur lit devant leur porte. D'autres entamèrent des grèves de la faim. Plusieurs arrachèrent leurs matricules d'identification. Les gardiens réagirent à la rébellion en serrant la vis aux protestataires. Certains devinrent pratiquement sadiques, molestant physiquement et verbalement les prisonniers. Ils en enfermèrent plusieurs dans des cellules d'isolement. D'autres gardiens obligèrent les prisonniers à s'appeler les uns les autres par leurs noms de famille ou à nettoyer les seaux hygiéniques à mains nues.

Très vite l'expérience était devenue réalité pour les prisonniers comme pour les gardiens. Plusieurs détenus eurent des crampes d'estomac ou des crises de larmes incontrôlées. D'autres eurent des

maux de tête, et l'un d'eux fit une crise d'urticaire de la tête aux pieds lorsque sa demande de «libération anticipée sur parole» lui fut refusée par les gardiens.

L'expérience devait durer deux semaines; au bout de six jours, cependant, Zimbardo se rendit compte que ce qui ne devait être qu'une simulation s'était transformé en violence réelle. «Je savais qu'ils pensaient maintenant comme de vrais prisonniers et non pas comme des personnes ordinaires», dit-il. Puis, il ajouta: «Si nous avons été en mesure de prouver qu'un comportement pathologique a pu se manifester dans un si court laps de temps, pensez à tout le mal qui est fait dans les véritables prisons...»

Cet exercice spectaculaire dans lequel 21 jeunes hommes de bonne éducation sont devenus, pratiquement en l'espace d'une nuit, des tyrans sadiques ou des victimes éplorées, nous montre que notre façon de penser est fonction du rôle que nous jouons dans la société. Il semble que ce que nous sommes soit largement déterminé par ce que la société décide que nous soyons. Heureusement, beaucoup de responsables chargés de faire respecter les lois sont conscients de l'aveuglement perceptif inhérent à ce genre de travail.

Ces professionnels ont mis sur pied des programmes pour faire face à ce problème, comme l'illustre l'encadré de la page suivante.

Renversement des rôles

Mettez-vous dans la peau d'une autre personne pendant un certain temps. Trouvez un groupe qui vous soit étranger et essayez d'en devenir membre quelque temps.

Si vous avez une dent contre la police, allez voir si votre section locale offre un programme d'accompagnement qui vous permette de passer plusieurs heures en patrouille avec un ou deux de ses agents.

Si vous pensez que la condition actuelle de l'enseignant est déplorable, devenez enseignant. Vous aurez peut-être la chance qu'un professeur vous confie la planification d'un ou de plusieurs cours.

Si vous avez l'esprit quelque peu aventureux, suivez l'exemple des hommes décrits dans les pages 76 et 77 et transformez-vous en paria de la société

l'espace d'une journée. Voyez le traitement que l'on vous réservera.

Si vous êtes politiquement conservateur, essayez de vous engager dans une organisation radicale; si vous êtes radical, devenez conservateur.

Quel que soit le groupe auquel vous vous joignez, essayez d'y adhérer le mieux possible. Ne vous contentez pas d'être un simple observateur. Entrez de plein jeu dans la philosophie de votre nouveau rôle et voyez ce qu'il en est. Il se peut que, par la suite, les personnes soi-disant étranges ne vous paraissent pas si bizarres, après tout.

Concept de soi Examinons un dernier facteur qui influence notre façon de nous percevoir comme de percevoir les autres: le concept de soi. Des recherches approfondies démontrent qu'une personne qui a une haute estime d'elle-même considérera généralement les autres en bien, tandis qu'une personne qui a une piètre estime d'elle-même aura tendance à avoir une mauvaise opinion des autres[11]. Votre expérience personnelle peut le confirmer: les personnes ayant une opinion négative d'elles-mêmes sont souvent cyniques et prêtent facilement les pires intentions aux autres, alors que celles qui ont une opinion positive d'elles-mêmes apprécient, en général, les personnes qu'elles rencontrent. Comme le dit un écrivain: «Ce que nous découvrons "dans ce monde", c'est ce que nous y projetons inconsciemment. Lorsque nous pensons regarder par une fenêtre ouverte, il se peut, et plus souvent que nous en avons conscience, que nous regardions en fait dans un miroir[12].»

En plus d'altérer les informations sur les autres, notre concept de soi nous amène à avoir des vues déformées sur nous-mêmes. Nous y avons déjà fait allusion lorsque nous expliquions dans le chapitre 2 que le concept de soi n'est pas objectif. «Ce n'était pas de ma faute», seriez-vous tenté de dire, tout en sachant très bien au fond de vous-même que vous êtes responsable. «Je suis horrible», pouvez-vous penser en vous regardant dans le miroir, même si tout le monde autour de vous vous assure sincèrement du contraire.

Combien de fois nous sommes-nous dit que nous étions altruistes alors qu'il nous faut un effort pour nous rappeler *quand* et *où* nous l'avons été? Les déformations de ce genre viennent

Expérience sur le terrain: évolution du rôle de policier

Il est extrêmement difficile de plonger un agent de police moyen dans des situations qui lui feront comprendre les sentiments des clochards, des parias de la société et des démunis, pour qu'il nous indique ensuite ce que ceux-ci entendent par «application normale des lois». De toute évidence, l'agent, dans son rôle de policier, ne pourrait s'insérer dans aucun ghetto. Mais supposons qu'il se montre courageux et que, pour les besoins d'une expérience, il devienne un clochard, un va-nu-pieds.

Nos agents de Covina, qui voulaient tenter l'expérience, furent soigneusement sélectionnés et conditionnés au rôle qu'ils allaient jouer. On remit à chaque homme trois dollars pour s'acheter de quoi s'habiller au marché aux puces. Seules les chaussures pouvaient être neuves — des seconds choix achetés pour quelques sous. Parmi les autres effets personnels figuraient des articles comme un sac à provisions rempli de bric-à-brac et une bouteille de vin dissimulée dans un sac de papier brun.

Ainsi mis en condition et prêts à tenter l'expérience, nos hommes se rendirent, deux par deux, dans le quartier des clochards de Los Angeles. Ils s'aperçurent rapidement que lorsqu'ils tentaient de quitter cette zone, se rendant à quelques rues de là, dans les quartiers commerçants convenables, on leur disait: «Retournez d'où vous venez!» Nos hommes savaient fort bien qu'ils n'étaient pas des «clochards», mais ils constatèrent que les autres citoyens les classaient et les traitaient très vite comme tels.

Certaines femmes, à qui ils demandaient une allumette, quittaient le trottoir plutôt que de leur répondre; cela arrivait beaucoup moins, cependant, s'ils demandaient du feu pour allumer une cigarette.

Pendant tout le temps que dura l'expérience, nos hommes allaient prendre leurs repas dans les refuges pour sans-abri, participant aux services religieux avec d'autres parias et épaves humaines. Ils traînaient dans les rues et les avenues, partageant la vie des clochards. Certaines expériences étaient prévues, d'autres non. La plus révélatrice fut peut-être celle de Tom Courtney, un jeune agent ayant cinq années de service dans la police.

Il faisait presque nuit. Tom et son compagnon revenaient en flânant vers un lieu de rencontre déterminé. Se sentant quelque peu en forme, les deux compères décidèrent de «liquider» la bouteille de vin. Ils s'arrêtèrent dans un parc de stationnement qui leur convenait et Tom commença à boire à la bouteille. À ce moment précis, deux policiers en uniforme surgirent on ne sait d'où devant les deux complices ébahis. Tom et son compère furent acculés contre un mur et fouillés. Oubliant la consigne de ne pas révéler leur identité et le but de leur expérience à moins de nécessité absolue, Tom fut pris de panique et s'identifia.

Plus tard, Tom eut beaucoup de mal à expliquer pourquoi il avait été si prompt à décliner son identité. «Vous ne pourriez pas comprendre», me dit-il, puis il laissa échapper qu'il craignait d'être tué.

J'eus du mal à accepter cela comme une explication rationnelle, d'autant plus que Tom avait affirmé que les agents de police s'étaient montrés prévenants tout au long de la fouille.

Plus tard durant l'interrogatoire, Tom admit que pendant qu'on le fouillait, des éléments négatifs qu'on lui avait rapportés au sujet des policiers lui étaient soudain revenus à la mémoire. Il avait même eu, l'espace d'un éclair, la vision d'un article de journal titrant: «Agent de police tué par erreur alors qu'il participait à un exercice d'entraînement sur le terrain.»

«Je comprends mieux maintenant, continua Tom, mais lorsqu'on a de telles pensées à propos de soi-même, on y croit, on y croit dur.»

J'essayais, avec Tom, de trouver une explication logique à sa réaction de panique. Je lui demandai s'il était bien certain que les policiers s'étaient montrés courtois en tout temps. Il répondit par l'affirmative, mais ajouta quand même: «Ils ne souriaient jamais et ne m'ont pas dit une seule fois ce qu'ils allaient faire.» Tom venait de découvrir une réaction émotionnelle sur lui-même et il lui fallait absolument l'exprimer.

Aujourd'hui, Tom Courtney conseille toujours au personnel du service: «De grâce, souriez si vous *le pouvez. Et surtout, dites à la personne que vous êtes en train de fouiller ou ce que vous allez faire. Chassez toute menace personnelle de la rencontre, dans la mesure du possible.»*

Les conclusions que nous devons tirer sur nos jugements personnels sont tout aussi importantes, je pense, que l'expérience de Tom. Nos hommes, dans l'«Opération empathie», ont été perçus par la population dite normale comme identiques à tous les résidents de ce quartier de clochards, simplement parce qu'ils en avaient l'apparence physique.

Nous ferions peut-être bien de tenir compte de cette leçon, car aujourd'hui, plus qu'à n'importe quel moment de notre histoire, les agents de police doivent éviter de ranger les personnes dans certaines catégories du simple fait qu'elles semblent y appartenir.

La barrière invisible séparant les personnes chargées de faire respecter la loi de celles qui l'enfreignent est en train de s'ouvrir grâce aux leçons tirées de l'expérimentation. Des êtres humains ont affaire à d'autres êtres humains. Des expériences concluantes, menées sur le terrain en application de la loi, ont démontré que l'empathie et la compréhension des émotions et des sentiments peuvent, dans des situations potentiellement

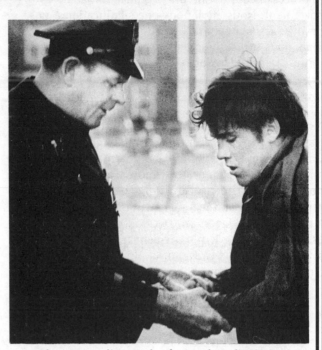

explosives impliquant les forces de police, jouer un rôle important d'apaisement.

R. Fred Ferguson
Chef de la police, Riverside, Californie
Ancien chef de la police de Covina, Californie

généralement du souhait de conserver un concept de soi que l'on sent menacé. Le désir de maintenir une image extérieure favorable est souvent profond. Si vous désirez vous faire passer pour un bon étudiant ou pour un bon musicien, par exemple, un professeur qui vous octroie une mauvaise note ou un critique qui ne semble pas apprécier votre musique *doivent* certainement avoir tort, et vous allez vous efforcer de le prouver. Si vous voulez passer pour un travailleur appliqué ou pour un bon parent, vous trouverez aux problèmes que vous rencontrez dans votre travail ou dans votre famille des explications qui vont en faire porter la responsabilité sur quelqu'un d'autre que vous. Le même principe vaut sans doute pour les personnes qui ont une image particulièrement négative d'elles-mêmes: elles vont jusqu'à fausser une impression qui leur est pourtant favorable, de manière à prouver qu'elles sont réellement incompétentes ou indésirables. La liste des mécanismes de défense,

au chapitre 9, montre jusqu'à quel point les personnes peuvent faire preuve d'inventivité lorsque leur image extérieure est en jeu.

Justesse — et inexactitude — de la perception

Il vous apparaît maintenant évident que beaucoup de facteurs déforment la façon dont nous interprétons le monde. Les spécialistes des sciences humaines utilisent le mot **attribution** pour décrire

> Nous sommes fondamentalement incapables de nous comprendre. On croit s'entendre; d'où le terrain d'entente: un lieu aléatoire et supposé. Toute interrelation n'est qu'*hypothèse.*
>
> Jacques Shewchuck

le processus qui donne une signification au comportement. Nous attribuons une signification à nos propres actions comme aux actions des autres, mais nous utilisons souvent des mesures différentes. Des études ont révélé plusieurs erreurs de perception pouvant conduire à des attributions inexactes[13].

Nous sommes influencés par ce qui nous paraît le plus évident
C'est compréhensible. Comme vous l'avez vu au début du chapitre, nous opérons une sélection des stimuli provenant de notre environnement: ceux qui sont intenses, répétitifs et inhabituels ou ceux qui attirent notre attention d'une façon ou d'une autre. Le problème est que le facteur le plus évident n'est pas nécessairement la seule cause, ni la plus significative, d'un événement donné. Par exemple:

> Lorsque deux enfants (ou deux adultes, ici) se disputent, ce peut être une erreur que de blâmer celui qui se répand en invectives le premier. L'autre personne était peut-être tout aussi responsable, en tourmentant son interlocuteur ou en refusant de coopérer.

> Vous pourriez vous plaindre d'une relation dont les commérages malveillants sont devenus une source d'ennuis, en oubliant qu'en tolérant un tel comportement auparavant vous en avez été au moins en partie responsable.

> Vous pourriez attribuer une situation de travail insatisfaisante à l'action de votre patron, fermant les yeux sur d'autres facteurs hors de son contrôle, comme un brusque changement dans la conjoncture, des directives provenant d'un niveau supérieur de gestion ou les demandes des clients ou d'autres employés.

Nous restons sur nos premières impressions, même si elles sont fausses
Étiqueter les gens d'après la première impression que nous avons d'eux fait inévitablement partie du processus de perception. Cette apposition d'une étiquette est une façon de donner des interprétations: «Elle a l'air enjoué.» «Il paraît sincère.» «Ils semblent incroyablement prétentieux.»

Si de telles impressions sont justifiées, elles peuvent être des moyens fort utiles pour savoir comment réagir de façon efficace à l'avenir. Les problèmes surviennent, cependant, lorsque les étiquettes que nous attribuons sont trompeuses; une fois notre opinion formée, nous avons tendance à nous y tenir et à faire coïncider avec cette image toute information contradictoire.

Supposez par exemple que vous mentionniez le nom d'un de vos voisins à un ami. «Oh! je le connais», de répondre votre ami. «Il a l'air gentil au début, mais il ne faut pas s'y fier.» Cette évaluation n'est peut-être pas fondée. Votre voisin a pu changer depuis que votre ami l'a rencontré, ou bien le jugement qu'il porte sur lui est tout simplement injuste. Mais qu'elle soit exacte ou non, une fois que vous l'avez acceptée, cette évaluation influencera sans doute la façon dont vous allez réagir avec votre voisin. Vous chercherez inévitablement des exemples prouvant son soi-disant manque de sincérité... et vous en trouverez très certainement.

Même si votre voisin était un saint, vous seriez porté à interpréter son comportement d'une façon qui corresponde à vos attentes. «Bien sûr qu'il *semble* gentil, pourriez-vous penser, mais ce n'est probablement qu'une façade.» Ce genre de soupçon peut évidemment créer l'autoréalisation d'une prophétie, transformant une personne vraiment gentille en un voisin réellement indésirable.

Étant donné que les impressions premières sont inévitables, le meilleur conseil que l'on puisse donner est de garder l'esprit ouvert et de consentir à changer d'opinion si les faits prouvent que l'on s'est trompé.

Nous avons tendance à penser que les autres nous ressemblent
Dans le chapitre 2, vous avez déjà vu un exemple de ce principe: les personnes qui ont une piètre estime d'elles-mêmes s'imaginent que les autres les voient automatiquement d'une façon défavorable, tandis que les personnes qui ont une image positive d'elles-mêmes s'imaginent que les autres ne peuvent que les aimer. L'hypothèse souvent fausse que les opinions des autres sont identiques aux nôtres se vérifie dans une foule de situations:

> Vous venez d'entendre une blague légèrement obscène, mais assez drôle. Vous vous imaginez qu'elle n'offusquera pas un de vos amis aux idées assez étroites. Et pourtant...

> Vous avez été ennuyé par la tendance qu'avait l'un de vos professeurs à sortir du sujet pendant ses cours. Si vous étiez professeur, vous aimeriez

sans doute savoir si ce que vous faites convient bien à vos étudiants; vous pensez donc que votre professeur vous sera reconnaissant si vous faites une critique constructive de son cours. Malheureusement, vous vous êtes trompé.

Vous vous êtes laissé emporter avec un ami il y a une semaine et avez dit des choses que vous regrettez. De fait, si quelqu'un vous avait dit des choses semblables, vous auriez considéré que vos relations étaient terminées. Imaginant que votre ami réagit de la même façon que vous, vous évitez de le rencontrer. En fait, votre ami se sent en partie responsable de ce qui est arrivé et vous a évité parce qu'il pensait que c'était vous qui vouliez rompre avec lui.

Des exemples comme ceux-ci montrent que les autres ne pensent pas ou ne réagissent pas toujours comme nous, et supposer que de telles similitudes existent peut conduire à des problèmes. Comment pouvez-vous déterminer la position exacte de l'autre personne? En la lui demandant ouvertement, en vérifiant auprès d'autres personnes ou en faisant les déductions qui s'imposent après avoir mûrement réfléchi à la question. Toutes ces façons de faire valent mieux que de présumer simplement que tout le monde réagit comme vous.

Nous avons tendance à privilégier les impressions négatives

Que penses-tu de Michel? Il n'est pas mal, il est travailleur, intelligent et honnête; il est par contre aussi assez suffisant.

Le dernier qualificatif change-t-il votre évaluation de la personne? Si c'est le cas, vous n'êtes pas le seul. Des recherches indiquent que, lorsqu'on a conscience des traits positifs et des traits négatifs du caractère de quelqu'un, on a tendance à privilégier les moins désirables. Dans une étude, des chercheurs ont découvert que les personnes qui faisaient passer des entrevues d'emploi étaient enclines à rejeter les candidats qui faisaient état d'informations négatives même si l'ensemble des renseignements qu'ils donnaient était hautement positif.

Cette attitude a parfois du sens. Si une caractéristique négative dépasse en importance les traits positifs, vous seriez stupide de l'ignorer. Un chirurgien dont les mains tremblent ou un enseignant qui déteste les enfants seraient tout à fait inaptes dans leur métier, quelles que soient leurs autres qualités. La plupart du temps, cependant, il n'est pas souhaitable de porter une trop grande attention à des défauts et de sembler ignorer les points forts. C'est l'erreur que font beaucoup de gens en passant au crible des amis ou des relations potentielles. Ils en trouvent certains trop ouverts ou trop réservés, d'autres ne sont pas assez intelligents, et d'autres encore n'ont pas suffisamment le sens de l'humour. Il est bien sûr important de trouver des gens dont vous appréciez particulièrement la compagnie, mais rechercher la perfection peut conduire à une solitude inutile.

Nous accusons les gens d'être responsables de leurs malheurs

L'origine que nous attribuons à la malchance dépend de qui est la victime. Lorsque les autres subissent un échec, nous l'imputons à leurs qualités personnelles. Par contre, lorsque nous sommes nous-mêmes les victimes, nous trouvons des explications qui ne nous impliquent pas directement. Prenez les exemples suivants:

Lorsqu'*ils* rendent un mauvais travail, nous pouvons présumer qu'ils n'avaient pas bien écouté les directives ou qu'ils n'ont pas travaillé assez fort; lorsque *nous* faisons nous-mêmes une erreur, c'est que les instructions n'étaient pas suffisamment claires ou que nous n'avions pas assez de temps.

Lorsqu'*il* se répand en invectives sous l'effet de la colère, nous disons qu'il est de mauvaise humeur ou trop sensible; lorsque *nous* laissons échapper notre émotion, nous mettons cela sur le compte du stress qui nous tenaille.

Lorsqu'*elle* se fait arrêter pour excès de vitesse, nous disons qu'elle aurait dû être plus prudente; lorsque nous avons une contravention, *nous* refusons d'admettre que nous conduisions trop vite et nous disons: «Tout le monde le fait.»

Il y a au moins deux explications à ce genre de comportement. Comme la majorité d'entre nous possédons une image de soi idéalisée, nous nous

> Nous n'apercevons généralement que les choses que nous recherchons – à un point tel que parfois nous les voyons là où elles ne sont pas.
>
> Éric Hoffer

défendons en trouvant des explications à nos propres problèmes dans le but de bien paraître. Ce que nous faisons ici revient à dire: «Ce n'est pas de ma faute.» Et comme le fait de bien paraître est très souvent notre objectif, rabaisser les autres peut devenir un expédient pour rehausser notre estime de soi; nous affirmons en réalité: «Je suis meilleur que lui.»

N'allez pas pour autant mal interpréter les choses: nous ne commettons pas toujours les erreurs de perception que nous avons décrites ici. Parfois, justement, les gens sont bien les seuls responsables de leurs malheurs, et les problèmes que nous rencontrons ne nous sont pas toujours imputables. De la même façon, l'interprétation la plus évidente d'une situation peut être également la bonne. Néanmoins, beaucoup de recherches ne cessent de démontrer que la perception que nous avons des autres est souvent déformée par les travers que nous venons de dénoncer. La leçon est donc claire: ne supposez pas que la première impression que vous avez d'une personne soit la bonne.

———

Pensez à une personne avec qui vous avez eu un différend récemment ou à une personne que vous n'aimez pas. Voyez si l'une de vos perceptions sur cette personne pourrait être faussée de l'une ou l'autre façon étudiée plus tôt.

1. Les actes de la personne ont-ils été motivés par un facteur qui n'est pas évident?

2. Vos premières impressions sur la personne étaient-elles faussées?

3. Avez-vous présumé que la personne pensait et agissait comme vous?

4. Avez-vous trop mis l'accent sur ses défauts et négligé ses côtés positifs?

5. Avez-vous jeté injustement le blâme sur cette personne, sans considérer les problèmes auxquels elle doit faire face?

———

Vérification de notre perception pour éviter les malentendus

De sérieux problèmes peuvent survenir lorsqu'on tient compte des interprétations comme si elles étaient la réalité. Comme beaucoup de personnes sans doute, vous vous indignez de ce que les autres

sautent aux conclusions quant aux raisons qui expliquent votre comportement.

«Pourquoi m'en veux-tu?» (Qui a dit que vous étiez fâché?)

«Qu'est-ce qui ne va pas?» (Qui a dit que ça n'allait pas?)

«Allez maintenant. Dis la vérité.» (Qui a dit que vous mentiez?)

Comme vous l'apprendrez au chapitre 9, même lorsque votre interprétation est juste, une déclaration dogmatique (de celle qui lit dans les pensées!) a de fortes chances d'engendrer de la défensive. La capacité de **vérifier votre perception** permet de mieux gérer votre interprétation des choses. Une vérification complète se fait en trois temps:

Description du comportement perçu.

Deux interprétations possibles de ce comportement.

Demande d'éclaircissement pour pouvoir l'interpréter.

Les vérifications de perception des trois exemples précédents pourraient ressembler à ceci:

«Lorsque tu as quitté précipitamment la pièce et claqué la porte (comportement), je ne savais pas si tu étais en colère contre moi (première interprétation) ou seulement pressé (deuxième interprétation). Quels sentiments t'animaient à ce moment-là (demande d'éclaircissement)?»

«Tu n'as pas beaucoup ri ces deux derniers jours (comportement). Je me demande donc si quelque chose te tracasse (première interprétation) ou si tu es seulement tranquille (deuxième interprétation). Qu'en est-il au juste (demande d'éclaircissement)?»

«Tu as dit que tu avais beaucoup apprécié mon travail (comportement), mais quelque chose dans ta voix me portait à croire que ce n'était peut-être pas ce que tu pensais réellement (première interprétation). C'est peut-être juste mon imagination, remarque (deuxième interprétation). Que penses-tu vraiment de mon travail (demande d'éclaircissement)?»

La vérification de notre perception est un outil qui nous aide à comprendre les autres de façon juste plutôt que de présumer que notre première interprétation est correcte. Son objectif étant une meilleure compréhension mutuelle, elle constitue une approche intéressante en communication. En plus de conduire à une perception plus exacte des choses, elle prouve que nous respectons et faisons attention à l'autre en admettant: «Je sais très bien que je ne suis pas suffisamment qualifié pour pouvoir porter un jugement sur toi sans aide.»

Pour être efficace, une vérification de perception ne nécessitera pas toujours toutes les étapes décrites plus haut:

> «Ça fait longtemps qu'on ne t'a pas vu. Y a-t-il quelque chose qui ne va pas?» (Une seule interprétation combinée à une demande d'éclaircissement.)

> «Je ne peux vraiment pas dire si tu me fais marcher à propos de ma mauvaise conduite ou si tu es réellement sérieux.» (Comportement et interprétations.) «Es-tu vraiment en colère contre moi?»

> «Es-tu *certain* de bien vouloir me conduire en voiture? Si cela ne te pose aucun problème, j'accepte volontiers, mais je ne veux surtout pas t'éloigner de ton chemin.» (Aucun besoin de décrire le comportement.)

Pratiquez votre habileté à vérifier votre perception des choses en faisant un examen en trois parties des situations suivantes:

1. Vous avez fait à un professeur ce que vous pensiez être une excellente suggestion. Elle n'a pas paru intéressée, mais vous a dit qu'elle allait s'occuper immédiatement du problème. Trois semaines ont passé et toujours aucun changement.

2. Un voisin et ami n'a pas répondu à votre «bonjour» trois fois de suite. Cette personne se montre habituellement très amicale.

3. Depuis un mois maintenant, vous n'avez pas reçu l'habituel coup de téléphone hebdomadaire de votre ami, pourtant de retour à la maison. La dernière fois que vous lui avez parlé, vous n'étiez pas d'accord sur l'endroit où passer les vacances.

4. Un vieil ami avec qui vous avez toujours partagé vos problèmes de cœur depuis des années a subitement changé d'attitude envers vous: les anciennes étreintes et baisers spontanés sont devenus plus longs et plus sérieux; les occasions où vous vous rencontrez «accidentellement» sont plus fréquentes.

Empathie

La vérification de notre perception des choses est un outil précieux pour éclaircir les messages ambigus. L'ambiguïté n'est cependant pas la seule cause de problèmes de perception. Nous comprenons parfois *ce que* les personnes veulent dire, mais nous avons du mal à comprendre *pourquoi* elles pensent de cette façon-là. C'est que nous manquons alors d'un éclairage précieux: l'empathie.

Définition de l'empathie   L'**empathie** est la capacité de sortir de soi-même pour comprendre quelqu'un d'autre, de saisir le point de vue de l'autre «avec les yeux» de l'autre. Une personne qui se veut empathique met donc ses efforts à recréer la façon dont une autre personne comprend la réalité. Il y a deux volets à considérer lorsque nous utilisons le terme empathie. Sur le plan cognitif, l'empathie équivaut à la *compréhension* de ce que l'autre personne nous dit. Cette compréhension intellectuelle implique que nous ne soyons ni juges, ni critiques. Elle requiert la mise entre parenthèses de nos propres opinions, valeurs, idées, etc., pour adopter celles de l'autre personne.

En plus de la compréhension intellectuelle, nous trouvons une dimension *émotionnelle*. Une personne empathique tente de bien saisir ce que l'autre vit sur le plan des émotions. En d'autres mots, être empathique oblige à se mettre à la place de l'autre *comme si* vous étiez cette autre personne et à vivre la réalité comme elle la perçoit.

Il ne faut pas confondre l'empathie avec la **sympathie**. Il est vrai que la distinction n'est pas très claire. Cependant, il suffit de savoir que sympathie vient du latin *sympathia* signifiant «fait d'éprouver les mêmes sentiments», adapté du grec *sympathia* signifiant «participation à la souffrance d'autrui». Généralement, lorsque l'on sympathise avec quelqu'un, on fait siennes les émotions de l'autre. Si une personne est très malheureuse, on ressent comme sienne cette souffrance. De même, la joie ressentie par Marie devient notre propre joie. Avec la sympathie nous *participons* à ce que la personne

Dialogue
VÉRIFICATION DE PERCEPTION

Il y a un an environ, mon père a subi une opération à cœur ouvert. Les médecins assuraient que sa convalescence se déroulait normalement, mais son comportement devint par la suite assez étrange. J'étais inquiète et pensais que c'était une bonne occasion de procéder à une vérification de mes perceptions sur le sujet. Je me suis aperçue qu'il en aura fallu plusieurs pour découvrir ce qu'il en était vraiment. Voici comment s'est déroulée notre conversation:

La fille: Il y a quelque chose qui me tracasse.

Le père: Qu'est-ce qui ne va pas, chérie?

La fille: Eh bien, depuis quelque temps tu te montres particulièrement affectueux et...

Le père (blaguant): Tu te sens trop vieille pour te faire encore dorloter un peu par ton petit papa?

La fille: Bien sûr que non! Mais tu sembles plus affectueux qu'à l'ordinaire... Tu m'appelles ton «petit chou», comme lorsque j'étais petite, et tu me serres souvent dans tes bras.(Elle décrit des comportements spécifiques.) C'est peut-être seulement une marque d'amour et ce serait vraiment formidable! Mais je m'inquiète de savoir si cela aurait quelque chose à voir avec ta santé, quelque chose que j'ignorerais. (Choix de deux interprétations différentes.) Est-ce que tu vas bien? (Demande d'éclaircissement.)

Le père: Je vais très bien, chérie! Tu n'as pas à te faire de souci.

La fille: (Inquiète, la fille a recours à une vérification de perception complémentaire pour lever ses doutes à propos de l'affirmation de son père.) D'accord, papa, mais je sais fort bien que tu n'aimes pas que l'on s'inquiète pour toi. Es-tu vraiment certain que tu vas bien ou y a-t-il quelque chose que nous devrions savoir?

Le père: Je ne suis plus un enfant. Tu le sais très bien.

La fille: Qu'est-ce que cela signifie, papa? Je sais que tu as presque 60 ans, mais ton cœur va-t-il bien ou y a-t-il encore un danger? Je veux vraiment savoir. (La fille persiste avec encore une autre vérification de perception pour arriver à saisir la signification de la réflexion plutôt ambiguë de son père: «Je ne suis plus un enfant.»)

Le père: Chérie, les médecins m'ont dit de ne pas m'en faire, c'est tout. Ils m'ont dit que si je ne me fatigue pas trop et que je ne me fais pas trop de soucis, tout ira bien.

La fille: Vraiment?

Le père: Oui, c'est la vérité. Je pense que si je me suis montré si affectueux, c'est que l'opération m'a vraiment fait très peur. Cela m'a appris à ne pas tenir tous les bienfaits pour acquis, et tu es toi la plus grande joie que j'aie reçue. Je m'excuse si je t'ai inquiétée. (Moitié blaguant, moitié sérieux.) Est-ce que par hasard je me suis montré *trop* tendre?

La fille: Non, pas du tout, papa! C'est que je ne savais tout simplement pas si tu étais plus malade que tu ne voulais bien nous le dire.

Le père: Je vais réellement très bien. Tu me crois maintenant?

La fille: Maintenant, oui.

Le père: Je suis heureux que nous ayons pu parler.

La fille: Moi aussi!

Cette conversation m'a rassurée. Au début, je pensais que mon père essayait de nous cacher un problème de santé pour nous éviter de nous inquiéter. Il veut toujours nous protéger. J'avais besoin d'insister pour m'assurer qu'il allait bien. J'ai compris que la vérification des perceptions est vraiment un outil efficace.

⊟

---

ressent. Ce n'est pas le cas avec l'empathie. Il s'agit ici d'une forme de «sympathie froide» où la personne qui fait l'effort d'empathie sait tout de même que les opinions et les émotions de l'autre ne sont pas les siennes, mais appartiennent à cette autre personne.

L'empathie est différente de la sympathie d'une autre manière. Nous pouvons être empathiques envers une personne sans nécessairement vivre de la sympathie pour elle. Vous pouvez faire l'effort d'empathie pour comprendre ce cousin peu commode, cet étranger plutôt agressif ou même ce criminel, sans ressentir de la sympathie pour l'un ni pour l'autre. L'empathie permet de comprendre les motivations d'une autre personne sans pour cela les approuver.

Comme il nous est impossible de devenir la personne qui est en face de nous, l'empathie à 100% est impossible à atteindre. La compréhension totale du point de vue de l'autre est une tâche trop difficile, à cause de nos histoires personnelles différentes et de nos capacités de communication limitées. Néanmoins, nous pouvons avoir une bonne idée de ce à quoi le monde ressemble à travers les yeux d'une autre personne. La méthode suivante vous aidera à devenir plus empathique.

La «méthode de l'oreiller»: un outil pour nous aider à comprendre davantage les autres

La vérification de notre perception des choses est un outil relativement facile et rapide à utiliser pour éclaircir les malentendus éventuels. Certaines questions sont cependant trop complexes ou trop sérieuses pour être abordées de cette manière. L'écrivain Paul Reps décrit un outil qui permet de s'identifier davantage aux autres lorsqu'il semble impossible de le faire autrement[14]. Mise sur pied par un groupe d'écoliers japonais, la méthode de l'oreiller tire son nom du fait qu'un problème a quatre côtés et un centre, tout comme un oreiller (voir la figure 3-6). Comme les exemples des pages 85 à 88 l'indiquent, considérer une question de cinq points de vue différents donne presque toujours un aperçu fort intéressant des choses.

SCÉNARIO 1: J'AI RAISON, VOUS AVEZ TORT C'est le point de vue que nous adoptons généralement en abordant un problème. Nous voyons

Figure 3-6 La méthode de l'oreiller

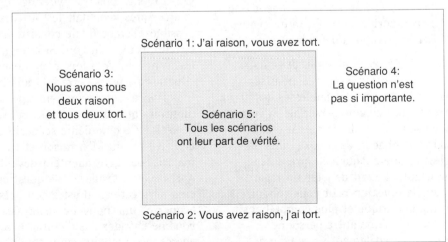

Scénario 1: J'ai raison, vous avez tort.

Scénario 3: Nous avons tous deux raison et tous deux tort.

Scénario 5: Tous les scénarios ont leur part de vérité.

Scénario 4: La question n'est pas si importante.

Scénario 2: Vous avez raison, j'ai tort.

immédiatement les mérites de notre position et trouvons à redire à quiconque est en désaccord avec nous. Exposer en détail cette position requiert peu d'efforts, mais n'apporte que peu d'information nouvelle.

SCÉNARIO 2: J'AI TORT ET VOUS AVEZ RAISON   À ce stade, vous changez de point de vue et vous trouvez les meilleurs arguments qui soient pour expliquer la façon dont les autres peuvent avoir une vision différente de la vôtre. En plus d'identifier les points forts de la position de votre adversaire, c'est le moment de vous faire l'avocat du diable et de trouver des failles à votre raisonnement.

Trouver des défauts à votre point de vue et essayer de soutenir la position de l'autre requiert de la discipline et un certain courage de votre part, bien qu'il s'agisse seulement d'un exercice et que vous soyez en mesure de vous replier sur le scénario 1 si vous le décidez. Cependant, la plupart des gens comprennent, en inversant les points de vue, que la position de l'autre personne dans la controverse n'est pas sans valeur.

Il y a des cas où il est impossible de qualifier la position de l'autre de «juste». Un comportement criminel, la duperie et la déloyauté ne trouvent souvent aucune justification. Dans des cas comme ceux-ci, il est cependant possible d'arriver au scénario 2 en se rendant compte que le comportement de l'autre est compréhensible. Sans l'approuver pour autant, vous pouvez être en mesure de comprendre pourquoi une personne aura recours à la violence, aux mensonges ou à la duperie. Quels qu'en soient les détails, l'objectif du scénario 2 est de trouver un moyen de comprendre comment une personne peut se comporter d'une façon que vous trouviez au départ impossible à défendre.

SCÉNARIO 3: VOUS AVEZ TOUS DEUX RAISON ET TOUS DEUX TORT   De cette position, vous reconnaissez tous les points forts et toutes les faiblesses des arguments apportés par chaque personne. Si vous avez consciencieusement étudié le scénario 2, il devrait être clair que chacun des deux points de vue a ses mérites et que chaque côté présente également des défauts. Le fait de jeter un regard plus impartial sur la question peut vous conduire à vous montrer moins critique et plus compréhensif envers le point de vue d'une autre personne.

Cette situation peut également vous aider à trouver des points communs entre votre position et celle de l'autre personne. Vous avez peut-être eu raison toutes les deux de prêter tant d'attention à la question, mais vous avez peut-être eu toutes deux tort de ne pas tenir compte du point de vue de l'autre. Il existe sans doute certaines valeurs sous-jacentes, que vous partagez l'une et l'autre, et des erreurs similaires, que vous avez faites toutes les deux. Dans tous les cas, ce que le scénario 3 devrait pouvoir vous aider à comprendre, c'est que la question n'est pas tellement de savoir qui a tort et qui a raison, comme cela semblait être le cas au début.

SCÉNARIO 4: LE PROBLÈME N'EST PAS AUSSI IMPORTANT QU'IL LE PARAÎT   Cette étape vous aidera à réaliser que la controverse n'est pas aussi critique que vous le pensiez. Même s'il est difficile d'admettre que certains sujets ne sont pas importants, un peu de réflexion vous enseignera que la plupart des problèmes ne sont pas aussi vitaux que nous le supposons. L'impact des événements les plus traumatisants eux-mêmes — la mort de quelqu'un qu'on aime ou la rupture d'une relation par exemple — s'estompe généralement avec le temps. Les effets peuvent ne pas disparaître, mais nous apprenons à les accepter et à continuer de vivre. La gravité d'une dispute peut aussi diminuer lorsqu'on prend conscience qu'elle a éclipsé d'autres facettes tout aussi importantes d'une relation. On se laisse facilement absorber par un conflit portant sur un sujet mineur, au point d'en perdre de vue les éléments qui nous rapprochent de l'autre personne.

CONCLUSION: TOUS LES POINTS DE VUE ONT LEUR PART DE VÉRITÉ   Après avoir fait le tour des quatre scénarios possibles, l'étape finale consiste à reconnaître que chacun d'eux a du bon. Si la logique enseigne qu'on ne peut à la fois avoir raison et tort, qu'une situation ne puisse être à la fois importante et sans importance, votre expérience personnelle vous montrera que chaque situation examinée a sa part de vérité. Ce cinquième scénario est très différent de l'attitude du «J'ai raison et tu as tort.» que la majorité des gens adoptent devant un problème. Après avoir considéré une question à partir de ces cinq perspectives, il est à peu près certain que vous acquerrez une nouvelle vision des choses. Même si vous ne changez pas d'opinion, vous vous apercevrez que votre empathie pour d'autres points de vue a cependant progressé.

EMPATHIE ET MÉTHODE DE L'OREILLER

INTRODUCTION

Le problème sur lequel je désire me pencher nous concerne mon ami et moi. Nous avons quelques difficultés à décider du sérieux de notre relation. Je ne veux pas précipiter les choses, afin de nous laisser à tous deux une certaine liberté. Daniel veut que nous nous en tenions à une relation unique, refusant que l'un de nous sorte avec qui que ce soit d'autre.

SCÉNARIO 1: J'AI RAISON ET DANIEL A TORT

J'ai raison de vouloir que notre relation soit plus décontractée. Instruite par de mauvaises expériences dans le passé, j'aimerais que notre relation grandisse peu à peu pour éviter de souffrir. J'aime me montrer sincère lorsque j'exprime mes sentiments ou que je prends des engagements, et je ne veux pas dire certaines choses à Daniel avant de les ressentir réellement. Daniel devrait comprendre cela et ne pas vouloir précipiter les choses.

SCÉNARIO 2: DANIEL A RAISON ET J'AI TORT

Il a raison de vouloir une relation semblable, car c'est le genre de relation qu'il a toujours eue jusqu'ici. Il aime la sécurité que lui procure une amitié stable. Puisqu'il est bien difficile de changer de vieilles habitudes et que les raisons invoquées par Daniel de vouloir une relation stable ont du sens pour lui, j'ai tort de ne pas me montrer plus compréhensive.

SCÉNARIO 3: NOUS AVONS TOUS DEUX RAISON ET TOUS DEUX TORT

J'ai raison de vouloir une relation moins officielle du fait de mes expériences antérieures et de mes besoins actuels, mais j'ai tort de ne pas tenir compte des besoins de Daniel. Il a raison de rechercher la sécurité d'une relation unique parce qu'il pense que c'est la meilleure solution qui soit, mais il a tort de m'y pousser avant que j'y sois prête.

SCÉNARIO 4: CELA N'A PAS BEAUCOUP D'IMPORTANCE

Lorsque nous sommes ensemble et heureux de l'être, il ne faut pas penser aux engagements futurs ou au type de relation que nous sommes en train de vivre. À ces moments-là, nous n'y pensons pas du tout, et le problème n'en est pas un.

CONCLUSION: TOUS LES SCÉNARIOS ONT LEUR PART DE VÉRITÉ

Je peux maintenant prendre conscience que Daniel et moi nous limitons en refusant d'aller plus loin que les étapes 1 et 2. Si nous pouvions voir les bons et les mauvais côtés de la position de chacun, nous pourrions peut-être trouver une réponse qui nous satisfasse tous les deux.

INTRODUCTION

La semaine dernière, en me rendant comme chaque soir dans l'unité où je travaille, j'eus la désagréable surprise de constater que l'on m'avait «envoyée» à un autre étage. En me présentant à cet endroit, j'eus un différend avec l'infirmière responsable, au sujet de mon affectation. J'essayai de lui expliquer qu'elle me donnait une charge trop lourde, mais elle ne parut pas comprendre ce que je tentais de lui dire. J'étais à la fois fâchée et déçue. Je décidai donc d'utiliser la méthode de l'oreiller pour voir si je pouvais éclaircir la situation avant de lui parler à nouveau.

SCÉNARIO 1: J'AI RAISON ET ELLE A TORT

La charge de travail qu'elle m'a confiée est vraiment trop lourde. On ne devrait pas procéder par chambre, mais plutôt considérer les types de patients et la quantité de soins qu'ils requièrent. Elle a eu tort de me donner les patients qui nécessitaient le plus de soins pour permettre à son équipe de souffler un peu. J'ai raison de me sentir exploitée lorsqu'on me traite de cette façon.

SCÉNARIO 2: ELLE A RAISON ET J'AI TORT

Je ne devrais pas m'attendre à un traitement spécial parce que je viens d'un autre étage. Il est plus facile d'attribuer les patients d'après leur numéro de chambre. Cela permet aux infirmières de se concentrer à un endroit et leur évite des pas inutiles.

SCÉNARIO 3: NOUS AVONS TOUTES DEUX RAISON ET TOUTES DEUX TORT

J'ai raison lorsque j'affirme qu'elle m'a donné la charge de travail la plus lourde, mais je comprends maintenant qu'elle n'a pas fait cela pour se montrer injuste: quelqu'un doit bien faire le travail. Elle avait raison (ou du moins était raisonnable) de faire la sourde oreille à mes récriminations: on aurait pu penser que je voulais bénéficier d'un traitement spécial.

J'ai raison par contre de dire que la distribution des patients par leur numéro de chambre n'est pas une bonne méthode de gestion du travail.

SCÉNARIO 4: CE N'EST VRAIMENT PAS IMPORTANT DE SAVOIR QUI AVAIT RAISON ET QUI AVAIT TORT

Je n'ai travaillé à cet étage qu'une seule nuit et n'y retravaillerai probablement pas avant un an. L'incident est clos et cela ne vaut pas la peine d'y repenser. Il y aura toujours des moments où les choses ne se passeront pas comme je le souhaiterais. Je dois admettre que la plus grande partie du travail que l'on me donne est tout à fait acceptable.

CONCLUSION

J'ai trouvé cette affectation fort intéressante. Dans les premières minutes, j'étais encore tellement sous l'effet de la colère que je me sentais complètement effondrée! Après avoir passé en revue les quatre scénarios possibles, j'ai pu comprendre pourquoi l'infirmière responsable avait agi de cette manière. Je n'étais plus tellement en colère contre elle et décidai de lui reparler pour voir si nous pouvions éclaircir la situation. Nous avons eu la chance de pouvoir le faire, et j'ai pu lui expliquer clairement ma façon de réagir, qui n'était en rien une menace pour elle. Ce qui est plus important encore, c'est que j'ai pu l'écouter réellement sans être sur la défensive. Nous avons pu nous séparer en bons termes à l'issue de la conversation. Je sais que je n'aurais pas pu le faire avant d'étudier la question sous tous ses aspects en utilisant la méthode de l'oreiller.

INTRODUCTION

Mon mari Paul est un rêveur-né. Sa dernière lubie était de vendre notre maison et tous nos biens et d'aller habiter sur un bateau dans le port. Comme je suis une personne assez conventionnelle, l'idée m'a paru folle, au commencement. Nous en avons discuté à plusieurs reprises, et elle m'est finalement apparue comme une aventure à tenter; je m'apprêtai donc à faire les premiers pas. Je mis ma mère au courant, m'attendant à une réaction positive de sa part. Elle fut au contraire négative et teintée d'émotion. Elle voyait en cette idée un rêve stupide de plus que mon mari voulait m'imposer. Je lui ai répliqué qu'elle avait tort et ai pris la défense de Paul.

SCÉNARIO 1: J'AI RAISON ET ELLE A TORT

Après avoir vécu plusieurs années auprès de Paul, je pense le connaître plus que ma mère ne le connaît. J'ai accepté son côté rêveur et me suis rendu compte que la plupart de ses idées ne pourront jamais se réaliser. Lorsqu'il finit par penser qu'un de ses rêves est suffisamment important pour qu'on le poursuive, nous en discutons. Il ne me prend pas à la gorge. Nous avons beaucoup de respect l'un pour l'autre, et notre prise de décision se fait toujours d'un commun accord. C'est pourquoi je pense que ma mère a tort de dire que toute initiative de changement dans notre mariage est unilatérale et en faveur de Paul.

SCÉNARIO 2: ELLE A RAISON ET J'AI TORT

Ma mère jette un regard sur notre relation en considérant d'abord ce qui m'affecte moi, sa fille. Elle m'aime et est sincèrement soucieuse de me voir accordée une part égale dans notre relation. Elle me connaît depuis toujours et sait que je manque d'assurance pour imposer mes idées. Plusieurs fois auparavant, elle m'a vue sacrifier des principes pour rester en bons termes avec la personne qui me tient à cœur. C'est pourquoi elle pense que je suis fragile et facilement vulnérable. Aucune mère ne peut laisser sa fille s'enfoncer dans une situation qui pourrait devenir pénible sans essayer, d'une manière ou d'une autre, de la protéger. C'est sa façon à elle de m'empêcher de faire une erreur grave et d'en souffrir ensuite.

Elle considère également que l'idée de nous débarrasser de notre maison et de tous nos biens pour aller vivre sur un bateau ébranle les fondations profondes sur lesquelles elle a bâti sa vie. Selon elle, la sécurité se trouve par tradition dans le mariage, une maison, un intérieur confortable et des enfants à l'avenir; aussi, elle ne trouve aucun sens à ce que nous projetons de faire de notre vie. Elle nous voit rejeter une foule de choses positives et concrètes que nous avons peiné à acquérir, pour courir après l'impossible. C'est pourquoi elle pense que j'ai tort de vouloir vivre une fantaisie qui peut me conduire à la déception, alors que j'ai autour de moi tant de choses confortables et réelles qui m'apportent la sécurité.

SCÉNARIO 3: NOUS AVONS RAISON MAIS ÉGALEMENT TORT TOUTES LES DEUX

J'ai raison de défendre la position de Paul et la mienne dans notre relation, car je sais très bien que nous partageons nos idées et prenons les décisions de façon équitable. J'ai tort de penser que, parce qu'elle est ma mère et qu'elle a tendance à toujours pencher de mon côté dans les discussions, elle ne fait pas preuve d'objectivité dans ce cas-ci.

Elle a raison de se soucier de mes sentiments dans cette situation. Elle a tort de ne pas vouloir reconnaître que j'ai changé au cours de ces années. Je suis devenue plus ouverte et plus réceptive aux changements, et j'ai maintenant le courage d'affronter la vie de plusieurs côtés, ce que je n'aurais jamais osé faire lorsque j'étais plus jeune. (Suite p. 88.)

Je sais fort bien que ma mère aime Paul et se soucie de son bien-être autant que du mien. Si nous poursuivons ce rêve, elle ne nous en aimera pas moins pour autant. Même si elle n'est pas d'accord avec nous, son amour n'est pas conditionné par sa vision des choses. De la même manière, je l'aime sans me demander si elle accepte totalement ce que je peux penser ou faire. Considérant l'ensemble de la question, je me rends compte que la façon dont nous réagissons face à cet événement n'a pas vraiment d'importance, car il ne remet pas en cause notre amour l'une pour l'autre, que ce soit maintenant ou pour l'avenir.

CONCLUSION

Maintenant que je suis en mesure de trouver une part de vérité dans chacun des quatre scénarios étudiés, la question revêt une importance nouvelle. Elle a été l'outil qui m'a aidée à dépasser ma propre perception sélective des choses dans l'affaire du bateau, aussi bien que dans d'autres. J'ai également une bien meilleure idée de la façon dont ma mère ressent les choses et, ce qui est plus important encore, pourquoi elle réagit comme elle le fait. À la lumière de cette découverte, cet événement a de l'importance et signifie beaucoup pour moi.

Conversation sur l'oreiller

Essayez d'appliquer la méthode de l'oreiller dans votre vie. Ce n'est pas facile, mais une fois que vous commencez à la comprendre, les bénéfices que vous en retirez sont réels.

1. Choisissez une personne ou une opinion avec laquelle vous êtes en désaccord. Si vous avez choisi une personne, il est préférable qu'elle soit à vos côtés; si c'est impossible, vous pouvez faire l'exercice seul.

2. Quelle sorte de différend choisiriez-vous? Il y en a certainement beaucoup dans votre vie:

   parent-enfant
   professeur-étudiant
   employeur-employé
   frère-sœur
   nation-nation

3. Pour chaque problème choisi, placez-vous réellement dans chaque situation (l'oreiller) successivement:

   a. Votre position est juste et celle de votre adversaire est fausse.

   b. La position de votre adversaire est juste, la vôtre est fausse.

   c. Vos positions sont toutes deux à la fois justes et fausses.

   d. Il n'est pas important de savoir qui a raison et qui a tort.

Finalement, démontrez que les quatre positions sont justifiables.

4. Plus le problème est important à vos yeux, plus il sera difficile d'accepter les situations b, c et d. L'exercice réussira seulement si vous pouvez mettre en veilleuse votre position actuelle et si vous pouvez imaginer comment vous vous sentiriez dans les autres situations.

5. Comment pouvez-vous affirmer que vous avez bien réussi avec la méthode de l'oreiller? La réponse est simple. Si, après être passé par toutes les étapes, vous êtes en mesure de comprendre — pas nécessairement d'accepter, mais seulement de comprendre — la position de l'autre personne, vous avez réussi. Une fois parvenu à cette compréhension, remarquez-vous un changement dans vos sentiments à l'égard de l'autre personne?

RÉSUMÉ

Il existe bien plus de réalités que ce qu'une personne est en mesure de saisir. Nous parvenons à comprendre le monde qui nous entoure grâce à un processus en trois temps: nous sélectionnons certains stimuli provenant de notre environnement, nous les organisons en schémas significatifs, et nous les interprétons. Notre interprétation est modelée par notre expérience antérieure, des idées toutes faites sur le comportement humain, nos attentes, nos connaissances et notre humeur personnelle.

D'autre part, plusieurs facteurs conditionnent la façon dont nous sélectionnons, organisons et interprétons les informations reçues. Des influences physiologiques sur nos cinq sens, comme notre âge ou notre état de santé, jouent un rôle important. Notre passé culturel façonne également notre vision du monde, comme le font aussi le rôle que nous tenons dans la société et notre concept de soi. En plus de ces facteurs, il faut tenir compte d'un certain nombre d'erreurs de perception. Nous ne manquons pas d'en commettre lorsque nous prêtons une signification au comportement des autres.

Vérifier notre perception des choses peut être utile pour rectifier nos interprétations du comportement des autres — plutôt que de supposer que notre première intuition est toujours la bonne. Une vérification complète comprend la description du comportement de l'autre, deux interprétations plausibles, au minimum, de ce qu'il

peut vouloir dire, et une demande d'éclaircissement sur sa signification réelle.

L'empathie est la capacité de se mettre à la place d'une autre personne pour tenter de comprendre et de ressentir comment le monde se présente à ses yeux. Il ne faut pas confondre l'empathie et la sympathie, même si les deux concepts se ressemblent. Lorsque nous sympathisons avec quelqu'un, nous ressentons l'événement au même titre que l'autre personne. Nous y sommes totalement engagés. Être empathique, c'est plutôt faire l'effort de se mettre à la place de l'autre sans subir les événements comme elle le fait. C'est pourquoi on dit que l'empathie est une forme de «sympathie froide».

La méthode de l'oreiller permet de comprendre encore davantage les autres. Elle consiste à considérer un problème à partir de cinq perspectives différentes.

Mots clés

Androgyne
Attribution
Empathie
Interprétation

Méthode de l'oreiller
Organisation
Ponctuation

Sélection
Sympathie
Vérification de perception

Bibliographie spécialisée

ATKINSON, Rita L., ATKINSON, Richard C., SMITH, Edward E., HILGARD, Ernest R. *Introduction à la psychologie* (2e éd.), Montréal, Études Vivantes, 1987, 790 p.

Le chapitre 6 de cet ouvrage général traite de la perception. C'est donc un résumé des recherches et des concepts qui occupent les psychologues intéressés par ce champ d'étude.

DELORME, André. *Psychologie de la perception*, Montréal, Études Vivantes, 1982, 424 p.

Ce professeur de l'Université de Montréal aborde en profondeur tous les phénomènes relatifs à l'étude des mécanismes de la perception et les théories contemporaines visant à intégrer l'ensemble des données de la recherche. Excellent volume pour ceux qui sont intéressés par la recherche fondamentale.

DEMERS, Bernard. *Le Zérocycle ou les exercices de style à la manière de Queneau*, Montréal, Québec/Amérique, 1988, 144 p.

Vous connaissez les exercices de Queneau? L'auteur tente de relever le défi lancé par ce Français et y réussit de manière fort éloquente. Un petit livre qui n'a aucun rapport avec la perception comme telle, mais qui en a long à dire sur les différentes façons de rapporter un même événement!

GERGEN, Kenneth J., GERGEN, Mary M. *La psychologie sociale*, Montréal, Études Vivantes, 1984, 530 p.

Le chapitre 2 de ce volume de psychologie traite de la notion de perception sociale. On y trouve les assises de la perception sociale, la formation des impressions, l'organisation de la perception (appliquée au monde social), etc. Ce texte est particulièrement pertinent au chapitre 3 du présent volume.

LEYENS, Jacques-Philippe. *Sommes-nous tous des psychologues?*, Bruxelles, Mardaga, 1983, 288 p.

Nous vous renvoyons au chapitre 2 de ce volume, intitulé «Les théories implicites de la personnalité», où l'auteur discute de la formation des impressions. Excellente synthèse des recherches en ce domaine.

QUENEAU, Raymond. *Exercices de style*, Paris, Nouvelles Éditions Gallimard, 1979, 160 p.

À lire absolument! Quel bel exercice à faire soi-même dans le but d'arriver à décrire un événement des dizaines de fois. Avec ce texte et avec *Le Zérocycle* de Demers, vous comprendrez l'importance de cultiver l'art d'interpréter une chose selon différents points de vue.

RATHUS, Spencer A. *Psychologie générale*, Montréal, Études Vivantes, 1991.

Les sensations et la perception sont présentées dans le chapitre 3 de l'ouvrage de Rathus. Une présentation encore plus récente que celle d'Atkinson *et al*.

SAUCET, Michel. «Les pièges de la perception», *Psychologies*, n° 53, Loft International, avril 1988, p. 86 à 88.

Un court article qui résume le point de vue de l'auteur sur les erreurs de langage qui nous guettent et comment prendre conscience de celles-ci. Bien qu'il s'agisse ici du langage plutôt que des mécanismes de la perception, il faut comprendre que les mots et la façon dont on les utilise modulent l'interprétation du monde qui nous entoure.

SEGUIN, Fernand. «Les périls de l'interprétation», *Québec Science*, vol. 26, n° 6, 1988, Presses de l'Université du Québec, p. 37 à 38.

Fernand Seguin, dans toute sa sagesse, nous montre qu'il devient impérieux de décoder ce qui se cache derrière les données brutes de nos chercheurs. Comme quoi même dans la démarche scientifique (que l'on croit à tort objective), tous les facteurs qui influencent notre compréhension du monde se trouvent dans les interprétations que nous pouvons faire de nos résultats de recherche.

WATZLAWICK, Paul. *La réalité de la réalité*, Paris, Seuil (coll. Points n° 162), 1978, 256 p.

Un petit livre intéressant et cocasse par moments, où l'auteur traite des différentes facettes de la réalité. Le chapitre 6, sur la ponctuation des événements, devrait éclairer le lecteur sur la difficulté de reconnaître «qui a dit quoi et à quel moment», puisque le processus de la communication est continu. Ce livre sera très utile pour comprendre que la communication est essentielle à la construction de nos réalités et pour en reconnaître la fragilité, de même que notre dépendance à l'égard de ce phénomène.

Chapitre 4

Les émotions: penser et ressentir

Rêver un impossible rêve,
Porter le chagrin des départs,
Brûler d'une possible fièvre,
Partir où personne ne part,
Aimer jusqu'à la déchirure,
Aimer, même trop, même mal,
Tenter sans force et sans armure,
D'atteindre l'inaccessible étoile...

Jacques Brel

On ne peut parler de communication sans reconnaître l'importance que revêtent les émotions. Pensez-y donc: la confiance en soi contribue à la réussite de tout ce que nous entreprenons, de la tenue d'un discours à la demande d'un rendez-vous amoureux; l'insécurité, au contraire, compromet toutes nos chances. Être en colère ou sur la défensive peut envenimer les moments passés avec les autres; se sentir calme et agir posément aidera à prévenir ou à résoudre les problèmes. La façon dont vous partagez ou au contraire retenez vos sentiments d'affection peut conditionner l'avenir de vos relations. La liste des émotions est bien longue: joie, irritation, tristesse, colère, excitation alternent constamment. Une chose est pourtant certaine: la communication façonne nos émotions comme les émotions influencent notre communication.

Les émotions étant un sujet d'une telle importance, nous allons consacrer ce chapitre à les étudier. Que sont en fait les émotions? Comment pouvons-nous les reconnaître? Qu'est-ce qui les provoque? Comment peut-on en avoir le contrôle, stimuler celles qui sont positives et se laisser moins envahir par celles qui sont négatives? Quand et comment pouvons-nous partager le mieux nos émotions avec les autres?

Qu'est-ce que les émotions?

Supposez qu'un visiteur d'une autre planète vous demande de lui expliquer ce que sont les émotions. Que lui répondrez-vous? Vous pouvez commencer par dire que les émotions sont les choses que nous ressentons. Mais cela n'avance guère, puisque vous allez probablement décrire ensuite les sentiments comme des synonymes des émotions.

Les spécialistes des sciences humaines qui ont étudié le rôle de l'affect s'accordent généralement pour dire qu'il existe plusieurs composantes au phénomène que nous appelons émotions.

Changements physiologiques De fortes émotions se traduisent par de nombreux changements physiologiques. Un sentiment de peur peut, par exemple, accélérer le rythme cardiaque, faire monter la pression artérielle, hausser le taux de glycémie, retarder la digestion et dilater les pupilles. Certains de ces effets sont facilement reconnaissables. Ces sensations sont appelées

stimuli intéroceptifs, ce qui signifie qu'elles sont provoquées par une réaction des organes internes. Les messages intéroceptifs peuvent être des indices significatifs de vos émotions, une fois que vous en avez pris conscience. Une amie, ayant décidé de prêter attention aux signaux internes qu'elle percevait, s'est rendu compte qu'à chaque fois qu'elle regagnait la ville au retour de vacances, elle ressentait une impression de vide au creux de l'estomac. D'après son expérience personnelle, elle savait que cette sensation accompagnait toujours chez elle les choses dont elle avait peur. Sachant cela, elle prit conscience qu'elle se sentait beaucoup mieux à la campagne. Elle s'efforce maintenant de réaliser ce qu'elle sait être la meilleure chose pour elle.

Un autre de nos amis nous était toujours apparu détendu et de compagnie agréable, même dans les circonstances les plus éprouvantes. Après s'être penché sur les signaux internes qu'il percevait, il s'aperçut que son comportement tempéré contrastait singulièrement avec la tension et les maux de tête dont il souffrait dans certains moments difficiles. Cette nouvelle prise de conscience lui fit comprendre qu'il ressentait en fait de la frustration et de la colère — et qu'il devait y faire face d'une manière ou d'une autre s'il voulait se sentir vraiment à l'aise.

Que ressentez-vous?

Voici une méthode qui vous aidera à vous connaître davantage d'après les réactions de votre corps. Vous pouvez faire cet exercice en groupe ou seul, en dehors de la classe. Si vous le faites seul, lisez d'abord toutes les instructions afin de pouvoir exécuter l'exercice de façon continue, sans avoir à vous interrompre. Cet exercice, cependant, aura plus d'effet si vous le faites en groupe, la première fois du moins, car la personne qui vous le fera exécuter pourra lire les directives pour vous. Dans un groupe, vous serez également mieux en mesure d'échanger et de comparer vos impressions.

Les ellipses (...) indiquent les moments où vous marquerez une pause pour vous permettre d'étudier ce que vous ressentez.

1.   Où que vous soyez, trouvez une position confortable, couchée ou assise. Vous avez besoin d'un

endroit tranquille, sans distractions. Vous trouverez que l'exercice a plus d'effet si les lumières sont tamisées.

2. Fermez les yeux. La vue est un sens tellement dominant qu'elle fait oublier facilement tous les autres.

3. Maintenant que vous avez les yeux fermés et que vous êtes confortablement installé, vous allez faire le tour de votre corps et vous attarder sur chacune de ses composantes. Lorsque vous vous concentrez sur l'une d'elles, n'essayez pas de modifier ce que vous y trouvez (…) notez simplement comment vous êtes et ce que vous ressentez.

4. Commençons maintenant. D'abord vos pieds. Comment sont-ils? Tout va-t-il bien de ce côté ou vous font-ils souffrir? Vos orteils sont-ils froids? Vos chaussures vous vont-elles à la perfection ou sont-elles trop justes?

   Passez maintenant à vos jambes (…) Sont-elles tendues ou reposées? Pouvez-vous sentir chaque muscle? (…) Vos jambes sont-elles croisées? Ressentez-vous une certaine pression lorsque vous les appuyez l'une sur l'autre? (…) Vous sentez-vous à l'aise?

   Pensez maintenant à vos hanches et à votre bassin (…) à l'endroit où votre colonne vertébrale et vos jambes se rejoignent. Vous sentez-vous bien dans cette position ou êtes-vous moins détendu que vous ne le souhaiteriez? Si vous êtes assis, portez votre attention à vos fesses (…) Sentez-vous le poids de votre corps appuyer sur la surface sur laquelle vous êtes assis?

   Passez maintenant à votre tronc. Comment est votre abdomen? (…) Quelles sensations y découvrez-vous? (…) Y a-t-il quelque chose qui bouge? (…) Faites attention à votre respiration (…) Respirez-vous du sommet des poumons ou prenez-vous de longues respirations détendues? (…) L'air rentre-t-il et sort-il par le nez ou la bouche? Votre poitrine est-elle comprimée ou vous sentez-vous parfaitement à l'aise?

   En surveillant votre respiration, vous êtes certainement parvenu à la gorge et au cou. Tout va-t-il bien de ce côté ou sentez-vous une boule que vous avez continuellement besoin d'avaler? (…) Et votre cou? (…) Le sentez-vous soutenir votre tête dans sa position actuelle? (…) Si vous

balancez lentement la tête d'un côté et de l'autre, vous comprendrez peut-être davantage comment les muscles travaillent (…) Y a-t-il une certaine tension dans votre cou et sur vos épaules?

Passons ensuite au visage (…) Quelle est votre expression actuelle? (…) Les muscles de votre visage sont-ils tendus ou non? Lesquels? Pensez à votre bouche (…) à votre front (…) à votre mâchoire (…) à vos joues. Prenez quelques instants pour en prendre conscience.

Finalement, entrez dans votre tête et voyez ce qui s'y passe (…) Est-ce calme et sombre ou y a-t-il du mouvement? Quel est-il? S'y sent-on bien ou y a-t-il un certain stress ou de la douleur? (…)

Vous venez de faire le tour complet de votre corps. Essayez de le ressentir dans sa totalité maintenant (…) Quelle conscience nouvelle en avez-vous gagné? (…) Certaines parties de votre corps retiennent-elles votre attention plus que d'autres maintenant? (…) Que vous disent-elles?

Il reste encore une partie très importante de votre corps sur laquelle vous concentrer. Il s'agit du *siège de vos émotions*, lorsque vous êtes heureux, malheureux ou triste (…) Réfléchissez-y quelques instants et essayez de déterminer cet endroit. Voyez comment vous vous y sentez (…) Voyez ce qui se produit lorsque vous vous posez la question: «Comment est-ce que je me sens maintenant? Quelles sont mes émotions?» (…) Voyez ce qui arrive lorsque vous pensez à un problème personnel qui vous préoccupe depuis quelque temps (…) Assurez-vous qu'il s'agisse bien d'une chose importante dans votre vie actuellement (…) Voyez si vous pouvez réellement ressentir le problème là où se situent vos émotions (…) Laissez les émotions s'emparer de vous (…) Si l'émotion que vous éprouvez se modifie lorsque vous vous attardez sur elle, c'est tout à fait normal. Accrochez-vous à elle, peu importe le chemin qu'elle emprunte, et voyez à quoi elle ressemble (…) Est-ce que ce que vous ressentez à l'heure actuelle fait une différence pour vous? (…) Quelle est donc cette différence? (…) Prenez quelques instants de liberté et rouvrez doucement les yeux.

5. Réfléchissez ensuite aux questions suivantes. Si vous êtes en groupe, il se peut que vous vouliez en discuter tous ensemble sur place.

a. Avez-vous appris des choses nouvelles à propos de votre corps, que vous ignoriez jusqu'ici? Y avez-vous découvert certaines tensions que vous traîniez avec vous? Depuis combien de temps, selon vous, les aviez-vous en vous? Est-ce que le fait d'en prendre conscience fait une différence pour vous?

b. Savez-vous maintenant dans quelle partie de votre corps se situe généralement le siège de vos émotions? Où est-ce? Y a-t-il différents endroits pour différentes émotions? Le fait de vous concentrer sur votre problème fait-il une différence pour vous?

Réactions non verbales Les changements physiologiques qui accompagnent les émotions ne sont pas tous internes. Les émotions ressenties sont souvent perceptibles à des modifications externes: rougissement, transpiration, etc. D'autres ont un rapport avec le comportement: expression faciale caractéristique, attitude, gestes, ton et volume de la voix, etc.

Bien qu'il soit relativement facile de dire quand une personne est en proie à une vive émotion, il est cependant plus difficile de savoir de quelle émotion il s'agit. Une posture avachie et des soupirs peuvent traduire de la tristesse ou marquer la fatigue. De la même façon, le tremblement des mains peut indiquer de l'agitation ou de la crainte. Comme vous le verrez dans le chapitre 6, un comportement non verbal est souvent ambigu: il est d'ailleurs dangereux de présumer que l'on puisse le «lire» avec beaucoup d'exactitude.

Si nous pensons qu'un comportement non verbal est généralement une réaction à un état émotionnel, l'inverse peut parfois être vrai — lorsqu'un comportement non verbal devient la *cause* réelle d'émotions. Une étude de Paul Ekman donne des exemples dans lesquels des sujets ont été en mesure de susciter différents états émotionnels en modifiant des expressions du visage[1]. Lorsqu'on demandait à des volontaires de faire bouger leurs muscles faciaux pour traduire la peur, la colère, le dégoût, l'amusement, la tristesse, la surprise ou le mépris, leur corps y répondait comme s'ils ressentaient réellement ces émotions. Détail intéressant, le lien entre un sourire et un sentiment de joie n'était pas aussi fort du fait, selon Ekman, que le sourire peut traduire beaucoup d'émotions différentes: la joie, la colère, la tristesse, etc.

Interprétations cognitives Même si, dans certains cas, un lien direct peut être établi entre un comportement extérieur et des états émotionnels, dans la plupart des situations c'est la raison qui détermine en grande partie la façon dont nous ressentons les choses. À la page 92, vous avez vu que certaines composantes physiologiques de la crainte se traduisent par un battement accéléré du cœur, une transpiration, une tension des muscles et une élévation de la pression artérielle. Or, ces modifications sont en tout point semblables aux changements physiologiques qui accompagnent les sentiments d'agitation et de joie et les autres émotions. Autrement dit, si nous devions évaluer les manifestations apparentes d'une personne en proie à une forte émotion, nous aurions beaucoup de mal à savoir si elle tremble de peur ou d'excitation. Reconnaissant que les manifestations de la plupart des émotions sont similaires, certains psychologues en ont conclu que le fait de ressentir de la peur, de la joie ou de la colère provient principalement de l'*étiquette* que nous attribuons à des symptômes physiques identiques à un moment donné[2]. Le psychologue Philip Zimbardo en donne un bon exemple:

Je remarque que je transpire tout en donnant ma conférence. J'en déduis que je me sens nerveux. Si cela arrivait très souvent, je pourrais même me qualifier de «personne nerveuse». Une fois cette étiquette attribuée, la question à laquelle je dois répondre est: «Pourquoi donc suis-je nerveux?» J'essaie de trouver une explication logique à ce comportement. Il se peut que je remarque des étudiants qui quittent la pièce ou qui semblent distraits. Je suis nerveux parce que la conférence que je donne ne semble pas très intéressante. Cela me rend d'autant plus nerveux. Comment puis-je savoir qu'elle n'est pas intéressante? Parce que je semble ennuyer mon auditoire. Je suis nerveux parce que je suis un orateur ennuyant, alors que je veux au contraire intéresser les gens. Ma place n'est donc pas ici. Je ferais peut-être mieux d'ouvrir une épicerie. C'est à ce moment qu'un étudiant s'écrie: «Il fait chaud ici; je transpire et j'ai beaucoup de mal à prêter attention à ce que vous dites.» Instantanément, je ne me sens plus du tout nerveux ou ennuyant[3].

Dans son livre *Shyness*, Zimbardo parle des conséquences que provoquent les attributions exagérées ou inexactes. Dans une étude réalisée sur plus de 5000 sujets, plus de 80 p. 100 d'entre eux se décrivaient comme ayant été timides à un moment ou l'autre de leur vie, tandis que 40 p. 100 se considéraient comme actuellement timides. Le plus intéressant sans doute était que les personnes qui se qualifiaient de «non timides» avaient un comportement pratiquement *semblable* à celui des personnes qui disaient l'être. Elles rougissaient, transpiraient, sentaient leur cœur battre plus vite dans certaines situations mondaines. La plus grande différence entre les deux groupes semblait venir de l'étiquette qu'ils s'étaient attribuée[4]. C'est là une différence significative. Une personne qui reconnaît les symptômes que nous venons de décrire et qui pense: «Je suis tellement timide!» se sentira plus timide et communiquera avec plus de difficulté qu'une autre personne qui, présentant des symptômes identiques, pensera quant à elle: «Eh bien, je tremble un peu (ou je suis quelque peu excité), mais c'est tout à fait normal.»

Nous étudierons plus en profondeur certaines façons de réduire des émotions négatives au moyen de processus cognitifs un peu plus loin dans le chapitre.

Types d'émotions

Nous avons vu jusqu'ici que même si les émotions peuvent différer dans le ton, elles se ressemblent sur la plupart des autres points. En vérité, les émotions diffèrent à bien des égards.

Émotions primaires et émotions combinées

Les émotions ressemblent aux couleurs: certaines sont simples tandis que d'autres sont le résultat de combinaisons. La «roue des émotions» de Robert Plutchik (voir figure 4-1) illustre cette différence[5]. Plutchik a identifié huit **émotions fondamentales** à l'intérieur de la roue. Il laisse entendre que ces émotions primaires peuvent être associées pour en former d'autres, les **émotions combinées**, dont quelques-unes sont répertoriées à l'extérieur de la roue.

Figure 4-1 Roue des émotions: émotions fondamentales et émotions combinées

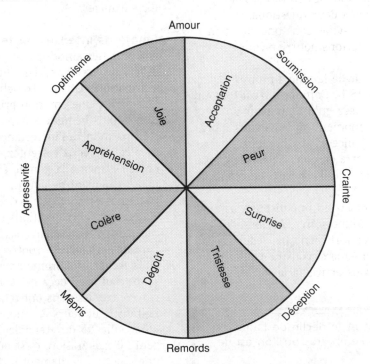

BULLETIN HUMEUR

Que vous soyez d'accord ou non avec les émotions spécifiques que Plutchik identifie comme primaires ou secondaires (puisqu'il existe beaucoup d'écrits sur le sujet — voir la bibliographie spécialisée pour connaître certains auteurs), la roue montre bien qu'il faut plus d'un terme pour définir plusieurs d'entre elles. Pour en comprendre la raison, considérez les exemples suivants. Pour chacun d'eux, posez-vous deux questions: Comment vous sentiriez-vous dans une situation semblable? Quelles émotions pourriez-vous exprimer?

Un ami de l'extérieur de la ville a promis d'arriver chez vous à 18 h. Comme il n'est toujours pas là à 21 h, vous pensez qu'il a pu avoir un horrible accident. Au moment où vous vous apprêtez à téléphoner à la police et aux hôpitaux environnants, votre ami entre en coup de vent en vous disant avec désinvolture qu'il est parti en retard de chez lui.

Votre amie et vous avez eu une dispute juste avant de vous rendre à une soirée. Au fond de vous-même, vous savez fort bien que c'est vous qui devez en être blâmé, même si vous ne voulez pas l'admettre. Lorsque vous arrivez à la soirée, votre

> Le commencement et le déclin de l'amour se font sentir par l'embarras où l'on est de se trouver seuls.
>
> La Bruyère

amie vous délaisse pour aller flirter avec d'autres invités qui lui plaisent.

Dans des situations comme celles-ci, les émotions que vous ressentez sont probablement équivoques. Prenez le cas de l'ami qui est très en retard. Votre première réaction à son arrivée serait probablement du soulagement: «Heureusement, il est sain et sauf!» Vous pourriez cependant ressentir aussi de la colère: «Pourquoi ne m'a-t-il pas téléphoné pour me dire qu'il serait en retard?» Le second exemple vous laisserait peut-être en proie à davantage d'émotions: culpabilité pour la dispute, peine et éventuellement embarras devant le comportement amoureux de votre amie, colère devant ce genre de vengeance.

S'il est vraiment banal de ressentir plusieurs émotions à la fois, nous ne pouvons le plus souvent exprimer qu'une seule de ces émotions — généralement la plus négative. Dans les deux exemples précédents, il se peut que vous ne manifestiez que votre colère, laissant l'autre personne ignorer pratiquement tout des autres émotions que vous ressentez. Songez aux réactions différentes que vous pourriez susciter en indiquant *toutes* les émotions éprouvées dans des cas semblables et dans d'autres.

Émotions intenses ou tempérées   Comme les couleurs, les émotions peuvent être d'intensité différente. La figure 4-2 illustre clairement cette affirmation[6]. Chaque tranche verticale présente l'éventail d'une émotion primaire, de sa manifestation la plus bénigne à la plus prononcée. Le schéma montre l'importance, lorsque vous exprimez ce que vous ressentez, non seulement de choisir à même la famille émotionnelle appropriée, mais également de pouvoir en indiquer l'intensité. Certaines personnes n'arrivent pas à exprimer clairement leurs émotions parce qu'elles les sous-estiment, ne parvenant pas à en définir l'intensité. Dire que vous êtes «contrarié» lorsqu'un de vos amis rompt une promesse importante, par exemple, serait plutôt en deçà de la vérité. Dans d'autres cas, par contre, les gens ont tendance à surestimer l'intensité de leurs émotions. Pour eux, tout est «merveilleux» ou «terrible». Le problème avec ce genre d'exagération, c'est que lorsqu'on fait face à une émotion réellement forte, on ne trouve plus de mots pour la décrire correctement. Si les biscuits aux brisures de chocolat de la pâtisserie du coin

Figure 4-2 Intensité des émotions

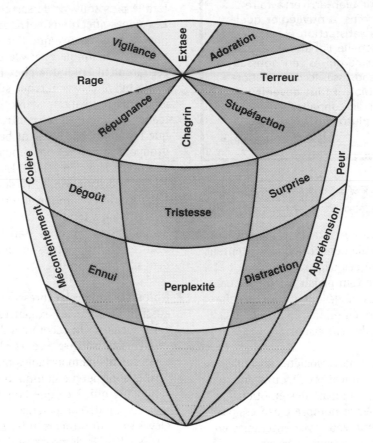

sont «fantastiques», comment se sent-on alors lorsqu'on tombe amoureux?

Reconnaissez vos émotions

Dressez l'inventaire des émotions ressenties pendant trois jours. Pour ce faire, consacrez quelques minutes chaque soir à la récapitulation des émotions éprouvées au cours de la journée, en indiquant quelles autres personnes étaient engagées et quelles en étaient les circonstances.

Au bout des trois jours, vous serez en mesure de comprendre le rôle joué par les émotions dans votre communication en répondant aux questions suivantes:

1. Comment avez-vous pris conscience des émotions ressenties: grâce à des stimuli intéroceptifs, des comportements non verbaux ou des processus cognitifs?

2. Avez-vous eu des difficultés à identifier le genre d'émotion que vous éprouviez?

3. Quelles émotions ressentez-vous le plus souvent? Sont-elles primaires ou combinées? Tempérées ou intenses?

4. Dans quelles circonstances exprimez-vous ou n'exprimez-vous pas vos émotions? Quels facteurs influencent votre décision de les exprimer ou de les taire? Quel type d'émotion? La personne ou les personnes engagées? La situation (heure, endroit)? Le sujet à la source (argent, sexualité, etc.)?

5. Quelles sont les conséquences qu'entraîne le type de communication que vous venez de décrire à l'étape 4? En êtes-vous satisfait? Dans le cas contraire, que pouvez-vous faire pour le devenir?

> Et pourtant... il faut bien arriver à faire confiance à ses besoins, à privilégier quelques désirs dont la satisfaction est aisément accessible. Cela s'appelle l'abandon à la vie. Il faut laisser parler ce qui est en nous: la rage, la peur, la tendresse, le désir débordant d'un autre... Mais il faut devenir un intime de son désir, le connaître en complice et s'en servir plutôt qu'y être asservi.
>
> Robert Blondin

Quelles sont les raisons pour ne pas exprimer ses émotions?

La plupart des personnes expriment rarement leurs émotions, du moins oralement. Elles se contentent le plus souvent de faire des déclarations de fait et éprouvent même un certain plaisir à faire connaître leurs opinions; elles ne dévoilent en revanche que très rarement leurs émotions. Pourquoi cela? Considérons plusieurs de ces raisons.

Règles sociales Dans notre société, les règles non écrites de la communication découragent l'expression directe de la plupart des émotions[7]. Essayez de comptabiliser le nombre d'expressions émotionnelles réelles que vous avez entendues en deux ou trois jours, et vous vous apercevrez qu'elles sont plutôt rares. Les gens sont très à l'aise pour faire des déclarations de fait et ils aiment donner leur avis, mais ne révèlent que très rarement leurs sentiments.

Ce qui n'est pas surprenant, c'est que les émotions qu'ils partagent spontanément sont généralement positives[8]. Une étude sur des couples mariés a révélé par exemple que les partenaires partageaient plutôt les émotions flatteuses («Je t'aime.») ou celles qui sauvent la face («Je m'excuse d'avoir crié après toi.») Ils révèlent volontiers également les émotions positives ou négatives sur des tierces personnes absentes («J'aime bien Fred.» «Je me sens mal à l'aise avec Gloria.») D'un autre côté, les maris et leurs femmes ne verbalisent que très rarement des émotions menaçantes («Tu me déçois.») ou d'hostilité («Je suis furieux contre toi.»)[9].

De façon surprenante, les usages sociaux découragent même une expression trop intense des émotions positives[10]. Une étreinte ou un baiser à maman passent, mais un jeune homme se contentera le plus souvent de serrer la main de son père. Les signes affectueux entre amis se font de plus en plus rares à mesure que l'on vieillit, et une déclaration aussi simple que: «Je t'aime bien, tu sais» est rarement entendue chez les adultes.

Un bilan des recherches sur l'expression des émotions confirme le stéréotype culturel selon lequel les hommes se montrent peu sensibles, alors que les femmes le seraient beaucoup plus[11]. En groupe, les femmes ont tendance à exprimer davantage leurs émotions. Elles parviennent mieux à faire la distinction entre des sentiments voisins, tels l'amitié et l'amour, et ont tendance à avoir des relations plus tendres que les hommes. Ce sont bien sûr des moyennes statistiques, et nombreux sont les hommes et les femmes qui ne correspondent pas à ces profils.

Rôles sociaux L'expression des émotions est aussi limitée par les exigences de beaucoup de rôles sociaux. On recommande toujours aux vendeurs de sourire à leurs clients, que ces derniers soient insupportables ou non. Les enseignants sont perçus comme des modèles de rationalité qui, à ce que l'on suppose, incarnent leur champ de compétence et instruisent leurs élèves en toute impartialité. Les étudiants, quant à eux, sont priés de poser seulement des questions «acceptables» et de se comporter autrement en créatures dociles.

Incapacité de reconnaître les émotions
Toutes ces restrictions ont pour résultat que la majorité d'entre nous sommes devenus incapables de ressentir des émotions profondes. De la même façon qu'un muscle s'atrophie lorsqu'on ne le fait pas travailler, notre capacité à reconnaître certaines émotions et à agir en fonction d'elles diminue faute de pratique. Il est difficile de pouvoir pleurer après avoir passé pratiquement toute sa vie à remplir le rôle que la société s'attend à voir jouer d'un homme, même lorsque les larmes sont bien là à l'intérieur. Après avoir refoulé sa colère pendant des années, il faut faire beaucoup d'efforts pour pouvoir reconnaître ce genre d'émotion. Pour une personne qui n'a jamais avoué son amour pour ses amis, accepter cette émotion peut être réellement difficile.

Peur de s'ouvrir aux autres Dans une société qui n'encourage pas l'expression des émotions, l'ouverture émotionnelle peut présenter certains risques[12]. Pour un parent, un patron ou un enseignant dont la vie a été bâtie sur une image de confiance en soi et d'assurance, il peut être effrayant de dire: «Je m'excuse. J'ai eu tort.» Une personne qui, toute sa vie, s'est efforcée de ne pas dépendre des autres peut avoir du mal à avouer: «Je me sens seul. J'ai besoin de votre amitié.»

De plus, une personne qui prend son courage à deux mains pour partager des émotions comme celles que nous venons de décrire risque d'en subir les conséquences fâcheuses. Certaines personnes pourraient en effet faire de mauvaises interprétations: exprimer son affection peut être vu comme une avance amoureuse, et avouer son incertitude peut apparaître comme un signe de faiblesse. Avouer franchement ses émotions peut mettre également les autres personnes mal à l'aise. Finalement, il y a toujours un risque que ce souci de franchise se retourne contre vous, par cruauté ou par manque de réflexion.

Lignes de conduite pour exprimer ses émotions

Les émotions sont un fait de la vie. Savoir les communiquer de façon efficace n'est cependant pas une mince affaire. Il est évident qu'exprimer chaque sentiment d'ennui, de peur, de colère ou de frustration vous attirera des histoires. Même le partage spontané d'émotions positives — d'amour, d'affection ou autres — n'est pas toujours avisé. D'un autre côté, réprimer ses émotions peut être personnellement frustrant et peut empêcher des relations de grandir et de prospérer.

Les suggestions qui suivent peuvent vous aider à apprendre quand et comment exprimer vos émotions. Si vous les combinez avec les lignes

> On venait d'apprendre que l'être humain ne saura jamais guérir de son passé, de ses passions et de ses rêves. On se rendait compte à nouveau que nul n'est lui-même sinon en présence effective et *affective* de son histoire singulière.
>
> Denise Bombardier et Claude St-Laurent

directrices d'ouverture aux autres du chapitre 8, vous serez en mesure d'améliorer l'efficacité de votre expression émotionnelle.

Reconnaître ses émotions Répondre à la question: «Comment vous sentez-vous?» n'est pas toujours simple. Comme vous l'avez déjà vu, il existe bien des façons de reconnaître ses émotions. Des changements physiologiques peuvent être le signe évident d'un état émotionnel. Faire attention à ses comportements non verbaux est également un excellent moyen de garder le contact avec ses émotions. Vous pouvez également contrôler vos pensées, ainsi que les messages verbaux que vous envoyez aux autres. Il n'y a pas loin entre la déclaration verbale: «Je déteste ça!» et la prise de conscience de votre colère (de votre ennui, de votre nervosité ou de votre embarras).

Bien choisir ses mots La plupart des gens manquent de vocabulaire pour exprimer leurs émotions. Demandez-leur de dire comment ils se sentent et leur réponse ressemblera probablement à ceci: *pas mal* ou *pas trop bien*, *vraiment très bien* ou *vraiment très mal*, etc. Pensez-y quelques instants et voyez ce que vous-même pouvez écrire. Après vous y être efforcé le mieux possible, jetez un coup d'œil au tableau 4-1 et voyez tous les états émotionnels que vous avez laissés de côté.

Manier une liste d'émotions restreinte limite autant que se contenter de quelques mots pour décrire des couleurs. Dire que l'océan avec toutes ses nuances, le ciel qui varie d'un jour à l'autre et les yeux de votre bien-aimé sont tous bleus ne reflète qu'une partie de la réalité. De même, des mots comme bon ou bien sont beaucoup trop vagues pour décrire les émotions. Que ressentez-vous dans des situations aussi différentes: vous obtenez un diplôme, vous terminez un marathon ou encore vous entendez les mots: «Je t'aime» d'une personne qui vous tient à cœur?

Il existe plusieurs façons d'exprimer verbalement une émotion:

En utilisant des *expressions simples*: «Je suis en colère» ou excité, déprimé, curieux, etc.

En décrivant *ce qui vous arrive*: «J'aurais le goût de tout lâcher», «Mon estomac est complètement noué» ou «Je suis aux anges.»

En décrivant *ce que vous souhaiteriez faire*:

Tableau 4-1   Quelques états émotionnels

abandonné	déçu	fatigué	inquiet	paranoïde	sentimental
acariâtre	défensif	flatté	insouciant	paresseux	sexy
affectueux	dégoûté	fort	intéressé	passionné	solitaire
agacé	déprimé	fou	intimidé	perplexe	soucieux
agité	désolé	froid	irritable	pessimiste	soulagé
à l'aise	désorienté	froissé	jaloux	piégé	soumis
ambivalent	détaché	frustré	joyeux	plein d'entrain	stupéfait
amer	effrayé	furieux	laid	plein de regrets	suffisant
amical	embarrassé	gêné	libre	possessif	surpris
anéanti	en colère	heureux	mal assuré	préoccupé	tendu
angoissé	engourdi	honteux	malheureux	pressé	tendre
blessé	enjoué	horrible	méfiant	protecteur	terrifié
calme	ennuyé	hostile	mélancolique	ravi	tiède
chaleureux	enragé	humilié	merveilleux	reconnaissant	timide
confiant	enthousiaste	idiot	mesquin	rempli d'espoir	tourmenté
confus	envieux	impatient	mortifié	remuant	transporté de joie
content	épuisé	impressionné	négligé	reposé	triste
contrarié	exaspéré	impuissant	nerveux	ridicule	troublé
courageux	excité	indécis	noble	romantique	vaincu
craintif	extasié	indifférent	optimiste	satisfait	vidé
crispé	faible	inhibé	paisible	secoué	vulnérable

«J'aimerais m'enfuir le plus loin possible», «J'aimerais vous serrer dans mes bras» ou «Je voudrais tout lâcher.»

Nombreuses sont les personnes qui pensent réellement exprimer des émotions, alors qu'en fait leurs déclarations ont trait à tout autre chose. Il peut paraître révélateur sur le plan émotionnel de dire: «J'aimerais aller à un spectacle» ou «Je crois que nous nous sommes assez vus.» De fait, aucune de ces deux affirmations n'a de contenu émotionnel. Dans la première phrase, le mot *aimerais* exprime en fait un souhait: «Je *veux* aller à un spectacle». Dans la deuxième phrase, le *crois* indique une pensée: «Je *pense* que nous nous sommes assez vus.» Vous pouvez facilement noter l'absence d'émotion dans les deux cas, si vous ajoutez à chaque phrase un mot qui indique véritablement un sentiment, par exemple: «Je *m'ennuie* et je veux aller à un spectacle.» ou bien «Je pense que nous nous sommes trop vus et je me sens *prisonnier*.»

Partager ses émotions complexes

Bien souvent, l'émotion que vous exprimez n'est pas la seule que vous ressentez. Vous pouvez par exemple extérioriser de la colère mais oublier la confusion, la déception, la frustration, la tristesse ou l'embarras qui l'ont précédée.

Faire la différence entre l'émotion et l'action

Ressentir une émotion ne signifie pas que vous devez toujours réagir en fonction d'elle. Cette distinction est importante à faire, car elle vous libère de la peur que le fait de reconnaître et d'exprimer une émotion vous engage irrémédiablement dans une démarche désastreuse. Si vous dites par exemple à un ami: «Je suis tellement en colère que je serais capable de t'envoyer mon poing sur la figure», il devient possible d'examiner pourquoi vous vous sentez si furieux et de résoudre ensuite le problème qui vous y a poussé. En revanche, prétendre que rien ne vous contrarie ne diminuera en rien votre ressentiment, ce qui peut à la longue envenimer une relation.

Accepter la responsabilité de ses émotions

Il est important de s'assurer que les mots que vous employez indiquent bien que vous vous sentez responsable de vos émotions. Au lieu de dire: «Tu m'énerves», dites: «Je suis en train de me mettre en colère.» Au lieu de dire: «Tu m'as blessé», dites: «Je me sens blessé lorsque tu agis de la sorte.»

Comme vous allez bientôt le voir, ce ne sont pas les autres qui nous font les aimer ou les détester. Croire cela nous dénie toute responsabilité quant à nos émotions.

Choisir le meilleur moment et le meilleur endroit pour exprimer ses émotions Bien souvent, le premier accès d'une émotion forte n'est pas le moment idéal pour l'extérioriser. Si vous êtes réveillé par le tapage d'un voisin bruyant, vous précipiter chez lui pour vous plaindre vous conduira souvent à prononcer des paroles que vous regretterez par la suite. Dans un cas semblable, il est sûrement plus avisé d'attendre d'avoir réfléchi à la façon dont vous pourriez exprimer vos émotions, afin qu'elles puissent être mieux entendues.

Même après avoir laissé passer la première vague d'émotion, il est encore important de choisir le bon moment pour envoyer son message. La précipitation, la fatigue ou la préoccupation d'un autre problème sont probablement autant de bonnes raisons de remettre l'expression de ses émotions. Vous aurez souvent besoin de temps et d'efforts, et la fatigue ou la distraction peuvent rendre plus difficile la bonne compréhension du sujet que vous avez entamé. De la même façon, vous devez vous assurer que le receveur du message est prêt à vous écouter avant de commencer à lui parler.

Exprimer clairement ses émotions La confusion et la gêne nous font parfois exprimer nos émotions de façon gauche. Une des manières de les rendre plus claires est de prendre conscience qu'on peut le plus souvent les résumer en quelques mots — *blessé, heureux, confus, excité, amer*, etc. De la même façon, en prenant la peine d'y réfléchir quelques instants, vous serez certainement en mesure de décrire très brièvement les raisons qui vous font réagir de la sorte.

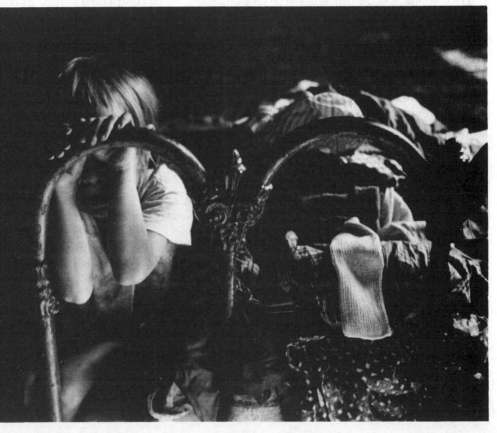

On cherche toujours l'équilibre Entre la terre et le soleil... Je reprends mon souffle...
Luc Plamondon

Un deuxième moyen d'empêcher la confusion de s'installer est d'éviter de surestimer ou de sous-estimer vos émotions — «Je me sens *un peu* malheureux», «Je suis *plutôt* excité» ou «Je me sens *quelque peu* perplexe.» Nos émotions ne sont pas toutes fortes, il va sans dire. Il y a des degrés dans la tristesse et dans la joie, par exemple, mais certaines personnes ont tendance à minimiser pratiquement toutes leurs émotions. Est-ce votre cas?

Un troisième danger à éviter est d'exprimer ses émotions d'une manière codée. Cela arrive le plus souvent lorsque l'émetteur se sent gêné de révéler l'émotion en question. Certains codes sont verbaux, comme lorsque l'émetteur fait des insinuations plus ou moins subtiles. Une façon détournée de dire par exemple: «Je me sens seul» pourrait être: «Je pense qu'il ne se passera pas grand-chose de spécial cette fin de semaine; si tu n'as rien d'autre à faire, pourquoi ne passerais-tu pas me voir?» Un tel message est si indirect que les chances que vos sentiments puissent être compris avec justesse sont très minces. C'est pourquoi les personnes qui envoient des messages codés ont moins de chance d'être comprises et de voir leurs besoins assouvis.

Finalement, vous pouvez vous exprimer de manière claire en vous assurant que votre partenaire et vous-même comprenez que l'émotion que vous ressentez est le résultat de circonstances bien précises plutôt que la représentation de la relation dans sa totalité. Au lieu de dire: «Je t'en veux», dites: «Je t'en veux lorsque tu ne tiens pas tes promesses.» Plutôt que de dire: «Je m'ennuie avec toi», dites: «Je m'ennuie lorsque tu commences à parler d'argent.» Faites maintenant l'exercice de la page 103.

Comment faire face aux émotions difficiles

Si le fait de ressentir et d'exprimer un grand nombre d'émotions ajoute une certaine qualité à nos relations personnelles, elles ne sont pourtant pas toutes bénéfiques. Se montrer furieux, déprimé, terrorisé et jaloux ne contribue pas tellement à améliorer les relations personnelles. Les pages qui suivent vous donneront certaines indications pour minimiser l'impact de ces émotions.

Émotions négatives (affaiblissantes) et émotions constructives
Il faut distinguer les

> Rien n'est en soi ni bon ni mauvais; tout dépend de ce qu'on en pense.
>
> Shakespeare, *Hamlet*

émotions constructives, qui contribuent à nous faire fonctionner de manière efficace, des **émotions négatives (affaiblissantes)** qui nous empêchent de nous sentir à l'aise et d'entretenir de bons rapports avec les autres.

Souvent, seule leur intensité distingue ces deux types d'émotions. La colère ou l'irritation peuvent, à petites doses, être constructives, car elles procurent souvent le stimulus qui nous permet de modifier une situation insatisfaisante. La fureur, par contre, ne fera qu'envenimer les choses. Même scénario pour la peur: un peu de nervosité avant une importante compétition sportive ou une entrevue d'emploi peut vous donner le coup de fouet qui améliorera votre performance. Des athlètes ou des employés trop tranquilles n'accomplissent en général pas de prouesses. La terreur complète est par contre une tout autre affaire.

Un deuxième trait qui distingue les émotions négatives de celles qui sont constructives, c'est leur *durée*. Se sentir déprimé pendant quelque temps lorsqu'on vient de rompre une relation amoureuse ou de perdre son travail est tout à fait normal. Mais passer le restant de sa vie à s'apitoyer sur son sort n'apportera rien de valable. De la même façon, continuer à en vouloir à quelqu'un pour un tort qu'il vous a causé il y a fort longtemps peut vous nuire tout autant qu'à son auteur. Notre objectif est donc de trouver une méthode qui nous permette de nous débarrasser de nos émotions négatives tout en demeurant plus réceptifs à celles qui sont plus constructives et qui amélioreront nos relations personnelles. Par chance, cette méthode existe: mise au point par des psychologues spécialistes en la matière comme Aaron Beck[13] et Albert Ellis[14], elle repose sur le principe que si l'on veut modifier des émotions, il faut modifier une pensée improductive.

Des idées à l'origine des émotions Pour la majorité des personnes, les émotions semblent être totalement incontrôlables. Vous espérez vous sentir calme lorsque vous abordez des étrangers, et

Émotions et déclarations

Vous pouvez faire cet exercice seul ou en groupe.

1. Choisissez une situation dans la colonne A et un récepteur dans la colonne B.

2. Inventez une phrase qui exprimerait le mieux possible votre réaction dans les circonstances choisies.

3. Exprimez ensuite quelle serait votre réaction dans la même situation, mais avec des récepteurs différents empruntés à la colonne B. En quoi les affirmations seraient-elles différentes?

4. Répétez l'exercice avec différentes combinaisons, en utilisant des situations variées de la colonne A.

Colonne A: situations

a. On vous a fait faux bond pour un rendez-vous amoureux ou d'affaires.

b. L'autre personne se moque de votre travail scolaire.

c. L'autre personne vous fait des compliments sur votre apparence puis ajoute: «J'espère que je ne t'ai pas embarrassé.»

d. L'autre personne vous serre dans ses bras et vous dit: «Cela me fait plaisir de te voir.»

Colonne B: récepteurs

a. Un professeur.

b. Un membre de la famille (décidez lequel).

c. Un camarade de classe que vous ne connaissez pas bien.

d. Votre meilleur ami.

---

pourtant votre voix tremble. Vous essayez de paraître sûr de vous lorsque vous demandez une augmentation de salaire, et pourtant votre œil cligne nerveusement.

Dans des situations semblables, il est facile de dire que des étrangers ou votre patron vous *rendent* nerveux, comme vous diriez qu'une piqûre d'abeille vous inflige de la douleur. Les similitudes apparentes entre malaises physiques et émotionnels deviennent évidentes si vous les considérez de la façon suivante:

Événement	*Impression*
piqûre d'abeille ——————⟶	douleur physique
rencontre d'étrangers ——————⟶	nervosité

Lorsque vous considérez vos émotions de cette façon, vous semblez avoir peu de contrôle sur elles. Cependant, cette apparente similitude entre une douleur physique et un malaise (ou un plaisir) émotionnel n'est pas aussi grande qu'elle paraît. Des psychologues cognitifs rétorquent que ce ne sont pas tant les *événements* (comme le fait de rencontrer des étrangers ou de rompre avec la personne qu'on aime) qui font que l'on se sent mal à l'aise que *l'idée qu'on a* de ces événements.

Albert Ellis, qui a mis sur pied l'approche cognitive appelée *thérapie émotivo-rationnelle*, raconte une histoire qui illustre tout à fait bien ce point. Imaginez-vous passant près de la maison d'un ami; sortant la tête d'une fenêtre, ce dernier se met à vous traiter de toutes sortes de noms affreux. Dans de telles circonstances, vous allez vous sentir blessé et vexé.

Maintenant, imaginez qu'au lieu de passer devant la maison de votre ami vous passez devant un établissement psychiatrique et que ce même ami, sans doute un des patients de l'institution, vous crie les mêmes noms offensants. Dans ce cas-ci, vos sentiments seraient certainement différents et ressembleraient plutôt à de la tristesse ou à de la pitié.

Dans cette histoire, vous pouvez voir que l'événement déclencheur (le fait de se voir appelé de tous les noms) est identique dans les deux cas; les conséquences sont par contre très différentes sur le plan émotionnel. Votre façon de voir en est la raison. Dans le premier exemple, vous seriez porté à penser que votre ami est vraiment furieux contre vous; vous pourriez même imaginer que vous avez dû lui faire vraiment une chose terrible

Et peut-être que ton caractère ne me plaisait pas, ni ta façon d'être, pourtant je t'aimais d'un amour plus fort que le désir, plus aveugle que la jalousie: à tel point implacable, à tel point inguérissable, que désormais je ne pouvais plus concevoir la vie sans toi. Tu en faisais partie comme ma respiration, mes mains, mon cerveau, et renoncer à toi c'était renoncer à moi-même, à mes rêves qui étaient tes rêves, à mes illusions qui étaient tes illusions, à tes espoirs qui étaient mes espoirs, à la vie! Et l'amour existait, ce n'était pas une duperie, c'était plutôt une maladie, et je pouvais faire une liste de tous les symptômes de cette maladie. Si je parlais de toi à des gens qui ne te connaissaient pas ou qui ne s'intéressaient pas à toi, je débordais d'enthousiasme en leur expliquant combien tu étais grand, extraordinaire et génial; si je passais devant une boutique de cravates et de chemises, je m'arrêtais instinctivement pour trouver la cravate qui te plairait, la chemise qui pourrait aller avec telle veste; si je mangeais dans un restaurant, je choisissais sans m'en rendre compte les plats que tu préférais et non ceux que je préférais, moi; si je lisais le journal, je m'arrêtais toujours sur la nouvelle qui pouvait t'intéresser le plus, je la découpais et je te l'expédiais; si tu me réveillais au cœur de la nuit avec un désir ou par un coup de téléphone, je faisais semblant d'être aussi réveillée qu'un pinson qui chante de bon matin. J'ai jeté avec rage la cigarette. Mais un amour comme celui-là n'était pas une maladie, c'était un cancer!

Oriana Fallaci

pour vous mériter une réaction semblable de sa part. Dans le deuxième cas, vous supposeriez sans aucun doute que votre ami fait face à des problèmes psychologiques et vous vous montreriez compréhensif.

Grâce à cet exemple, vous commencez à comprendre que ce sont les *interprétations* que les gens donnent à un événement, au cours du processus de réflexion intérieure, qui déterminent leurs émotions*. Ainsi, le schéma des émotions peut ressembler à la représentation ci-dessous.

Il serait donc juste d'affirmer qu'il n'existe pas d'événements émotionnels en soi (positifs ou négatifs). Les réactions émotionnelles viennent de ce qu'on en comprend ou de ce qu'on leur attribue comme causes. Ces attributions peuvent être basées sur des idées ou des croyances infondées.

Réflexion intérieure

Vous pouvez parvenir à mieux comprendre comment vos pensées modèlent vos émotions en franchissant les étapes suivantes:

1. Prenez quelques instants pour écouter la voix silencieuse à laquelle vous faites appel lorsque vous réfléchissez. Fermez ensuite les yeux et écoutez-la… L'entendez-vous? Elle vous dit peut-être: «Mais quelle voix? Je n'ai pas de voix …» Essayez à nouveau, et faites attention à ce qu'elle peut vous dire.

2. Maintenant, pensez aux situations suivantes et imaginez vos réactions pour chacune d'elles. Comment les interpréteriez-vous avec votre petite voix? Quelles émotions en découleraient?

Événement	*Pensée*	*État émotionnel*
Se faire appeler de tous les noms	«J'ai dû faire quelque chose de mal.»	Blessé et vexé
Se faire appeler de tous les noms	«Mon ami est probablement malade.»	Soucieux et compréhensif

* Il y a par ailleurs deux autres raisons à l'apparition d'émotions qui ne mettent pas en jeu la réflexion intérieure. La première implique une réaction conditionnée, dans laquelle un stimulus associé à l'origine à un événement chargé d'émotions déclenche une émotion identique dans des circonstances ultérieures. Vous pourriez par exemple ressentir une certaine tristesse en respirant une bouffée du parfum que votre ami portait lorsque vous avez rompu avec lui. L'autre source d'émotions qui n'implique pas non plus une réflexion intérieure se rencontre lorsqu'une personne a conscience qu'une certaine émotion (ou plus exactement un comportement qui entraîne certaines émotions) provoque une réponse souhaitée de la part des autres. Par exemple, certaines personnes pleurent ou se morfondent parce qu'elles savent fort bien que, ce faisant, elles obtiendront une réaction de sympathie autour d'elles.

a. Dans l'autobus, en classe ou dans la rue, vous remarquez une personne séduisante qui vous lance des coups d'œil furtifs.

b. Pendant un cours, votre professeur demande à la classe: «Que pensez-vous de cela?» tout en vous regardant.

c. Vous êtes en train de raconter vos vacances et un de vos amis se met à bâiller.

d. Vous rencontrez par hasard un ami dans la rue et lui demandez comment les choses vont pour lui. «Bien», répond-il en s'éloignant rapidement.

3. Rappelez-vous ensuite trois occasions récentes où vous avez ressenti une émotion forte. Pour chacune d'elles, souvenez-vous de l'événement déclencheur, puis de l'interprétation qui a motivé votre réaction émotionnelle.

Pensées irrationnelles et émotions négatives

Se concentrer sur une **réflexion intérieure** est la clé qui nous permet de comprendre nos émotions négatives. Albert Ellis laisse entendre que beaucoup de ces émotions viennent du fait que nous nous berçons d'un grand nombre de pensées irrationnelles — nous les appellerons ici *illusions* — qui mènent à des conclusions illogiques qui, à leur tour, conduisent à des émotions négatives.

1. *L'illusion de perfection*   Les personnes qui se bercent d'une **illusion de perfection** pensent qu'un communicateur digne de ce nom devrait pouvoir faire face à n'importe quel genre de situation en toute confiance et avec habileté.

   Si vous croyez qu'il est souhaitable et même possible d'être un communicateur parfait, vous serez amené à supposer que les autres ne vous

   > Pourtant, me direz-vous, il y a ce besoin fondamental d'aimer et d'être aimé. Oui, mais il s'accompagne la plupart du temps du désir de proximité, de toucher, d'être touché, de communiquer, etc. Dans la société occidentale, la sexualité a pris trop souvent le monopole du toucher, de la tendresse.
   >
   > Robert Blondin

apprécieront pas si vous laissez paraître le moindre défaut. Admettre ses erreurs et dire: «Je ne sais pas», ou faire part de ses doutes, équivaut alors à reconnaître son incapacité. Comme vous souhaitez être estimé et apprécié à votre juste valeur, il est tentant d'essayer de paraître *parfait*, mais les coûts à payer sont élevés. Si les autres découvrent votre jeu, vous passerez pour un imposteur. Même si votre jeu n'est pas démasqué, une telle performance exige beaucoup d'énergie psychologique et en rend la reconnaissance moins savoureuse.

Souscrire au mythe de la perfection empêche non seulement les autres de vous apprécier à votre juste valeur, mais peut être également un facteur qui abaisse votre estime de vous-même. Comment pouvez-vous vous aimer lorsque vous ne parvenez pas au niveau que vous devriez atteindre? Quel soulagement vous allez éprouver lorsque vous finirez par accepter l'idée que vous n'êtes pas parfait! Que:

comme tout le monde, il vous arrive d'avoir des difficultés à vous exprimer;

comme tout le monde, vous faites de temps en temps des erreurs, et il n'y a aucune raison de vous en cacher;

vous faites honnêtement tout ce que vous pouvez pour tirer parti de votre potentiel et devenir le meilleur possible.

2. *L'illusion d'approbation*   Une autre croyance erronée, que nous appelons **illusion d'approbation**, repose sur l'idée qu'il n'est pas seulement souhaitable mais bien *vital* d'obtenir l'approbation quasi unanime des personnes de son entourage. Les personnes qui admettent cette idée vont chercher très loin l'acceptation des autres, au risque même de sacrifier leurs principes et leur bonheur. Accepter ce mythe irrationnel peut conduire à des situations ridicules comme:

se sentir nerveux parce que des personnes que l'on n'apprécie pas véritablement semblent vous désapprouver;

vouloir s'excuser quand ce sont les autres qui sont fautifs;

se sentir embarrassé après avoir joué la comédie dans le but de se gagner l'approbation des autres.

En plus de provoquer un malaise certain résultant du rejet de ses principes et de ses besoins, le mythe de l'approbation est irrationnel. Il implique en effet que les autres auront du respect pour vous et vous aimeront davantage dans la mesure où vous vous écarterez de votre chemin pour les satisfaire. Or, bien souvent, ce n'est tout simplement pas vrai. Comment est-il possible d'avoir du respect pour des personnes qui ont compromis d'importants principes dans le but exclusif de se faire accepter? Comment peut-on avoir une haute estime de personnes qui renient régulièrement leurs besoins personnels pour se gagner l'approbation des autres? S'il apparaît tentant pour certains de se servir de tels individus pour parvenir à leurs fins, ou qu'il soit amusant de se trouver en leur compagnie, ces personnes ne méritent sûrement pas qu'on leur porte de l'affection véritable ou du respect.

S'efforcer d'obtenir une approbation universelle est irrationnel, parce que cela n'est tout simplement pas possible. Tôt ou tard, un conflit ne tardera pas à survenir: telle personne vous approuvera seulement parce que vous agissez d'une certaine façon, et telle autre au contraire exigera de vous quelque chose d'entièrement différent. Que ferez-vous alors?

Ne vous méprenez pas: rejeter ce type d'illusion ne signifie pas pour autant mener une vie d'égoïste. Il est toujours essentiel de tenir compte des besoins des autres et de les satisfaire dans la mesure du possible. Il est également agréable — nous pourrions même dire nécessaire — de se gagner le respect des gens qui ont de l'importance à nos yeux. La question ici est que, lorsque nous devons mettre de côté des principes et des besoins personnels pour atteindre de tels objectifs, le prix à payer est beaucoup trop lourd.

3. *L'illusion des «ça devrait»* Une source intarissable de malheurs est l'**illusion des «ça devrait»**, l'incapacité de faire la distinction entre ce qui *est* et ce qui *devrait être*. Vous pouvez en comprendre la différence en imaginant une personne qui adresse des revendications constantes au monde entier:

«Il ne devrait pas pleuvoir pendant les fins de semaine.»

©1963 United Media, Inc.

«On devrait pouvoir vivre éternellement.»

«L'argent devrait pousser sur les arbres.»

«Nous devrions pouvoir voler.»

Des croyances comme celles-ci sont purement simplistes. Même si tels sont nos désirs, vouloir l'impossible ne modifiera en rien la réalité. Pourtant, beaucoup de personnes se torturent en se plongeant dans ce genre de pensées irrationnelles en confondant le *est* avec le *devrait être*. Elles parlent et pensent en ces termes:

«Mon ami devrait être plus compréhensif.»

«Elle ne devrait pas être si irréfléchie.»

«Ils devraient se montrer plus gentils.»

«Ils devraient travailler davantage.»

Dans chacun de ces cas, le message indique que vous *préféreriez* que les gens se comportent de manière différente. Vouloir que les choses soient meilleures est parfaitement légitime, et vouloir les changer est bien sûr une excellente idée; mais il n'est pas raisonnable de vouloir à tout prix que le monde fonctionne comme vous l'entendez ou de vous sentir trahi lorsque les choses ne sont pas idéales.

Être obsédé par les «ça devrait» présente trois conséquences gênantes: cela conduit première-ment à se sentir malheureux inutilement, car les gens qui sont constamment en train de rêver à un idéal sont rarement satisfaits de ce qu'ils ont. Le second inconvénient est que le fait de se plaindre en restant passif peut vous empêcher d'agir sur la réalité environnante. Un troisième problème est relié aux «ça devrait»: ce genre de plainte peut créer un climat de défensive avec les autres, qui ne vont pas manquer de réagir lors-qu'ils se sentiront repris continuellement. Il est beaucoup plus efficace d'expliquer aux gens ce que vous aimeriez obtenir d'eux que de vouloir constamment les sermonner. Dire: «Je souhaite-rais que tu sois plus ponctuel», plutôt que: «Tu devrais être à l'heure.» Nous allons étudier les différentes façons d'éviter ces climats de défen-sive dans le chapitre 9.

4. *L'illusion par généralisation excessive* L'illu-sion par généralisation excessive revêt le plus souvent deux aspects: le premier se rencontre lorsque nous basons une croyance sur une quantité limitée de preuves. Par exemple, com-bien de fois nous sommes-nous surpris à dire quelque chose comme:

«Je suis tellement stupide que je ne suis même

> Un homme s'adressant à l'Univers: «Sire, j'existe!»
>
> Et l'Univers de répliquer: «Le fait que tu existes ne m'oblige en rien.»
>
> Stephen Crane

pas capable de faire mon rapport d'impôt.»

«Quelle sorte d'ami je fais! J'ai complètement oublié l'anniversaire de mon meilleur ami.»

Dans des cas semblables, nous nous concentrons sur un type de défaut bien limité comme s'il représentait l'ensemble de notre personne. Nous oublions que malgré nos difficultés, nous avons résolu des problèmes compliqués et que si nous sommes parfois étourdis, nous sommes quelque-fois bienveillants et remplis d'attentions.

Une deuxième catégorie de généralisation trop poussée, assez voisine, se rencontre lorsque nous amplifions certains défauts:

«Tu ne m'écoutes *jamais.*»

«Tu es *toujours* en retard.»

«Je n'arrive pas à réfléchir à *quoi que ce soit.*»

En y regardant de plus près, des affirmations formelles comme celles-ci sont presque toujours inexactes et mènent souvent au découragement ou à la colère. Vous vous sentez beaucoup mieux lorsque vous remplacez ces généralisations excessives par des messages plus justes à votre endroit et à celui des autres:

«Tu ne m'écoutes pas très souvent.»

«Tu as été trois fois en retard cette semaine.»

«Je n'ai pas eu d'idées qui me plaisaient aujourd'hui.»

Bien des généralisations trop poussées reposent sur un abus du verbe être. Par exemple, des pensées sans réserve comme: «C'est un imbé-cile!» (tout le temps?) ou «Je suis vraiment nul!» (en tout?) vous feront vous considérer et considé-rer les autres d'une façon négative et non réa-liste, ce qui contribuera à vous faire éprouver des émotions négatives.

5. *L'illusion de causalité*   L'**illusion de causalité** repose sur la croyance irrationnelle que les émotions sont causées par les autres plutôt que par notre propre réflexion intérieure.

Cette illusion provoque des problèmes de deux types. D'un côté, les personnes deviennent prudentes à l'excès en ce qui concerne la com-munication, car elles ne veulent absolument pas causer de peine ou d'inconvénients aux autres.

Cette attitude se rencontre dans des situations comme:

aller rendre visite à des amis ou à de la parenté avec le sentiment d'une obligation plutôt que par désir réel d'aller les voir;

ne pas réagir lorsque le comportement d'une personne autour de nous nous dérange;

prétendre être attentif à la personne qui parle, alors que l'on est déjà très en retard à un rendez-vous ou que l'on ne se sent pas très bien;

complimenter les autres et rassurer ceux qui vous demandent votre opinion, alors que votre réaction serait plutôt négative.

Il ne serait pas excusable de divulguer sa pensée dans le but de faire de la peine aux autres! Il y aura des moments où vous choisirez de prendre sur vous pour rendre la vie plus facile à ceux qui vous tiennent à cœur. Il est essentiel de se rendre compte cependant qu'il est exagéré de dire que l'on est la cause des émotions éprouvées par les autres. Il est plus exact de dire qu'ils *réagissent* à votre comportement avec des émotions qui leur sont propres. Il serait prétentieux de croire que c'est vous qui faites que les autres tombent amoureux de vous. Cette affirmation n'a tout simplement aucun sens. Il serait plus exact de dire que vous agissez de telle ou telle façon et que, en conséquence, certaines personnes pourraient tomber amoureuses de vous, tandis que d'autres ne vous prêteraient aucune atten-tion. De la même façon, il est inexact de dire que vous *rendez* les autres de mauvaise humeur, ou contrariés, ou heureux, pour la même raison. Il vaut mieux dire que les réactions des gens sont autant ou même davantage conditionnées par leur propre comportement psychologique que par le comportement d'autrui.

Restreindre votre communication à cause de cette illusion de causalité peut présenter trois types de conséquences graves. D'abord, du fait de

> Personne ne peut vous donner un senti-ment d'infériorité sans votre consentement.
>
> Eleanor Roosevelt

votre prudence, vous n'arriverez souvent pas à combler vos besoins personnels. Il est peu probable que les autres changent de comportement, à moins qu'ils apprennent que vous en êtes affecté. Deuxième conséquence, vous allez commencer à vous sentir contrarié par la personne dont vous trouvez le comportement gênant. Apparemment, cette réaction est illogique, car vous n'avez jamais fait connaître vos émotions; la logique ne change cependant pas le fait qu'enterrer son problème conduit souvent à une montée d'hostilité envers la personne en question.

Même lorsque vous retenez vos émotions pour les meilleures raisons qui soient, vos relations personnelles peuvent en souffrir d'une autre façon; une fois que les autres auront découvert votre attitude trompeuse, ils auront beaucoup de mal à savoir quand ils vous contrarieront réellement. Même si vous leur assurez que tout va pour le mieux, ils ne cesseront d'en douter, parce que le risque que vous leur cachiez des ressentiments existe toujours. Ainsi, à plusieurs égards, prendre la responsabilité des émotions des autres est non seulement irrationnel mais, qui plus est, va à l'encontre de l'objectif recherché.

Il y a également illusion de causalité lorsque nous avons la conviction que ce sont les autres qui sont la cause de *nos* émotions. Parfois, on pourrait le croire réellement car, par leurs actions, ils nous remontent ou au contraire nous démontent le moral. Pensez-y cependant quelques instants: les mêmes événements qui provoquent chez vous de la joie ou de la peine un certain jour n'ont que peu d'effet le lendemain. L'insulte ou le compliment qui a profondément affecté votre humeur hier vous laisse complètement indifférent aujourd'hui. Pourquoi? Parce que, dans ce dernier cas, vous y avez attaché beaucoup moins d'importance. Vous ne pourriez certes pas ressentir les mêmes émotions sans la présence des autres: mais c'est votre réflexion et non leur action qui détermine votre façon de réagir.

6. *L'illusion d'impuissance*   L'idée irrationnelle derrière l'**illusion d'impuissance** veut que notre satisfaction dans la vie soit conditionnée par des facteurs hors de notre contrôle. Les personnes qui se considèrent éternellement comme des victimes font des déclarations comme celles-ci:

«Une femme ne peut pas grimper les échelons dans ce genre de société. C'est un monde d'hommes et ce que je peux faire de mieux, c'est encore de l'accepter.»

«Je suis timide de naissance. J'aimerais bien être plus ouvert, mais il n'y a rien que je puisse faire pour cela.»

«Je ne peux pas dire à ma patronne qu'elle est trop exigeante avec moi. Si je le faisais, je pourrais perdre mon travail.»

L'erreur dans des déclarations comme celles-ci devient évidente une fois que vous avez pris conscience que vous pouvez faire beaucoup, si vous en avez la motivation. Comme vous l'avez vu dans le chapitre 2, la plupart des déclarations de «Je ne peux pas» peuvent souvent se traduire par des «Je ne veux pas» («Je ne peux pas lui dire ce que j'en pense» devient «Je ne me montrerai pas honnête envers lui») ou des «Je ne sais pas comment» («Je ne peux pas mener une conversation intéressante» devient «Je ne sais pas quoi dire»). Une fois que vous avez remplacé les «Je ne peux pas» inexacts, il est clair que cela devient soit une question de choix, soit un appel à l'action — deux choses fort différentes du fait de vous dire impuissant devant une situation donnée.

Considérés sous ce jour, il est évident que nombre de «Je ne peux pas» sont en réalité des rationalisations pour justifier que l'on ne tient pas à apporter de changements à des situations données. Une fois persuadé qu'il n'y a plus aucun espoir pour vous, il est facile de renoncer. D'un autre côté, reconnaître qu'il y a un moyen de changer les choses — même si l'entreprise s'avère difficile — vous en donne la pleine responsabilité. Vous *pouvez* devenir un meilleur communicateur — ce livre est l'une des étapes de votre démarche vers cet objectif. Alors n'y renoncez pas trop vite!

7. *L'illusion des prévisions catastrophiques*   Des communicateurs craintifs qui souscrivent à ce genre d'illusion irrationnelle se fondent sur l'hypothèse que, si quelque chose de mauvais est

susceptible de se produire, cela ne manquera pas de survenir. Des prévisions fantaisistes du genre:

«Si je les invite à la soirée, ils ne voudront probablement pas venir.»

«Si je me fais entendre pour essayer de résoudre un conflit, les choses empireront fort probablement.»

«Si je pose ma candidature pour le travail que j'aimerais obtenir, je ne serai probablement pas choisi.»

«Si je leur fais connaître ma réaction maintenant, ils vont probablement rire de moi.»

Bien qu'il soit naïf de penser que toutes vos interactions avec les autres réussiront, il est tout aussi dangereux de supposer qu'elles échoueront. Une façon d'échapper à ce type d'illusion est de penser aux conséquences qui suivraient dans le cas où votre communication ne réussirait pas. En gardant à l'esprit qu'il est stupide de vouloir à tout prix essayer d'être parfait et de vivre seulement pour gagner l'approbation des autres, rendez-vous compte qu'échouer dans une circonstance particulière n'est généralement pas

aussi dramatique que cela paraît. Et si les autres rient de vous? Et si vous n'obtenez pas cet emploi? Et si les autres se mettent en colère à cause des remarques que vous leur faites? Cela a-t-il vraiment *tant* d'importance?

Avant d'aller plus loin, nous aimerions ajouter quelques remarques au sujet des pensées et des émotions. Premièrement, le fait de penser de manière rationnelle n'éliminera pas complètement les émotions négatives. Certaines d'entre elles sont après tout très rationnelles: éprouver du chagrin à la mort de quelqu'un qui vous est cher, de l'euphorie pour avoir obtenu un nouvel emploi, de l'appréhension quant à l'avenir d'une relation qui vous tient à cœur et qui a été ébranlée par une querelle sérieuse en sont quelques exemples. Penser de façon rationnelle peut vous aider à diminuer l'impact de certaines émotions négatives sur votre vie, pas toutes cependant.

De toute façon, vouloir vivre sans émotions dites «négatives» pourrait être aussi irrationnel que d'en être submergé. La jalousie amoureuse, par exemple, a longtemps été considérée comme une

émotion négative et elle l'est encore pour de nombreuses personnes. Cependant, Louise Auger[15] tente de renverser la vapeur. Pour cette auteure, la jalousie amoureuse est une émotion qui *indique* que quelque chose ne va pas dans la *relation*. Non pas chez la personne qui éprouve de la jalousie, mais *entre* les partenaires. De plus, être jaloux c'est prendre conscience de ses droits ou privilèges et vouloir les protéger. Ainsi, se priver de cette émotion revient à se cacher à soi-même l'importance qu'a l'autre pour nous. Évidemment, il y a toujours des cas où cette jalousie semble disproportionnée. Dans la majorité des cas, cependant, elle indique que nous tenons fermement à la relation amoureuse et que nous sommes prêts à la défendre.

Quel est votre degré d'irrationalité?

1. Revenez aux situations décrites dans l'exercice «Réflexion intérieure» de la page 104. Examinez chacune d'elles pour voir si votre raisonnement renferme certaines pensées irrationnelles.

2. Établissez le relevé de vos émotions négatives pendant deux ou trois jours. Certaines sont-elles fondées sur une pensée irrationnelle? Étudiez vos conclusions et voyez si vous faites un usage répété de l'une ou l'autre des illusions décrites dans la section précédente.

3. Faites un sondage dans la classe pour savoir quel type d'illusion semble le plus répandu. Voyez également quels sujets semblent susciter la majorité de ces pensées irrationnelles (le travail scolaire, les sorties, le bureau, la famille, etc.).

Minimiser les émotions négatives Comment pouvez-vous dépasser des pensées si peu rationnelles? Albert Ellis et ses collaborateurs ont mis sur pied une méthode simple, mais efficace.

Appliquée consciencieusement, elle peut vous aider à réduire les pensées autodestructrices qui vous mènent à bien des émotions négatives.

1. *Contrôlez vos réactions émotionnelles* La première étape consiste à savoir quand vous ressentez des émotions négatives. (Bien sûr, il est aussi bien agréable de prendre conscience des émotions positives qui surviennent!) Comme nous le disions plus tôt, une façon de remarquer

ses émotions est de prêter attention aux stimuli intéroceptifs: boule dans l'estomac, cœur qui bat la chamade, sueur, etc. Bien que ces réactions puissent être des symptômes d'une intoxication alimentaire, elles traduisent le plus souvent des émotions fortes. Vous pouvez également reconnaître des formes de comportement qui révèlent certaines émotions: une démarche lourde et bruyante, une tranquillité inhabituelle ou une façon de s'exprimer sur un ton sarcastique en sont quelques exemples.

Il peut paraître étrange d'affirmer qu'il faut prêter attention à ses émotions — elles qui devraient pourtant être immédiatement perceptibles. Le fait est que nous souffrons souvent d'émotions négatives pendant un certain temps sans même nous en apercevoir. À la fin d'une dure journée par exemple, vous vous êtes certainement surpris à froncer les sourcils et vous vous êtes rendu compte que vous avez dû afficher ce masque depuis un certain temps sans en avoir vraiment eu conscience.

2. *Notez l'événement déclencheur* Une fois que vous avez pris conscience de l'émotion ressentie, l'étape suivante consiste à déterminer quel

«Le prince et la princesse ont donc réduit leurs espérances et ont vécu raisonnablement heureux le reste de leur vie.»

événement a déclenché cette réaction. Il est parfois très clair. Se voir accusé à tort (ou à raison) de comportement stupide est une source courante de colère; vous vous sentez évidemment blessé aussi lorsque vous êtes rejeté par une personne qui a de l'importance à vos yeux. Dans d'autres cas, l'événement déclencheur n'est pas aussi évident. Un de nos amis nous disait se sentir plus irascible qu'à l'accoutumée, bien qu'il n'ait pas été en mesure de déterminer ce qui l'avait poussé à ressentir cette émotion. Après avoir réfléchi un peu à la question, il s'est rendu compte que sa mauvaise humeur avait augmenté peu après que son compagnon de chambre eut commencé une nouvelle liaison. Il se sentait comme un intrus dans son propre appartement lorsqu'il entrait et trouvait les deux amoureux ensemble.

Parfois, il ne s'agit pas d'un seul événement déclencheur, mais plutôt d'une suite de menus incidents qui finissent par se transformer en seuil critique et par déclencher une émotion négative: lorsque vous essayez par exemple de dormir ou de travailler et que vous êtes continuellement dérangé, ou lorsque vous subissez plusieurs petites déceptions à la suite.

La meilleure façon d'apprendre à identifier les événements déclencheurs est de prêter attention aux circonstances dans lesquelles vous avez éprouvé des émotions négatives. Peut-être surviennent-elles lorsque vous vous trouvez auprès de certaines personnes *en particulier*. Dans d'autres cas, vous pouvez vous sentir gêné par certains *types d'individus* du fait de leur âge, de leur fonction, de leur passé ou de quelque autre facteur. Certaines *situations* peuvent stimuler des émotions négatives: soirées, travail, école. Le *sujet* de conversation est parfois le facteur qui vous fait exploser, que ce soit la politique, la religion, le sexe ou tout autre sujet.

3. *Prenez note de votre réflexion intérieure* C'est l'étape à laquelle vous faites l'analyse des pensées qui font le lien entre l'événement déclencheur et l'émotion que vous ressentez. Si vous tenez vraiment à vous débarrasser de vos émotions négatives, il est très important de transcrire votre réflexion intérieure lorsque vous commencez à utiliser cette méthode. Coucher vos pensées sur papier vous aidera à voir si elles ont réellement du sens.

Contrôler votre réflexion intérieure peut vous paraître difficile au commencement. C'est une nouvelle compétence à acquérir, et comme pour toute nouvelle activité, les débuts sont maladroits. Si vous persévérez, cependant, vous serez en mesure d'identifier les pensées qui ont conduit à des émotions négatives. Une fois que vous aurez pris l'habitude de mener ce monologue intérieur, vous serez capable d'identifier ces pensées rapidement et facilement.

4. *Combattez vos croyances irrationnelles* Combattre de telles croyances est la clé du succès de la méthode émotivo-rationnelle. Servez-vous de la liste des illusions irrationnelles des pages 105 à 110 pour découvrir lesquelles de vos pensées se basent sur un raisonnement erroné.

Vous pouvez le faire d'une façon plus efficace en franchissant les trois étapes suivantes. Premièrement, déterminez quelle croyance transcrite est rationnelle et quelle autre ne l'est pas. Expliquez ensuite pourquoi telle croyance a du sens ou n'en a pas. Finalement, si la croyance est réellement irrationnelle, il vous faut exposer par écrit une alternative qui ait davantage de sens et qui vous permette de vous sentir plus à l'aise lorsque vous ferez face au même événement déclencheur à l'avenir.

Après avoir pris connaissance de cette méthode qui traite des émotions négatives, certains lecteurs émettent des objections.

La méthode émotivo-rationnelle n'est en fait qu'une tentative d'échapper au malaise. Cette accusation est absolument fondée! Après tout, étant donné que nous nous sommes si bien

> Le seul amour qui soit vraiment humain, c'est un amour imaginaire, c'est celui après lequel on court toute sa vie durant, qui trouve généralement son origine dans l'être aimé, mais qui n'en aura bientôt plus ni la taille, ni la forme palpable, ni la voix, pour devenir une véritable création, une image sans réalité.
>
> Henri Laborit

persuadés de nous sentir mal à l'aise, qu'y a-t-il de répréhensible à vouloir échapper à des émotions négatives, particulièrement lorsqu'elles reposent sur des pensées irrationnelles? Tenter de trouver une explication logique peut être une excuse et un aveuglement, mais il n'y a aucun mal à vouloir se montrer rationnel.

Le genre de combat que nous venons de décrire apparaît factice. Je ne me parle jamais en phrases et en paragraphes. Il n'est pas besoin de vouloir combattre ses croyances irrationnelles dans un style littéraire. Vous pouvez le faire de la façon que vous désirez, verbalement comme par écrit. L'important est de comprendre clairement quelles pensées vous ont conduit à ressentir des émotions négatives pour pouvoir ainsi les combattre. Lorsqu'une technique est nouvelle, c'est une bonne idée d'écrire ou d'exprimer verbalement ses pensées de manière à pouvoir les rendre claires. Une fois que vous serez plus familiarisé, vous pourrez faire cet exercice de façon plus rapide et moins formelle.

Cette méthode est trop froide et trop impersonnelle. Elle semble vouloir convertir les gens en machines qui ne ressentent plus d'émotions, qui calculent et raisonnent de sang-froid. Ce n'est pas du tout exact. Une personne qui pense de façon rationnelle est encore capable de rêver, d'espérer et d'aimer: il n'y a rien de nécessairement irrationnel à éprouver des émotions semblables. Les gens fondamentalement rationnels peuvent se montrer de temps à autre quelque peu irrationnels. Par contre, ils savent généralement très bien ce qu'ils sont en train de faire. Comme des gourmets avisés qui s'accordent parfois un repas tout préparé, les personnes rationnelles font un écart émotionnel de temps à autre, en sachant très bien qu'elles reviendront bientôt à leur style de comportement raisonnable sans qu'aucun dommage sérieux n'ait été causé.

Cette méthode promet beaucoup trop. Il n'y a aucune chance que j'arrive à me débarrasser de toutes mes émotions négatives, aussi enviable que cela puisse paraître. Nous pouvons répondre que la pensée émotivo-rationnelle ne viendra probablement pas à bout de tous vos problèmes émotionnels. Ce qu'elle peut faire, c'est en réduire le nombre, l'intensité et la durée. Cette méthode n'est pas la solution à tous vos problèmes, mais elle peut apporter une amélioration significative — ce qui n'est pas si mal après tout.

Pensées rationnelles

1. Retournez à votre relevé de pensées irrationnelles de la page 111. Mettez en doute votre réflexion intérieure dans chacun des cas, et donnez par écrit une interprétation plus rationnelle de l'événement.

2. Voyez comment vous pouvez penser spontanément de façon rationnelle. Pour ce faire, essayez de mimer les scènes de l'étape 4. Vous aurez besoin de trois acteurs pour chacune d'elles: un sujet, la «petite voix» du sujet (ses pensées) et la partie adverse.

3. Mimez chaque scène en faisant dialoguer le sujet avec l'autre partie, tandis que la «petite voix» se tiendra juste à l'arrière du sujet et exprimera ses pensées probables. Par exemple, dans la scène où le sujet demande à un professeur de reconsidérer la mauvaise note qu'il lui a donnée à un examen, la voix pourrait dire: «J'espère que je n'ai pas fait empirer les choses en remettant le sujet sur le tapis. Peut-être abaissera-t-il la note après avoir relu l'examen. Je suis tellement bête! Pourquoi ne me suis-je pas tenu tranquille?»

4. Chaque fois que la voix exprimera une pensée irrationnelle, les observateurs devront crier: «Faute!» On devra alors interrompre le sketch pour permettre au groupe d'en discuter et de suggérer une ligne de réflexion intérieure plus rationnelle. Les joueurs reprendront la scène tandis que la petite voix s'exprimera de façon plus rationnelle.

Voici quelques suggestions de scènes. Vous pouvez en inventer d'autres, bien entendu.

a. Un couple se rencontre pour la toute première fois.

b. Un candidat au début d'une entrevue d'emploi.

c. Un professeur ou un patron reproche son retard à quelqu'un.

d. Un étudiant et un professeur se rencontrent par hasard au marché.

LA MÉTHODE DE L'OREILLER EN ACTION

Événement déclencheur

Mon amie Laurence est arrivée hier soir alors que j'étais en train d'étudier en vue d'un examen important. C'est tout à fait typique de sa part: elle ne semble pas pouvoir s'empêcher de téléphoner ou de venir chez moi quand je suis occupé ou lorsque je reçois d'autres personnes.

Croyances et réflexion intérieure

1. Après toutes les insinuations que j'ai faites, elle devrait comprendre et me laisser seul.

2. Elle me rend fou.

3. Je suis un lâche de ne pas lui parler plus sérieusement; je devrais lui dire d'arrêter de m'ennuyer.

4. Si je le lui dis, elle sera accablée.

5. Il n'y a aucune solution à toute cette pagaille. Je suis fichu si je lui dis de me laisser tranquille, et fichu si je ne le lui dis pas.

Émotions

J'étais furieux contre Laurence et contre moi-même. Je me sentais également cruel et sans cœur de vouloir rejeter une personne si seule. J'étais frustré de ne pas pouvoir étudier.

Discussion sur ces croyances irrationnelles

1. C'est irrationnel. Si Laurence était parfaite, elle se montrerait plus sensible et comprendrait mes allusions. Mais elle est insensible et elle se conduit comme je l'avais prévu. J'aimerais qu'elle fasse plus attention aux autres, quand même. Ça, c'est rationnel!

2. C'est un peu mélodramatique. Je n'aime pas du tout ses intrusions, mais il y a une énorme différence entre me montrer irrité et devenir fou. De plus, même si je perdais la raison, il ne serait pas exact de dire qu'elle me rend fou, mais plutôt que je la laisse me posséder. (C'est amusant de s'apitoyer sur son sort, parfois.)

3. C'est une exagération. J'ai peur de lui parler, mais je ne suis pas un lâche pour autant. Je n'ai pas totalement confiance en moi. Cela confirme mes soupçons selon lesquels je ne suis pas parfait.

4. Il y a un risque qu'elle soit déçue si elle apprend que je la trouve embêtante. Je dois cependant faire attention à ne pas trop dramatiser les choses. Elle surmontera probablement mes critiques et appréciera même ma franchise, une fois le choc passé. De plus, je ne suis pas certain de vouloir assumer la responsabilité de la rendre heureuse, si de mon côté je me sens irrité. C'est une grande fille, et si elle a un problème, elle doit apprendre à y faire face.

5. Je n'arriverai à rien comme cela. Il doit bien y avoir un moyen de lui parler de façon franche et pourtant positive.

Événement déclencheur

J'étais chez mon ami Luc l'autre soir lorsqu'il a reçu un coup de téléphone de son ex-femme (ils sont séparés depuis environ un an). Après quelques échanges banals, elle lui a demandé s'il était heureux. Sa réponse fut la suivante: «Oui, je suis heureux *pour le moment*.» (L'accentuation est la mienne.) Vers la fin de la conversation, elle lui a demandé de lui dire qu'il l'aimait. Sa réponse fut la suivante: «Je préférerais pas. Je ne tiens pas à en parler maintenant. Je t'en reparlerai demain lorsque tu me rappelleras à propos de l'envoi des meubles.»

Croyances et réflexion intérieure

1. J'aimerais qu'elle ne l'appelle pas! Pourquoi ne le laisse-t-elle pas tranquille?

2. J'aimerais qu'elle n'ait jamais existé!

3. Que veut-il dire par «pour le moment»? A-t-il des doutes sur notre relation?

4. Pourquoi ne peut-il pas lui dire que tout est fini entre eux? Pourquoi veut-il lui parler demain à ce sujet? Peut-être a-t-il quelque chose à lui dire qu'il veut me cacher?

5. S'il repartait avec elle, j'en mourrais.

Émotions

J'étais vraiment en colère contre la femme de Luc et contre Luc lui-même. Je me sentais blessée et jalouse. J'avais aussi peur de perdre Luc.

Discussion sur ces croyances irrationnelles

1. Ma question: «Pourquoi ne le laisse-t-elle pas tranquille?» est vraiment une autre façon de dire que j'aimerais qu'elle ne lui téléphone plus. C'est tout à fait rationnel de ma part.

2. Ce n'est pas rationnel de vouloir qu'elle n'ait jamais existé. Elle existe bel et bien et je ne peux rien y changer. Je dois apprendre à vivre avec cela et cesser de souhaiter sa disparition.

3. Je ne suis pas très certaine que ce soit rationnel. Le «pour le moment» de Luc ne porte peut-être pas à conséquence. D'un autre côté, c'est assez bizarre qu'il ait dit cela. Le seul moyen de savoir s'il entretient quelques doutes sur notre avenir commun est de le lui demander. C'est stupide de m'en faire avant de savoir s'il y a de bonnes raisons à cela.

4. Ce que j'essaie réellement de dire ici, c'est qu'il devrait lui faire savoir que tout est fini entre eux. Bien que je souhaite cela, il n'y a aucune raison qu'il doive le faire. Il résoudra le problème de la façon qui lui semble la meilleure. Il ne veut pas la blesser et essaie de la laisser s'éloigner doucement. Il la voit sous un autre jour que moi, bien sûr, et il lui parlera donc de façon différente. Ma crainte que Luc me cache des choses est une façon de noircir les choses sans raison. Pourquoi faut-il toujours — oups! souvent — que je suppose le pire?

5. Je me sentirais profondément blessée et triste s'il repartait avec elle, mais j'arriverais à survivre. Ce que je peux dramatiser, parfois!

RÉSUMÉ

Les émotions revêtent plusieurs dimensions. Elles se signalent par des changements physiologiques, se manifestent par des réactions non verbales et sont définies dans la majorité des cas par des interprétations cognitives. Certaines émotions sont primaires, tandis que d'autres sont le résultat de combinaisons. Certaines sont intenses et d'autres relativement tempérées.

Plusieurs raisons expliquent que les gens ne verbalisent pas tout ce qu'elles ressentent. Les usages sociaux n'autorisent souvent pas l'expression d'émotions négatives. Certaines personnes le font en fait si rarement qu'elles perdent l'habitude de les ressentir. Finalement, la peur des conséquences que l'expression de certaines émotions entraînerait conduit les gens à vouloir les refouler.

La libre expression des émotions n'étant pas de mise chez les adultes, plusieurs directives peuvent aider à définir quand et comment les partager de façon efficace. Une prise de conscience personnelle, un langage clair et l'expression des émotions combinées sont essentiels. La volonté d'accepter la responsabilité de certaines émotions, et non de vouloir en blâmer les autres, conduit à de meilleures réactions. Le choix du moment et de l'endroit est aussi très important.

Certaines émotions sont constructives, d'autres par contre sont négatives et inhibent notre action. Certaines émotions négatives sont dues à différents types de pensées irrationnelles. Il est souvent possible de communiquer avec plus de confiance et d'efficacité lorsqu'on a identifié les émotions fautives, en reconnaissant l'événement déclencheur, c'est-à-dire la réflexion intérieure qui les a provoquées, et en substituant à toutes les idées irrationnelles une analyse plus logique de la situation.

Mots clés

Émotions combinées	Illusion d'approbation	Illusion d'impuissance
Émotions constructives	Illusion de causalité	Illusion par généralisation excessive
Émotions fondamentales	Illusion de perfection	Réflexion intérieure
Émotions négatives (affaiblissantes)	Illusion des «ça devrait»	Stimuli intéroceptifs
	Illusion des prévisions catastrophiques	

Bibliographie spécialisée

AUGER, Louise. *Pourquoi l'autre et pas moi? Le droit à la jalousie*, Montréal, Éditions de l'Homme, 1988, 274 p.

Tout ce que vous avez toujours voulu savoir sur la jalousie sans jamais oser le demander! Un livre où l'auteure définit ce qu'est cette émotion en prenant bien soin de la distinguer de l'envie ou de la rivalité. Une analyse intéressante du phénomène, tant dans les relations de couple que dans les relations parents-enfants. Ce livre est particulièrement recommandé à ceux et celles qui désirent savoir comment réagir lorsqu'ils ressentent la jalousie amoureuse, et il indique comment la vivre sans qu'elle soit destructive pour personne.

AUGER, Lucien. *La démarche émotivo-rationnelle en psychothérapie et relation d'aide*, Montréal, Éditions Ville-Marie/CIM, 1986, 266 p.

La théorie d'Albert Ellis y est présentée de manière claire et accessible. Vous y trouverez de nombreux extraits d'entrevues qui permettront de saisir la façon de procéder en utilisant cette technique d'aide. Nous recommandons la lecture attentive du chapitre 6, car il aborde le changement des croyances par la confrontation.

DANTZER, Robert. *Les émotions*, Paris, PUF, Collection Que sais-je?, 1988, 128 p.

Un livre simple à consulter où l'auteur discute des origines physiologiques des émotions et particulièrement du rôle du cerveau.

WALLON, Henri. *Les origines du caractère chez l'enfant*, Paris, PUF, 1970, 304 p.

Un livre indispensable à cause de l'importance de l'auteur sur le continent européen et de ses analyses poussées sur l'origine des émotions chez l'être humain. L'auteur y discute à fond le rôle joué par les stimulations intéroceptives, proprioceptives et extéroceptives dans la genèse des émotions chez l'enfant.

WATZLAWICK, Paul. *Faites vous-même votre malheur*, Paris, Seuil, 1984, 128 p.

Un livre bien connu des personnes intéressées par les travaux du groupe de recherche de Palo Alto. *Faites vous-même votre malheur* traite de différents sujets, dont les relations interpersonnelles et l'amour... Un style confrontant qui garantit une réflexion honnête sur votre propre comportement.

Deuxième partie

Regards sur les communications

Chapitre 5

Le langage: les mots, les choses et les gens

Il ne suffit pas de dire que, grâce à la signification, l'homme est en mesure d'exploiter son environnement et aussi de se réfléchir tout en réfléchissant le monde. La signification *est* l'autonomie, l'initiative, le recodage, la réflexion.

Ainsi l'être humain se définit en toute rigueur comme l'animal sémiotique, c'est-à-dire l'animal où le signe se construit en construisant l'homme. Le signe est le propre de l'homme. Ou mieux, le signe c'est l'homme même. Dans l'histoire de l'univers, le signe et l'homme sont entrés du même pas.

Henri Van Lier

> Il n'y a rien qui ressemble particulièrement à cinq dans le nombre cinq, comme il n'y a rien qui évoque particulièrement une table dans le mot table.
>
> G. Bateson et D. Jackson

> Manger ou être mangé, telle est la loi de la jungle. Définir ou être défini, telle est la loi de l'Homme.
>
> Thomas S. Szasz

Nous avons parfois l'impression de tenir chacun un langage différent. Combien de fois vous est-il arrivé de penser que personne ne comprenait ce que vous disiez? Vous saviez très bien ce que vous vouliez dire, mais les autres, eux, ne semblaient pas vous comprendre. Combien de fois aussi, à l'inverse, vous n'avez pas été en mesure de saisir leurs pensées?

Dans ce chapitre, nous allons nous pencher sur ces questions en jetant un coup d'œil rapide à la relation qui existe entre les mots et les choses. Nous essaierons de vous montrer comment le langage peut parfois vous tendre des pièges, et nous vous indiquerons ensuite quelques moyens d'améliorer les choses. Nous verrons également comment le langage décrit non seulement la façon dont nous percevons le monde, mais comment il modèle aussi la vision que nous en avons.

Les mots et leurs significations

Commençons notre étude en examinant quelques particularités du langage. Utilisant les mots de façon constante, nous présumons souvent qu'ils traduisent parfaitement nos messages. À vrai dire, nous devons tenir compte de plusieurs éléments pour que nos messages verbaux soient fidèles à notre pensée et pour qu'ils atteignent leur but.

Le langage est symbolique   Comme nous le disions dans le premier chapitre, les mots sont des symboles qui représentent des choses — des idées, des événements, des objets, etc*. Ils ne sont cependant pas les choses elles-mêmes. Il est évident, par exemple, que le mot *manteau* n'est pas le morceau de tissu qu'il décrit. Il serait étrange de s'attendre à ce que les lettres m-a-n-t-e-a-u puissent vous tenir au chaud l'hiver. Ce point semble tellement évident que c'est à peine si l'on doit en

faire mention, et pourtant on oublie souvent la véritable nature du langage et on a tendance à confondre les symboles avec les choses auxquelles ils réfèrent. Certains étudiants, par exemple, vont se bourrer le crâne de données dans le seul but de pouvoir les régurgiter sur un cahier d'examen pour obtenir une bonne note; ils oublient alors que des lettres comme A ou B ne sont que des symboles et que quelques lignes griffonnées à l'encre sur du papier ne représentent pas nécessairement la véritable érudition. De la même façon, le fait de prononcer simplement les mots: «Tu comptes vraiment beaucoup pour moi!» ne reflète pas nécessairement la vérité, ce que de nombreux amoureux éconduits ont appris à leurs dépens.

Le langage est régi par des règles   Les divers éléments du langage n'ont aucune signification en eux-mêmes. Certaines combinaisons de lettres sont totalement dénuées de sens. Ainsi, l'ensemble de lettres *abee imm orss!* est du pur charabia. Mais lorsqu'on le réordonne, il devient compréhensible: «Embrasse-moi!» Cet exemple illustre bien la deuxième caractéristique du langage, soit l'existence d'un ensemble de règles qui dictent la façon dont les symboles peuvent être utilisés.

Le langage contient deux types de règles. Des **règles syntaxiques** qui régissent la façon dont les symboles peuvent être ordonnés. En français, par exemple, les règles syntaxiques exigent que chaque mot contienne au moins une voyelle et ne permettent pas la construction de phrases comme: «Avez-vous les biscuits apporté?» qui serait tout à fait acceptable dans une langue comme l'allemand. Bien que la plupart d'entre nous ne soyons pas en mesure de décrire avec précision les règles syntaxiques qui régissent notre langue, il est facile d'en reconnaître l'existence en observant comment une mauvaise construction de phrase ne manque pas de nous choquer.

---

* Certaines de ces «choses» ou référents n'existent pas matériellement. Certains référents peuvent, par exemple, être mythiques (comme les licornes), ne plus exister (comme feu M. Cadieux) ou encore être des idées abstraites (comme l'«amour»).

Le langage est également régi par des **règles sémantiques**. Tandis que la syntaxe concerne la structure de la phrase, la sémantique regarde le sens. Les règles sémantiques reflètent la façon dont les utilisateurs d'une langue réagissent face à un symbole donné. Elles nous permettent de convenir que les «bicyclettes» sont faites pour rouler et les «livres» pour être lus, et elles nous aident à savoir qui nous allons rencontrer ou ne pas rencontrer lorsque nous franchissons une porte marquée «hommes» ou «femmes». Sans ces règles sémantiques, la communication serait pratiquement impossible, car chacun de nous utiliserait ses propres symboles qui seraient incompréhensibles pour les autres.

Les règles sémantiques nous aident à comprendre le sens de mots isolés, mais n'expliquent pas souvent le fonctionnement du langage dans la vie quotidienne. Prenez par exemple la phrase: «Retrouvons-nous donc demain.» La signification

L'arbitraire du signe

Or, dans cette activité de remplacement, le signe n'a nullement besoin d'être identique ni même semblable à ce dont il tient lieu. Malgré la douceur subjective qu'on peut éprouver à prononcer un *s* ou un *y*, voire un *kr*, il n'y a rien d'analogue entre les phonèmes s-y-k-r et le sucre, puisque *Zucker*, *suiker*, *sugar* réussissent aussi bien dans cette désignation et que du reste notre mot français dérive de l'italien zucchero, qui dérive de l'arabe *sukkar*, qui dérive du perse *shakar*, qui dérive du sanscrit *sarkara*, selon des lois phonétiques qui n'ont rien à voir avec la douceur du sucre, ni davantage avec son caractère granulé, bien qu'initialement le mot ait désigné le grain, non la douceur. Même quand un signe est analogue à son désigné, qu'il est *motivé*, dit-on, comme dans le dessin ou la sculpture, sa similitude est très partielle et opérée selon des options qui se donnent comme pouvant toujours être différentes de ce qu'elles sont, et quant à la forme et quant à la matière: il y a des milliers de façons de dessiner ou de peindre du sucre. En d'autres termes, le signe est arbitraire, de fait et aussi de droit. C'est le fruit d'une convention de groupe ou de couple, parfois explicite et décidée par les usagers, mais généralement si implicite et antérieure à eux qu'ils la croient naturelle. L'arbitraire peut choisir parfois des désignants plus pesants que les désignés: le gisant est plus lourd que le mort; mais d'ordinaire il les cherche plus légers, et par là prodigieusement économiques et efficaces: des mouvements d'armées entières se décrivent et se décident par quelques traits tracés sur un papier, par quelques souffles d'une voix.

Henri Van Lier

> Les mots diversement rangés font un divers sens, et les sens diversement rangés font différents effets.
>
> Pascal

des mots de cette phrase est assez claire, et pourtant on peut l'interpréter de différentes façons. Ce peut être une demande («J'espère que nous allons pouvoir nous rencontrer»), un ordre poli («Je veux vous voir»), un cliché («Je ne le pense pas réellement»). Nous apprenons à déterminer le sens exact d'un discours donné grâce à des **normes régulatrices** qui nous indiquent quelle interprétation apporter à un message dans un contexte déterminé. Ces règles — habituellement comprises par tous les utilisateurs d'une même langue — nous aident ainsi à comprendre le message de la personne qui parle. Les relations entre les communicateurs, par exemple, sont un critère important de l'interprétation de bon nombre de phrases. Dans notre exemple, la phrase: «Je veux vous voir» aura une signification bien différente si elle est prononcée par votre patron ou murmurée par votre amoureux. De la même façon, l'endroit où sera prononcée la phrase aura lui aussi son importance. Dire: «Je veux vous voir» dans un bureau aura une certaine signification; les mêmes mots prononcés à l'occasion d'un cocktail en auront une autre. Bien sûr, les comportements non verbaux qui accompagneront le message aideront également à en percevoir le sens.

RATON !!!   **OIE BLANCHE !!!**

Les mots n'ont aucune signification en eux-mêmes — ce sont les personnes qui leur en prêtent une!

La signification des mots est donnée par les personnes et non par les mots eux-mêmes

Si vous montrez à une douzaine de personnes le même symbole et que vous leur demandez ce qu'il signifie pour elles, vous pouvez vous attendre à obtenir une douzaine de réponses différentes. Le drapeau québécois est-il associé au nationalisme? À la parade du 24 juin? Au FLQ? À la loi 101? À la tarte aux bleuets de maman? Et la croix, que représente-t-elle? La bonté et la sagesse du Christ? Les défilés aux flambeaux des membres du Ku Klux Klan? Le catéchisme de votre enfance? Le collier que porte constamment votre sœur?

Comme ces symboles, les mots peuvent être interprétés de bien des façons différentes. Ils sont également à la source de beaucoup de malentendus. Vous pouvez avoir une discussion très vive à propos du féminisme sans même prendre conscience que votre interlocuteur et vous-même utilisez ce mot pour décrire des notions complètement différentes. Le même problème se pose avec des termes comme *communisme, Conservateurs, aliments naturels* et des milliers d'autres symboles. Les mots ne portent en eux-mêmes aucune signification, ce sont les personnes qui leur en donnent une — et souvent de façon fort différente.

Ayant pris connaissance de tout cela, vous devriez vous apercevoir que le langage n'est pas une chose aussi simple qu'il paraît être. Vous vous rendez compte que l'utiliser sans les précautions et le soin qui lui reviennent peut engendrer des problèmes. Ces derniers sont parfois relativement mineurs, mais ils peuvent avoir des conséquences désastreuses comme le montre le récit de la page 125.

Maîtriser un langage plein d'embûches

Arrivé à ce point de votre lecture, vous pouvez être porté à penser qu'une communication efficace est réellement hors d'atteinte. Si deux personnes ne parlent pas le même langage, quelle chance y a-t-il qu'elles puissent bien se comprendre l'une l'autre?

> L'homme n'a pas besoin de barreaux pour faire des cages: les idées aussi peuvent être des cages.
>
> Ronald David Laing

La grande méprise mokusatsu a-t-elle été l'erreur la plus meurtrière de notre temps?

Plusieurs mois après l'effondrement du Japon en 1945, les gens se sont demandé si c'était la bombe atomique ou l'entrée des Russes dans la guerre qui avait mis fin au conflit dans le Pacifique. Il parut cependant de plus en plus clair que l'importance accordée à ces deux événements pour persuader le Japon de se rendre avait été surestimée; le Japon était une nation vaincue bien longtemps avant août 1945.

«Les Japonais avaient, de fait, sollicité la paix bien avant que l'ère atomique soit annoncée au monde avec la destruction d'Hiroshima et long-temps avant l'entrée en guerre des Russes», rapporta au Congrès l'amiral Chester W. Nimitz; d'autres chefs militaires américains confirmèrent cette version.

Pourquoi, alors, les Japonais n'ont-ils pas accepté, à la fin de juillet 1945, la déclaration de Potsdam qui demandait au Japon de se rendre, au lieu d'attendre jusqu'à la deuxième semaine d'août, après que les villes d'Hiroshima et de Nagasaki eurent été réduites en un amas de décombres radioactifs et que les Russes eurent commencé leur poussée en Mandchourie? Cette question n'a jamais reçu de réponse satisfaisante.

La véritable histoire du rejet de la déclaration de Potsdam par le Japon peut être le résultat d'une incroyable erreur — qui a tellement changé le cours de l'histoire en Extrême-Orient que nous ne serons jamais en mesure d'en estimer l'effet réel sur le monde contemporain. Ironie du sort, cette erreur a été commise par un Japonais et n'a eu pour objet qu'un seul mot japonais.

Je dis ici «peut être», car une partie de la vérité restera à jamais cachée, à cause de la complexité des motivations humaines, et demeurera proba-blement une énigme pour les historiens. Mais un aspect de cette vérité peut être clairement expliqué. Laissez-moi vous raconter cette histoire; vous serez ainsi en mesure de tirer vos propres conclusions sur les événements.

Au printemps 1945, il ne faisait aucun doute pour les dirigeants japonais que leur pays venait de subir une défaite sévère.

La situation dans laquelle se trouvait le pays était si désespérée que les chiffres réels étaient tenus secrets même à certains ministres du cabinet. Tous les complexes industriels s'étaient effondrés sous les attaques aériennes. La produc-tion d'acier avait chuté de 79 p. 100 et la produc-tion aéronautique, de 64 p. 100. On prévoyait qu'en septembre une pénurie d'aluminium paralyserait complètement la construction des avions.*

Les attaques aériennes des forces alliées détruisaient les voies ferrées, les routes et les ponts plus vite qu'ils ne pouvaient être remplacés. Des centaines de milliers de cadavres étaient ensevelis sous les décombres fumants des villes. Des millions de personnes étaient sans abri et, dans Tōkyō seulement, près de la moitié des maisons avaient été rasées. Les gens fuyaient les villes. Les attaques américaines combinées, navales, aériennes et sous-marines, avaient coupé les approvisionnements en provenance des régions occupées dont les Japonais dépendaient pour leur survie; les vivres s'épuisaient.

L'aviation américaine détruisit ce qui restait de la flotte japonaise à la bataille de Kyu-Shu le jour même d'avril où le premier ministre Suzuki entra en fonction. Cet homme d'un certain âge était donc un «amiral sans flotte».

«Nous devons arrêter la guerre le plus tôt possible», s'empressa-t-il de dire lorsqu'il eut pris connaissance de l'état véritable du potentiel militaire de son pays. Les jushin, hommes politi-ques chevronnés, avaient avisé l'empereur, en février 1945, qu'une capitulation était impérative, quels qu'en soient les coûts.

Les accords de Potsdam furent conclus le 26 juillet 1945. Ils furent signés par les États-Unis, par la Grande-Bretagne et, à la grande surprise des Japonais, par la Chine. Les hommes politiques japonais exultèrent. Les conditions étaient beaucoup plus souples qu'on ne s'y attendait. Les Japonais se rendirent compte rapidement qu'au lieu de demander la capitulation inconditionnelle du gouvernement, le dernier article de la déclara-tion demandait au gouvernement de proclamer la reddition inconditionnelle des forces armées.

Le document promettait également que le Japon ne serait pas détruit en tant que nation, que les Japonais seraient libres de choisir leur forme de gouvernement, que la souveraineté sur leurs îles leur serait rendue après l'occupation, qu'on leur laisserait accès aux matières premières pour l'industrie et que les forces japonaises pourraient retourner dans leur pays.

La chose la plus importante, les conditions de la déclaration le laissaient clairement entendre, était que l'empereur pourrait rester sur le trône; ce dernier point avait considérablement préoccupé le cabinet dans toutes les discussions concernant la reddition. On s'attendait à ce que les Japonais lisent entre les lignes, ce qu'ils ne tardèrent pas à faire.

En recevant le texte de la proclamation, l'empereur fit savoir sans hésitation au ministre des Affaires étrangères, Togo, qu'il la trouvait acceptable. L'ensemble du cabinet se réunit alors pour discuter de l'ultimatum lancé par les Alliés.

Même si les membres du cabinet considéraient comme acceptables les conditions de Potsdam, ils ne pouvaient se décider à dévoiler la proclamation des Alliés au peuple japonais. Le ministre des Affaires étrangères, Togo, désireux de préparer le peuple à la capitulation, argumenta pendant quatre heures en faveur de sa prompte divulgation à la presse. À 18 h, il finit par l'emporter et, tard dans la soirée, la déclaration fut communiquée aux journaux.

Il y avait cependant un autre élément que le cabinet devait étudier. Jusqu'alors, les Japonais avaient eu connaissance de la déclaration des Alliés à Potsdam seulement par la voix des ondes. Elle n'était pas adressée à leur gouvernement et l'ultimatum ne leur avait pas encore été acheminé par les voies officielles. Le cabinet pouvait-il donc prendre des mesures en fonction d'informations non encore officielles?

«Après mûre réflexion, le cabinet, rapidement convoqué, décida de garder le silence sur la déclaration de Potsdam quelque temps encore, en attendant la suite des événements», raconta Kase.

Le délai précédant l'annonce de l'acceptation des conditions des Alliés ne devait cependant pas être long, le premier ministre Suzuki devant rencontrer la presse le lendemain même. Les journalistes japonais le questionneraient assurément sur cette proclamation. Que devrait-il répondre?

Hiroshi Shimomura, président du puissant office des renseignements — le pendant de l'office de propagande allemande — et membre du cabinet, se souvient, dans le compte rendu qu'il fit de cette séance décisive, qu'il fut décidé que le premier ministre répondrait aux questions des journalistes de manière évasive.

«Cela dans le but de ne pas perturber les négociations en cours avec la Russie», de dire Shimomura.

Le premier ministre Suzuki devait simplement faire savoir que le cabinet n'avait pas encore pris de décision concernant les demandes des Alliés et que les discussions se poursuivaient. Si les directives étaient le silence, le seul fait que le cabinet n'ait pas rejeté immédiatement l'ultimatum indiquerait clairement aux Japonais ce qui était en train de se tramer.

Lorsque le premier ministre Suzuki rencontra la presse le 28 juillet, il fit savoir que le cabinet suivait une politique de mokusatsu. Le mot mokusatsu n'a non seulement pas d'équivalent en anglais ou en français, mais est également ambigu pour les Japonais eux-mêmes. Suzuki, comme nous le savons, entendait par ce mot que le cabinet avait décidé de ne faire aucun commentaire sur la déclaration de Potsdam, sous-entendant par là qu'un événement d'importance était imminent. Les Japonais furent cependant pris au piège par leur propre langue. En plus de vouloir dire «se refuser à tout commentaire», le mot mokusatsu peut être également traduit par «ne pas tenir compte de».

Le mot se compose de deux caractères en japonais. Moku, qui signifie «silence», et satsu, qui signifie «tuer», ce qui veut littéralement dire: «tuer par le silence». Cela peut signifier pour un Japonais soit «ne pas tenir compte de», soit «se refuser à tout commentaire».

Les traducteurs de l'agence de presse Domei ne pouvaient malheureusement pas savoir ce qu'entendait réellement Suzuki par ce mot. Ils traduisirent rapidement la déclaration du premier ministre en anglais, en choisissant le mauvais sens du mot. Des tours de la radio de Tōkyō, la

Les barrières sémantiques qui entravent la compréhension sont certainement importantes, mais peuvent en grande partie être surmontées. Si nous avons pleinement conscience du genre de difficultés que nous pouvons rencontrer lorsque nous faisons usage du langage, nous serons en mesure de nous exprimer et d'écouter, donc de communiquer plus efficacement.

Faire la distinction entre les faits et les déductions

Nous faisons des déclarations sur des choses que nous pouvons observer aussi bien que sur d'autres que nous ne pouvons pas voir. Le problème ici est que la grammaire ne fait pas de différence entre les deux. «Elle conduit une Mercedes» équivaut *grammaticalement* à «Elle bout de rage». La première phrase se limite à des faits tandis que la seconde est le résultat d'une déduction. Nous pouvons observer de façon directe la voiture et la personne qui la conduit, mais ce n'est pas le cas avec la personne «qui bout de rage». Ce deuxième énoncé se base sur certaines observations et sur les conclusions que nous en tirons.

Les disputes résultent souvent de ce que nous appelons «faits» des «déductions»:

A: Pourquoi es-tu en colère contre moi?

B: Je ne suis pas du tout en colère contre toi. Pourquoi es-tu si inquiète depuis quelque temps?

A: Je ne suis pas le moindrement inquiète. C'est seulement que tu trouves toujours tellement à redire.

B: Que veux-tu dire par «trouver à redire»? Je ne me suis pas montré critique...

Au lieu d'essayer de déchiffrer la pensée de l'autre, une méthode beaucoup plus efficace consiste, à partir d'une vérification de perception, à identifier des comportements observables (faits) qui ont retenu notre attention et à faire état des interprétations (déductions) que nous en avons tirées. Après avoir décrit ce fil de pensées, demandez à l'autre personne de faire des commentaires sur la justesse de votre interprétation:

«Comme tu ne m'as pas rappelée au téléphone (fait), j'ai eu l'impression que tu étais en colère (déduction) contre moi? Est-ce la vérité? (question)»

«Ces derniers temps, tu n'as pas cessé de me demander si je t'aimais encore beaucoup (fait); j'ai alors pensé que tu devais être anxieuse (déduction). Est-ce bien cela? (question)»

Donner une explication aux appréciations

Ce n'est qu'en établissant des comparaisons que l'on peut clairement comprendre les **appréciations**. Fréquentez-vous, par exemple, une «grande» ou une «petite» école? Tout dépend de l'objet de comparaison. Par rapport à un campus comme celui de l'Université de Montréal qui compte plus de 30 000 étudiants, votre école peut paraître minuscule; comparée à un établissement plus petit, elle peut sembler assez importante. Les appréciations comme «rapide» et «lent», «intelligent» et «stupide», «court» et «long» ne sont clairement définies que par comparaison.

Certaines appréciations sont si courantes que nous présumons souvent, à tort, qu'elles ont une signification très claire. Dans une étude, on avait

La vérité sur les inférences...

«Il n'y a point de trame, dit Guillaume, et moi je l'ai découverte par erreur.»

L'affirmation était autocontradictoire, et je ne saisis pas si Guillaume voulait réellement qu'elle le fût. «Mais c'était vrai que les empreintes dans la neige renvoyaient à Brunel, dis-je, c'était vrai qu'Adelme s'était suicidé, c'était vrai que Venantius ne s'était pas noyé dans la jarre, c'était vrai que le labyrinthe était organisé comme vous l'avez imaginé, c'était vrai qu'on entrait dans le finis Africæ en touchant le mot quatuor, c'était vrai que le livre mystérieux était d'Aristote... Je pourrais continuer à faire la liste de toutes les choses vraies que vous avez découvertes en vous servant de votre science...

— Je n'ai jamais douté de la vérité des signes, Adso, ils sont la seule chose dont l'homme dispose pour s'orienter dans le monde. Ce que je n'ai pas compris, c'est la relation entre les signes. Je suis arrivé à Jorgue à travers un schéma apocalyptique qui semblait porter tous les crimes, cependant qu'il s'agissait d'un hasard. Je suis arrivé à Jorgue en cherchant l'auteur de tous les crimes, et nous avons découvert que chaque crime avait au fond un auteur différent, ou même pas d'auteur du tout. Je suis arrivé à Jorgue en suivant le dessein d'un esprit pervers et raisonneur, et il n'y avait aucun dessein, ou plutôt Jorgue lui-même avait été dépassé par son propre dessein initial; et ensuite avait commencé un enchaînement de causes, et de causes concomitantes, et de causes en contradiction entre elles, qui s'étaient développées pour leur propre compte, créant des relations qui ne dépendaient d'aucun dessein. Où gît toute ma sagesse? Je me suis comporté en homme obstiné, poursuivant un simulacre d'ordre, quand je devais bien savoir qu'il n'est point d'ordre dans l'univers.

— Mais en imaginant des choses erronées, vous avez tout de même trouvé quelque chose...

— Tu as dit là une chose très belle, Adso, je te remercie. L'ordre que notre esprit imagine est comme un filet, ou une échelle, que l'on construit pour atteindre quelque chose. Mais après, on doit jeter l'échelle, car l'on découvre que, si même elle servait, elle était dénuée de sens.

Umberto Eco

---

demandé à des étudiants de doctorat d'évaluer en pourcentage la probabilité qu'un événement se produise lorsqu'on utilisait les termes suivants:

> Sans doute l'élément le plus meurtrier de l'histoire de l'humanité est-il l'illusion d'une réalité «réelle», avec toutes les conséquences qui en découlent logiquement. Il faut par ailleurs un haut degré de maturité et de tolérance envers les autres pour vivre avec une réalité relative, avec des questions auxquelles il n'y a pas de réponse, la certitude qu'on ne sait rien et les incertitudes résultant des paradoxes. Mais si nous ne pouvons développer cette faculté, nous nous reléguerons, sans le savoir, au monde du Grand Inquisiteur, où nous mènerons une vie de moutons, troublée de temps à autre par l'âcre fumée de quelque autodafé, ou des cheminées d'un crématoire.
>
> Paul Watzlawick

«douteux», «à peu près équivalent», «possible», «probable», «ayant une bonne chance de» et «peu probable»[1]. La plupart de ces mots furent interprétés de façon incroyablement différente. Les réponses proposées par les étudiants pour le mot «possible» variaient de 0 à 99 p. 100. «Une bonne chance de...» oscillait entre 35 et 90 p. 100 tandis que «peu probable» obtenait des valeurs entre 0 et 40 p. 100.

Utiliser des appréciations sans en donner au préalable une explication peut conduire à des problèmes de communication. N'avez-vous jamais répondu à la question de quelqu'un à propos du temps qu'il faisait, chaud selon vous, pour vous apercevoir ensuite que pour cette personne il faisait plutôt froid? N'avez-vous jamais suivi les conseils d'un ami qui vous parlait de tel ou tel restaurant, soi-disant bon marché, pour vous apercevoir qu'il était deux fois plus cher que vous ne vous y attendiez? Les cours que l'on vous disait

©1981 King Features Syndicate Inc. Tous droits réservés.

«faciles» ne vous ont-ils pas au contraire paru difficiles? Le problème dans chacun de ces cas résultait de l'absence de lien entre l'appréciation et une réalité plus mesurable.

User avec précaution des termes connotés

Certains termes ou expressions comportent, outre leur signification évidente, un sens particulier, en général une valeur, donnée par les circonstances de leur emploi ou par l'intention de la personne qui parle: c'est la **connotation**.

Ainsi, un langage chargé de termes connotés semble décrire une chose, à première vue, mais il révèle plutôt l'attitude de la personne qui parle face à cette chose. Si vous êtes d'accord avec la façon dont une amie aborde un sujet difficile (disons par exemple qu'elle dit des choses indirectement, avec des sous-entendus), vous pourrez la trouver «pleine de tact»; si vous n'aimez pas cette personne, vous pourriez alors l'accuser de «tourner autour du pot». Que l'approche soit bonne ou mauvaise est davantage une question d'opinion que de fait (bien que cette différence soit voilée par la connotation des termes employés).

Vous pouvez vous rendre compte à quel point les termes chargés de connotations comportent des jugements subjectifs en considérant les exemples de la page suivante.

Quod licet Jovi, non licet bovi (permis à Jupin, interdit aux jupons!)

Un policier touche des pots-de-vin; un homme politique reçoit des fonds pour soutenir sa campagne électorale.

Vendre de l'héroïne ou de la marijuana, c'est affaire de trafiquants; vendre de l'alcool ou des cigarettes, c'est affaire d'industriels, ou d'un monopole d'État.

Un malade mental qui saisit la Justice pour recouvrer sa liberté n'est qu'un trublion; un psychiatre qui a recours à la justice pour faire interner ce même patient est un thérapeute.

La General Motors, qui vend des voitures, fait de la publicité; le National Institute of Mental Health (Département de l'hygiène mentale), qui vend de la psychiatrie, fait de la pédagogie; mais la prostituée qui vend ses charmes fait le tapin; et le camé, qui vend dans la rue quelques grammes d'héroïne, fait du trafic de drogue.

Thomas S. Szasz

> La parole est le propre de l'Homme; elle le dif-
> férencie de l'animal. Elle peut aussi le réduire
> à l'état de «bête»: le Juif n'est plus que
> «vermine»; quant aux «flics», ils deviennent
> des «vaches»!
>
> Thomas S. Szasz

Si vous approuvez, dites:	*Si vous désapprouvez, dites:*
Économe	Chiche
Classique	Démodé
Extraverti	«Grande-gueule»
Prudent	Poltron
Progressiste	Radical
Information	Propagande
Victoire militaire	Massacre
Original	«Complètement sauté!»

La meilleure façon d'éviter des discussions autour de la connotation est de décrire la personne, la chose ou l'idée dont il est question dans des termes neutres et d'exprimer vos opinions comme telles. Plutôt que de dire: «J'aimerais que vous arrêtiez de faire ces remarques sexistes», dites: «Je n'apprécie vraiment pas lorsque vous nous appelez "bonnes femmes" au lieu de simplement "femmes".» Les énoncés neutres sont non seulement plus exacts, ils ont également plus de chance d'être bien acceptés par les autres.

Conjugaison de «verbes irréguliers»

Voici un moyen de comprendre comment opère la connotation d'après le choix des termes. Selon S. I. Hayakawa, l'idée de «conjuguer des verbes irréguliers» est venue de Bertrand Russell.

La technique est simple: prendre simplement une action ou un trait de personnalité et montrer comment on peut les voir de façon favorable ou défavorable selon l'étiquette qu'on leur donne. Par exemple, conjuguez:

> Je suis désinvolte.
>
> Tu es un peu négligent.
>
> Il est rustre.

Voyez celle-ci:

> Je lis des histoires d'amour.
>
> Tu lis de la littérature érotique.
>
> Elle lit des livres pornographiques.

Ou bien:

> Je suis économe.
>
> Tu connais la valeur de l'argent.
>
> Il est avare.

1. Essayez vous-même quelques conjugaisons en utilisant les énoncés suivants:

   a. Je suis plein de tact.

   b. Je suis conservateur.

   c. Je suis tranquille.

   d. Je suis décontracté.

   e. Mon enfant est plein de vitalité.

   f. J'ai beaucoup d'orgueil.

2. Rappelez-vous ensuite au moins deux situations dans lesquelles vous avez fait usage d'un terme à forte connotation comme étant la description d'un fait et non pas d'une opinion. Une bonne façon de se remémorer ces situations est de penser à une discussion récente que vous avez eue et à imaginer comment les autres personnes engagées auraient pu la décrire. En quoi leurs mots auraient-ils été différents des vôtres?

> Les déplacements les plus insidieux sont peut-être ceux que le signe provoque en lui: dire «un évêque tout sucre» au lieu d'«un évêque très doux», ou «le vieux» au lieu de «mon père», c'est énoncer indirectement des opinions religieuses, sociales, politiques, les miennes comme aussi celles de mes interlocuteurs et de mon milieu en général. Cet effet de déplacement latéral est si important pour la compréhension des sociétés qu'on a prévu à son sujet un vocabulaire: Bloomfield a proposé de dire que «mon paternel» et «mon père», «tout sucre» et «très doux» ont la même *dénotation*, en tant qu'ils renvoient au même désigné, mais qu'ils ont une *connotation* différente, en tant qu'ils indiquent des attitudes différentes des destinateurs et/ou des destinataires, plus neutres dans «mon père» et «très doux», plus irrévérencieuses dans «mon paternel» et «tout sucre».
>
> Henri Van Lier

Comment différencier un homme d'affaires d'une femme d'affaires

Un homme d'affaires	*Une femme d'affaires*
Il est accrocheur	Elle est arriviste
Il soigne les détails	Elle est difficile
Il se met en colère parce qu'il est surchargé de travail	Elle est vache
Il est déprimé (ou a la gueule de bois) et on passe devant son bureau à pas de loup	Elle est mal lunée, elle doit avoir ses règles
Il poursuit ses idées jusqu'au bout	Elle ne sait pas quand s'arrêter
Il est déterminé	Elle est entêtée
Il fait des réflexions avisées	Elle fait état de ses préjugés
C'est un homme d'expérience	Elle a pas mal roulé sa bosse
Il n'a pas peur de dire ce qu'il pense	Elle est catégorique
Il a de l'autorité	Elle est tyrannique
Il est discret	Elle est cachottière
C'est un bourreau de travail	Il est difficile de travailler avec elle

Se méfier des évaluations statiques «Marc est un garçon nerveux.» «Élisabeth est soupe au lait.» «Vous ne pouvez pas compter sur Marie-France.» Des énoncés qui contiennent ou sous-entendent le verbe «est» portent à croire, à tort, que le comportement des gens est régulier et immuable — ce qui est tout à fait inexact. Plutôt que de cataloguer Marc comme «nerveux» à tout jamais, il serait certainement plus juste de relever les situations dans lesquelles il se comporte de cette manière. La même chose pour Élisabeth, Marie-France et tous les autres: nous sommes plus changeants que le langage quotidien, statique, ne nous décrit.

Décrire Jean comme «ennuyeux» (vous pouvez remplacer par «amical», «immature» et bien d'autres adjectifs) n'est pas aussi exact que de dire: «Le Jean que j'ai rencontré hier m'a semblé...» Le deuxième type d'énoncé décrit le comportement d'une personne à un moment déterminé; le premier le catalogue comme s'il en avait toujours été ainsi.

Alfred Korzybski suggérait d'utiliser un outil linguistique — apposer une date — pour réduire l'aspect statique des évaluations. Il proposait de faire cette annotation (en contrebas) lorsque cela s'y prêtait, pour marquer le caractère passager de certaines questions ou des comportements. Un professeur, par exemple, pourrait écrire comme évaluation d'un élève: «Céline a eu quelques

> Chaque mot concret devenait partie du conditionnement des personnages, ce conditionnement que la plupart subissent passivement...
>
> Marguerite Yourcenar

difficultés à coopérer avec ses compagnes. (12 mai)» Bien que le recours à de telles annotations soit quelque peu maladroit dans l'écriture et impraticable dans la conversation, l'idée en est utile. Plutôt que: «Je suis timide», un énoncé plus exact pourrait ressembler à: «Je n'ai pas fait de nouvelles connaissances depuis que j'ai emménagé ici.» La première phrase sous-entend que votre timidité est un trait de caractère immuable, comme votre taille, tandis que la deuxième laisse entendre que vous pourriez changer.

Choisir le niveau de généralisation qui convient

Les généralisations sont des moyens commodes de typer certaines ressemblances entre différents objets, personnes, idées ou événements. La figure 5-1 représente une **échelle de généralisation** qui montre comment décrire le même phénomène à différents niveaux.

Figure 5-1 Échelle de généralisation

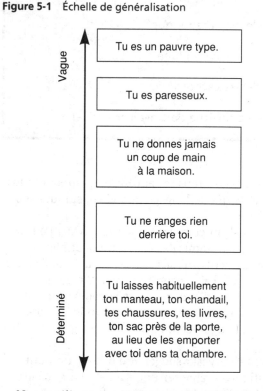

Nous utilisons constamment des généralisations. Par exemple, au lieu de dire: «Merci d'avoir fait la vaisselle», «Merci d'avoir passé l'aspirateur sur le tapis» et «Merci d'avoir fait le lit», il est plus facile

de dire: «Merci d'avoir fait le ménage.» Dans des situations quotidiennes de cet ordre, les généralisations sont un genre de sténographie verbale très utile; dans d'autres cas cependant, des difficultés peuvent survenir si nous nous exprimons de manière vraiment *trop* générale.

L'expression de généralités abusives est la cause de quatre types de problèmes. Le premier concerne les stéréotypes. Imaginez quelqu'un qui a eu une mauvaise expérience et qui, en conséquence, en blâme un groupe entier: «Les conseillers matrimoniaux ne valent rien», «Tous les artistes sont bizarres» ou «Les hommes ne sont pas bons.» Des amalgames comme ceux-ci peuvent amener les gens à *penser* selon des généralités, en ne tenant pas compte de la spécificité des gens et des choses.

Comme vous l'avez vu dans le chapitre 2, s'attendre à ce que les gens agissent d'une façon donnée peut se transformer en auto-conditionnement. Si vous vous attendez à obtenir ce qu'il y a de pire chez les autres, il y a de fortes chances que cela arrive.

En plus de réduire vos choix personnels, un langage trop vague peut également semer la confusion chez les autres. Dire à votre coiffeur: «pas trop court» ou «moins sophistiqué» peut donner le résultat que vous escomptez, mais peut aussi vous mener à des surprises moins agréables.

Des explications trop abstraites peuvent également être la cause de problèmes plus sérieux. Imaginez la frustration qui pourrait résulter de ces récriminations plutôt vagues:

A: Nous ne faisons jamais plus rien d'amusant, maintenant.

B: Que veux-tu dire par là?

A: Nous avions l'habitude de faire des choses qui sortaient de l'ordinaire avant, mais maintenant c'est toujours la même chose.

B: La semaine dernière nous sommes pourtant allés camper et demain nous allons à une soirée où nous allons nouer de nouvelles connaissances. Tout cela est bien nouveau.

A: Ce n'est pas ce que je veux dire. Je veux parler de choses *réellement* nouvelles.

B: *(devenant perplexe et quelque peu impatient)* Comme quoi par exemple? Prendre des drogues dures ou descendre les chutes du Niagara en tonneau?

A: Ne sois pas stupide. Tout ce que j'essaie de dire, c'est que nous nous enlisons. Nous devrions mener une vie plus excitante.

B: Je ne comprends vraiment pas ce que tu veux!

Un langage trop vague ou abstrait conduit également à donner des directives déroutantes comme:

Le professeur: J'espère que, dans cet essai, vous allez faire un travail approfondi.

L'étudiant: Quand vous dites «approfondi», quelle longueur devrait donc avoir le travail?

Le professeur: Être suffisamment long pour couvrir le sujet de manière assez exhaustive.

L'étudiant: Combien de sources devrais-je consulter pour ma recherche?

Le professeur: Plusieurs — enfin suffisamment pour me montrer que vous avez réellement exploré le sujet à fond.

L'étudiant: Et dans quel style devrais-je le rédiger?

Le professeur: Dans un style érudit mais pas trop formel.

L'étudiant: Arrgh!!!

Même une appréciation positive peut souffrir d'être exprimée dans des termes trop généraux. Des psychologues ont établi que des comportements renforcés ont tendance à se répéter à une fréquence plus grande. Vos réflexions marquant votre appréciation encourageront les autres à continuer d'agir comme ils le font; par contre, s'ils ne savent pas exactement ce que vous appréciez en eux, les chances qu'ils répètent ce comportement sont diminuées. Il y a une grande différence entre dire: «J'apprécie beaucoup votre gentillesse» ou dire: «J'apprécie beaucoup la façon dont vous avez pris la peine de venir me parler lorsque j'étais découragé.»

Un langage trop général peut vous laisser sur une impression d'incertitude, même sur vos propres pensées. À un moment ou à un autre, nous nous sommes tous sentis insatisfaits de notre personne ou des autres. Ce mécontentement se traduit par des pensées comme: «Je devrais mieux m'organiser» ou bien: «Elle se conduit d'une façon bizarre depuis quelque temps.» Des réflexions abstraites de ce genre sont parfois des raccourcis pour décrire des comportements spécifiques que nous pouvons identifier facilement; dans d'autres cas cependant, il nous serait bien difficile d'expliquer ce que nous devrions faire pour mieux nous organiser ou ce que nous entendons par un comportement étrange. Sans une idée très nette de ce que véhiculent ces concepts, il serait difficile de commencer à vouloir changer les choses. Nous aurions alors tendance à tourner en rond, nous sentant vaguement insatisfaits sans savoir exactement ce qui ne marche pas ou sans savoir comment faire pour améliorer les choses.

Les recherches indiquent qu'un énoncé plus précis des faits peut réellement aider à améliorer la qualité des relations personnelles, même dans le cas où des difficultés surviennent. Une étude a montré que les couples bien ajustés faisaient face à autant de conflits que ceux qui l'étaient moins,

Cathy   *Cathy Guisewite*

mais que la façon dont ils traitaient leurs problèmes était légèrement différente. Plutôt que de rejeter le blâme sur l'autre en faisant des évaluations, ils exprimaient leurs griefs par une description de comportement[2].

Il est plus difficile de se tromper sur la valeur d'une description de comportement, car parler en ces termes augmente considérablement les chances de penser clairement et permet aussi aux autres de vous comprendre. Une description de comportement devrait renfermer les trois éléments suivants.

QUI EST ENGAGÉ? La réponse à cette question pourrait paraître simple à première vue. Si vous pensez à un problème personnel ou à un objectif, vous pourriez répondre: «moi»; si par contre vous rapportez l'évaluation, les doléances ou la demande d'une autre personne, c'est cette personne qui est alors engagée. Si cette question de l'engagement est assez simple, elle demande pourtant d'entrer dans certains détails. Demandez-vous si le problème ou l'objectif auquel vous pensez implique une catégorie entière de personnes (les femmes, les vendeurs, les personnes étrangères), une subdivision de ce groupe (les jolies femmes, les vendeurs insolents, les personnes étrangères que vous aimeriez rencontrer) ou une personne spécifique (Claire Poulin, le vendeur d'un magasin donné, une nouvelle personne du quartier). Si c'est vous qui parlez à une autre personne, demandez-vous si l'évaluation, les doléances ou la demande que vous portez la concernent elle seule ou si elles concernent également les autres.

DANS QUELLES CIRCONSTANCES UN COMPORTEMENT DONNÉ SE MANIFESTE-T-IL? Vous pouvez en déterminer les circonstances en répondant à plusieurs questions: Où se manifeste-t-il? Survient-il à des moments précis? Au moment où vous discutez de questions spécifiques? Remarquez-vous quelque chose de spécial chez vous: êtes-vous fatigué, embarrassé, occupé? Existe-t-il un trait commun avec l'autre ou les autres personnes engagées? Se montrent-elles

> Dans beaucoup de situations, il est important de se montrer explicite; je ne peux malheureusement pas penser à un seul exemple sur-le-champ!
>
> Ashleigh Brilliant

amicales ou hostiles, directes ou manipulatrices, nerveuses ou sûres d'elles-mêmes? Autrement dit, si le comportement que vous décrivez n'est pas constant (quelques-uns le sont), vous avez besoin de déterminer exactement quelles circonstances le provoquent.

DE QUELS COMPORTEMENTS S'AGIT-IL? Bien que des termes comme *plus coopératif* ou *obligeant* puissent passer pour des descriptions concrètes de comportements, ils sont en général trop vagues pour expliquer clairement ce que l'on entend par là. Le genre de comportement doit idéalement être *observable*, à la fois par vous et par votre entourage. Par exemple, en descendant l'échelle des généralisations à partir du terme relativement vague de *obligeant*, vous pouvez arriver à: «fait la vaisselle tous les jours», «se propose de m'aider dans mes études» ou «prépare le dîner une ou deux fois par semaine sans qu'on le lui demande». Il est facile de voir que des énoncés comme ceux-ci sont plus faciles à comprendre pour vous ou pour votre entourage que des abstractions plus vagues.

Il y a pourtant une exception à la règle selon laquelle des comportements devraient être observables: c'est le processus interne des pensées et des émotions. En décrivant, par exemple, ce qui vous est arrivé lorsqu'un ami vous a fait attendre pendant longtemps, vous pourriez dire: «J'en étais vraiment retournée. Je me faisais réellement du mauvais sang. Je ne pouvais m'empêcher de penser que tu m'avais oubliée et que je n'avais pas suffisamment d'importance à tes yeux pour que tu te souviennes de notre rendez-vous.» Ce que vous faites en donnant une description semblable est de rendre tout à fait clairs des événements non observables.

Vous pouvez mieux comprendre la valeur des descriptions de comportement en jetant un coup d'œil sur les exemples du tableau 5-1. Notez comment ils expliquent la pensée de la personne qui parle de façon plus claire que ne le font des termes plus vagues.

Un langage responsable

Le souci de précision n'est pas le seul objectif du langage. Il est possible d'être parfaitement clair et pourtant d'offenser les autres ou de les mettre en colère. Les pages qui suivent vous renseigneront

Tableau 5-1 Descriptions de comportements et descriptions généralisantes

	Description généralisante	Description de comportement		Remarques
		Qui est engagé	Dans quelles circonstances	Comportements spécifiques	
Problème:	J'ai du mal à lier connaissance avec des personnes que je ne connais pas.	Les personnes avec qui j'aimerais sortir.	Lorsque je les rencontre à des soirées ou à l'école.	Pense en moi-même: «Elles ne voudront jamais sortir avec moi.» De même, je n'entame jamais non plus la conversation.	La description de comportement identifie plus clairement les pensées et le comportement à modifier.
Objectif:	J'aimerais être plus sûr de moi.	Les solliciteurs téléphoniques ou les vendeurs porte à porte.	Lorsque je ne désire pas le produit ou que je n'ai pas les moyens de l'acheter.	Plutôt que de s'excuser ou de chercher des explications, dire: «Je ne suis pas intéressé» et répéter cela jusqu'à ce qu'ils quittent les lieux.	La description de comportement souligne claire-ment la démarche à suivre, ce que ne fait pas du tout la description générale.
Évaluation:	«Tu as toujours été un patron formidable.»	(Pas d'éclaircisse-ment nécessaire.)	Lorsque j'ai eu besoin de changer mon horaire à cause de mes examens ou de mes devoirs.	«Tu as réorganisé mes heures avec plaisir.»	Donner les deux descriptions (générale et de comportement) pour obtenir de meilleurs résultats.
Doléances:	«Je n'aime pas certains profes-seurs ici.»	Les professeurs A et B.	En classe, lorsque certains étudiants posent des questions, les professeurs pensent qu'ils sont stupides.	Répondent soit d'un ton sarcas-tique (vous pouvez en faire la démonstration) ou nous accusent de ne pas étudier suffisamment.	En parlant à A ou à B, utiliser seulement une description de comportement. Avec les autres, utiliser à la fois la description générale et la description de comportement.
Demande:	«Arrêtez de m'embêter!»	Vos amis X et Y et vous.	Lorsque j'étudie parce que j'ai des examens.	Au lieu de me demander constamment de sortir avec vous, j'aimerais que vous compreniez ce que je vous dis: que j'ai besoin d'étudier et que vous me laissiez le faire.	La description de comportement atténuera la réaction défensive et fera comprendre de façon claire que vous ne voulez pas *toujours* être laissé seul.

> Lorsque vous pointez un doigt accusateur sur quelqu'un, trois de vos autres doigts pointent sur vous en retour.
>
> Louis Nizer

sur une façon de s'exprimer qui améliore à la fois la précision du langage et le climat émotionnel des relations personnelles.

Des énoncés à la première personne (je) et à la deuxième personne (tu)

Il se passe rarement plus d'un jour sans que l'on éprouve un certain mécontentement à l'égard de son entourage. Ainsi, voyons les exemples suivants:

Un membre de votre famille vous donne des conseils sur la façon de mener votre vie, alors que vous ne lui avez rien demandé.

Un collègue promet de vous remplacer et se rétracte à la dernière minute.

Un ami fait des blagues sexistes ou racistes qui vous déplaisent au plus haut point.

Des problèmes de ce genre sont assez réels; critiquer l'autre personne ne fera souvent qu'envenimer les choses et non les améliorer:

«J'aimerais que tu ne sois pas si critique!»

«Tu n'as pas tenu ta promesse!»

«Ce que tu peux être choquant parfois!»

Des affirmations comme celles-ci constituent des exemples de **langage «à la deuxième personne»** — discours qui exprime ou implique un jugement de l'autre personne. Malgré son nom, ce type de langage n'a pas à contenir le pronom «tu»; ce dernier est souvent sous-entendu plutôt que prononcé:

«C'est une plaisanterie stupide!» («Tes plaisanteries sont stupides.»)

«Ne sois pas si critique!» («Tu es trop négatif.»)

«Occupe-toi de tes affaires!» («Tu es trop curieux.»)

Que le jugement soit exprimé ouvertement ou qu'il soit sous-entendu, il est facile de comprendre pourquoi l'utilisation de la «deuxième personne» peut provoquer une réaction défensive. Un énoncé «à la deuxième personne» implique que la personne qui parle est qualifiée pour porter un jugement sur la cible — une position que la majorité des gens visés consentent difficilement à accepter, même si l'évaluation portée est exacte.

Il existe heureusement une meilleure façon d'exprimer ses doléances. Un **langage «à la première personne»** décrit la réaction de la personne qui parle au comportement de son interlocuteur sans poser de jugement quant à la valeur de ce dernier. Ce genre d'énoncé, s'il est complet, comprend trois parties. Il décrit premièrement le comportement de l'autre personne, deuxièmement vos sentiments personnels et troisièmement les conséquences que ce comportement a pour vous:

> «Je suis gênée (sentiment personnel) lorsque tu parles de mes mauvaises notes devant les autres (comportement). J'ai peur qu'ils pensent que je ne suis pas très intelligente (conséquence).»

> «Comme tu n'es pas venu me chercher à l'heure ce matin (comportement), je suis arrivé en retard en classe et je me suis fait attraper par mon professeur (conséquence). C'est ce qui explique que j'étais si en colère (sentiment personnel).»

> «Je ne me suis pas montré très tendre (conséquence) parce que tu n'as guère passé de temps avec moi ces dernières semaines (comportement). Je suis vraiment perplexe (sentiment personnel) quant à tes sentiments pour moi.»

Lorsque les chances d'être mal interprété ou de provoquer une réaction défensive sont grandes, c'est une bonne idée d'inclure les trois éléments dans votre message «à la première personne». Dans certains cas, cependant, un ou deux suffiront:

> «Je me suis donné du mal à préparer le repas, et maintenant il est froid. Bien sûr que cela m'enrage!» (Le comportement est évident.)

> «Je me fais du souci parce que tu ne m'as pas appelée. («Me fais du souci» est à la fois un sentiment personnel et une conséquence.)

Même le meilleur énoncé «à la première personne» ne pourra pas toujours porter, à moins d'être transmis de la bonne manière. Si vos mots sont parfaits, mais que votre ton de voix, l'expression de votre visage ou votre attitude sont tous des messages «à la deuxième personne», il s'ensuivra à peu près assurément une réaction défensive. La meilleure façon de faire correspondre vos paroles à votre démarche est de vous souvenir, avant de parler, que votre objectif est d'expliquer comment le comportement de la personne en face de vous vous affecte — et non d'agir comme un juge et un jury.

Avantages des énoncés «à la première personne»

L'emploi de la première personne présente plusieurs avantages, pour vous comme pour le destinataire du message.

RÉACTION DÉFENSIVE Les autres seront plus portés à accepter votre message s'il est transmis «à la première personne» que si vous faites des jugements catégoriques «à la deuxième personne». Même si les énoncés «à la deuxième personne» sont exacts («Tu es en retard»,«Tu n'as pas tenu ta promesse»), ils sont difficiles à accepter. À l'opposé, les énoncés «à la première personne» ne représentent pas une attaque directe pour le destinataire du message. Puisqu'ils décrivent les impressions de la personne qui parle, ils sont plus faciles à accepter sans justification. Cela ne veut pas dire cependant que l'utilisation de la première personne *éliminera* complètement une réaction défensive, mais cela contribuera certainement à l'atténuer.

PLUS FRANCS Même s'ils sont plus aimables que les énoncés «à la deuxième personne», les énoncés «à la première personne» sont tout aussi francs. Ils vous permettent de parler comme vous l'entendez, en faisant état de ce qui vous préoccupe. Ils ne sont pas «artificiellement» gentils ou dilués pour éviter de déplaire à l'autre. De fait, comme les énoncés «à la première personne» sont plus facilement acceptables par le récepteur du message, vous aurez tendance à y faire davantage appel lorsque vous aurez certaines réticences à exprimer un message accusateur «à la deuxième personne».

PLUS COMPLETS Les énoncés «à la première personne» apportent plus d'informations que les messages «à la deuxième personne». Au lieu de laisser l'autre personne deviner ce qui vous tracasse, ils décrivent son comportement, expliquent en quoi ce comportement vous affecte et les sentiments que vous éprouvez.

UTILISATION DE LA «PREMIÈRE PERSONNE»

Hélène: Je n'arrive pas à y croire. Tu es de nouveau en retard! *Hélène exprime sa colère en attaquant Marcel, dès son retour, avec un message «à la deuxième personne».*

Marcel: Pourquoi en faire toute une histoire? Pour seulement 15 minutes. *Marcel répond à la critique d'Hélène par un message implicite «à la deuxième personne».*

Hélène: C'est important, car tu ne prends pas suffisamment la peine d'arriver à l'heure que tu dis. Tu *peux* être à l'heure. Tu y es bien pour tes cours ou pour les parties de balle molle. Je pense qu'ils ont plus d'importance pour toi que je n'en ai. *Hélène pose un jugement sur ce qu'elle croit être les pensées de Marcel: «Tu ne fais pas attention à moi.»*

Marcel: Ho! Je ne comprends pas pourquoi toute cette histoire. Nous serons quand même à l'heure pour le film.

Hélène: *(avec sincérité)* Je sais que cela ne compte pas beaucoup pour toi, mais pour moi, oui. Comme je te l'ai dit, c'est en partie une obsession chez moi d'être à l'heure. Je suis comme ça. Je déteste avoir à me presser pour me préparer et attendre ensuite. En grande partie, c'est aussi parce que tu m'*avais dit* que tu essaierais d'être à l'heure et que tu es encore en retard. J'imagine que si tu avais vraiment fait l'effort, le fait que tu sois en retard n'aurait pas eu tant d'importance. *Hélène se sert davantage de la «première personne» pour identifier le problème comme le sien, non celui de Marcel, et d'expliquer pourquoi ce retard a autant d'importance pour elle.*

Marcel: Bon, très bien. Si c'est si important pour toi, je vais faire davantage d'efforts. Partons, ou bien nous allons vraiment être en retard au cinéma cette fois. D'accord?

Hélène: D'accord.

Le temps seul dira si Marcel va se montrer plus ponctuel. Il n'est pas encore convaincu, autant qu'Hélène, de l'importance de la ponctualité, mais l'usage qu'elle a fait de la «première personne» lui a montré combien cette question lui tenait à cœur. Tout comme est important l'emploi qu'a fait Hélène de la «première personne» pour exprimer ses émotions sans toutefois attaquer Marcel.

Problèmes reliés aux énoncés «à la première personne».

En dépit de leur attrait théorique, certains lecteurs ont quand même des réticences à formuler des énoncés «à la première personne». La meilleure façon de résoudre les questions concernant cette approche est d'y répondre.

«JE SUIS TROP EN COLÈRE POUR POUVOIR UTILISER LA "PREMIÈRE PERSONNE" DANS MES ÉNONCÉS!» Il est vrai que lorsqu'on est en colère, la réaction la plus spontanée est de lancer un jugement catégorique «à la deuxième personne». Il est cependant plus sage de se taire jusqu'à ce que l'on ait pensé aux conséquences de ce que l'on pourrait dire, plutôt que de lancer une réflexion que l'on regrettera plus tard. Il est également important de noter qu'il existe de nombreuses possibilités d'exprimer sa colère en utilisant la «première personne». La seule différence, c'est que vous le faites en exprimant vos «propres» sentiments («Tu parles que je suis en colère contre toi!») au lieu de transformer votre réflexion en une attaque personnelle («C'était réellement une ânerie!»).

«MÊME EN UTILISANT LA "PREMIÈRE PERSONNE", L'AUTRE PEUT AVOIR UNE RÉACTION DÉFENSIVE.» Comme pour chaque approche décrite dans ce livre, l'emploi de la «première personne» peut ne pas toujours fonctionner. Les autres se montrent parfois si peu coopératifs ou accessibles. Dans d'autres cas, vous êtes tellement contrarié ou fâché que votre comportement non verbal contredira vos paroles. L'utilisation de la «première personne» *améliorera* cependant presque à coup sûr vos chances de succès, sans que cette approche risque de faire empirer les choses. Pourquoi donc ne pas l'essayer?

«L'UTILISATION DE LA "PREMIÈRE PERSONNE" PARAÎT ARTIFICIELLE.» «Cela ne ressemble pas à ma façon

> Considérez l'union d'un homme habitué à converser avec d'autres hommes, avec une femme habituée à converser avec d'autres femmes... Il a l'habitude de conversations rapides qui restent en général superficielles tout en respectant les émotions personnelles et qui lui permettent d'obtenir des conseils pratiques ou d'en proposer aux autres; ces conversations sont le plus souvent assez pragmatiques ou faites sur le ton de la plaisanterie. Elle est habituée à avoir des conversations qui, en plus d'être pratiques ou détendues, sont également une source importante de soutien émotionnel, de compréhension de sa personne et des autres. En devenant plus proche de l'homme, la femme consentira finalement à s'ouvrir à lui comme elle le ferait avec une amie intime. Il se peut qu'elle s'aperçoive cependant, à sa grande consternation, que les réponses qu'il lui apportera tombent toujours à côté. Au lieu d'en tirer un certain réconfort, elle se sentira davantage abattue. Le problème est qu'il a tendance à se montrer direct et pragmatique, alors qu'au contraire ce qu'elle recherche, elle, c'est quelqu'un qui l'écoute avec compréhension. Habituée depuis tant d'années à obtenir des réponses de ce genre de ses amies proches, la femme aura tendance à être surprise et fâchée par la réponse spontanée de son mari: «Voici donc ce que tu devrais faire...»
>
> Mark Sherman et Adelaide Haas

de parler», vont objecter certaines personnes. Une grande partie de notre maladresse initiale vient du fait que cette approche nous est peu familière. Lorsque vous vous sentirez plus à l'aise, cependant, elle vous paraîtra de plus en plus naturelle — et sera de plus en plus efficace.

Un moyen de surmonter cette maladresse initiale est de s'entraîner à faire des énoncés «à la première personne» sans prendre trop de risques: en s'y essayant en classe, dans les lettres que nous écrivons, en les destinant à des personnes sur lesquelles nous pouvons compter et sur des sujets de moindre importance. Une fois que vous aurez acquis habileté et confiance en vous, vous serez prêt à affronter de véritables situations de défi d'une façon tout à fait naturelle et sincère.

Pratique de l'utilisation du langage à la première personne

Vous pouvez développer votre habileté à envoyer des messages «à la première personne» en suivant ces étapes:

1. Imaginez certaines situations de votre vie où vous pourriez avoir émis chacun des messages suivants:

   Tu ne me dis pas la vérité!

   Tu ne penses qu'à toi!

   Ne sois pas si susceptible!

   Arrête de faire des bêtises!

   Tu ne comprends pas un traître mot de ce que je dis!

2. Écrivez une solution de rechange à chaque réflexion en utilisant la «première personne».

3. Pensez à trois énoncés «à la deuxième personne» que vous pourriez émettre. Transformez chacun d'eux en un énoncé «à la première personne» et mettez-les en pratique avec une autre personne.

Le langage et les différences reliées au sexe

Jusqu'à présent, nous avons discuté du langage comme s'il était identique pour les deux sexes. Dans de nombreux cas, cependant, nous retrouvons des différences dans la façon dont les hommes et les femmes s'expriment.

Malgré les variations importantes existant au sein de chaque groupe, les hommes et les femmes ne semblent pas avoir les mêmes intérêts au sujet

> Les hommes, eux, ont toujours besoin d'un prétexte extérieur à l'amitié. Ils sont amis avec des gens avec lesquels ils travaillent, ou qui pratiquent le même sport, ou qui partagent leurs idées, politiques ou autres. Rares sont ceux qui se racontent des choses intimes, car les vrais confidents des hommes sont des femmes. Sans doute parce qu'avec elles, ils se sentent le droit d'être vulnérables et savent qu'elles comprennent au-delà des mots. Or la parole, pour beaucoup d'hommes, est avant tout un moyen de défense.
>
> Denise Bombardier et Claude St-Laurent

des contenus de la conversation[3]. En effet, les femmes discutent plus entre elles de sexualité, d'affaires personnelles, de problèmes relationnels, de la famille, de la santé, des autres femmes, par exemple, qu'elles ne peuvent le faire avec des hommes. Ces derniers discutent entre eux de sexualité, de musique, d'actualité, de sport, d'affaires et des autres hommes. Ces différences peuvent donc conduire à une certaine frustration lorsque les hommes et les femmes tentent de discuter entre eux. «Je veux discuter de choses importantes, dit-elle, mais tout ce dont il veut discuter c'est de sport ou bien de ce que nous pourrions faire ce week-end!»

Les hommes et les femmes utilisent le langage pour différentes raisons. Les hommes aiment discuter avec d'autres hommes pour la camaraderie et l'aisance qui se dégagent de la conversation. Les femmes recherchent la compréhension ou l'empathie lorsqu'elles sont en communication avec d'autres personnes. Ainsi, tandis que les hommes *aiment bien* discuter avec d'autres hommes, les femmes semblent avoir *besoin* de communiquer avec d'autres femmes. Cette différence se reflète dans la fréquence des conversations. Cinquante p. 100 des femmes interrogées affirment téléphoner au moins une fois par semaine à leurs amies simplement pour parler. Chez les hommes, ce pourcentage chute à moins de 25 p. 100. En fait, 40 p. 100 des hommes révèlent ne jamais appeler un autre homme «juste pour avoir des nouvelles».

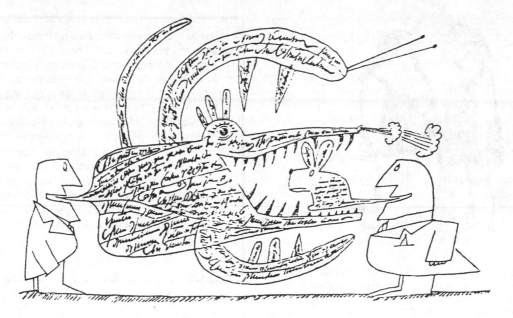

Enfin, les femmes et les hommes se comportent différemment lorsqu'ils discutent[4]. Par exemple, les hommes interrompent plus souvent les femmes qu'elles ne le font elles-mêmes, ou encore celles-ci posent près de trois fois plus de questions lorsqu'elles discutent avec les hommes qu'eux-mêmes ne peuvent le faire avec les femmes. Malgré ces différences, la relation entre le genre d'un individu et le langage n'est pas si simple. De nombreuses études ne décèlent aucune différence entre les sexes[5].

Pour tenter d'expliquer les contradictions dans les résultats de recherche portant sur les différences reliées au sexe dans le langage, des hypothèses ont été formulées. Elles englobent l'influence d'autres facteurs, tels le rôle social, le statut professionnel ou les valeurs adoptées par la personne.

Rôles sexuels Pourquoi les recherches sur les différences reliées au sexe dans le langage sont-elles si déroutantes? Dans certains cas, le discours tenu par les hommes et par les femmes semble identique, alors que d'autres études montrent des différences considérables. Comme nous l'avons déjà dit plus haut, une des raisons de cette confusion provient de ce que d'autres facteurs que le sexe même influent sur la façon dont les gens s'expriment: le cadre dans lequel une conversation a lieu, la compétence des personnes qui parlent, leur rôle dans la société (mari/femme, patron/employé, etc.). Le rôle des femmes évolue également si rapidement que beaucoup d'entre elles n'utilisent tout simplement plus le même style d'expression que leurs sœurs aînées ou leurs mères. En plus de ces facteurs, un autre élément très important influence considérablement la façon dont les individus, hommes ou femmes, s'expriment: c'est leur **rôle sexuel** — l'orientation relationnelle — qui détermine le comportement plutôt que le sexe biologique. Des chercheurs ont identifié trois rôles sexuels: le masculin, le féminin et l'androgyne. Ces types sexuels ne s'alignent pas toujours parfaitement sur le sexe biologique. Il existe des femmes «masculines», des hommes «féminins» et des communicateurs «androgynes» qui combinent les caractéristiques traditionnellement associées à chacun des sexes.

> La culture joue le rôle d'un écran extrêmement sélectif entre l'homme et le monde extérieur et [...] dans ses nombreux aspects, elle définit les champs d'attention et les champs d'ignorance.
>
> E. T. Hall

«Maintenant que nous avons appris à converser, essaie de parler le même langage que moi.»

Herbert Goldberg; copyright ©1970 – *Saturday Review Inc.*

Dans le monde romanesque d'Orwell, le mot «maman» est interdit. Comme l'expression «je t'aime». Or il n'y a pas d'innocence des mots, non plus que de hasard. De tout temps, les prisons ont été remplies de gens qui avaient eu le courage de mettre en mots leur révolte. Le vocabulaire a lui aussi ses bourreaux et ses victimes. Les féministes qui tentent aujourd'hui d'investir la grammaire, peu importe avec quel bonheur, ont compris l'importance de ce combat. En modifiant la règle des mots, elles souhaitent s'emparer des réalités qui les recouvrent, car en français le masculin ne l'emporte pas sans arrière-pensée sur le féminin.

Denise Bombardier et Claude St-Laurent

Les recherches montrent que les différences de langage se manifestent souvent en fonction de ce rôle sexuel plutôt que selon le sexe biologique de la personne qui parle. Les communicateurs «masculins» — hommes ou femmes — utilisent un langage plus dominateur que les communicateurs «féminins» ou «androgynes». Les communicateurs «féminins» ont l'approche la plus soumise, tandis que les communicateurs «androgynes» louvoient entre ces deux extrêmes. Lorsque deux communicateurs dits masculins conversent, ils cherchent le plus souvent à l'emporter, chacun répondant à la tentative de domination de l'autre par une contre-tentative du même genre. La démarche des communicateurs dits féminins est moins prévisible. Ils font usage de la domination, de la soumission ou d'un comportement équivalent, presque au hasard. Le comportement des individus dits androgynes est plus prévisible: ils répondent le plus souvent à la tentative de domination de l'autre par une tentative

Pour un langage moins «sexiste»

Le langage ne désigne pas seulement les choses auxquelles il réfère, mais il exprime aussi des attitudes par rapport à ces mêmes choses. La langue française n'échappe pas à cette règle, surtout lorsque cette même règle impose, d'une certaine façon, une conception du monde. C'est le cas notamment en ce qui a trait au genre masculin ou féminin des choses que nous désignons et aux règles qui s'appliquent lorsque nous rédigeons un texte.

La langue est le reflet d'un peuple, qui la façonne pour rendre compte de sa spécificité (le langage québécois en regard du langage français, par exemple) autant qu'il est modelé par cette langue. Source de fierté, la langue d'un peuple reflète toujours l'identité de ses utilisateurs. Dans la mesure où cette langue reflète l'âme d'un peuple, il est juste de croire à l'importance de pouvoir rendre compte de la réalité de ce peuple, et notamment de la place tenue par les femmes aujourd'hui…«une façon qui permette aux femmes d'être nommées et reconnues[6]».

Le masculin n'est pas neutre (quoi qu'on en dise) et n'inclut pas le féminin. Cette règle de la langue française est une belle source de confusion et de malentendus. Hélène Dumais relève quelques difficultés:

La confusion: On parle dans un manuel d'histoire des «électeurs» de Wilfrid Laurier alors que les femmes n'avaient pas droit de vote à cette époque. Peut-on dans un tel cas considérer que le masculin inclut le féminin?

Le sexisme: «Les délégués et leur conjointe sont invités (...)»; n'y a-t-il donc aucune déléguée ni aucun conjoint[7]?

Certaines personnes objecteront que la langue n'est qu'un outil, et en ce sens les «difficultés» engendrées par la langue ne reflètent que les conceptions de leurs utilisateurs. Soit. Cependant, il faut se rappeler que les mots façonnent notre conception du monde. Les mots utilisés pour exprimer mes pensées imposent une structure à ma pensée, à ma façon de voir les choses et d'en rendre compte. De même, les mots utilisés imposent une certaine réalité aux personnes qui m'écoutent. La preuve? N'avez-vous jamais entendu les mots «je t'aime» venant d'une personne qui, ma foi, ne vous inspirait pas ce genre d'émotion? Par ces simples mots, la relation s'en trouve changée. Peut-être les mots «je t'aime» ne reflètent-ils pas vraiment ce que la personne tente de vous dire? Faute de mots, la confusion et la crainte risquent de s'installer. Les mots sont des outils, oui. Ils permettent à ma pensée de prendre forme de manière intelligible. Mais s'il manque des mots pour rendre compte de la réalité, celle-ci ne sera certainement pas complète.

C'est pour rendre compte de la réalité que de plus en plus de gens s'appliquent à promouvoir certains changements dans la façon de parler à la fois des hommes et des femmes, sans que le masculin l'emporte sur le féminin, parce qu'à ce chapitre rien n'est plus trompeur.

Hélène Dumais suggère deux règles qui devraient lever de nombreux obstacles:

Règle n°1: *Il faut rejeter l'emploi du masculin pour désigner les deux genres. Il convient d'employer le masculin et le féminin au long. Cette règle doit s'appliquer principalement en ce qui concerne le «sujet du verbe» qui identifie une ou plusieurs personnes, l'important étant que les personnes dont on parle soient explicitement nommées selon le sexe auquel elles appartiennent.*

Règle n°2: *Il faut faire attention à l'emploi du générique, favoriser la tournure neutre et reformuler la phrase de telle sorte qu'elle ne soit pas trop sexualisée[8].*

Voici un exemple de reformulation du texte dans un langage désexisé:

a) *Texte original: Les cours d'organisation picturale et spatiale ont pour but d'apprendre au futur artiste le langage plastique utilisé dans le monde des arts. L'histoire de l'art, en plus d'instruire sur les grandes œuvres, sur leurs auteurs et leur milieu à travers les âges, constituera pour l'étudiant une documentation de grande valeur. Des cours de dessin technique apprendront un langage graphique universel à tous les élèves qui auront choisi de s'exprimer par le dessin. L'enseignement de la couleur et de son utilisation, des matériaux et de leur transformation est essentiel à ceux qui se destinent à la création. Enfin, l'apprentissage des techniques diverses reliées aux modes d'expression choisis viendra fournir aux artistes les moyens nécessaires à la réalisation de leurs œuvres.*

b) *Version désexisée: Les cours d'organisation picturale et spatiale ont pour but d'apprendre aux artistes en herbe le langage plastique utilisé dans le monde des arts. L'histoire de l'art, en plus d'instruire sur les grandes œuvres, sur leurs auteurs et auteures et leur milieu à travers les âges, constitue pour les élèves une documentation de grande valeur. Des cours de dessin technique apprendront un langage graphique universel à tous les élèves qui auront choisi de s'exprimer par le dessin. L'enseignement de la couleur et de son utilisation, des matériaux et de leur transformation est essentiel à toute personne qui se destine à la création. Enfin, l'apprentissage des techniques diverses reliées aux modes d'expression choisis viendra fournir aux artistes les moyens nécessaires à la réalisation de leurs œuvres[9].*

Le langage, tout comme la société, évolue sans cesse. De là l'importance d'être vigilant et de faire en sorte que l'une et l'autre se développent harmonieusement.

Jacques Shewchuck

> Le langage est un système conventionnel qui reflète en partie la réalité sociale d'une société. Il est, par ce fait même, un produit social et culturel. La langue française est sexiste parce qu'avec ses termes génériques masculins, ses règles d'accord, son lexique et l'utilisation de celui-ci, elle présente comme un état de fait immuable la prééminence masculine et la dévaluation de la femme. Ainsi la langue, comme la société, impose-t-elle à l'être humain un comportement qui opprime la femme.
>
> Thérèse Laliberté, *journaliste*

symétrique de contrôle, puis se dirigent rapidement vers une relation d'équilibre.

Toutes ces données laissent entendre que, lorsqu'on parle de communication, la «masculinité» ou la «féminité» sont des rôles sexuels culturellement reconnus et non des traits biologiques. Comme les possibilités des hommes et des femmes s'égalisent, nous pouvons nous attendre à ce que les différences de langage entre les deux sexes s'amenuisent.

RÉSUMÉ

Le langage est une activité symbolique régie par des règles syntaxiques, sémantiques et régulatrices. La signification des mots étant donnée par la personne et non par les mots eux-mêmes, une façon d'améliorer notre compréhension des autres est de voir comment ils font usage du langage dans des situations précises plutôt que de présumer qu'ils sous-entendent les mêmes choses que nous ou que nous pouvons déterminer la signification de leurs messages en consultant un dictionnaire.

Éviter les nombreux pièges que nous tend le langage est une façon de réduire les malentendus. Savoir faire la différence entre des énoncés factuels et des déductions. Expliquer de façon plus précise les appréciations. Faire attention lorsque nous utilisons des termes connotés plutôt que des énoncés plus neutres ou lorsque nous faisons des évaluations statiques pour étiqueter les personnes et les choses comme si elles étaient immuables. En dernier lieu, éviter les généralisations abusives pour aider les autres à mieux nous comprendre.

L'aptitude à faire usage de la «première personne» au lieu de la «deuxième» peut considérablement améliorer la qualité des relations personnelles, en augmentant la clarté des messages et en réduisant les réactions défensives. En plus d'aider à résoudre les conflits avec douceur, les messages «à la première personne» peuvent être tout aussi francs et même plus complets que les messages «à la deuxième personne». Même s'ils ne constituent pas une garantie de succès, les messages «à la première personne» peuvent augmenter les chances de bien s'exprimer.

Les ressemblances comme les différences d'expression entre les hommes et les femmes sont déroutantes. Il existe de grandes différences entre les discours masculin et féminin: contenu, style et utilisation du langage d'une part. D'autre part, certaines variables ne dépendant pas du sexe biologique, comme la fonction ou le statut social, influencent, d'une manière encore plus prononcée, la façon de s'exprimer. Dernière variable d'importance, le rôle sexuel du communicateur — rôle masculin, féminin ou androgyne — est lui aussi fort différent du sexe biologique.

Mots clés

Appréciations	Langage «à la deuxième personne»	Règles sémantiques
Connotation	Langage «à la première personne»	Règles syntaxiques
Échelle de généralisation	Normes régulatrices	Rôles sexuels

Bibliographie spécialisée

AEBISCHER, Verena, FOREL, Claire. *Parlers masculins, parlers féminins?*, Paris, Delachaux et Niestlé, 1983, 200 p.

Un livre qui traite des recherches concernant la problématique des différences de langage entre les hommes et les femmes. Analyses et commentaires de chercheurs européens sur ce sujet d'actualité.

BENOÎT, Jacques, LAMOTHE, Jacqueline. «Le Langage des femmes», *Québec Français*, n° 47, Les Publications Québec français, octobre 1982, p. 28 à 29.

Cet article présente des résultats de recherches décrivant des caractéristiques du comportement verbal des femmes, des attitudes des femmes face au langage et des attitudes des enseignants et des enseignantes quant à la stimulation verbale des enfants. Ce texte complète bien ce que vous avez lu dans ce chapitre.

BOMBARDIER, Denise, ST-LAURENT, Claude. *Le Mal de l'âme*, Paris, Robert Laffont, 1989, 211 p.

Le chapitre 5 de ce volume développe le concept de la psychosomatisation: la «résonance» des mots dans le corps. Le chapitre intitulé «Confidences au masculin et au féminin» aborde la problématique des différences reliées au sexe.

DUMAIS, Hélène. *Pour un genre à part entière,* Québec, Les publications du Québec (MEQ), 1988, 36 p.

Cette publication du ministère de l'Éducation du Québec est un outil pour «désexiser» notre langage. Des exemples et des règles sont suggérés pour raffiner notre discours et notre écriture dans le but d'inclure autant les personnes de sexe féminin que masculin, en respectant la place qui revient à tous et à toutes.

LALIBERTÉ, Thérèse. «Les femmes ne parlent pas le même français que les hommes», *Châtelaine*, n° 4, vol. 17, Maclean Hunter Canada, avril 1976, p. 40.

Cet article date de plusieurs années, mais demeure d'actualité. Vous y trouverez un excellent compte rendu des différences reliées au sexe dans le langage. Un point de vue assez radical sur le sujet, qui éveillera sûrement votre curiosité.

MOREAU, Marie-Louise, RICHELLE, Marc. *L'Acquisition du langage,* Bruxelles, Pierre Mardaga, 1981, 261 p.

Un livre qui traite essentiellement de l'acquisition du langage par la personne humaine. Le chapitre 9, «Le langage et la régulation de l'action», présente la thèse de Luria sur la fonction régulatrice du langage sur le comportement. C'est une autre façon de dire que le langage imprègne notre corps, qu'il nous façonne autant que nous sommes façonnés par lui.

MYERS, Gail E., MYERS, Michele T. *Les Bases de la communication interpersonnelle* (2e édition), Montréal, McGraw-Hill, 1990, 475 p.

Un livre sur les relations interpersonnelles dont les chapitres 5 et 6 proposent, dans un cas, une réflexion sur la nature du langage et, dans l'autre, des propositions pour mieux vivre avec celui-ci. Des thèmes développés différemment!

SZASZ, Thomas S. *Le Péché second,* Paris, Petite Bibliothèque Payot, 1973, 168 p.

Une collection de sujets présentés de manière parfois humoristique, parfois cynique, mais toujours juste, à notre avis. Ces sujets montrent comment le langage peut être une arme à double tranchant: la personne humaine commet un second péché en tentant de définir la réalité et d'y voir que celle-ci...

VAN LIER, Henri. *L'Animal signé,* Rhode-St-Genese, De Visscher, s.d., 158 p.

Un excellent livre qui traite du signe et de ses relations dans des sujets variés tels l'humour, le désir, la sexualité, etc. Un ouvrage de sémiologie accessible à tout le monde.

YAGELLO, Marina. *Alice au pays du langage,* Paris, Seuil, 1981, 212 p.

Ce livre sur la linguistique permet de comprendre davantage la relation entre le signifiant et le signifié par le biais des bandes dessinées ou des histoires de notre enfance. Dans un langage clair et accessible, Yagello nous explique la science du langage. Le chapitre 7 s'avère particulièrement intéressant.

Chapitre 6

La communication non verbale: des messages sans mots

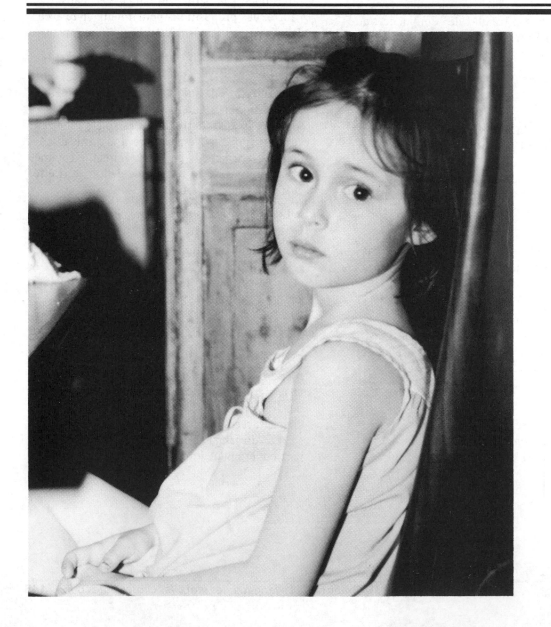

Je lis dans ton regard une tendresse inextinguible. Mêlée de tristesse, comme les jours de pluie, tu me regardes sans rien dire. Ton silence est pourtant éloquent. Tu me dis: «Prends-moi dans tes bras, j'ai besoin d'être bercée...» Je m'exécute lentement pour ne rien brusquer de ce qui émane de toi. J'ignore quoi mais cette impression qui se dégage de ta posture, tes gestes lents, vaporeux, presque irréels m'appellent assurément. Et j'y réponds sans hésiter. Car cette valse des corps, comme le suggère la sagesse populaire — pourtant si mensongère — nous raconte que ce langage est «vrai», le seul, en fait, qui puisse être entendu en toute confiance. Probablement parce que nous pouvons y lire ce que nous voulons, ou plutôt ce langage est tellement ambigu que lorsque nous nous y retrouvons tous les deux, que nous interprétons les gestes de la même façon, c'est comme un cadeau du ciel. Une magnifique communion des gestes qui exprime la complicité, les liens tissés par les années et la confiance qui s'y dessine.

Comme le portrait de notre relation.

Tu sais pourquoi je suis si fasciné par les tableaux de Modigliani? C'est cela, tu leur ressembles. Mais non, voyons! Tu me fais rire... Mais bien sûr que tes yeux sont aux bons endroits et que ta tête n'a pas l'allure d'une ogive nucléaire, rassure-toi. Tu sais ce que je veux dire... Regarde bien dans le miroir la position de nos corps. Toi petite et frêle dans mes bras beaucoup trop grands. Ta tête appuyée sur ma poitrine et mes bras qui t'entourent avec assurance. Sans expliquer quoi que ce soit avec les mots, écoute ce que cette image a à te dire. Laisse-toi glisser sur le versant des émotions et des images. Et si tu t'y laisses aller, j'aimerais que tu entendes ce que je ressens à ce moment précis. Comme une musique qui nous ressemble, écoute ce que nos corps ont à nous enseigner. On entend maintenant avec nos bras, avec nos yeux... Oui, il suffit de la confiance pour se laisser entendre dire ce que l'on a à dire sans les mots.

Tu t'endors. Je ne dis plus rien. Je te garde collée sur moi et ma respiration épouse le rythme de ton souffle. Je m'endormirai bientôt avec toi mais, juste avant, mes gestes te répondront à leur tour que «je t'aime».

Jacques Shewchuck

Il est parfois difficile de savoir comment les autres se sentent réellement. Bien souvent, ils ne le savent pas eux-mêmes, ou il se peut qu'ils aient de bonnes raisons de ne pas vouloir nous le dire. Dans les deux cas, il nous est parfois impossible de deviner ce qui se passe dans leur tête uniquement en posant des questions.

Que faire donc pour franchir cet obstacle qui se présente quotidiennement et souvent dans les situations les plus importantes?

L'observation de notre personne et des autres sera l'objectif de ce chapitre. Dans les pages qui suivent, nous allons nous pencher sur la communication non verbale, la façon dont nous nous exprimons, non par les mots que nous prononçons mais par les gestes que nous *faisons*. Le psychologue Albert Mehrabian affirme que 93 p. 100 de l'effet émotionnel d'un message provient de sources non verbales et seulement 7 p. 100 de sources verbales[1]. L'anthropologue Ray Birdwhistell affirme pour sa part que 65 p. 100 de l'effet causé vient de sources non verbales, contre 35 p. 100 venant de sources purement verbales[2]. Que nous voulions ou non contester ces chiffres précis, un élément demeure: la communication non verbale contribue pour beaucoup à la transmission des messages. Nous devons développer l'aptitude à comprendre les messages non verbaux et à y réagir.

Définition de la communication non verbale

Pour commencer, il est nécessaire de donner une définition au terme «communication non verbale». À première vue, cela peut paraître relativement simple: si *non* signifie «non» et *verbal* «avec des mots», *communication non verbale* signifie «communication sans mots». En réalité, cette définition littérale n'est pas tout à fait exacte. La plupart des spécialistes en communication, par exemple, ne qualifient pas le langage par signes (dont se servent beaucoup de personnes ayant des problèmes auditifs) de non verbal, même si les messages ne sont pas «prononcés». D'un autre côté, vous verrez bientôt que certains aspects de la voix ne sont pas à proprement parler verbaux. (En avez-vous déjà à l'esprit?)

Il ne s'agit pas ici de débattre toute la question de ce qui est ou de ce qui n'est pas «non verbal». Même si le sujet est sans aucun doute fort intéressant, il nous faut poursuivre notre introduction et définir la **communication non verbale** comme «l'expression des messages que nous transmettons par des procédés autres que linguistiques». Cela exclut non seulement le langage par signes, mais également la langue écrite, tout en comprenant les messages transmis par des procédés vocaux qui n'impliquent pas le langage — les soupirs, les rires et les autres bruits variés dont nous parlions un peu plus tôt. De plus, cette définition permet d'explorer les dimensions non linguistiques des mots prononcés, comme le volume, le débit, le ton de la voix, etc.

Cette définition succincte ne fait que souligner l'extrême variété des messages non verbaux. Vous pouvez commencer à en juger la fréquence en faisant l'exercice suivant:

Communication verbale et communication non verbale

Voici une expérience que vous pouvez faire chez vous ou en classe. Elle vous aidera à comprendre le fonctionnement de la communication non verbale.

1. Choisissez un partenaire et trouvez un endroit où vous pourrez être tranquilles.

2. Asseyez-vous ensuite dos à dos avec votre partenaire, en vous assurant qu'aucune partie de vos corps ne se touche. Vous êtes assis de façon à pouvoir vous parler à l'aise sans vous voir l'un l'autre.

3. Une fois assis, prenez deux minutes pour discuter d'un sujet de votre choix. La seule exigence ici est de ne pas vous toucher ni vous regarder l'un l'autre. Communiquez seulement avec des mots.

4. Retournez-vous ensuite pour faire face à votre partenaire, à une distance raisonnable l'un de l'autre. Maintenant que vous pouvez vous voir et vous entendre, poursuivez votre conversation pendant deux autres minutes.

5. En continuant à vous faire face, arrêtez maintenant de vous parler pendant deux autres minutes. Vous vous joignez les mains et communiquez vos messages en vous regardant et en vous touchant seulement. Essayez de prêter attention à ce que vous ressentez à ce stade de l'expérience. Aucun comportement n'est bon ou mauvais ici — il n'y a aucune raison de vous sentir embarrassé, timide ou quoi que ce soit. La seule consigne est de *demeurer silencieux*.

Une fois l'expérience terminée, discutez-en pendant quelques instants avec votre partenaire. Commencez par échanger vos impressions sur les émotions ressenties tout au long de l'expérience. Vous êtes-vous sentis à l'aise, nerveux, enjoués, tendres? Vos impressions ont-elles changé d'une étape à l'autre? Votre partenaire pouvait-il deviner ces émotions sans que vous les lui exprimiez? Si oui, de quelle façon? Votre partenaire vous-a-t-il également communiqué ce qu'il ressentait?

Caractéristiques de la communication non verbale

Si cette expérience vous a semblé étrange, nous espérons néanmoins que vous l'avez exécutée jusqu'au bout, car elle fait ressortir plusieurs éléments de la communication non verbale.

La communication non verbale est réelle

Même lorsque vous vous trouviez à l'étape où aucun mot n'était prononcé, vous avez probablement pu saisir une partie des émotions que votre partenaire ressentait en lui touchant les mains, en remarquant certaines de ses attitudes ou expressions — peut-être même plus que ce que vous pouviez observer lorsque vous aviez une conversation normale. Nous espérons que cet exercice a su

---

Un écrivain (au producteur de films Sam Goldwyn): «M. Goldwyn, je vous raconte une histoire sensationnelle. Je vous demande seulement de me donner votre opinion et vous vous endormez.»

Goldwyn: «Le fait de m'assoupir n'est-il pas en lui-même une réponse?»

---

vous montrer qu'il existe d'autres langages, en plus de la parole, qui transmettent des messages sur nos relations interpersonnelles.

Ce qui est important, ce n'est pas *comment* vous ou votre partenaire vous êtes comportés pendant l'exercice — que vous ayez été tendus ou décontractés, aimables ou distants. Nous désirions vous montrer que, même sans expérience pertinente, vous pouviez parvenir à reconnaître et, jusqu'à un certain point, interpréter les messages que les autres vous transmettent de manière non verbale. Dans ce chapitre, nous voulons vous sensibiliser aux aptitudes qui sommeillent en vous, vous donner un meilleur aperçu de vos connaissances intuitives du langage non verbal et vous montrer que cette connaissance peut vous aider à mieux vous comprendre et à comprendre davantage les autres.

Il est impossible de ne pas communiquer Le fait que vous ayez pu échanger avec votre partenaire sans utiliser de mots nous amène à souligner la deuxième caractéristique importante de la communication non verbale. Pour comprendre ce que nous entendons par là, pensez à l'exercice que vous venez de faire. Supposez que nous vous ayons demandé de ne pas communiquer de message du tout à votre partenaire. Qu'auriez-vous alors fait? Fermé les yeux? Vous seriez-vous replié sur vous-même? Auriez-vous quitté la pièce? Vous pouvez probablement comprendre comment des réactions de ce genre sont des messages en eux-mêmes et indiquent que vous désirez éviter tout contact.

Prenez maintenant une minute pour tenter de *ne pas* communiquer. Joignez-vous à un partenaire et essayez de ne pas vous transmettre de message l'un à l'autre pendant un certain temps. Que se passe-t-il?

Cette immpossibilité à ne pas communiquer est extrêmement importante à comprendre, parce qu'elle implique que, quoi que nous fassions, nous donnons constamment des informations sur notre personne.

Prenez le temps de vous regarder. Si quelqu'un vous observait en ce moment précis, quels indices non verbaux obtiendrait-il d'après votre comportement? Vous tenez-vous incliné à l'avant ou bien à

l'arrière? Êtes-vous tendu ou décontracté? Vos yeux sont-ils grands ouverts ou fermés? Quel message l'expression de votre visage traduit-elle? Pouvez-vous garder un visage impassible? Les personnes qui ont des visages inexpressifs ne vous communiquent-elles pas également un certain message?

Nous n'avons pas toujours l'intention d'émettre ces messages non verbaux. Pensez, par exemple, à des réactions comme le rougissement, le froncement des sourcils, la transpiration ou le bégaiement. Il est bien rare que nous cherchions à les provoquer et nous n'en sommes souvent même pas conscients. Néanmoins, les autres ne manquent pas de remarquer ces signes et de faire des interprétations sur nous à partir des observations qu'ils font.

Le fait que vous et votre entourage envoyez constamment des indices non verbaux *est* important, car cela signifie que vous disposez d'une source constante d'informations sur vous et sur les autres. Si vous savez vous mettre à l'écoute de ces signaux, vous serez en mesure de savoir comment se sentent et pensent les gens qui vous entourent, et vous serez davantage en mesure de réagir à leur comportement.

La communication non verbale est affaire de culture Les cultures ont différents langages non verbaux aussi bien que verbaux. Fiorello LaGuardia, le maire légendaire de New York entre 1933 et 1945, parlait couramment l'anglais, l'italien et le

«Je vous le dis, M. Arthur, cette enquête ne peut aucunement enregistrer des réponses non verbales.»

yiddish. Des chercheurs qui regardaient les films de ses discours électoraux se sont rendu compte que sans mettre le son, ils pouvaient dire en quelle langue il était en train de s'exprimer rien qu'en observant les changements de son comportement non verbal[3].

Ces différences culturelles peuvent conduire à certaines méprises ou... à la réflexion, comme le fait Jacques Godbout de manière très humoristique[4]. Avant de poursuivre, lisez l'encadré ci-dessous.

Des différences de culture moins évidentes peuvent endommager des relations personnelles sans que les parties en cause n'aient vraiment eu conscience de ce qui n'a pas marché. Edward Hall fait remarquer que, si les Américains sont à l'aise en se maintenant à un peu plus d'un mètre de distance de leur partenaire lorsqu'ils traitent des affaires, les gens du Moyen-Orient ont l'habitude de se tenir beaucoup plus près[5]. Il est facile d'imaginer le mouvement d'avance et de recul qui se produit lorsque des diplomates ou des gens d'affaires de cultures différentes se rencontrent.

Ah! Ces maudits cousins!

DES DIFFÉRENCES DE COMPORTEMENT QUE QUÉBÉCOIS ET FRANÇAIS AURAIENT AVANTAGE À MÉDITER ENTRE LES SOMMETS

La francophobie est une attitude primaire et désagréable. Maudits Français. Pourtant il y a suffisamment de Québécois qui trouvent les Français prétentieux, méprisants et agressifs pour

qu'on s'en inquiète. Se pourrait-il que, Québécois et Français, nous soyons unis par la langue mais séparés par des codes sociaux qu'on ne prend jamais la peine de nous expliquer?

Sans être franchement francophobe, on peut trouver que la façon dont les Français élèvent leur progéniture reste inacceptable: Pourquoi frapper un enfant en public, crier plus fort que lui, exiger qu'il se comporte comme un adulte à sept ans? Sur les plages, l'été, le sport français favori semble être la taloche: «Alors, tu ne veux pas comprendre?» Pan! Maudits Français.

Lors d'un séjour des membres du Goncourt au Québec, il y avait eu dans la classe culturelle tout un cirque! Les écrivains des deux côtés de la mare avaient transgressé 20 fois le code sans le savoir. Par gentillesse, par exemple, Roger Lemelin s'était permis de faire visiter sa maison de Cap-Rouge à ses pairs. Le lendemain, les Goncourt se gaussaient: a-t-on idée de faire voir toutes les pièces de la maison — y compris la chambre à coucher — à ses invités! Lemelin avait cru ouvrir sa maison, ils lui reprochaient d'avoir fait l'article. Maudits Français.

Qui n'a pas, lors d'un voyage en France, voulu acheter un fruit: «Alors, madame, vous les achetez ou vous les tâtez, mes pommes?» En France, on s'agresse sans être agressif, mais encore faut-il savoir comment s'établit la hiérarchie entre les clients, les employés, le patron. La caissière qui grimpe sur un tabouret pour examiner la clientèle n'est pas toujours agréable et prête à renseigner. Maudits Français.

En fait, tout ce qui nous oppose aux Français tient à notre éducation américaine. Et l'inverse est vrai. Le Québécois, par exemple, partage avec les Français le goût de la clôture, du territoire qu'il faut défendre, alors que les Américains s'entourent de pelouses à l'infini et se mettent gentiment le nez dans vos affaires. Maudits Américains.

Le spectacle le plus désolant de la bêtise américaine reste ces jeux télévisés où l'on distribue des cadeaux à des adultes qui hurlent comme des enfants. Une Américaine peut aller jusqu'à simuler l'hystérie devant une voiture automobile, un Américain bat des mains parce qu'on lui donne une chaîne haute-fidélité. N'importe quoi pour de l'argent. Maudits Américains.

Mais la bêtise française, par contre, s'étale dans l'émission (que l'on peut voir sur le câble ici) Sexy folies, un titre anglais pour faire plus affriolant certainement, et qui présente le comble de la vision machiste parisienne: animateur en cravate qui pelote les fesses d'une soubrette, jeux de strip-tease où chaque dessous enlevé suggère un commentaire débile, et cette Madame France qui, habillée en concierge, donne à chacun des conseils de comportements sexuels tout droits sortis d'un manuel des années 50!

Le tout en musique avec des plans rapprochés de seins nus et de derrières déhanchés. Maudits Français.

Dans l'une des rares études comparatives qui existent des attitudes françaises et américaines, Raymonde Carrol, ethnologue, dit que l'Américain doit afficher sa force en parlant d'argent, le Français en étalant ses prouesses sexuelles. Ils ne sont pas faits pour s'entendre dans un salon. Évidences invisibles donne d'abondants exemples de comportements incompréhensibles aux uns et aux autres à propos de la maison, des repas, de l'éducation, des rapports de couple ou de l'amitié que de nombreux Québécois auraient avantage à méditer avant et après les Sommets.

Dans tout ce qui touche les rapports humains, les Québécois semblent avoir souvent choisi un juste compromis entre l'attitude française et l'américaine. Mais encore faut-il savoir ce qui fonde le rapport à l'autre si l'on veut dépasser la phobie.

Raymonde Carrol explique qu'en ce qui touche l'éducation d'un enfant, le parent français se sent toujours jugé, soumis à un test. Aux USA c'est l'enfant américain qui est soumis à un test. En France l'enfant est un discours social et tous ont charge de l'éducation. En fait en tout Français il y a un instituteur qui sommeille. Au Québec l'enfant est moins écrasé qu'en France, mais aussi moins libre qu'aux USA où l'on nous trouve timorés.

Par contre, pour ce qui est de la parole, nous l'utilisons à l'américaine. Pour le Français la parole est une relation. Le silence est une distance. Les Américains parlent pour marquer la même distance. Les codes de politesse, de comportements d'affaires, de relations amoureuses sont aussi importants à connaître que les langues étrangères quand nous habitons des villes cosmopolites.

Plus près des Français par la langue que par les manières, nous partageons avec les Canadiens des codes invisibles (le ton de la voix) même si nous ne parlons pas la même langue. Mais nous sommes loin de l'osmose totale: les planchers des salles de cinéma de l'Ouest de Montréal sont toujours englués de sirop et de popcorn. Dans l'Est c'est plus propre. C'est que nous sommes sans doute mieux éduqués. Maudits Anglais!

Jacques Godbout

> Les systèmes non verbaux sont d'ailleurs étroitement reliés à l'ethnie et forment même, selon Hall, l'essence des caractères ethniques.
>
> Marie Lise Brunel

La personne du Moyen-Orient s'avancera probablement pour essayer de combler le vide entre son interlocuteur et elle, tandis que l'Américain aura tendance à reculer. Tous deux se sentiront quelque peu mal à l'aise sans en connaître réellement la raison.

Comme la distance, le regard que l'on jette à son partenaire varie selon les pays[6]. Regarder son partenaire dans les yeux est tout à fait d'usage dans les pays d'Amérique latine, dans le monde arabe et au sud de l'Europe. Par contre, pour les Asiatiques, les Indiens, les Pakistanais ou les personnes d'Europe du Nord, il est de mise de regarder les gens de façon moins directe ou de détourner le regard. Dans les deux cas, des dérogations à la règle auront tendance à mettre mal à l'aise la personne qui écoute.

À l'intérieur d'une même culture, différents groupes peuvent avoir différentes règles. Une étude menée aux États-Unis dans les années 70 a montré, par exemple, que beaucoup de Noirs évitaient de regarder directement les gens dans les yeux[7]. Les conclusions de l'étude montraient aussi que les Blancs interprétaient cette absence de regard direct comme un signe d'indifférence ou de fuite. Une autre différence concernait les échanges dans la conversation: les Blancs qui écoutaient (respectant leurs habitudes culturelles) se mettaient à parler lorsque les Noirs faisaient une pause en les regardant fixement — alors que les Noirs n'avaient pas nécessairement fini de parler. Tant qu'il existe des différences culturelles, ce genre de maladresse peut être réduit si les communicateurs prennent conscience des règles de comportement qu'ils véhiculent dans la conversation.

En dépit de différences comme celles que nous venons d'énumérer, un grand nombre de comportements non verbaux sont universels. Certaines expressions ont la même signification partout à travers le monde. Dans toutes les cultures, les sourires et les rires traduisent habituellement une émotion positive, de même qu'une expression revêche indique le mécontentement[8]. Charles Darwin pensait que des expressions comme celles-ci étaient le résultat de l'évolution, qu'elles agissaient comme des mécanismes de survie et qu'elles avaient permis aux premiers humains, avant le développement du langage, de transmettre leurs états émotionnels. Le caractère inné de certaines expressions du visage devient encore plus évident lorsque l'on observe le comportement des enfants sourds et aveugles de naissance[9]. Bien qu'ils ne puissent apprendre par imitation, ces enfants utilisent un large éventail d'expressions: ils sourient, rient et pleurent comme les autres enfants.

Si des expressions non verbales comme celles-ci peuvent être universelles, la façon dont on en fait usage varie considérablement d'un pays à l'autre. Dans certaines cultures, l'étiquette interdit la manifestation ouverte de sentiments comme la joie ou la colère. Dans d'autres cultures, les mêmes émotions sont parfaitement admissibles. Ainsi, un Japonais peut paraître beaucoup plus réservé et tranquille qu'un Arabe, alors que leurs sentiments sont tout à fait identiques.

La communication non verbale exprime principalement des attitudes
La communication non verbale convient particulièrement à l'expression des attitudes[10]. Elle est moins efficace à véhiculer des pensées ou des idées.

Vous pouvez vérifier l'exactitude de cette dernière affirmation en indiquant quels messages parmi les suivants sont les plus faciles à exprimer de manière non verbale:

Vous êtes fatigué.

Vous êtes partisan de la peine capitale.

Vous êtes attiré par une autre personne du groupe.

Vous pensez que l'on devrait autoriser les prières à l'école.

Vous êtes en colère contre quelqu'un dans la pièce.

Cette expérience montre que, faute de plus amples explications, les idées ne se prêtent pas aussi bien que les attitudes à être exprimées de façon non verbale. Un message a parfois un lien avec la conversation en cours («Je pense que c'est une excellente idée!»), comme il peut refléter l'état d'une relation («Vous parler m'ennuie»).

La communication non verbale a de nombreuses fonctions Si ce chapitre traite avant tout de communication non verbale, n'allez pas croire pour autant que les mots que nous prononçons ou les actes que nous posons n'ont aucun lien avec elle. Au contraire: la communication verbale et la communication non verbale sont étroitement liées. Dans de nombreuses relations personnelles, des comportements non verbaux peuvent intervenir de concert avec des messages verbaux[11].

1. *Réitération* Si l'on vous demande où se trouve le supermarché le plus proche, vous pourriez répondre: «Au nord, à deux rues d'ici», puis répéter vos instructions de façon non verbale en pointant le doigt dans cette direction. Pointer du doigt est un exemple de ce que les spécialistes des sciences humaines appellent **emblèmes** — des comportements non verbaux délibérés qui ont une signification bien précise, connus de pratiquement tout le monde à l'intérieur d'un groupe culturel donné. Nous savons tous, par exemple, qu'un mouvement de la tête de haut en bas veut dire «oui», un hochement de la tête de gauche à droite «non», un mouvement de la main «bonjour» ou «au revoir» et une main

portée à l'oreille «j'ai des difficultés à vous entendre».

2. *Substitution* Des emblèmes peuvent également remplacer un message verbal. Lorsqu'un ami vous demande: «Quoi de neuf?», vous pouvez hausser les épaules au lieu de lui répondre par des mots. Les moyens de remplacement ne sont cependant pas tous des emblèmes. Les façons de répondre sont parfois plus ambiguës ou moins intentionnelles. Un soupir, un sourire ou un froncement des sourcils peuvent remplacer une réponse verbale à la question: «Comment ça va?» Comme le suggère le dernier exemple, un substitut non verbal est particulièrement approprié lorsqu'on est réticent à s'exprimer oralement.

3. *Complément* Si vous avez observé un étudiant en train de parler à un professeur, la tête légèrement inclinée, la voix basse et hésitante tout en se dandinant d'un pied sur l'autre, vous pourriez en avoir conclu qu'il se sentait inférieur à son interlocuteur, peut-être même embarrassé de ce qu'il venait de faire. Les comportements non verbaux observés ont fourni le contexte aux comportements verbaux, établissant la relation

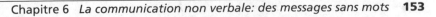

qui existe entre le professeur et l'étudiant. Ici, un comportement non verbal de complément traduit les attitudes que les deux parties ont l'une envers l'autre.

La plupart des comportements complémentaires consistent en **mimiques** ou en gestes illustratifs — des comportements non verbaux qui accompagnent et renforcent les mots prononcés. Se gratter la tête lorsqu'on cherche une idée ou faire claquer ses doigts lorsqu'on trouve la réponse sont des gestes qui accompagnent les messages verbaux. Des recherches montrent que les Nord-Américains font davantage appel à des mimiques lorsqu'ils sont en proie à des émotions — notamment en essayant d'expliquer certaines idées difficiles à verbaliser — ou encore lorsqu'ils sont sous l'effet de la colère, de la peur, d'une grande agitation, de la détresse ou de l'excitation[12].

4. *Accentuation* De la même façon que nous utilisons l'italique pour mettre en relief une idée sur le papier, nous nous servons de moyens non verbaux pour accentuer les messages verbaux. Pointer un doigt accusateur ajoute de l'intensité

à une critique (ainsi qu'une réaction défensive de la part du récepteur). Accentuer certains mots avec la voix («C'était *ton* idée!») est un excellent exemple de la notion présentée ici. Pouvez-vous formuler d'autres exemples semblables?

5. *Régulation* Les comportements non verbaux peuvent aider à contrôler le rythme de la communication verbale. Étudions un exemple: les différents partenaires d'une conversation envoient des répliques ou en reçoivent à tour de rôle, prenant ou cédant la parole de manière inconsciente, le plus souvent[13]. Lorsqu'on est prêt à céder la parole, la règle générale est la suivante: élever le ton de la voix, puis le laisser retomber ou bien encore étirer la syllabe finale de son énoncé. Si vous voulez garder la parole lorsqu'une autre personne semble décidée à vous la couper, il vous faut alors prendre une respiration audible, adopter un ton de voix uniforme (puisque hausser puis baisser le ton signale la fin de votre intervention) et éviter de faire des pauses au cours de votre intervention. Il existe d'autres moyens non verbaux de faire savoir que vous voulez prendre la parole ou de signifier que vous ne tenez pas à la prendre.

6. *Contradiction* Les gens expriment souvent, de façon simultanée, des messages différents, leur comportement non verbal contredisant leur énoncé verbal. Exemple courant de ce genre de «double message»: nous avons sûrement tous entendu une personne s'exclamer, alors qu'elle a le visage empourpré et les veines protubérantes: «En colère moi? Mais *pas du tout!*»

De manière générale, la contradiction entre les paroles et le comportement non verbal n'est pas si évidente. Il nous arrive à tous de paraître différents de ce que nous sommes en réalité. Nous avons plusieurs raisons de le vouloir: cacher notre nervosité lorsque nous faisons un discours ou lors d'une entrevue d'emploi, empêcher quelqu'un de se faire du souci pour nous, paraître plus séduisant que ce que nous croyons être.

Même si certaines façons de se contredire sont assez subtiles, les **doubles messages*** ont, en général, un impact puissant. Des recherches montrent que lorsqu'un récepteur remarque une certaine contradiction entre les messages verbaux et non verbaux, ceux qui ne sont pas verbalisés ont généralement plus de poids[14].

La duplicité est peut-être le type de double message le plus intéressant à étudier. Les signes de la duplicité — également appelés **fuites** — peuvent s'observer dans plusieurs types de comportement non verbal. Cependant, certains canaux non verbaux sont plus révélateurs que d'autres. Les expressions du visage sont moins révélatrices que celles du corps, probablement du fait que les personnes qui cherchent à duper sont plus attentives à les contrôler[15]. Plus révélateur encore est le ton de la voix, qui peut fournir une foule d'indices[16]. Dans une expérience, les sujets que l'on avait poussés à tromper leur entourage ont commis plus d'erreurs de langage et ont parlé moins longtemps avec un débit de paroles moins rapide que les sujets à qui l'on avait demandé de parler sincèrement. Une autre étude montrait que le ton de la voix d'une personne qui ne dit pas la vérité a tendance à être plus élevé que celui de la personne qui dit la vérité. Il a été également démontré que les personnes qui s'étaient préparées à mentir répondaient en général plus rapidement que celles qui disaient la vérité, principalement parce qu'elles devaient moins réfléchir. Lorsque, par contre, elles ne s'y

étaient pas préparées, ces personnes prenaient en général plus de temps à répondre que les personnes préparées ou que celles qui disaient la vérité.

Comme l'indique également l'étude, les personnes qui cherchent à tromper ne divulguent pas toujours des indices qui dénoncent leurs mensonges. Le mensonge ne se révèle par le comportement non verbal que lorsque ces personnes n'ont pas eu le temps de se préparer, lorsqu'elles ont certains scrupules quant au fait de cacher certaines informations, qu'elles se sentent nerveuses ou coupables de ce qu'elles font. Même lorsque les **indices de duplicité** sont nombreux, ils ne sont pas dus nécessairement au mensonge lui-même; ils reflètent plutôt l'anxiété des personnes qui sont en train de tromper. Le tableau 6-1 indique dans quelles conditions les personnes qui cherchent à tromper se trahissent par des fuites non verbales.

Ce ne sont pas tous les doubles messages qui ont pour objectif d'abuser le destinataire. Certains sont une façon polie d'exprimer une idée difficile à rendre par des mots. Souvenez-vous par exemple d'une occasion où vous trouviez la conversation ennuyante, lorsque votre interlocuteur continuait à parler pour ne rien dire. En pareille circonstance, l'énoncé le plus direct aurait été: «J'en ai assez de vous écouter; j'aimerais m'en aller.» Il est évident qu'un comportement non verbal moins direct est une façon plus courtoise de s'exprimer. Dans ce sens, l'aptitude à transmettre délibérément des

---

* Bateson et ses collaborateurs (1956) avaient même cru avoir mis à jour la relation spécifique de la schizophrénie par ce type de communication. Le message induit d'emblée un paradoxe, auquel il est donc impossible de réagir de manière adéquate. Le plus souvent, il est interdit aussi de dévoiler la contradiction. Un enfant perçoit la colère de son père derrière des propos affectueux. Le père

nie et exigera de l'enfant qu'il nie aussi. L'enfant se trouve dans une situation sans issue. Pour garder l'affection du parent, l'enfant en vient à nier ses perceptions. Pour une analyse des effets potentiels de ce type de communication sur la santé mentale, nous vous suggérons l'ouvrage de Jacques Corraze, *Les maladies mentales*, Paris, PUF, 1977, 136 p.

messages non verbaux qui contredisent certaines paroles peut être vue comme une habileté de communication.

La communication non verbale est ambiguë

Vous avez vu dans le chapitre 5 que les messages verbaux peuvent être mal interprétés lorsqu'il y a une ambiguïté due au choix des mots. Mais vous n'avez encore rien vu! Les messages non verbaux sont encore plus ambigus. Imaginez deux significations possibles au silence de votre compagnon après une soirée fort agréable. Supposez également qu'une personne très admirée, avec qui vous avez travaillé, s'intéresse tout à coup à vous plus qu'elle ne le faisait auparavant. Que pourrait signifier ce changement de comportement? Si un comportement non verbal peut être très révélateur, il peut avoir également tellement de significations possibles qu'il est difficile de savoir quelle interprétation est la bonne.

Cependant, tous les comportements non verbaux ne sont pas si ambigus. Dans des études effectuées en laboratoire, les gens ont, en général, plus de facilité à identifier les expressions du visage reflétant le bonheur, l'amour, la surprise ou l'intérêt que les expressions négatives comme la peur, la tristesse, la colère ou le dégoût[17]. Dans la réalité, cependant, certaines expressions non verbales spontanées peuvent être si ambiguës que les observateurs sont incapables de reconnaître avec certitude les émotions qu'elles traduisent autrement qu'en avançant des hypothèses[18].

Les autorités gouvernementales ont souvent conscience de mal interpréter les messages non verbaux ambigus. Au moment d'établir la ligne du «téléphone rouge» entre Washington et Moscou pour permettre aux gouvernements américain et soviétique de communiquer en période de crise, les experts de la Maison-Blanche rejetèrent l'idée d'y ajouter une liaison vidéo, arguant que «dans une situation de crise, nous ne désirerions pas laisser le champ libre à de mauvaises interprétations tirées d'expressions du visage ou de tons de voix[19]».

Ce même genre de précaution est sage lorsqu'on réagit à des indices non verbaux dans des situations de la vie quotidienne. Plutôt que de sauter rapidement aux conclusions quant à la signification d'un soupir, d'un sourire, d'une porte claquée ou d'un bâillement, il est bien préférable de considérer ces messages comme des indices qu'il faut aller vérifier.

En dépit de l'ambiguïté des messages non verbaux, certaines personnes sont plus douées que d'autres pour les décoder[20]. En général, les observations montrent que les meilleurs émetteurs de messages non verbaux sont également de meilleurs récepteurs. L'aptitude à décoder ces messages s'accroît également avec l'âge et l'expérience, bien qu'elle reste inégale, selon la personnalité ou la fonction des individus. Les personnes extraverties,

Tableau 6-1 Fuite d'indices non verbaux de duplicité

Ces indices risquent le plus d'être découverts lorsque la personne qui cherche à tromper:	Ces indices risquent le moins d'être découverts lorsque la personne qui cherche à tromper:
Désire cacher des émotions ressenties au moment même.	Désire cacher des informations qui n'ont aucun lien avec ses émotions personnelles.
A certains scrupules quant à cacher des informations.	N'a aucun scrupule à vouloir cacher de telles informations.
Est inquiète au sujet de ses agissements.	Est certaine de ce qu'elle fait.
Se sent coupable de tromper.	N'éprouve aucun sentiment de culpabilité en le faisant.
Tire peu de plaisir à tromper.	Tire un certain plaisir à le faire.
A besoin de préparer son message avec soin pour le transmettre.	Connaît très bien le message qu'elle doit transmettre pour l'avoir répété auparavant.

Tiré de «Mistakes When Deceiving» de Paul Ekman dans: *The Clever Hans Phenomenon: Communication with Horses, Whales, Apes, and People*, éd. Thomas A. Sebeok et Robert Rosenthal, New York, Académie des Sciences de New York, 1981, pages 269 à 278.

par exemple, jugent en général mieux les comportements non verbaux que les gens très méthodiques. Ce qui est également intéressant à noter c'est que les femmes semblent plus douées que les hommes pour décoder ce genre de message. Selon les résultats d'une synthèse de nombreuses recherches, plus de 95 p. 100 des études où on tenait compte des différences entre les sexes ont démontré que les femmes interprètent les signes non verbaux de manière plus juste[21]. Même en tenant compte de cette différence, il reste que les meilleurs décodeurs ne parviennent jamais à une lecture parfaite des comportements non verbaux.

Lecture du «langage du corps»

En passant à la caisse de votre supermarché ou en attendant un avion, vous avez sans doute remarqué des livres qui se proposaient de vous enseigner à déchiffrer le «langage du corps». Ils assurent que vous pouvez apprendre à lire les pensées des autres et à découvrir leurs secrets les plus profonds. Ce n'est pourtant pas aussi simple que cela. Voici maintenant un exercice qui pourra à la fois accroître vos aptitudes à observer des comportements non verbaux et vous montrer le danger qui existe à être trop certain de savoir lire parfaitement le langage du corps. Vous pouvez essayer de faire cet exercice en classe ou en dehors de la classe, et sa durée est variable, allant d'une période de cours à plusieurs jours. Dans tous les cas, commencez par vous choisir un partenaire et suivez ensuite ces directives:

1. Pendant la première période (à vous d'en déterminer la durée), observez le comportement de votre partenaire. Notez sa façon de se déplacer, ses tics, son attitude, sa façon de parler, de s'habiller, etc. Pour retenir ces observations, prenez-les en note. Si vous faites cet exercice en dehors de la classe sur une plus longue durée, ne le laissez pas vous distraire de vos occupations habituelles: votre seul travail ici consiste à établir la liste des comportements de votre partenaire. À ce stade de l'expérience, faites bien attention de *ne pas interpréter* ses gestes; contentez-vous de dresser la liste de ceux que vous observez.

2. À la fin de la période, faites part à votre partenaire de ce que vous avez remarqué sur lui, et celui-ci fera de même avec vous.

3. Au cours de la période suivante, votre tâche sera non seulement d'observer le comportement de votre partenaire, mais également de l'*interpréter*. Cette fois-ci, vous devrez lui faire part de ce que son comportement révélait selon vous. Par exemple, s'il était habillé négligemment, avez-vous pensé qu'il pouvait s'être réveillé en retard, qu'il ne faisait pas tellement attention à son apparence ou qu'il voulait avant tout se sentir à l'aise? Si vous avez remarqué qu'il bâillait souvent, avez-vous pensé que cela pouvait signifier qu'il s'ennuyait, qu'il était fatigué ou se sentait endormi après un bon repas? Ne vous sentez pas mal à l'aise si certaines de vos hypothèses ne sont pas fondées. Souvenez-vous: les indices non verbaux ont tendance à être ambigus. Vous serez sans doute surpris de constater comment le fait de vérifier certains indices non verbaux observés peut aider à tisser des liens avec une autre personne.

Cet exercice devrait vous avoir montré la différence entre le fait d'observer simplement le comportement d'une personne et celui de l'interpréter réellement. Remarquer le tremblement des mains ou le sourire d'une personne est une chose, mais en connaître la signification en est une autre. Comme la majorité des gens, vous avez dû sans doute vous apercevoir que beaucoup de vos suppositions étaient infondées. Si cela est vrai dans cet exercice, c'est que cela l'est sans doute également dans votre vie quotidienne. Être un observateur avisé de comportements non verbaux peut vous donner une bonne idée de la façon dont les autres personnes se sentent, mais le seul moyen de savoir si vos suppositions sont exactes consiste à *les vérifier de vive voix* en utilisant la méthode de vérification de perception que nous avons étudiée au chapitre 3.

Je présume que c'est quelque chose que vous avez dit qui m'a fait me contracter et m'éloigner. Lorsque vous m'avez demandé: «Mais qu'est-ce?», j'ai bien sûr répondu: «Rien.»
Lorsque je dis: «Rien», vous pouvez être certain qu'il y a au contraire quelque chose. Ce quelque chose est un gros morceau froid et dur de Rien.

Lois Wyse

Différences entre communication verbale et communication non verbale

Les messages verbaux et non verbaux sont aussi indispensables les uns que les autres: il est difficile d'imaginer que nous pourrions fonctionner sans les deux. La richesse de ces moyens de communication vient aussi de leurs différences.

Canal unique ou canaux multiples La plupart des messages verbaux — mots, phrases et discours — nous parviennent un à un, comme des perles sur un fil. De fait, il est physiquement impossible pour une personne de prononcer plus d'un mot à la fois. Contrairement à la parole, les messages non verbaux ne nous parviennent pas de cette manière ordonnée et séquentielle. Ils nous assaillent plutôt, de façon simultanée, par une multitude de canaux. Prenez, par exemple, la rencontre de quelqu'un qui nous est complètement inconnu. Sur le plan verbal, il ne s'échange que très peu d'informations dans les clichés qui meublent souvent les premières minutes d'une conversation («Comment allez-vous...?» «Il fait vraiment beau en ce moment...» «Quel est votre champ d'étude?»). Au même moment, cependant, le nombre de messages non verbaux qui nous parviennent est accablant: les expressions des autres, leurs attitudes, leurs gestes, les vêtements qu'ils portent, la distance à laquelle ils se tiennent de nous, etc. D'une certaine façon, cet assaut de messages non verbaux par des canaux multiples est une bénédiction, puisqu'ils nous fournissent tellement de renseignements sur les autres. D'un autre côté, la transmission d'un si grand nombre de messages simultanés pose un problème, car il est difficile de prendre connaissance de cette quantité d'informations qui nous arrive en même temps.

Limites précises ou continuité Les messages verbaux ont un début et une fin bien définis. En ce sens, nous pouvons déterminer si oui ou non les autres communiquent verbalement en observant si oui ou non ils sont en train de parler — ou d'écrire. Contrairement à la parole ou à l'écrit, la communication non verbale est continue et sans fin. Comme nous l'avons dit plus haut, la communication non verbale est un processus qu'on ne peut pas arrêter, qui est continuel.

Les attitudes, gestes et autres types de messages décrits dans les pages qui suivent envoient un flot constant de messages. Même l'absence de message (une lettre à laquelle on n'a pas répondu ou un coup de téléphone non retourné) est encore un message. Comme le disait un spécialiste des sciences de la communication en faisant référence à la communication non verbale: «Il arrive toujours quelque chose.»

Clarté ou ambiguïté Si la communication verbale est parfois une source de confusion, nous avons déjà vu que la plupart des indices non verbaux peuvent être encore plus vagues. Les messages non verbaux ne sont pas complètement ambigus, bien sûr; il est probablement justifié de penser qu'un froncement de sourcils traduit une sorte de réaction négative, tandis qu'un sourire indique plutôt une émotion positive. Mais nous avons souvent besoin de faire appel au langage pour nous dire *pourquoi* les autres se sentent de telle ou telle façon. Votre chef sourit-elle parce qu'elle aime votre idée ou parce qu'elle la trouve amusante, bien que complètement farfelue? Le froncement de sourcils de votre professeur indique-t-il la confusion de votre exposé ou bien un désaccord? La meilleure façon de le savoir est de demander un éclaircissement verbal et non pas de compter sur votre interprétation des indices non verbaux.

Impact du message verbal et impact du message non verbal Lorsque nous nous trouvons confrontés à des messages verbaux et à des messages non verbaux, nous estimons en général que les signaux non verbaux ont beaucoup plus de poids. C'est ce que montrent les études[22]. Dans diverses situations (dont des entrevues d'emploi, des séances de thérapie, des premières rencontres), les adultes misent davantage sur les messages non verbaux que sur les mots lorsqu'ils interprètent les messages des autres. Les indices non verbaux ont le dessus surtout lorsqu'ils viennent contredire les paroles. Dans une série d'expériences, des messages verbaux — aimables, neutres, et peu aimables — étaient mis en parallèle avec des comportements non verbaux de même nature. Les personnes qui comparaient et jugeaient les messages verbaux ou non verbaux de façon séparée les trouvaient équivalents en importance. Mais lorsque les deux genres de messages étaient associés, les messages non verbaux avaient 12,5 fois plus d'impact que les énoncés verbaux.

Intention ou inconscience Si nous pensons généralement à ce que nous désirons exprimer avant de parler ou d'écrire, la plupart des messages non verbaux ne sont pas délibérés. Nous faisons bien sûr attention à certains de nos comportements non verbaux: nous sourions lorsque nous désirons convaincre les autres que nous sommes heureux, ou encore nous affermissons notre poignée de main pour montrer que nous sommes francs et décidés. Mais il existe tellement de canaux non verbaux qu'il est pratiquement impossible de penser à tous et d'exercer un contrôle sur eux. Ainsi, nos épaules tombantes peuvent venir contredire nos sourires, et des mains moites peuvent trahir la confiance que nous voulions affirmer par une poignée de main ferme. Le caractère inconscient de la plupart des comportements non verbaux explique pourquoi ils fournissent tant d'indices utiles sur ce que ressentent les personnes qui nous entourent.

Types de communication non verbale

En gardant les cinq caractéristiques de la communication non verbale à l'esprit, jetons maintenant un coup d'œil sur quelques-uns des moyens de communiquer, sauf la parole.

Le premier domaine de communication non verbale que nous allons aborder est le vaste champ de la **kinésie** ou mouvement du corps. Dans cette partie, nous allons étudier le rôle que l'orientation du corps, la posture, les gestes, les expressions du visage et le regard jouent dans nos relations interpersonnelles.

Orientation du corps Nous commencerons notre étude par l'orientation du corps — la façon dont nous tenons notre corps, nos pieds et notre tête près ou loin d'une personne. Pour comprendre comment les positions communiquent des messages non verbaux, vous pouvez tenter l'expérience suivante.

Vous aurez besoin de deux amis pour vous aider. Imaginez que deux d'entre vous êtes en pleine conversation lorsqu'une troisième personne s'approche et veut s'y joindre. Vous n'êtes pas particulièrement heureux de la voir, mais vous ne désirez pas vous montrer impolis en lui demandant de s'éloigner. Votre tâche est donc de signaler à l'intrus que vous souhaiteriez rester seuls, en le lui faisant savoir seulement par la position de votre corps. Vous pouvez

lui parler si vous le voulez, mais vous ne pouvez pas lui faire savoir verbalement que vous désirez être laissés seuls.

Après avoir fait cette expérience, ou si vous vous êtes déjà trouvé dans une situation semblable, vous vous êtes rendu compte qu'en tournant légèrement le corps de côté, vous pouvez indiquer clairement vos intentions. L'intrus, se trouvant dans la position difficile de parler par-dessus votre épaule, ne tardera pas à saisir le message et à s'en aller. Le message non verbal ici est: «Nous avons une conversation assez personnelle et nous ne désirons pas que vous y preniez part.» Ce que démontre cette situation c'est que faire face à une personne indique clairement votre intérêt pour elle, alors que s'en détourner indique le contraire. Cela explique pourquoi nous pouvons nous entasser très près les uns des autres entre inconnus dans des espaces restreints, comme des ascenseurs par exemple, sans offenser pour autant notre entourage. L'orientation de notre corps n'étant pas directe (nous nous tenons généralement épaule contre épaule en regardant tous dans la même direction), nous arrivons à comprendre que malgré l'exiguïté des lieux chacun désire éviter des contacts directs.

En observant la façon dont les gens se placent, vous pouvez apprendre comment ils se sentent. La prochaine fois que vous vous trouverez dans un lieu bondé dans lequel les gens ont la possibilité de choisir à qui ils veulent faire face, essayez de voir qui semble faire partie du jeu et qui est subtilement repoussé. De la même façon, prêtez attention à votre propre position. Vous serez peut-être surpris de découvrir que vous évitez une certaine personne sans en être conscient ou que parfois vous «tournez franchement le dos» aux autres. Si c'est le cas, il peut être utile d'en trouver les raisons. Désirez-vous éviter une situation désagréable qui a besoin d'être tirée au clair, communiquer votre mécontentement ou votre aversion pour l'autre personne ou envoyer un autre message?

Posture   Communiquer de façon non verbale se traduit aussi par notre posture.

Pour savoir si cela est bien vrai, arrêtez-vous de lire quelques instants et remarquez la façon dont vous êtes assis. Que révèle votre posture sur votre humeur? Y a-t-il d'autres personnes près de vous en ce moment? Quel message leur posture vous livre-t-elle? En prêtant attention à la posture des personnes qui vous entourent ainsi qu'à la vôtre, vous découvrirez un autre canal de communication non verbale, porteur d'informations sur la façon dont les autres se sentent, personnellement ou les uns par rapport aux autres.

Le fait que la posture est un moyen de communication nous est indiqué par le langage. Beaucoup d'expressions établissent un lien entre des états émotionnels et des postures.

Avoir la mine basse, la face allongée.

Les bras m'en tombent.

L'émotion lui coupe les jambes.

J'en suis assis. Nous sommes atterrés.

Ils restent bouche bée.

Ils se croisent les bras.

Les bras ballants.

S'enlever un poids des épaules.

Elle ne tient pas en place.

Il piétine. Tu es sur les genoux, etc.

De tels énoncés démontrent que nous sommes sensibilisés à la question, même inconsciemment. Mais la plupart des messages de la posture ne sont pas évidents, ce qui nous empêche de les capter. Il est rare qu'une personne qui se sent écrasée par un problème se tienne suffisamment courbée pour saillir dans une foule! Dans l'interprétation de la posture, la clé est donc d'observer les petits changements qui peuvent trahir la façon dont les personnes se sentent intérieurement.

Un professeur dont la réputation est de donner des cours assez captivants nous a expliqué comment il mettait à profit l'interprétation de la posture chez ses étudiants pour améliorer la qualité de son enseignement. «Mes classes étant très chargées, je suis souvent obligé de donner des cours magistraux, dit-il. C'est un moyen facile de rebuter les étudiants. Je m'efforce donc de rendre mes interventions aussi agréables que possible, mais personne n'étant parfait, comme vous le savez, j'ai moi aussi mes mauvais jours. Je peux affirmer sans me tromper si je ne suis pas au meilleur de ma forme en ce qui a trait à la communication en choisissant trois ou quatre étudiants avant de commencer à parler et en observant la façon dont ils se tiennent tout au long du cours. Tant qu'ils se tiennent penchés en avant sur leurs sièges, c'est que tout va bien; si par contre je les vois commencer à se pencher vers l'arrière, je sais que je dois changer mon fusil d'épaule.»

Le psychologue Albert Mehrabian a établi que la tension et la décontraction sont deux autres clés qui aident à déterminer la façon dont se sentent les personnes. Il observe que nous prenons des postures détendues dans les situations qui ne sont pas menaçantes pour nous, mais que nous nous raidissons dans des situations contraires[23]. En se basant sur cette constatation, il affirme que nous pouvons déterminer en grande partie le comportement des autres en regardant s'ils sont tendus ou décontractés. Il enseigne une façon de détecter des différences sociales par l'observation: la personne dont le statut social est le plus bas est généralement et visiblement la plus tendue, tandis que celle qui a le statut le plus élevé est habituellement plus décontractée. C'est le genre de situation qu'on remarque souvent lorsqu'un employé est assis bien droit sur sa chaise alors que le patron relaxe dans son fauteuil. Le même principe s'applique à des réunions: il est souvent possible de dire qui se sent mal à l'aise rien qu'en regardant des photos. Vous remarquerez parfois une personne en train de rire ou de parler comme si elle se sentait chez elle, mais dont la posture dénonce avec force la nervosité. Certaines personnes ne sont jamais détendues et leur posture le révèle.

La posture traduit parfois la vulnérabilité dans des situations bien plus sérieuses que de simples réunions, mondaines ou d'affaires. Une étude a révélé que les violeurs se servent parfois d'indices semblables pour choisir les victimes qu'ils savent faciles à intimider[24]. Les proies faciles ont tendance à marcher lentement et avec hésitation, à regarder fixement le sol et à agiter leurs bras et leurs jambes par petits mouvements saccadés.

Essayez de passer une heure à observer la posture des gens autour de vous. Voyez si vous pouvez vous faire une idée de la façon dont ils se sentent rien que par la manière dont ils se tiennent. Prêtez aussi attention à votre posture à vous. Dans quelles situations êtes-vous crispé? Est-ce un signe de colère, d'agressivité, d'agitation ou de peur? Vous êtes-vous jamais trouvé à traduire l'ennui, l'intérêt, l'attirance ou d'autres sentiments par votre posture? Les émotions que vous exprimez par votre posture vous ont-elles déjà surpris?

Gestes Nous avons déjà vu comment les emblèmes et les mimiques peuvent transmettre certains messages. Des gestes comme ceux-ci sont parfois intentionnels — un signe joyeux de la main ou les pouces en l'air, par exemple. Dans d'autres cas, par contre, ces gestes sont inconscients. Parfois, un geste involontaire sera un symbole non équivoque, comme un haussement d'épaules qui signifie clairement: «Je ne sais pas.» Certains autres gestes révélateurs constituent ce que le psychologue Albert Scheflen appelle «le lissage des plumes» — se passer la main dans les cheveux ou se recoiffer, se regarder dans un miroir ou arranger sa tenue. Scheflen laisse entendre que ce genre de gestes traduit une sorte d'intérêt pour l'autre personne: peut-être un message inconscient d'ordre sexuel ou peut-être un signe d'intérêt moins intime[25]. Le plus souvent, cependant, les gestes sont ambigus. En plus des mimiques, un autre groupe de gestes ambigus est constitué de ce que nous appelons généralement «tripotage» — des mouvements dans lesquels une partie du corps prend soin, masse, tient, tripote, pince, gratte ou touche de quelque autre façon que ce soit une autre partie du corps. Les spécialistes des sciences humaines appellent de tels comportements des **manipulateurs**[26]. Les conventions sociales nous dissuadent de faire ce genre de «tripotage» en public, mais les gens le font encore sans s'en apercevoir.

Les études montrent ce que le bon sens laisse entendre: que l'usage abusif de ces gestes est souvent signe de malaise[27]. Tout «tripotage» n'indique cependant pas un malaise. Les gens ont

L'apparence d'une victime

Le petit chaperon rouge a bien cherché à se faire agresser. Sa première erreur fut de s'échapper dans la forêt pour aller voir sa mère-grand. Sa deuxième fut de s'arrêter pour cueillir des fleurs. C'est alors que, comme vous vous en souvenez sûrement dans l'histoire, l'affreux gros loup apparaît et commence à l'épier. Il observe, assez justement du reste, que la petite est joyeuse, ouverte et assurément inconsciente des dangers qui la guettent. Le grand méchant loup saisit très bien ces messages non verbaux et file chez la grand-mère. Il sait que le petit chaperon rouge est une proie facile. Nous connaissons tous la suite de l'histoire...

Les mouvements du corps et les gestes révèlent énormément de choses sur une personne. Comme le petit chaperon rouge, certains piétons peuvent indiquer aux criminels, d'après leur seule façon de marcher, qu'ils sont des proies faciles à agresser. Quand avez-vous évalué pour la dernière fois votre «risque de vous voir agressé»? Dans une étude récente, deux psychologues ont cherché à déterminer les mouvements du corps qui caractérisent les victimes potentielles. Ils ont réuni 60 piétons new-yorkais «susceptibles de se faire agresser» selon les critères de personnes qui semblaient les mieux placées pour en juger — des détenus qui avaient été condamnés pour agression.

Les chercheurs ont discrètement pris au magnétoscope les piétons, les jours de semaine, entre 10 h du matin et minuit. Chaque piéton était filmé de six à huit secondes, le temps approximatif qu'il faut à un agresseur pour jauger une personne qui vient vers eux. Les juges (les détenus) évaluaient le «potentiel d'agressibilité» des 60 piétons sur une échelle de 10 points. Le chiffre 1 indiquait que la personne était «vraiment facile à avoir»; le 2, une personne «assez facile»... En haut de l'échelle, un 9 indiquait que «ce serait difficile, que la personne donnerait du fil à retordre», tandis qu'un 10 indiquait que l'agresseur «ne s'y risquerait pas du tout». Les résultats révélaient plusieurs gestes qui caractérisaient les proies faciles: «Leurs foulées étaient soit très longues soit très courtes; les personnes se déplaçaient gauchement, levant la jambe gauche en même temps que le bras gauche (au lieu de les alterner); à chaque pas, elles avaient tendance à soulever l'ensemble du pied pour le reposer ensuite (les personnes moins susceptibles d'être agressées avaient le pied qui pivotait avec facilité des talons jusqu'aux orteils). De plus, les personnes jugées plus vulnérables marchaient comme si elles étaient en conflit avec elles-mêmes; chaque mouvement semblait leur demander un effort considérable.»

Loretta Malandro et Larry Baker

tendance à y avoir recours même lorsqu'ils sont détendus. Quand ils relâchent leur surveillance (lorsqu'ils sont seuls ou avec des amis), ils auront davantage tendance à se «tripoter» un lobe d'oreille, à tortiller une mèche de cheveux ou à se curer les ongles. Que ce tripotage cache ou non quelque chose, les observateurs ont tendance à interpréter ces gestes comme des signes de mauvaise foi. Comme toutes les personnes qui se tripotent ne sont pas nécessairement des menteurs, il est important de ne pas sauter trop vite aux conclusions quant à la signification de telles manipulations.

À dire vrai, *trop peu* de gestes peut être autant un indicateur de doubles messages que *trop* de gestes[28]. Une absence de gestes peut indiquer un manque d'intérêt ou d'enthousiasme, de la tristesse, de l'ennui. Les mimiques ont également tendance à diminuer lorsqu'on fait particulièrement attention à la façon dont on s'exprime. Pour

Lui qui a des yeux pour voir et des oreilles pour entendre peut se convaincre qu'aucun mortel ne peut garder de secret. Si ses lèvres sont silencieuses, il jacasse avec le bout de ses doigts; la trahison suinte par chaque pore de sa peau.

Sigmund Freud

ces raisons, un observateur attentif fera attention à une augmentation ou à une diminution du nombre normal de gestes.

Visage et regard Le visage et les yeux sont probablement les parties du corps auxquelles on porte le plus d'attention; cela ne signifie pas pour autant que les messages non verbaux qu'ils transmettent soient les plus faciles à déchiffrer. Le visage est un canal d'expression extrêmement compliqué pour plusieurs raisons.

Premièrement, il est très difficile de déterminer le nombre et le genre d'expressions que nous transmettons couramment par notre visage ou par notre regard. Des chercheurs ont trouvé, par exemple, qu'il existe au moins huit positions distinctives des sourcils et du front, huit autres pour les yeux et les paupières et dix pour la partie inférieure du visage[29]. Lorsque vous multipliez cela par le nombre d'émotions que nous ressentons, vous pouvez comprendre pourquoi il serait tout à fait impossible de dresser un inventaire des expressions du visage et des émotions qui leur correspondent.

Une autre raison de la difficulté à saisir les expressions du visage c'est la vitesse à laquelle elles peuvent changer. Les films au ralenti montrent les expressions qui passent sur le visage d'un sujet aussi rapidement qu'un battement de cils[30]. Il semble également que certaines émotions se remarquent plus clairement sur certaines parties du visage: le bonheur et la surprise dans les yeux et dans la partie inférieure du visage; la colère dans la partie inférieure du visage, les sourcils et le front; la peur et la tristesse dans les yeux; le dégoût dans la partie inférieure du visage.

Ekman et Friesen ont identifié six émotions de base reflétées par les expressions du visage: la surprise, la peur, la colère, le dégoût, la joie et la tristesse. Les expressions qui traduisent ces émotions semblent reconnaissables dans toutes les cultures. Bien sûr, les mélanges d'affects — la combinaison de deux expressions ou plus sur différentes parties du visage — sont toujours possibles. Il est facile, par exemple, d'imaginer

> Fi de cette femme, fi! Tout chez elle a un langage: ses yeux, ses joues, ses lèvres; oui, jusqu'à ses pieds qui parlent; son humeur folichonne apparaît dans toutes les courbes et tous les mouvements de son corps.
>
> William Shakespeare, *Troilus et Cressida*

UNE CUILLERÉE POUR PAPA

Il était terriblement dangereux de laisser les pensées s'égarer quand on était dans un lieu public ou dans le champ d'un télécran. La moindre des choses pouvait vous trahir. Un tic nerveux, un regard inconscient d'anxiété, l'habitude de marmonner pour soi-même, tout ce qui pouvait suggérer que l'on était anormal, que l'on avait quelque chose à cacher. En tout cas, porter sur son visage une expression non appro-priée (paraître incrédule quand une victoire était annoncée, par exemple) était en soi une offense punissable. Il y avait même en novlangue un mot pour désigner cette offense. On l'appelait *facecrime*.

George Orwell

l'expression d'une personne qui serait craintive et surprise à la fois, dégoûtée et en même temps en colère.

Les gens sont généralement d'assez bons juges des expressions du visage pour ce genre d'émotions. L'exactitude de leur interprétation s'accroît cependant lorsqu'ils connaissent la cible ou le contexte à la source de l'expression ou lorsque ces expressions se manifestent plusieurs fois.

En dépit de la complexité des expressions du visage pour traduire les émotions, vous pouvez cependant être en mesure d'en saisir les messages par vos observations. Un des moyens les plus faciles est de rechercher les expressions qui semblent vraiment exagérées. Souvent, lorsque quelqu'un cherche à se rendre ridicule ou à se moquer des autres, il accentuera son masque à un point tel que cela sera trop excessif pour être vrai. Une autre façon de deviner les sentiments de l'autre est d'observer son expression à des moments où il ne portera pas une attention spéciale à son apparence. Nous avons tous fait l'expérience de jeter un coup d'œil rapide dans une autre voiture lorsque nous sommes arrêtés par un bouchon de circulation, ou de regarder autour de nous lors d'une manifestation sportive, et d'observer les expressions des gens qui nous entourent, expressions qu'ils n'afficheraient probablement jamais à des moments de plus grande retenue. Il est parfois possible de détecter une **micro-expression** sur le visage d'une personne. Pendant un bref instant, nous percevons une émotion tout à fait différente de celle que la personne qui parle essaie d'afficher. Enfin, vous pouvez détecter des expressions contradictoires sur différentes parties du visage: le regard indique une chose, mais la bouche ou les sourcils peuvent transmettre un message tout à fait différent.

Les yeux eux-mêmes peuvent transmettre plusieurs sortes de messages. Rencontrer le regard d'une autre personne est habituellement un signe de connivence, tandis que le fuir indique généralement un désir d'éviter les contacts. Comme nous l'avons mentionné plus tôt, c'est ce qui explique que les solliciteurs dans la rue — mendiants, vendeurs, pétitionnaires — essaient de capter votre regard. Une fois qu'ils sont parvenus à établir le contact, il devient difficile à l'autre personne de fuir. Un ami expliquait comment appliquer ce principe à l'auto-stop. «Lorsque je fais de l'auto-stop, je m'efforce toujours de regarder les conducteurs droit dans les yeux lorsqu'ils s'approchent de moi. La plupart d'entre eux essaient de regarder ailleurs lorsqu'ils passent, mais si je réussis à capter le regard d'une personne, elle s'arrêtera presque automatiquement.» La plupart d'entre nous se souviennent d'avoir essayé d'éviter une question que nous ne saisissions pas bien en détournant notre regard de celui du professeur. À des moments semblables, nous manifestions soudain un intérêt très vif pour nos manuels, nos ongles ou l'horloge: bref pour tout, à l'exception du regard du professeur. Bien sûr, ce dernier semblait toujours comprendre la signification de ce comportement non verbal et finissait par interroger ceux d'entre nous qui avaient ainsi clairement affiché leur incertitude.

Le regard communique une autre sorte de message: l'attitude, positive ou négative. Lorsque quelqu'un nous lance un certain type de regard, nous recevons un message clair: la personne est réellement intéressée par nous — d'où l'expression: «faire de l'œil». De la même façon, lorsqu'une personne semble vouloir éviter les longs regards que nous lui lançons, nous pouvons être pratiquement certains qu'elle n'est pas aussi intéressée à nous que nous le sommes à elle. (Bien sûr, il existe toutes sortes de façons de faire la cour à quelqu'un, le receveur du message prétendant par exemple ne pas remarquer le message lancé en regardant au loin, mais finissant par se trahir par la réaction d'une autre partie de son corps.)

Les yeux peuvent également communiquer la domination comme la soumission. Nous avons tous joué à faire baisser le regard d'une autre personne; dans la vie réelle, il y a des moments où des yeux baissés indiquent la renonciation. Dans certains ordres religieux, les subordonnés doivent garder les yeux baissés lorsqu'ils s'adressent à un supérieur.

Même les pupilles des yeux communiquent des messages. E. H. Hess et J. M. Polt, de l'université de Chicago, ont mesuré la dilatation de la pupille d'hommes et de femmes auxquels ils présentaient différentes photos[31]. Les résultats de l'expérience furent très intéressants: les pupilles de la personne se dilataient en fonction de l'intérêt qu'elle portait au sujet. Les pupilles des hommes, par exemple, devenaient 18 p. 100 plus grandes lorsqu'ils regardaient des photos de femmes nues, et celles des femmes 20 p. 100 plus grandes lorsqu'elles regardaient des hommes nus. Cependant, la plus grande

dilatation de la pupille se produisait, chez les femmes, lorsqu'on leur présentait la photo d'une mère et de son enfant. Un bon vendeur peut augmenter ses bénéfices en connaissant ce phénomène de dilatation de la pupille, comme nous le raconte Edward Hall. Il se trouvait un jour dans un bazar du Moyen-Orient où un marchand arabe insistait pour qu'un client, occupé à regarder des bijoux, lui achète une certaine pièce à laquelle ce dernier n'avait jusqu'ici prêté aucune attention. Le vendeur avait observé la dilatation des pupilles de son client et avait deviné ce qu'il désirait réellement[32].

Voix La voix elle-même est un autre canal de communication non verbale. Les spécialistes des sciences humaines emploient le terme de **para-langage** pour décrire les messages oraux non verbaux. La façon dont un message est dit peut donner au même mot (ou mots) beaucoup de significations. Voyez, par exemple, combien de significations différentes peuvent découler d'une seule phrase si on fait porter l'accentuation d'un mot sur un autre.

C'est un livre formidable sur la communication. (Pas n'importe quel livre, mais *celui-ci* en particulier.)

C'est un livre *formidable* sur la communication. (Ce livre est vraiment supérieur, très intéressant.)

C'est un livre formidable sur la *communication*. (Le livre est bon pour ce qui touche à la communication; il n'est peut-être pas si extraordinaire du point de vue littéraire ou dramatique.)

C'est un *livre* fantastique sur la communication. (Ce n'est pas une pièce ou un disque; c'est un livre.)

Notre voix communique des messages de bien d'autres façons — par le ton, le débit, la hauteur, le volume, le nombre et la longueur des pauses, les **ruptures** (comme le bégaiement, l'emploi des euh, hum, etc.). Tous ces facteurs peuvent aider considérablement à renforcer ou à contredire les messages que nos paroles font passer.

Des chercheurs ont reconnu le rôle important joué par le paralangage à l'aide du discours vidé de son contenu — un discours ordinaire, électroniquement remanié, afin que les mots deviennent incompréhensibles mais que le paralangage demeure intact. (Écouter une langue étrangère que l'on ne comprend pas produit le même effet.) Les sujets qui entendent ce genre de discours peuvent infailliblement reconnaître les émotions qui y sont exprimées aussi bien qu'en détecter la force[33].

L'impact des signaux paralinguistiques est élevé. De fait, lorsqu'on leur demande de déterminer les dispositions dans lesquelles se trouve la personne qui parle, ceux qui écoutent prêtent souvent plus d'attention au paralangage qu'au contenu des mots. De plus, lorsque des éléments vocaux contredisent un message verbal (comme lorsqu'une personne hurle: «Je ne suis pas *du tout* en colère!»), ceux qui écoutent déterminent les intentions de l'orateur d'après le paralangage et non d'après les mots eux-mêmes[34].

Les modifications vocales qui contredisent les paroles ne sont pas faciles à cacher. Si la personne qui parle essaie de masquer sa peur ou sa colère, elle aura une voix qui sonnera probablement plus haut ou plus fort, et son débit sera plus rapide qu'à l'ordinaire. La tristesse produit l'effet contraire: un langage plus doux, plus bas, sur un rythme plus lent[35].

L'ironie est un procédé pour lequel nous faisons appel à la fois à l'accentuation et au ton de la voix pour modifier la signification d'un énoncé et

exprimer le contraire de son contenu verbal. Faites l'expérience de ce renversement par vous-même, en prononçant les trois énoncés suivants d'abord de façon littérale, puis de façon ironique:

«Merci beaucoup!»

«J'ai vraiment beaucoup aimé cette rencontre.»

«Il n'y a rien que j'aime plus que les fèves de Lima.»

Comme dans le cas des autres messages non verbaux, certaines personnes ne remarquent pas ou interprètent mal les nuances vocales d'une raillerie. Certains groupes — les enfants, les personnes aux capacités intellectuelles plus limitées ou les personnes ne sachant pas bien écouter — saisissent généralement moins bien ce genre de messages que les autres[36].

La communication à l'aide du paralangage n'est pas toujours intentionnelle. Notre voix nous trahit souvent lorsque nous nous efforçons de créer une impression différente de ce que sont nos émotions réelles. Vous avez probablement fait l'expérience de paraître calme et serein alors qu'intérieurement vous bouilliez de nervosité. Votre duperie a pu se prolonger parfaitement un certain temps — sourire idéal, aucun tripotage avec les mains, posture détendue — et puis soudain, sans que vous ayez pu faire quoi que ce soit pour l'éviter, au beau milieu de vos commentaires décontractés, votre voix a dérapé! Adieu la frime.

© 1976 United Media, Inc.

> L'étymologie du mot «personnalité» prouve que l'on établissait à l'origine une relation étroite entre la voix et la personnalité. Le mot vient du latin *persona* et désignait d'abord l'embouchure du masque dont se servaient les acteurs (*per sona:* le bruit de la voix qui passe à travers le masque). Du masque lui-même, le terme est passé à l'acteur, la «personne» au théâtre. Le mot a fini par vouloir dire toute personne et a donné «personnalité», mais au cours des siècles, il a perdu tout lien symbolique avec la voix.
>
> Paul Moses

Messages vocaux

Voici une expérience qui peut vous donner une idée des messages transmis par votre voix:

1. Choisissez un partenaire et trouvez un espace qui vous convienne.

2. Fermez maintenant les yeux. Vous allez vous concentrer sur la voix comme moyen de communication; cela vous aidera à faire abstraction de tous les autres types de messages non verbaux.

3. Pendant cinq minutes, entamez une conversation sur un sujet de votre choix. Pendant que vous échangez ainsi des paroles, prêtez attention à la voix de votre partenaire. Essayez de ne pas tant vous concentrer sur ses paroles que sur sa voix. Imaginez quels messages vous recevriez si vous étiez en train d'écouter une langue étrangère.

4. Les yeux toujours fermés, faites part à votre partenaire des messages que vous avez captés d'après le son de sa voix. Cette voix vous semblait-elle lasse, détendue, joyeuse, tendue? Partagez vos perceptions réciproques.

5. En gardant les yeux toujours fermés, à tour de rôle, parcourez l'étape suivante. La première personne commence une phrase avec les mots: «Je suis ma voix...» et la poursuit en rapportant tout ce que sa voix lui communique. Par exemple: «Je suis ma voix et je suis très excité. Je suis haute et rapide, et je peux continuer de parler sans jamais m'arrêter» ou bien: «Je suis ma voix, et je suis lasse. C'est à peine si je peux dire quelque chose. Lorsque je le fais, je le fais très

doucement. Il ne faut pas grand-chose pour m'arrêter.»

6. Une fois que les deux partenaires ont passé cette étape, échangez à tour de rôle vos perceptions de la description que vous avez faite de vos voix. Êtes-vous d'accord avec ces interprétations ou avez-vous capté des messages différents?

7. En parlant avec les autres, dans la classe et en dehors, essayez d'écouter les messages que votre voix transmet. Pouvez-vous dire quand vous êtes vraiment sincère et quand, par contre, vous ne dites pas la vérité? Prenez-vous parfois une voix différente avec vos parents, vos employeurs, vos professeurs et certains de vos amis? Avez-vous une voix joyeuse, lasse ou coléreuse? Que révèlent ces différents types de voix sur la nature même de ces relations?

Une variante intéressante de cet exercice consiste à passer environ cinq minutes à tenir une conversation avec votre partenaire en charabia. Prononcez n'importe quelles syllabes qui vous viennent à l'esprit et voyez ce qui se passe. Si vous pouvez surmonter pendant quelques minutes la peur de paraître stupide (Est-ce si horrible que cela?), vous vous rendrez probablement compte que vous pouvez communiquer énormément avec la voix, même sans les mots.

Toucher Le toucher peut faire passer de nombreux messages et traduire beaucoup de liens interpersonnels[37]:

fonctionnels/professionnels (examen buccal, coupe de cheveux)

social/de politesse (poignée de main)

amitié/chaleur (tape sur l'épaule, accolade à l'espagnole)

amour/intimité (caresses, étreintes)

excitation sexuelle (baisers, caresses)

agression (bousculade, claques)

Vous pouvez contester les exemples cités, en disant que certains de ces comportements non verbaux peuvent s'observer dans plusieurs types de relations interpersonnelles. Un baiser, par exemple, peut vouloir dire beaucoup de choses, d'un geste de salutation poli et superficiel à une excitation sexuelle des plus intenses. Qu'est-ce qui donne au

> Les sentiments parentaux inconscients communiqués par le toucher – ou l'absence de toucher – peuvent conduire à des réactions de confusion et de conflit chez l'enfant. Les parents «modernes» prononceront parfois toutes les bonnes paroles qu'il faut dire, mais ne tiendront pas à avoir beaucoup de contacts physiques avec l'enfant. La confusion de l'enfant viendra donc de cette contradiction: si je plais tant à mes parents, comme ils le disent, pourquoi donc ne veulent-ils pas me toucher?
>
> William Schultz

toucher plus ou moins d'intensité? Des chercheurs ont évoqué différents éléments:

la partie du corps à l'origine du contact

la partie du corps qui le reçoit

la durée du toucher

son intensité

si un mouvement suit la prise de contact

si la personne est seule

les circonstances dans lesquelles le contact se fait

les relations entre les différentes personnes engagées[38]

D'après cette liste, vous pouvez constater qu'il existe, en effet, un langage complexe du toucher. Puisque les messages non verbaux sont ambigus en eux-mêmes, il n'est pas surprenant que ce langage soit souvent mal interprété. Une étreinte est-elle de l'espièglerie ou indique-t-elle des émotions plus profondes? Une tape sur l'épaule est-elle un geste d'amitié ou une tentative de domination? Des études montrent que l'interprétation peut dépendre d'une foule de facteurs, dont le sexe des personnes engagées, leur passé culturel ou leur état civil, entre autres[39]. Ce genre d'ambiguïté montre qu'il est important de procéder aux vérifications de perception apprises au chapitre 3 pour vous assurer de l'exactitude de vos interprétations.

Le toucher joue un rôle important dans la formation de nos réactions aux autres[40]. Pour les besoins d'une étude, une femme abordait les sujets choisis et leur demandait de lui remettre une pièce de 10 cents laissée dans la cabine téléphonique d'où ils venaient juste de sortir. Lorsque la demande était accompagnée d'une légère tape sur le bras de la personne, la probabilité que cette dernière rende la pièce augmentait de façon significative[41]. Dans une expérience similaire, un homme ou une femme demandaient à des gens de signer une pétition ou de déterminer une échelle de valeurs. De nouveau, les sujets avaient davantage tendance à coopérer lorsqu'on leur touchait légèrement le bras. Dans le cas de l'échelle des valeurs, les résultats étaient particulièrement révélateurs: 70 p. 100 des personnes que l'on avait touchées au bras se pliaient à ce qu'on leur demandait de faire, tandis que seulement 40 p. 100 des personnes que l'on n'avait pas touchées y consentaient[42].

Le toucher a aussi son utilité au travail. Une étude montre que des effleurements rapides sur la main et sur l'épaule des clients procuraient en général aux serveurs de plus gros pourboires[43].

En plus d'être la façon la plus ancienne que nous ayons de prendre contact avec les autres, le toucher est essentiel pour un développement sain de la personne. Au XIXe siècle et au début du XXe, un grand nombre d'enfants nés dans l'année mouraient d'une maladie appelée marasme (du grec *marasmos*, dépérissement). Dans certains orphelinats, la mortalité atteignait presque 100 pour 100; même dans les foyers les plus «progressistes», les hôpitaux et les autres établissements, les enfants mouraient régulièrement de cette affection. Des chercheurs ont réussi à trouver les causes de cette maladie: ils se sont aperçus que les enfants souffraient d'un manque de contact physique avec leurs parents ou leurs nurses, plutôt que de malnutrition, d'un manque de soins médicaux ou d'autres facteurs. Les enfants n'avaient pas été suffisamment caressés, et c'est ce qui explique qu'ils mouraient. De cette découverte est née la pratique du «maternage» des enfants dans les établissements — prendre l'enfant dans ses bras, le promener et en prendre soin plusieurs fois par jour. Dans un hôpital où l'on avait commencé à pratiquer ces méthodes, le taux de mortalité s'abaissa d'environ 35 p. 100 à moins de 10 p. 100[44].

Le toucher éveille l'amour

Notre petite fille avait l'habitude de se retirer dans son monde intérieur bien clos jusqu'à ce que nous découvrions la clé pour ouvrir la porte à son amour.

«Marie, s'il te plaît, enlève cette mèche de ton visage. Elle tombe même dans la nourriture!»

C'était l'heure du souper; j'étais rentrée assez tard du travail et j'étais passablement énervée. Mon irritation se devinait au ton de ma voix. Lentement et d'un geste mécanique, Marie prit sa mèche de cheveux qu'elle rejeta à l'arrière. Puis, elle commença à prendre son fameux regard.

Je l'avais déjà remarqué. Cela avait débuté quand elle avait à peine quatre ans. Ses yeux s'éteignaient et perdaient leur expression, son visage se fermait. Même son teint paraissait se ternir et, avec ses cils et ses sourcils pâles, elle ressemblait à une poupée de cire qui aurait manqué de couleurs. Je savais que je pouvais passer la main devant son visage sans même qu'elle s'en aperçoive. Elle ne répondait pas non plus à ce qu'on pouvait lui dire.

«La voilà qui recommence à s'apitoyer sur elle-même», fit remarquer son grand frère Claude.

C'est ce qui apparaissait. Se trouvant au milieu d'une famille de sept enfants, il était compréhensible qu'elle s'apitoie sur son sort. Ses frères et sœurs plus âgés la régentaient, la harcelaient et semblaient s'en prendre toujours à ce qu'elle disait. Les plus jeunes revendiquaient à leur façon et obtenaient souvent ce qu'ils voulaient du fait de leur jeune âge. Poussée par le haut et menacée par le bas, Marie n'avait pas l'impression qu'elle comptait pour qui que ce soit.

Le restant de la famille continua à manger sans faire attention à Marie. Par expérience, nous savions qu'il était inutile d'essayer de la faire revenir dans le groupe. En l'excusant auprès des autres, je tirai Marie de devant son assiette à moitié vidée et l'emmenai s'asseoir devant la télévision, dans le salon. Là, elle oublia peu à peu ses doléances pour revenir parmi nous.

Je ne pouvais m'empêcher d'éprouver des sentiments contradictoires. Pauvre enfant! Avoir seulement six ans et paraître si malheureuse! J'aurais souhaité avoir plus de temps à lui consacrer à elle toute seule.

Je savais que je venais de lui faire à nouveau une remarque désobligeante. Mais pourquoi avoir toujours recours à ce masque d'affliction chaque fois qu'elle était contrariée, que ce soit réel ou imaginaire? Il était certainement exaspérant pour elle de faire la sourde oreille, alors qu'elle pouvait parfaitement voir et entendre tout ce qui se passait autour d'elle.

Lorsque Marie avait commencé à prendre ce fameux regard, nous la trouvions drôle. «N'est-elle pas mignonne lorsqu'elle est en colère? Regardez comment elle refuse de faire attention à vous! Elle a son propre monde intérieur!» Mais plus le temps passait, moins cela paraissait amusant. L'indifférence totale de Marie était irritante. Nous l'avons cajolée, raisonnée, grondée, nous lui avons même donné des fessées pour son entêtement, mais rien n'y fit.

Tant que cela ne s'est pas produit souvent, nous n'avons pas tellement prêté attention à ce genre de conduite. Dans une famille nombreuse, il est facile de mettre un problème de côté lorsqu'une crise apparemment mineure est passée. Nos enfants plus âgés commençaient l'école; nous en avions un qui avait deux ans (la dure année), un nourrisson et un autre, invalide chronique, qui réclamait des soins plus importants. Nous en avions plein les bras. Les problèmes les plus urgents accaparaient notre attention et nous avons ignoré les besoins grandissants de Marie.

Marie était en première année lorsqu'un de mes enfants plus âgés vint me dire un après-midi: «Maman, la maîtresse de Marie veut te parler.» Les affres de l'inquiétude s'emparèrent de moi cette nuit-là. Dans quelle histoire Marie s'était-elle encore mise? Je pris donc rendez-vous avec l'institutrice pour le lendemain après-midi.

«Je suis inquiète pour Marie», me dit Mme Bérubé. «Elle est... si seule. Elle a un grand besoin d'attention et demande désespérément que vous lui en donniez plus.» Elle me faisait entendre aussi gentiment que possible que je la négligeais.

Je ne cessais de retourner le problème dans ma tête. Comment pouvais-je donner à Marie plus d'attention sans encourir le ressentiment des autres enfants? Sachant que les frères et sœurs dans une même famille se font une lutte très serrée, je décidai que je ferais mieux de leur demander leur aide. J'appelai les enfants plus grands et leur répétai ce que Mme Bérubé m'avait dit. «Je vais donc essayer de donner à Marie ce qui lui est nécessaire. Cela veut dire qu'elle a davantage besoin d'attention en ce moment, et j'essaie de l'aider. Je ferais la même chose pour n'importe lequel d'entre vous.»

Pendant un moment, cela a semblé aider. Mais comme les semaines passaient, je réalisais que, pour les enfants, le fait de connaître les raisons de mon comportement ne pouvait compenser la répartition inégale de mon attention. Richard commença à donner des coups et à pincer sa petite sœur ou à lui donner des coups de pied lorsqu'elle passait, sans aucune raison apparente.

Denise se souvenait de toutes les petites faveurs que je pouvais accorder à Marie et m'accusait: «Tu lui as fait la lecture quatre fois ce mois-ci et à moi seulement une fois.»

C'était exact. Je travaillais maintenant à temps plein et j'essayais de répartir le temps qui me restait entre tous les enfants. L'inégalité était flagrante, étant donné le peu de temps qui m'était alloué. Le ressentiment des autres enfants sur le temps supplémentaire que j'accordais à Marie les rendait plus batailleurs, et ils la rabaissaient. Cela ruinait mon plan initial.

Je me demandais encore ce que je pouvais faire ou ce que je devais faire. Marie avait maintenant de bonnes notes à l'école et il semblait qu'elle ne nécessitait plus autant d'attention de ma part. Je commençai à passer davantage de temps à des activités de groupe avec l'ensemble de la famille et consacrai moins de temps à Marie toute seule.

Son regard triste refit plus souvent son apparition, et Marie prit la fuite plusieurs fois au cours de l'été. «Où voudrais-tu habiter?» lui demandais-je. «Sous un buisson», répondait-elle d'une manière poignante. J'en avais le cœur meurtri pour elle.

Ses réflexions commencèrent à révéler ses sentiments. «J'aurais préféré ne pas venir au monde.» «J'aimerais mieux être morte.» Ou bien: «Un jour, je vais me tuer.»

Un après-midi, elle grimpa sur la voiture, marcha sur le capot avec ses chaussures crissantes et en écailla la peinture. Son père, exaspéré, lui donna une bonne fessée. Je m'assis alors avec elle au bas des escaliers où elle s'était réfugiée en pleurant: «Pourquoi as-tu donc fait cela, Marie? Tu savais très bien que papa allait se mettre en colère et te donner une fessée», lui dis-je.

— C'est parce que je ne m'aime pas.
— Pourquoi tu ne t'aimes pas?
— Parce que personne ne m'aime.

Parce que personne ne l'aime. Oh! Marie!

«Mais moi je t'aime, Marie. Je t'aime vraiment. Tu es ma petite fille.» Des mots. Seulement des mots. Et de nouveau ce regard perdu. Elle s'était débranchée. Elle ne me voyait plus et ne m'entendait plus.

Quel cri désespéré pour appeler au secours! Une petite fille de six ans, attirant les foudres de ses parents parce qu'elle pensait qu'elle ne valait pas la peine d'être aimée!

Je mis du temps à reconnaître que Marie — que NOUS avions besoin d'aide. «Comment une enfant de six ans pouvait-elle avoir des problèmes si sérieux?» me demandais-je en moi-même. «Comment une enfant si jeune pouvait-elle être si difficile à diriger? Pas besoin d'intrus dans cette affaire. Nous pouvions résoudre nos problèmes tout seuls si nous nous y attelions.»

Mais nous ne les avions pas en main. Le regard perdu de Marie devint partie intégrante de notre routine quotidienne.

Après un long conflit intérieur, je décidai finalement de me rendre au Centre de santé mentale du quartier. «Et si quelqu'un me voyait et croyait que je suis devenue dingue?» pensai-je. Je ravalai mon orgueil et m'y rendis. Ce fut le tournant dans la vie de Marie.

Après avoir discuté du problème avec moi, le psychologue fixa un rendez-vous à toute la famille. «J'aimerais voir comment le courant passe entre vous tous», me dit-il. Après plusieurs rencontres, il commença à recevoir Marie toute seule. Quelques semaines plus tard, il était en mesure de nous apporter une aide.

«C'est une petite fille très malheureuse, me dit-il. Vous devez lui apporter tout l'amour et toute l'attention dont elle a besoin. Si vous ne le faites pas, ses problèmes arriveront à un point critique à l'adolescence. Il y a alors de fortes chances qu'elle veuille se suicider ou qu'elle s'éprenne du premier venu qui lui manifestera un peu d'attention. Et vous savez très bien ce que cela veut dire. Ce genre de filles deviennent des mères célibataires alors qu'elles sont encore adolescentes.»

«Mais comment faire? demandai-je. Je travaille à temps plein; j'ai besoin de travailler. J'ai tellement peu de temps à consacrer aux enfants que lorsque j'accorde un tout petit peu plus d'attention à Marie, les autres deviennent jaloux et cruels avec elle. Comment puis-je m'occuper d'elle si elle ne fait pas attention à moi?»

«Elle fait la sourde oreille pour se protéger. Pensez-y, me répondit le psychologue. Quand le fait-elle? Lorsque vous la réprimandez ou que vous la critiquez? Lorsque ses frères et sœurs se disputent avec elle ou se moquent d'elle? Ce genre de choses lui fait tellement mal qu'elle ne peut pas y faire face. Si par contre elle ne peut pas vous voir ni vous entendre, elle ne risque plus d'être blessée. Elle choisit donc de s'isoler; c'est le moyen de défense qu'elle utilise pour éviter que les autres ne la fassent souffrir.»

Il s'arrêta puis reprit très posément: «Vous pouvez très bien la rejoindre. Il existe un moyen que vous n'avez pas encore essayé. Je parle du toucher.»

Le toucher? Idée étrange. Une communication sans mots. Elle pourrait fermer les yeux et se boucher les oreilles, mais elle pourrait encore sentir l'amour.

«Touchez-la le plus souvent possible. Passez-lui la main dans les cheveux lorsque vous êtes près d'elle. Caressez-lui le ventre. Touchez-lui le bras lorsque vous lui parlez. Caressez-la. Mettez-lui la main sur l'épaule, entourez-la de vos bras. Caressez-lui le dos. Tenez-la dans vos bras. Profitez de toutes les occasions. Chaque fois que vous lui parlez.

«Même lorsqu'elle refusera de vous voir ou de vous entendre, elle sera en mesure de vous sentir. Et de plus, c'est une chose que vous pouvez faire avec tous vos autres enfants. Mais faites-le sans restriction avec Marie.»

Je mis vraiment le paquet avec Marie. Les résultats ne tardèrent pas à se manifester de façon notable. Marie revenait graduellement à la vie. Elle souriait, riait, s'amusait. Elle commença à me reparler. Le regard perdu disparut peu à peu. Les autres enfants ne semblaient pas s'être aperçus de quoi que ce soit; ils ne montraient plus de ressentiment envers Marie, peut-être parce que je prenais la peine de les toucher eux aussi.

Marie a maintenant neuf ans, et c'est une tout autre enfant. En plus de ce nouveau regard joyeux qu'elle porte sur la vie, elle a commencé à s'apprécier elle-même. Récemment, elle se tenait devant le miroir et me disait: «J'aime mes cheveux. Ils sont beaux.» Ce qu'elle me disait en réalité, c'est qu'elle avait appris à s'aimer de nouveau. Elle est revenue de loin! Nous sommes tous revenus de loin depuis que j'ai finalement admis que nous avions besoin de l'aide de spécialistes pour nous sortir d'un problème que nous avions été incapables de résoudre nous-mêmes.

La suggestion du psychologue de commencer à communiquer mon amour aux enfants en les touchant n'était pas une garantie de solution miracle aux problèmes de Marie — ou de n'importe qui d'autre. Cela a marché pour nous, mais nous avons quand même dû faire une sérieuse réévaluation de nous-mêmes en tant qu'individus et en tant qu'unité familiale. Nous avons dû apprendre beaucoup de choses sur nous et chercher à nous comprendre les uns les autres, à nous accepter en tant qu'êtres humains différents, chacun ayant des sentiments et des besoins profonds.

Je sais que la route continuera d'être semée d'embûches et que la tâche de surmonter les difficultés familiales n'est pas facile. Les problèmes de Marie ne sont pas résolus pour autant. Une importante rivalité persiste entre les enfants, et elle se trouve encore au beau milieu. Elle doit encore passer quelques années cruciales et devra continuer à renforcer son moi. Nous devrons faire attention à elle, lui donner la chance d'exprimer ses sentiments, et l'écouter quand elle le fera.

Peu importe cependant ce que réserve le futur, j'ai du moins appris une grande leçon: permettre aux enfants de «sentir» réellement l'amour que je leur porte. Cet amour peut être exprimé de différentes façons — par des expressions du visage, des attitudes et des actions. L'amour peut être entendu et, c'est peut-être le plus important, l'amour peut être senti, par un moyen de communication des plus simples: le toucher.

Phyllis Spangler

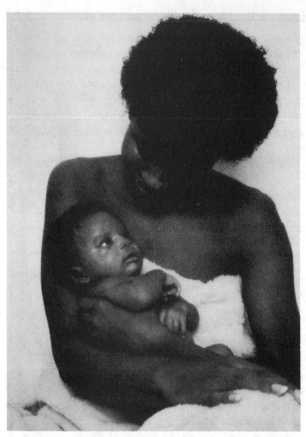

Tout au cours du développement de l'enfant, le besoin d'être touché demeure. Dans son excellent livre, *La peau et le toucher: un premier langage*, Ashley Montagu reprend une étude qui démontre que les allergies, l'eczéma et d'autres problèmes de santé sont en partie causés par un manque de contact mère-enfant. Bien que Montagu soutienne que ces problèmes se développent dans la petite enfance, il cite également des cas où des adultes souffrant de maladies comme l'asthme ou la schizophrénie ont été traités avec succès par une psychothérapie qui faisait beaucoup appel aux contacts physiques[45]. Le toucher semble favoriser le développement mental de l'enfant autant que sa santé physique. L. J. Yarrow a mené des études qui montrent que les bébés sur qui la mère a exercé une grande stimulation physique ont en général des cotes de QI plus élevées que ceux qui en ont moins reçu[46].

La société dans laquelle nous vivons accorde moins d'importance au toucher qu'à d'autres sens moins immédiats comme la vue ou l'ouïe. Notre langage emploie des images visuelles et auditives comme: «Voir, c'est croire», «J'entendrai parler de vous», «T'es-tu vu?» ou «Bien entendu». Comme le fait remarquer Bernard Gunther, lorsque nous quittons quelqu'un, nous disons: «Alors, on se voit plus tard?» et jamais, «on se touche», «on se sent» ou «on se goûte» plus tard[47].

Habillement En plus de nous protéger contre les éléments, l'habillement est un moyen de communication non verbale. Un écrivain a fait remarquer que la façon de se vêtir véhicule au moins 10 types de messages aux autres[48].

1. Le niveau de vie
2. Le niveau d'éducation
3. Le degré de fiabilité
4. Le statut social
5. Le degré de raffinement
6. Le milieu économique

Nous pouvons maintenant nous tourner vers les familiarités plus tendres, mais également plus sûres, de la piste de danse. Dans les soirées, les discothèques, les dancings, les bals, des adultes qui sont de parfaits inconnus l'un pour l'autre peuvent se rencontrer et se déplacer dans la salle en une étreinte frontale des plus intimes. Ceux qui se connaissent déjà un peu peuvent également profiter de la situation pour faire passer une relation encore au stade des balbutiements à celui du rapprochement physique. Le rôle spécial que tient la danse dans notre société est de permettre, dans son contexte particulier, une intensification soudaine et spectaculaire de l'intimité physique d'une façon tout à fait impossible ailleurs. Si la même étreinte se produisait entre deux inconnus ou presque inconnus en dehors du contexte de la piste de danse, son effet serait totalement différent. La danse, pour ainsi dire, démystifie l'étreinte, abaissant son seuil au point de permettre de s'y adonner sans éprouver de crainte ou risquer d'essuyer une rebuffade. En lui permettant de se produire, elle lui donne une chance d'exercer son pouvoir magique. Si cette magie n'opère pas, les conventions permettent aussi de se retirer sans déshonneur.

Desmond Morris

7. Le milieu social
8. Le milieu culturel
9. Le degré de succès
10. La moralité

Les recherches montrent que nous faisons souvent des suppositions à partir de la façon dont les personnes se vêtent. Pour une étude, on avait demandé à un couple de se tenir dans un hall de façon à ce que les personnes qui désiraient entrer aient soit à les éviter soit à passer entre eux. Dans un premier cas, les causeurs étaient habillés de façon très élégante; dans un deuxième, ils portaient des vêtements sport. Les passants se comportaient de façon différente avec les couples, selon le genre de vêtements qu'ils portaient: ils réagissaient de façon positive avec le couple bien habillé et de façon plutôt négative avec celui qui portait les vêtements sport[49]. Des résultats similaires dans d'autres situations montrent l'influence de l'habillement. Nous avons davantage tendance à suivre les ordres d'une personne élégamment habillée. Les passants étaient davantage enclins à rendre la pièce qu'avait laissé tomber le couple élégamment habillé que la pièce qu'avait laissé tomber le couple habillé de vêtements d'allure sportive[50]. Nous sommes plus disposés à suivre l'exemple de personnes élégamment vêtues même si l'on doit pour cela enfreindre certaines règles sociales. Dans une autre étude, on constatait que 83 p. 100 des passants avaient suivi un autre passant élégamment vêtu, mais indiscipliné, qui n'avait pas respecté un signal d'arrêt, tandis que 48 p. 100 d'entre eux seulement avaient suivi le comparse habillé de façon moins chic[51].

En dépit de la fréquence à laquelle nous les émettons, les hypothèses formulées sur la façon dont les gens s'habillent ne sont pas toujours fondées. L'inconnu aux vêtements froissés et mal ajustés peut être un travailleur en vacances, une personne ordinairement élégante sur le point de nettoyer sa cheminée ou même un millionnaire excentrique. Lorsque nous apprenons à mieux connaître les autres, leur façon de s'habiller devient moins importante à nos yeux[52]. Ce fait montre que la façon dont on se vêt est particulièrement importante dans les premiers temps d'une relation personnelle, lorsqu'il est nécessaire de faire bonne impression pour encourager les autres à mieux nous connaître. Ce conseil est également très valable dans des situations plus intimes ou lors d'entrevues d'emploi. L'alternative entre aller de l'avant ou être complètement rejeté peut découler de notre apparence vestimentaire ou personnelle.

La proxémie — ou la distance comme communication non verbale La **proxémie** est l'étude de la façon dont les gens et les animaux occupent l'espace. Comme vous allez le voir d'ici la fin du chapitre, vous pouvez parfois deviner comment les gens se sentent les uns par rapport aux autres en observant simplement la distance qu'ils maintiennent entre eux. Pour commencer à le comprendre, essayez de faire l'exercice suivant:

La distance fait la différence

1. Choisissez un partenaire et placez-vous aux deux extrémités de la pièce en vous faisant face.

2. Très lentement, commencez à vous avancer l'un vers l'autre tout en conversant. Vous pouvez choisir de parler simplement des impressions que vous ressentez en faisant cet exercice. Tandis que vous vous rapprochez, efforcez-vous de remarquer tout changement de vos impressions. Continuez à vous diriger lentement l'un vers l'autre jusqu'à ce que vous ne soyez plus séparés que par quelques centimètres. Souvenez-vous de l'impression ressentie à ce stade.

3. Maintenant, tout en continuant à vous faire face, repartez vers l'arrière jusqu'à ce que vous vous trouviez à une distance confortable pour poursuivre votre conversation.

4. Partagez vos impressions entre vous ou avec l'ensemble du groupe.

Au cours de cette expérience, les impressions ressenties ont dû changer au moins à trois reprises. Dans la première phase, lorsque vous vous trouviez à l'autre bout de la pièce, vous deviez probablement vous sentir très éloigné de votre partenaire. Puis, en vous rapprochant jusqu'à un mètre environ, vous avez sans doute ressenti l'envie de vous arrêter: cela correspond à la distance à laquelle se tiennent ordinairement, dans notre culture, deux personnes qui désirent converser. Si votre partenaire n'est pas une personne émotionnellement très proche de vous, vous avez sans doute commencé à vous sentir moins à l'aise au fur et à mesure que vous vous rapprochiez d'elle à partir de ce point. Il est même possible que vous ayez dû vous forcer pour ne pas reculer. Certaines personnes se sentent tellement mal à l'aise à cette phase qu'elles ne peuvent approcher à moins de 25 cm de leur partenaire.

Que se passe-t-il donc ici? Chacun de nous transporte avec lui une sorte de bulle d'espace personnel, invisible, partout où il va. L'intérieur de cette bulle est notre territoire privé — qui fait partie de nous presque comme notre propre corps. Comme vous vous rapprochez de votre partenaire, la distance qui sépare vos bulles se rétrécit et, à un certain point, s'efface complètement: votre espace a été envahi et c'est à ce point que vous vous sentez probablement mal à l'aise. Lorsque vous vous éloignez à nouveau, votre partenaire se retire de votre bulle et vous vous sentez plus détendu.

Bien sûr, si vous deviez faire cet exercice avec une personne très proche de vous — votre copain ou votre copine par exemple —, il y a de fortes chances pour que vous n'ayez ressenti aucun malaise lorsque vous en êtes venus à vous toucher. Notre empressement à nous rapprocher des autres — physiquement comme émotionnellement — varie en effet selon la personne avec qui nous nous trouvons et selon les circonstances. C'est précisément la distance que nous mettons volontairement entre les autres et nous qui fournit les indices non verbaux sur les impressions que nous ressentons et sur la nature de notre relation avec eux.

L'anthropologue Edward T. Hall a défini les quatre zones concentriques ou distances que nous respectons dans la vie quotidienne[53]. Il ajoute que nous en choisissons une en particulier en fonction des sentiments que nous éprouvons envers l'autre personne, du contexte de la conversation et de nos objectifs interpersonnels.

1. *La distance intime* La première zone, selon Hall, part du contact véritable jusqu'à environ 45 cm. Nous acceptons généralement cette **distance intime** avec les personnes dont nous sommes émotionnellement très proches, le plus souvent de façon privée — faire l'amour, se caresser, réconforter ou protéger. En permettant à l'autre d'entrer dans notre sphère d'intimité, nous le laissons pénétrer notre territoire.

Lorsque nous le faisons sciemment, c'est le plus souvent une marque de confiance: nous abaissons volontairement nos défenses. En revanche, lorsqu'une personne envahit cette zone sans notre consentement, nous nous sentons généralement menacés. Ceci explique l'impression ressentie dans l'exercice précédent lorsque votre partenaire pénétrait dans votre espace sans y avoir été expressément invité. Cela explique également le malaise que nous ressentons parfois lorsque nous sommes placés fortuitement avec des inconnus dans des espaces bondés comme les autobus ou les ascenseurs. Dans des circonstances semblables, le comportement normal, dans notre société, est de se retrancher ou de tendre les muscles et d'éviter les regards. C'est une façon non verbale de dire: «Je suis désolé d'envahir votre territoire, mais j'y suis contraint.»

Dans le jeu de la séduction, un des moments critiques survient lorsque l'un des deux partenaires franchit pour la première fois la distance intime de l'autre. Si le partenaire ainsi approché n'a pas de mouvement de recul, cela signifie souvent que la relation est en train de franchir une nouvelle étape. Par contre, si la réaction du partenaire à une avance semblable est un recul, l'instigateur du geste devrait saisir le message, à savoir que le temps n'est pas encore venu de se montrer plus intime. Nous pouvons nous rappeler, d'après nos rendez-vous amoureux, la signification que revêt l'endroit de la voiture où notre compagne choisit de s'asseoir. Si elle se rapproche de nous, cela indique une chose; si elle préfère se réfugier contre la portière du passager, nous recevons un tout autre message.

2. *La distance personnelle* La deuxième zone spatiale, la **distance personnelle**, se situe entre 45 cm (pour le point le plus proche) à environ 1,25 m (le point le plus éloigné). Le point le plus proche est la distance à laquelle la plupart des couples se tiennent en public. Si une personne de sexe opposé se tient à cette distance-là avec l'un des deux partenaires, à une soirée par exemple, l'autre partenaire aura tendance à se sentir mal à l'aise. Cette «intrusion» est souvent comprise comme le signe que quelque chose de plus important qu'une simple conversation se déroule. Le point le plus éloigné de la distance personnelle se situe entre 75 cm et 1,25 m. Cela correspond à la zone juste hors de la portée de l'autre. Comme le souligne Hall, nous pouvons garder l'autre personne «à distance». Ces mots définissent le type de communication qu'indique cette distance: les contacts sont encore raisonnablement proches, mais ils sont beaucoup moins intimes que ceux qui ont lieu à une distance de 30 cm ou moins.

Faites une expérience pour vous-même. Commencez une conversation avec une personne à une distance d'à peu près 1 m et rapprochez-vous lentement jusqu'à environ 50 cm. Observez-vous une différence? La distance affecte-t-elle votre conversation?

3. *La distance sociale* La **distance sociale** se situe entre 1,20 m et 3,60 m. À l'intérieur de ces limites, on trouve le genre de communication qui se fait ordinairement dans les affaires. Dans sa partie la plus proche — 1,20 m à 2,10 m — se déroulent généralement les conversations entre vendeurs et clients ou entre personnes qui travaillent ensemble. La plupart des gens se

sentent mal à l'aise lorsqu'un vendeur s'approche à une distance inférieure à 1 m, tandis qu'une distance de 1,20 m à 1,50 m indique de façon non verbale: «Je suis ici pour vous aider, mais je n'ai pas l'intention de me montrer trop intime ou arrogant.»

Prenez une minute maintenant pour mimer une scène entre un vendeur et son client. Faites-le d'abord à une distance de 1,50 m, puis à 1 m. Laquelle des distances semble la plus naturelle?

Nous nous tenons dans la partie la plus éloignée de cette zone — 2 m à 4 m — dans des situations plus formelles et plus impersonnelles. C'est la distance à laquelle nous nous tenons de notre patron (ou de toute autre autorité), de l'autre côté d'un bureau. Être assis à cette distance révèle un type de conversation très différent et beaucoup moins détendu que si nous avions avancé une chaise aux côtés de notre patron et que nous nous étions assis à seulement 1 m de lui.

4. *La distance publique* La **distance publique** est, selon Hall, la zone la plus éloignée, soit plus de 3,60 m. La partie la moins distante de cette zone est celle qu'utilisent la plupart des professeurs dans leur classe. Lorsque la distance est plus grande — 7,50 m et plus —, la communication à double sens devient pratiquement impossible. Une distance semblable est parfois nécessaire, comme dans le cas des orateurs qui font face à un auditoire très vaste; nous pouvons cependant supposer que toute personne qui choisit délibérément cette distance alors qu'elle peut très bien se rapprocher ne veut tout simplement pas établir de dialogue.

L'invasion physique n'est pas la seule façon de pénétrer dans notre bulle spatiale; nous nous sentons tout aussi mal à l'aise lorsqu'une personne envahit notre champ visuel. Si vous avez déjà eu la désagréable expérience d'être dévisagé, vous savez sûrement que cela est tout aussi menaçant que d'avoir quelqu'un trop près de soi. La plupart du temps, cependant, les gens respectent l'intimité visuelle des autres. Vous pourrez le vérifier la prochaine fois que vous marcherez dans la rue. Lorsque vous vous approchez d'une personne, remarquez comment cette dernière détourne le regard lorsqu'elle n'est plus qu'à quelques pas de vous, presque comme la mise en code des phares de voiture. Habituellement, des inconnus soutiennent votre regard seulement dans le cas où ils désirent quelque chose de particulier — des informations, de l'aide, votre signature sur une pétition, se faire reconnaître, tendre la main, etc.

La distance que nous mettons entre nous peut jouer le rôle de baromètre quant à l'état de nos relations. Une étude a montré une étroite corrélation entre l'intimité émotionnelle d'un couple et la distance qu'il trouve confortable pour la conversation[54]. La distance moyenne dans les «couples en détresse» est environ 25 p. 100 plus grande que dans les couples satisfaits.

Territorialité   Tandis que l'espace personnel est la bulle invisible que nous transportons partout avec nous comme une prolongation de notre personne physique, la **territorialité** est, elle, stationnaire. Toute aire géographique comme une pièce, une maison, un quartier ou un pays sur lesquels nous prétendons avoir une sorte de «droit» constitue notre territoire. Ce qui est intéressant à noter à propos de la territorialité, c'est qu'elle ne repose sur aucun fondement réel assurant du droit de «disposer» d'une zone donnée, mais le sentiment de «possession» existe tout de même. Votre chambre dans la maison est *la vôtre*, que vous soyez là ou non (à la différence de l'espace personnel que vous transportez partout avec vous), et c'est votre chambre parce que c'est vous qui l'affirmez. Vous pourriez vous défendre sur le fait que votre chambre est *bien* votre chambre (et non pas celle de toute la famille ou celle du véritable propriétaire de la maison), mais qu'en est-il du bureau où vous êtes assis en classe? Vous ressentez la même impression pour le bureau que vous dites *vôtre*, même si l'école en est le véritable propriétaire et que de toute façon il n'est pas véritablement à vous.

La façon dont les gens se servent de l'espace peut en apprendre beaucoup sur leur pouvoir et sur leur statut social. Nous accordons généralement une plus grande territorialité et une plus grande intimité aux personnes qui ont un statut social plus élevé. Nous frappons avant d'entrer dans le bureau de notre patron, tandis que celui-ci peut entrer sans hésitation là où nous travaillons. Dans les écoles classiques, les professeurs ont leur bureau personnel, leur salle à manger et même leurs toilettes, tandis que les étudiants, qui

Je m'invente un pays où vivent les soleils
qui incendient les mers et consument les nuits.
Les grands soleils de plomb, de bronze ou de vermeil,
les grandes fleurs soleils, les grands soleils soucis.
Ce pays est un rêve où rêvent mes saisons,
et dans ce pays-là, moi je fais ma maison.
Ma maison est un bois mais c'est presque un jardin
qui danse au crépuscule autour d'un feu qui chante,
où les fleurs se mirent dans un lac sans tain
et leurs images embaument en brises frissonnantes,
aussi folles que l'aube aussi belles que l'ambre
en cette maison-là, j'ai installé ma chambre.
Ma chambre est une église et je suis à la fois
si géante, un instant, ce monument étrange.
Et le prêtre et le dieu,
et le doute et la foi,
et l'amour et la femme,
et le démon et l'ange,
au ciel de mon église, brûle un soleil de nuit,
en cette chambre-là, j'y ai couché mon lit.
Mon lit est une arène,
où l'on mène un combat sans merci, sans repos,
je repars, tu reviens,
une arène où l'on meurt aussi souvent que ça,
mais où l'on vit pourtant sans penser à demain,
où les grandes fatigues chantent quand je m'endors,
je sais que dans ce lit, j'ai ma vie, j'ai ma mort!
Je m'invente un pays où vivent les soleils
qui incendient les mers et consument les nuits.
Les grands soleils de plomb, de bronze ou de vermeil,
les grandes fleurs soleils, les grands soleils soucis.
Ce pays est un rêve où rêvent mes saisons,
mais moi dans ce pays, j'y ai fait ta maison!

Barbara

auraient sur ce plan moins d'importance, n'ont pas ce genre de sanctuaires. Dans l'armée, des espaces plus vastes et une plus grande intimité sont accordés selon le grade: les soldats de deuxième classe dorment à 40 par chambrée, les sergents ont leur chambre privée et les généraux bénéficient d'une maison fournie par le gouvernement.

Environnement physique   Pour conclure notre étude de la communication non verbale, nous aimerions souligner la façon dont le cadre physique, l'architecture et la décoration intérieure peuvent affecter la communication. Commencez par vous rappeler les différentes maisons dans lesquelles vous êtes entré récemment: certaines d'entre elles étaient-elles plus confortables que d'autres? Vos impressions ont sans doute été souvent conditionnées par les personnes avec qui vous vous trouviez, mais il existe tout de même des maisons où il semble impossible de se détendre, peu importe la gentillesse des hôtes. Nous avons tous passé ce qui nous semblait être des soirées interminables dans ce que Mark Knapp appelle des «pièces sans âme». Des cendriers immaculés ainsi que des housses sur le mobilier et sur les lampes semblaient envoyer des messages non verbaux nous indiquant qu'il ne fallait surtout pas toucher ou fouler du pied quoi que ce soit et nous interdisant tout simplement de nous sentir à l'aise. Les gens qui vivent dans ce genre de maison se demandent probablement pourquoi personne ne semble se détendre ou s'amuser à leurs soirées. Une chose est certaine: ils ne comprennent pas que l'environnement qu'ils ont créé peut communiquer une certaine gêne à leurs invités.

Beaucoup de recherches montrent que la décoration d'une pièce peut modeler le genre de communication qui se fait à cet endroit. Dans une expérience à l'université Brandeis, A. Maslow et N. Mintz ont remarqué que l'attrait d'une pièce influait sur le bonheur et sur l'énergie des personnes qui y travaillaient[55]. Les chercheurs installèrent trois pièces: une plutôt «laide» qui ressemblait à un cabinet de débarras, dans le sous-sol d'un édifice de l'université; la deuxième, une pièce d'allure «quelconque», qui était le bureau d'un professeur; et une troisième pièce «magnifiquement» décorée de tapis, de rideaux et de mobilier confortable. On demandait aux personnes qui participaient à l'expérience d'évaluer une série de

> Il m'est arrivé d'entendre une infirmière, dans un hôpital, définir ainsi les médecins: certains médecins, selon elle, sont des médecins au-chevet-du-malade dans le sens qu'ils s'intéressent avant tout au malade, tandis que d'autres sont des médecins au-pied-du-lit-du-malade dans le sens qu'ils sont avant tout intéressés par le cas que le malade soulève. Ils indiquent ainsi de façon inconsciente leur engagement émotionnel — ou son absence — d'après l'endroit où ils choisissent de se tenir.
>
> Edward T. Hall

portraits dans le but de mesurer leur énergie et leur impression de bien-être au travail. Les résultats montrèrent que, dans la pièce qui était laide, les sujets s'étaient lassés beaucoup plus rapidement et avaient pris davantage de temps à exécuter leur tâche. Lorsqu'ils s'étaient trouvés dans la superbe pièce, au contraire, ils avaient évalué les portraits qu'on leur tendait de façon plus positive, montré une plus grande ardeur au travail et exprimé des sentiments d'importance, de confort et de réel plaisir. Les résultats enseignent une leçon qui n'est pas surprenante: les travailleurs se sentent généralement mieux et font un meilleur travail lorsqu'ils sont placés dans un environnement agréable.

Beaucoup de dirigeants ont compris comment l'environnement pouvait influencer la communication. Robert Sommer, un psychologue chevronné en environnement, en décrit plusieurs cas. Dans son livre *Personal Sspace: The Behaviorial Basis for Design*, il souligne que des éclairages tamisés, des bruits amortis et des sièges confortables encouragent les gens à passer plus de temps dans un restaurant ou dans un bar[56]. Sachant cela, la direction peut avoir le contrôle du roulement de clients. Si son objectif est de diriger une affaire à gros volume dont le but est de voir entrer et sortir les clients de façon rapide, il est alors nécessaire de garder les lumières assez fortes et de ne pas prêter une attention spéciale à l'insonorisation. Si son objectif est au contraire de retenir les clients au bar ou dans le restaurant assez longtemps, la technique appropriée est d'abaisser l'éclairage et de veiller à la bonne insonorisation des lieux.

Le design du mobilier contribue également à contrôler le temps qu'une personne passe dans un

> Les bâtiments d'hôpital n'ont en général aucun des attraits qui pourraient favoriser la guérison. Les couleurs sont douces, mais au lieu d'être reposantes, elles sont le plus souvent déprimantes; les espaces sont assez mal répartis: un patient peut parfois se sentir perdu dans une grande pièce ou à l'étroit dans une trop petite; les patients des chambres privées ou semi-privées se sentent très isolés... Les fenêtres sont le plus souvent mal disposées et la vue qu'elles offrent donne la plupart du temps sur un grand bâtiment d'hôpital adjacent ou sur un stationnement de voitures...
>
> On pourrait objecter que malgré tout cela, la majorité des patients s'ajustent bien à l'hôpital, se rétablissent et retournent chez eux. C'est un peu comme dire que le monde a parfaitement tourné avant l'apparition de l'électricité, ce qui est également exact.
>
> Michael Crichton

environnement donné. De là est venue la chaise Larsen, qui fut conçue pour des restaurateurs de Copenhague qui trouvaient que leurs clients occupaient leurs sièges trop longtemps sans dépenser suffisamment d'argent. La chaise est construite pour exercer une pression assez inconfortable dans le dos de la personne qui est assise si cette dernière reste dessus plus que quelques minutes. (Nous soupçonnons beaucoup de personnes qui ne font pas attention lorsqu'elles achètent leurs meubles de parvenir au même résultat si elles n'ont pas pris la peine de les essayer. Un ami psychologue en environnement refuse d'acheter une chaise ou un canapé avant de s'être assis dessus pendant au moins une demi-heure pour en tester le confort.)

Sommer soutient également que les aéroports sont conçus pour décourager les gens de passer trop de temps dans les salles d'attente. Les sièges inconfortables, vissés les uns à côté des autres et tournés vers l'extérieur, rendent la conversation pratiquement impossible. Aussi, les voyageurs se voient obligés de se rendre dans les restaurants et les bars de l'aérogare où ils se sentiront peut-être plus à l'aise, mais où ils auront tendance également à dépenser davantage d'argent.

Les propriétaires de casinos, comme à Las Vegas, savent également comment utiliser l'environnement pour avoir le contrôle de leurs clients. Pour empêcher que les parieurs ne se rendent compte du temps qu'ils ont passé à jouer aux dés, à la roulette et au vingt-et-un ou à alimenter les machines à sous, ils construisent leurs casinos sans fenêtres ni horloges. À moins d'avoir leur propre montre, les clients n'ont donc pas la possibilité de savoir combien de temps ils ont passé à parier ou de savoir si c'est le jour ou la nuit.

D'une façon moins commerciale et dans un but plus thérapeutique, les médecins ont aussi modelé l'environnement pour améliorer la communication. Une étude montrait que le fait d'enlever le bureau du cabinet du médecin mettait les patients presque cinq fois plus à l'aise durant les consultations. Sommer s'aperçut que de redessiner l'aile des convalescents d'un hôpital augmentait considérablement leurs échanges. Dans les vieilles structures, les sièges étaient placés côte à côte aux extrémités de la pièce. Le fait de grouper les chaises autour de petites tables pour permettre aux patients de se voir à une distance raisonnable doublait le nombre des conversations.

L'aspect extérieur d'un édifice envoie souvent un message à ses occupants. Les banques, par exemple, ont traditionnellement fait appel à des structures imposantes, comme des colonnes de marbre et des espaces ouverts, pour véhiculer une image de puissance et de sécurité vis-à-vis de leurs clients. Au fur et à mesure de l'évolution des goûts et des comportements, l'architecture change à son tour. (Certains architectes diront même qu'elle la devance parfois.) Les banques construites au cours des 10 ou 15 dernières années reflètent une nouvelle approche, qui met l'accent sur l'attitude amicale et l'ouverture des établissements, et cela se traduit par un recours plus grand aux structures vitrées et à l'aménagement paysager, ce qui abaisse les barrières entre les clients et le personnel.

La disposition d'un ensemble d'habitations peut modeler la communication entre les usagers. Les architectes se sont rendu compte que la façon dont les projets domiciliaires seront conçus influencera d'une certaine façon le contact que les voisins entretiendront entre eux. Les gens qui habitent les appartements proches des escaliers ou des boîtes à lettres ont beaucoup plus de contacts que ceux qui

mettent à profit ces informations pour concevoir des ensembles qui encouragent la communication — ou au contraire favorisent l'intimité —, et ceux qui sont à la recherche d'une maison peuvent utiliser ces mêmes informations pour choisir un logement qui leur apportera les relations de voisinage qu'ils souhaitent.

Jusqu'ici, nous avons vu comment la conception d'un environnement peut influencer la communication; il y a également une autre facette à considérer: la façon dont les gens utilisent un environnement existant peut indiquer le genre de relations personnelles qu'ils désirent avoir. Sommer a observé, par exemple, des étudiants dans une bibliothèque de collège, et il a trouvé qu'il existait un schéma défini pour ceux qui désiraient étudier seuls. Lorsque la bibliothèque n'était pas trop bondée, les étudiants choisissaient presque toujours les places de coin des tables rectangulaires vides. Chaque table était donc finalement occupée par une seule personne. Les nouveaux venus choisissaient ensuite une place du côté opposé et à l'autre bout de la table déjà occupée, gardant ainsi une distance maximale entre eux et les autres étudiants. Une des associés de Sommer essaya d'enfreindre ces «règles établies» en allant s'asseoir à côté ou en face des autres étudiants, alors que d'autres places étaient encore disponibles. Elle s'aperçut que les étudiants réagissaient de manière

habitent dans des sections moins passantes, et les locataires ont habituellement plus de contacts avec leurs voisins immédiats qu'avec les gens qui habitent quelques portes plus loin. Les architectes

Une bonne maison se planifie de l'intérieur vers l'extérieur. En premier lieu, vous devez décider de ce qu'elle doit offrir à ses occupants. Puis, vous laissez les fonctions en déterminer les formes. Plus elles sont nombreuses et diverses, plus la maison devrait bien y répondre et être intéressante. Elle ne ressemblerait peut-être pas, par contre, à ce à quoi vous vous attendiez.

Dan MacMasters

défensive, soit en faisant part de leur malaise par des changements de posture ou des gestes, soit en se déplaçant.

La position d'une personne dans une pièce peut également indiquer son statut social. Les recherches montrent que, pendant les conférences, les personnes qui jouent le rôle de leader s'assoient généralement en bout de table tout comme le fait, à la maison, le père ou la mère en tant que chef de famille.

RÉSUMÉ

La communication non verbale consiste en messages exprimés par des moyens non linguistiques tels que la distance observée, le toucher, la position du corps et son orientation, les expressions du visage ou les regards, le mouvement, les caractéristiques vocales, la façon de se vêtir et l'environnement physique.

La communication non verbale est envahissante: il est impossible de ne pas émettre de messages non verbaux. La plus grande partie de la communication non verbale révèle des attitudes et des sentiments, à l'opposé des messages verbaux qui conviennent davantage à l'expression des idées. Si beaucoup de messages non verbaux sont universels, leur utilisation comme leur signification peuvent varier d'une culture à l'autre. La communication non verbale a plusieurs fonctions. Elle peut répéter, remplacer, compléter, accentuer, régler ou contredire des messages verbaux.

Les messages non verbaux diffèrent des messages verbaux de plusieurs façons. Ils sont transmis par des canaux multiples, sont continus et non limités, habituellement plus ambigus et le plus souvent inconscients. Lorsqu'il existe un conflit entre les messages verbaux et les messages non verbaux, les communicateurs ont souvent tendance à favoriser ces derniers.

Mots clés

Accentuation	Doubles messages	Paralangage
Communication non verbale	Emblèmes	Proxémie
Complément	Fuites	Régulation
Contradiction	Indices de duplicité	Réitération
Distance intime	Kinésie	Ruptures
Distance personnelle	Manipulateurs	Substitution
Distance publique	Micro-expression	Territorialité
Distance sociale	Mimiques	

Bibliographie spécialisée

DE LANDSHEERE, Gilbert. «Les comportements non verbaux de l'enseignant», *Vie pédagogique*, vol. 8, Gouvernement du Québec, Ministère de l'Éducation, septembre 1980, p. 4 à 8.

Un texte accessible qui se penche sur les attitudes des enseignants en classe. Des informations pertinentes pour les étudiants et les étudiantes désirant enseigner quelques trucs à leurs professeurs!

FEYEREISEN, Pierre, DE LANNOY, Jacques-Dominique. *Psychologie du geste*, Bruxelles, Pierre Mardaga, 1985, 364 p.

Un ouvrage rigoureux dans la présentation et l'analyse des recherches couvrant la thématique du comportement non verbal. Un livre de référence rédigé par des experts européens. Excellentes critiques portées sur l'état des recherches en ce domaine.

FEYEREISEN, Pierre, SERON, Xavier. «Les troubles de la communication gestuelle», *La Recherche*, n° 15, vol. 152, Société d'éditions scientifiques, février 1984, p. 156 à 164.

Un article surprenant à lire! Les auteurs sont intéressés par la présentation des observations voulant que lorsqu'une personne subit un traumatisme crânien conduisant à des troubles du langage, cette personne présente aussi des déficits au niveau du comportement non verbal…

HALL, Edward T. *La dimension cachée,* Paris, Seuil, 1971, 256 p.

Hall est probablement l'auteur qui a le plus étudié la proxémie. Ce livre présente un excellent résumé des recherches sur le sujet, incluant celles sur les animaux. Il contribue à parfaire notre connaissance sur la façon dont l'être humain utilise l'espace et présente un chapitre sur la façon dont différentes ethnies utilisent l'espace.

MARGUERITTE, Yves. «Les 4 messages de son visage», *Parents*, n° 181, EDI 7 S. N. C., mars 1984, p. 80 à 87.

Un court article tout en images! C'est d'ailleurs pour cette raison que nous vous le suggérons. Un texte essentiellement descriptif.

MONTAGU, Ashley. *La peau et le toucher: un premier langage,* Paris, Seuil, 1979, 224 p.

Montagu a écrit des pages absolument fascinantes à propos de la peau et de l'importance qu'elle a sur notre développement. C'est un livre qu'aimeront lire les personnes qui désirent avoir des enfants.

MORRIS, Desmond. *La clé des gestes,* Paris, Grasset, 1977, 320 p.

Ce document présente énormément d'informations sur les comportements non verbaux sans qu'il y ait nécessairement une analyse critique des concepts présentés. Cependant, le texte est parsemé de photos issues de nombreux domaines: sport, média, etc.

SARAGOSI, Maggy. «Le regard, les gestes, la voix», *Le médecin du Québec*, n° 4, vol. 20, Fédération des médecins omnipraticiens du Québec, avril 1985, p. 81 à 87.

Un texte spécifique à la profession médicale où on peut facilement percevoir l'importance du cérémonial dans l'entrevue.

VAYER, Pierre, RONCIN, Charles. «Le corps et les communications humaines», *Psychologies*, vol. 35, Loft International, septembre 1986, p. 8 à 14.

Les gens intéressés par un survol rapide de toutes les problématiques concernant l'étude du comportement non verbal seront bien servis par ce texte.

WALTMAN, John L. «La communication non verbale et le témoignage en cour», *Sûreté*, n° 9, vol. 14, La sûreté du Québec, septembre 1984, p. 9 à 12.

Un court texte cocasse encore destiné à une profession spécifique. À profession spécifique, conseils bien spécifiques aussi… À lire pour voir!

Chapitre 7

Écouter ou entendre

Écouter une personne qui parle exige plus que de la regarder poliment en hochant la tête de temps à autre. Nous savons tous combien il est frustrant de ne pas être «entendu» et nous nous sommes tous rendus coupables un jour ou l'autre de ne pas prêter attention à ce que disaient les autres autour de nous. De fait, comme vous allez le découvrir bientôt, il semble que plus de la moitié des paroles que nous prononçons quotidiennement auraient pu être tues: elles ne seraient pas clairement comprises.

Des aptitudes d'écoute si peu efficaces sont particulièrement fâcheuses lorsqu'on prend conscience que l'on passe plus de temps à écouter qu'à se livrer à tout autre type de communication. Une étude récente (résumée dans la figure 7-1) a montré que des étudiants de niveau collégial passaient en moyenne 14 p. 100 de leur temps de communication à écrire, 16 p. 100 de leur temps à parler, 17 p. 100 à lire et 53 p. 100 à écouter. L'écoute a été par la suite subdivisée en écoute des médias de communication (comme la radio et la télévision) et en écoute de messages personnels, la première catégorie occupant 32 p. 100 de leur temps contre 21 p. 100 pour la deuxième — soit encore plus que n'importe quel autre type de communication de personne à personne[1].

> Si vous pensez que la communication n'est que parole, c'est que vous n'avez jamais écouté.
>
> Ashleigh Brilliant

Ce chapitre vous renseignera sur la façon d'utiliser votre temps de communication le plus efficacement possible, en étudiant ce qu'est réellement l'écoute. Nous parlerons tout d'abord de mauvaise écoute. Vous prendrez conscience du nombre de fois où vous «écoutez» réellement et du nombre de fois où vous prétendez simplement le faire; les résultats pourraient d'ailleurs vous surprendre! Vous apprendrez ensuite pourquoi, la plupart du temps, nous n'écoutons pas, et vous verrez les mauvaises habitudes que nous avons tendance à développer dans ce domaine. Après ce tableau plutôt sombre, vous apprendrez comment améliorer votre capacité d'écoute, afin de comprendre les autres et de vous assurer que les autres, en retour, puissent saisir les messages que vous leur envoyez. Finalement, nous étudierons certaines techniques d'écoute et quelques types d'approche qui vous serviront à aider les autres à résoudre leurs problèmes.

Figure 7-1 Types d'activités de communication

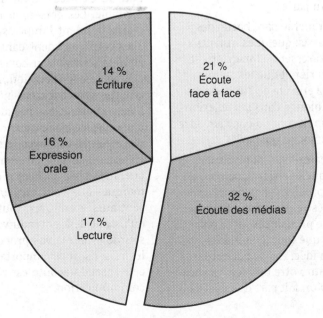

Avant que nous parlions de ces nouvelles approches, essayez de faire l'exercice suivant pour vous remettre en mémoire certaines mauvaises habitudes d'écoute.

Mauvaise écoute

1. Divisez la classe en groupes de quatre à cinq personnes.

2. Chaque personne, à tour de rôle et pendant deux minutes, présente au groupe ses idées sur une question d'actualité (l'avortement, par exemple, ou toute autre question qu'elle juge importante). Pendant que la personne qui parle expose ses idées, les autres membres du groupe doivent s'efforcer de penser à une chose qui les préoccupe personnellement — un devoir qu'ils n'ont pas terminé, un travail en cours, des sujets à discuter en famille, etc. Ils doivent essayer de penser à la façon dont ils vont pouvoir faire face à ces différents problèmes. Ils ne devraient pas pour autant se montrer impolis envers la personne qui est en train de parler; ils pourraient au contraire faire des signes de la tête de temps à autre en direction de l'orateur, faisant semblant de prêter une attention soutenue à ce qu'il est en train de dire. Leur esprit devrait cependant être ailleurs, et non pas concentré sur les commentaires de la personne qui parle.

3. Cette deuxième étape franchie par chacun des membres du groupe, passez quelques instants à discuter de l'impression ressentie lorsqu'on est soi-même en train de parler et que les autres vous écoutent. Discutez ensuite de l'impression ressentie lorsqu'on est plongé dans ses réflexions personnelles alors qu'on devrait au contraire être en train d'écouter la personne qui parle.

4. Prenez cinq minutes maintenant pour mener une discussion dans laquelle chaque membre du groupe fasse part d'un problème personnel de communication qu'il désire résoudre. Efforcez-vous de vous montrer le plus sincère et le plus ouvert possible. Tandis que tout le monde cherche à exprimer son idée, essayez de garder la discussion concentrée sur votre problème à vous. Chaque fois que quelqu'un fait part d'une idée ou

d'une expérience vécue, essayez de ramener la conversation sur votre préoccupation à vous. Ne vous laissez pas détourner par les remarques des autres. Votre tâche est de faire connaître aux autres votre problème de communication.

5. Une fois cette discussion terminée, prenez quelques minutes pour parler des impressions ressenties au cours de la conversation — lorsque les autres ne tenaient pas compte du message que vous leur envoyiez et que vous ne faisiez pas attention à ce qu'ils vous disaient.

Types de mauvaise écoute

L'exercice précédent a identifié quelques-uns des types les plus courants de mauvaise écoute. Vous allez pouvoir, tout au long de votre lecture, commencer à les reconnaître comme des comportements auxquels vous et ceux qui vous entourent avez assez souvent recours. Si un certain aspect de notre mauvaise écoute, vous allez le voir assez vite, est compréhensible et parfois même souhaitable, il est important d'avoir connaissance de ses différentes manifestations pour être en mesure d'éviter d'en faire usage lorsqu'on a à cœur de comprendre réellement les autres.

Fausse écoute   C'est une imitation de l'écoute véritable. Les personnes qui excellent dans ce domaine donnent l'impression d'être très attentives: elles vous regardent dans les yeux, hochent la tête et vous sourient au bon moment; elles vous répondent même à l'occasion. Derrière cette apparente attention se cache cependant quelque chose de tout à fait différent; ces pseudo-auditeurs se servent d'une façade polie pour masquer des pensées qui n'ont rien à voir avec le sujet de la conversation. Ils vous ignorent, souvent parce qu'ils ont en tête quelque chose de bien plus important que les remarques que vous êtes en train de faire. Ils peuvent aussi s'ennuyer, tout simplement, ou penser qu'ils ont déjà entendu votre discours, et ils font la sourde oreille à vos propos. Quelles qu'en soient les raisons, il est important de reconnaître que cette pseudo-écoute est réellement de la fausse communication.

Y a-t-il quelqu'un?

Aujourd'hui, nous sommes envahis par les médias de communication: journaux, romans, périodiques de toutes sortes, télévision interactive, cinéma, documentaire, cours pratiques, etc. Il n'y a donc aucune raison de ne pas être au courant des événements qui arrivent dans nos vies et, pour certains d'entre nous, d'avoir une opinion sur les sujets de l'heure.

Et pourtant... Nous avons de la difficulté à écouter les autres et même à nous écouter nous-mêmes. Malgré la variété des voies par lesquelles nous pouvons acquérir des compétences certaines dans une matière, j'estime qu'il nous est encore très difficile de simplement nous arrêter pour prêter l'oreille à ce que l'autre peut bien vouloir nous dire, lorsqu'il ressent le besoin de le faire.

J'en ai pour preuve Antoine, qui ne sait toujours pas quelle orientation professionnelle choisir. Il est inscrit en sciences pures au collège, mais pense sincèrement aller faire un tour en sciences humaines, question de développer certaines habiletés qui lui permettront d'analyser les phénomènes sociaux selon des critères scientifiques. Ça l'intéresse. Mais il ressent un malaise. Il n'est pas sûr de ce choix. Les pressions familiales sont fortes; le diplôme n'est plus valorisé comme il l'était. Pour ce qui est de l'emploi à la fin des études, on peut toujours repasser. Par contre, le champ d'études est fascinant, les cours sont très intéressants et les étudiants ont développé une verve hors du commun. (Évidemment, il s'agit des étudiants sérieux. Quant aux autres...) Alors, quoi faire? C'est ce qu'il a tenté de raconter à Nicole.

Nicole a 19 ans. On lui en donnerait bien 23 tellement elle a l'air mature et responsable. Elle l'est dans ses études, avec son «chum» qu'elle fréquente depuis déjà un bon moment et avec son petit frère qu'elle adore. Mais voilà... Elle ne semble pas présente à ce qu'on peut vouloir lui dire au moment où on aurait besoin de le faire. Remarquez que Nicole a de nombreuses activités parascolaires, qui lui «bouffent» beaucoup de son temps et de son énergie. Mais enfin...

Toujours est-il qu'Antoine rencontre Nicole au café étudiant du collège. Tout va pour le mieux. Ils échangent les banalités qui vont de soi jusqu'à ce qu'Antoine décide de discuter du malaise qu'il ressent par rapport au choix qui se présente à lui, selon ses goûts et l'orientation professionnelle qu'il désire donner à sa vie. À ce moment, Nicole cesse de brasser son café, le regarde attentivement, pose le bras droit sur la table, replie l'autre jusqu'à ce que sa main atteigne son visage, de telle sorte que son petit doigt touche, mais à peine, la commissure de ses lèvres. Nicole prend une profonde respiration et dit de sa voix la plus posée: «Je t'écoute.»

Antoine, un peu gêné par cette mise en scène, commence à raconter ce qu'il vit. Nicole, assise bien droite, hoche la tête à rendre envieux le plus précis des métronomes. Antoine poursuit. Nicole aussi. Elle affiche, de la manière la plus subtile qui soit, le répertoire du parfait écoutant en situation de crise: légers froncements de sourcils pour marquer son intérêt, fixité du regard pour démontrer la vigueur avec laquelle elle saisit le sens du propos d'Antoine, reformulation détaillée des dernières remarques entendues, bref, le livre bien ouvert... le cœur et la patience bien moins.

Au bout des 13 minutes de cette écoute attentive, Nicole semble moins empressée de hocher la tête comme elle le faisait. Antoine, quant à lui, ne voulant plus continuer à raconter ce qu'il avait à dire, escamote certains détails importants, ce qui va raccourcir d'autant l'entretien.

Trois minutes plus tard, Nicole prend son sac, salue Antoine et court rejoindre son ami pour la fin de semaine. Antoine reste assis, prend le café non entamé de Nicole et l'amène à ses lèvres. Il interrompt son geste lorsque son regard se pose sur le graffiti bien affiché en face de lui et que l'on peut lire ainsi: «Il est inutile de faire semblant si c'est pour nous toucher avec des gants.» Antoine reste ainsi songeur durant de longues minutes.

Il n'a jamais trop compris le sens de cette phrase. Mais à chaque fois qu'il pensera à Nicole et à cet entretien, il ne pourra s'empêcher de croire que ce slogan s'appliquait très bien aux quelques minutes passées avec elle.

Jacques Shewchuck

Mise en vedette Les personnes qui veulent occuper le devant de la scène ne cherchent qu'à exprimer leurs idées et ne font pas du tout attention à ce que les autres ont à dire. Elles vous laisseront placer un mot de temps à autre pour reprendre leur souffle, se servir de vos remarques comme point de départ de leur babillage ou tout simplement vous empêcher de vous échapper. Elles n'ont pas réellement de conversation lorsqu'elles dominent leur entourage de leur bavardage; elles livrent seulement un discours et se font fort probablement des ennemis par la même occasion.

Écoute sélective Les personnes pratiquant l'écoute sélective ne répondent qu'aux parties de vos remarques qu'elles jugent d'un certain intérêt pour elles et rejettent tout le reste. Nous sommes tous des auditeurs sélectifs de temps à autre, comme lorsque nous opérons une sélection entre la musique et les messages publicitaires, ou lorsque nous avons l'oreille dressée pour un bulletin météo et l'annonce de l'heure. Dans d'autres cas, il y a écoute sélective lorsque, dans une conversation où l'on s'attend à ce que les personnes prêtent une oreille attentive à ce qui se dit, elles ne font en fait attention à leur partenaire que si le sujet abordé traite un domaine qui les intéresse — argent, sexe, un passe-temps ou une personne en particulier. À moins que (ou jusqu'à ce que) vous n'ameniez un de leurs sujets favoris sur le tapis, vous aurez l'impression de parler à un mur.

Écoute protégée Les personnes manifestant cette attitude sont pratiquement à l'opposé des auditeurs sélectifs que nous venons de voir. Au lieu de rechercher une chose en particulier, elles l'évitent. Lorsqu'un sujet de conversation dont elles ne veulent pas entendre parler arrive sur le tapis, elles font en sorte de ne pas l'entendre ou de ne pas le reconnaître. Si vous leur rappelez un problème, un travail qu'elles n'ont pas terminé, des mauvaises notes ou quelque chose de semblable, elles vont faire un signe affirmatif de la tête ou même vous répondre, en oubliant tout aussi rapidement ce que vous venez de leur dire.

Écoute défensive Les personnes qui ont ce travers prennent les choses que vous considérez, vous, comme banales pour des attaques personnelles. L'adolescent qui voit dans les questions de ses parents concernant ses amis ou ses activités une manifestation de leur méfiance a une écoute défensive, tout comme le soutien de famille qui explose chaque fois que l'on mentionne le mot argent, ou le parent susceptible qui voit dans les questions de ses enfants une menace à son autorité et à sa sagesse parentale. Comme vous le verrez au chapitre 9, il est juste de penser que beaucoup de personnes dont l'écoute est défensive ont des problèmes avec leur soi extérieur; elles évitent de l'admettre en projetant leur insécurité personnelle sur les autres.

Écoute piégée Certaines personnes assez rusées vous écoutent attentivement, mais seulement dans le but de recueillir des informations dont elles se serviront par la suite pour attaquer ce que vous dites. Le procureur menant un contre-interrogatoire en est un bon exemple. Inutile de dire que l'utilisation de ce genre de stratégie ne manquera pas de provoquer une réaction de méfiance chez l'autre personne.

Écoute insensible Ce dernier exemple englobe des auditeurs qui ne reçoivent pas non plus clairement les messages des autres. Comme nous l'avons déjà dit, certaines personnes ont parfois de

la difficulté à exprimer ouvertement leurs pensées ou leurs émotions, et elles les communiquent indirectement aux autres à l'aide d'une tactique subtile ou inconsciente, de façon verbale ou non. Les auditeurs insensibles ne peuvent pas, eux, aller au-delà des mots ou d'un comportement donné pour en comprendre le sens caché. Ils prennent au contraire les propos de la personne qui parle au pied de la lettre.

Pourquoi nous arrive-t-il de ne pas écouter?

Après avoir passé en revue les différents types de mauvaise écoute, la majorité des gens commencent à prendre conscience qu'ils n'écoutent attentivement qu'une faible partie du temps, en réalité. Il est assez déroutant de réaliser que bien souvent on n'entend pas les autres et que ces derniers n'arrivent pas à recevoir les messages que nous leur envoyons; c'est pourtant un fait de la vie. Aussi triste que cela puisse être, il est impossible d'écouter *tout* le temps, et ce pour plusieurs raisons.

Surabondance de messages La quantité de paroles que la plupart d'entre nous entendons dans une journée rend une écoute attentive virtuellement impossible. Comme vous l'avez déjà vu, nous passons près de la moitié de notre temps éveillé à écouter des messages verbaux — ceux de nos professeurs, de nos collègues, de nos amis, de notre famille, des vendeurs ou de personnes totalement étrangères, sans compter ceux de la radio et de la télévision. Cela veut dire que nous passons cinq heures par jour ou plus à écouter les autres parler. Il est de ce fait impossible d'avoir une attention soutenue pendant tout ce temps, et

c'est ce qui explique que notre esprit vagabonde de temps à autre.

Préoccupations personnelles Nous sommes souvent préoccupés par des problèmes personnels qui ont à nos yeux une importance plus immédiate que les messages que les autres nous envoient. Il est difficile de prêter attention à quelqu'un d'autre lorsqu'on pense à un examen qui approche ou que l'on se remémore les bons moments passés avec ses amis la veille. Nous nous sentons cependant obligés d'«écouter poliment» les autres et continuons ainsi notre mascarade.

Rapidité de la pensée Une raison psychologique est également à la source de nos difficultés à écouter de façon attentive. Alors que nous sommes capables de saisir 600 mots à la minute, une personne moyenne ne pourra en prononcer que 100 à 150 dans ce même laps de temps[2]. Lorsque les autres sont en train de parler, nous avons ainsi du temps de réserve à notre disposition. La tentation

est grande d'utiliser ce temps d'une façon qui n'a aucun lien avec la conversation en cours, comme de penser à ce qui nous préoccupe personnellement, à rêvasser, à élaborer une réplique, etc. L'astuce consiste cependant à utiliser ce temps de réserve à mieux saisir ce que veut nous faire entendre la personne qui parle, plutôt que de laisser notre esprit vagabonder.

Efforts à fournir Écouter attentivement est une tâche ardue. Les changements physiologiques observés témoignent des efforts qu'il faut fournir: accélération des battements du cœur, augmentation de la respiration, élévation de la température du corps[3]. Ces changements peuvent se comparer à la réaction du corps durant un effort physique. Ce n'est pas une coïncidence, car écouter attentivement une personne qui parle peut être aussi éprouvant que d'autres efforts plus évidents.

Bruits extérieurs Le monde physique dans lequel nous vivons offre souvent des distractions qui rendent difficile l'écoute attentive des autres. Des bruits de circulation, de musique, d'autres conversations, etc. nous empêchent souvent de bien entendre, tout comme la fatigue ou d'autres formes d'inconfort. Songez par exemple combien votre attention peut décroître lorsque vous vous trouvez dans une pièce surchauffée et bondée, envahie des bruits de la circulation. Dans des conditions semblables, les meilleures intentions ne suffisent pas à assurer une bonne compréhension.

Problèmes auditifs Certaines personnes souffrent de problèmes auditifs. Ces derniers, une fois diagnostiqués, peuvent souvent être traités. Le véritable drame, c'est lorsqu'une perte de l'ouïe n'est pas détectée. Dans ce cas, la personne affectée et son entourage ressentent frustration et gêne, du fait de la communication défectueuse qui en résulte. Si vous pensez que vous ou une autre personne souffrez d'une perte d'ouïe, il serait sage de consulter un médecin ou un spécialiste.

Présomptions Nous faisons souvent des suppositions erronées qui nous poussent à croire que nous écoutons attentivement, alors que c'est tout à fait le contraire qui se produit. Lorsque le sujet de conversation nous est familier, il est facile de penser que «nous l'avons déjà entendu», alors que la personne qui parle est, en fait, en train de donner de nouvelles informations. Un problème connexe

survient lorsque l'on pense que les propos de l'orateur sont trop simplistes ou trop évidents pour né-
cessiter une écoute attentive, alors que l'on devrait
au contraire y porter une attention toute spéciale.
Parfois, c'est tout à fait l'inverse: nous pensons que
les propos de l'autre personne sont trop complexes
(certaines conférences par exemple), et nous renonçons tout simplement à chercher à les comprendre.
Une dernière erreur, souvent commise, consiste à
supposer que le sujet de la conversation n'a aucune
importance et à arrêter d'y prêter attention, alors
que c'est le contraire que nous devrions faire.

Absence d'avantages manifestes   Il semble
souvent que l'on ait plus à gagner à prendre la
parole qu'à écouter. Un des avantages importants
de la parole est que l'on est en mesure de contrôler
d'une certaine façon les paroles et les réactions de
son entourage. Quel que soit votre objectif — vous
faire engager par un patron éventuel, convaincre
les autres de voter pour un candidat de votre choix
ou décider de la façon dont vous voulez vous faire
couper les cheveux — la clé du succès semble être
la capacité de savoir bien s'exprimer.

Autre avantage, la parole permet de se gagner
l'admiration, le respect ou la sympathie des autres.
Faites des plaisanteries, et tout le monde pensera
que vous êtes un bel esprit. Offrez vos conseils, et
les autres vous seront reconnaissants de votre aide.
Dites-leur tout ce que vous savez, et ils seront
impressionnés par votre sagesse. Mais demeurez
silencieux... et vous allez imaginer bien vite que
vous passez pour quelqu'un qui ne vaut pas grand-
chose.

Finalement, prendre la parole vous donne la
possibilité de libérer votre énergie, ce qu'écouter
ne peut pas faire. Lorsque vous avez un sentiment

de frustration, la possibilité de discuter de vos
problèmes peut aider à vous sentir mieux. De la
même façon, vous pouvez souvent atténuer votre
colère en la laissant s'échapper verbalement. Il est
aussi utile de partager ses émotions profondes avec
les autres en en discutant. Ainsi, nous nous sentons
plus près, à la fois des autres et de nos émotions.

Bien qu'il soit exact que prendre la parole
présente beaucoup d'avantages, il est également
important de prendre conscience qu'écouter a
également des côtés positifs. Comme vous allez très
bientôt le voir, être un auditeur attentif est une
bonne façon d'aider les autres à faire face à leurs
problèmes. Et puis, existe-t-il un meilleur moyen
de se gagner leur estime? Quant au contrôle de son
entourage, il peut être vrai qu'il est plus difficile de
se montrer persuasif lorsqu'on se contente d'écouter, mais votre volonté de le faire encouragera
souvent les autres personnes à prêter attention à
vos idées en retour. Comme la méfiance ou la
confiance, l'écoute est souvent réciproque: vous
recevrez en retour ce que vous avez donné.

Manque d'entraînement   Même si nous désirons écouter attentivement, nous sommes souvent
gênés par notre incompétence. Une croyance
courante, mais erronée, veut qu'écouter, c'est
comme respirer: une chose que l'on fait naturellement. «Après tout, j'écoute depuis que je suis tout
petit. Je n'ai donc pas à en étudier les mécanismes
à l'école.»

La vérité est que l'écoute est une capacité qui
ressemble plutôt à la parole: tout le monde peut
virtuellement écouter, mais peu de personnes
savent le faire bien. Vous allez voir dans ce chapitre qu'une des raisons qui expliquent la mauvaise
écoute, c'est le fait que les gens ne suivent pas les
étapes importantes qui mènent à une compréhension véritable des choses.

Écoute informative

Après avoir lu les dernières pages, vous pouvez
avoir conclu qu'écouter de manière attentive est
pratiquement impossible. Heureusement, en
combinant avec justesse certaines attitudes et
techniques, vous serez en mesure d'y parvenir
relativement bien. La première étape consiste à
prendre conscience qu'à des objectifs différents
correspondent des types d'écoute différents. Pour

> En tant qu'amis, nous voyons les choses d'un œil différent. Nous n'entendons pas non plus de la même oreille.
>
> Buster Keaton

ce qui est de l'écoute informative, l'objectif est de vous assurer que vous recevez correctement les idées que l'autre personne essaie de vous transmettre — ce qui n'est pas une mince tâche si l'on considère les facteurs qui peuvent interférer avec une bonne compréhension.

Les situations qui demandent une écoute informative sont infinies et variées: suivre les directives d'un professeur ou d'un patron, écouter le récit des vacances d'un ami, apprendre l'histoire de sa famille d'après les récits qu'en fait un parent, échanger des idées dans une discussion sur la religion ou la politique... La liste pourrait être encore longue. Vous pouvez cependant devenir un auditeur plus efficace, en suivant certaines directives comme celles-ci.

Parler moins Zénon de Citium a résumé la question en ces termes: «Nous avons deux oreilles mais une seule bouche ce qui nous permet d'entendre plus et de parler moins.» Si votre objectif réel est de comprendre la personne qui parle, évitez d'accaparer le devant de la scène et de détourner la conversation sur vos idées. Parler moins ne veut pas dire demeurer complètement silencieux. Comme vous allez le voir très bientôt, faire des observations qui clarifient votre compréhension et appellent des informations supplémentaires est une bonne façon de comprendre la personne qui parle. Néanmoins, la majorité d'entre nous parlons trop lorsque nous prétendons comprendre parfaitement les autres.

Éliminer les distractions Certaines distractions sont externes: sonneries de téléphone, programmes de radio ou de télévision, visites impromptues d'amis, etc. D'autres sont internes: préoccupations personnelles, estomac vide, etc. Si l'information recherchée a réellement de l'importance, faites l'impossible pour éliminer les bruits externes et internes qui peuvent entraver une écoute attentive.

Ne pas juger prématurément Tout le monde s'accorde généralement pour dire qu'il est essentiel de bien comprendre les idées de la personne qui parle avant de les juger. En dépit de cette évidence, nous sommes tous coupables de porter des jugements hâtifs, évaluant les autres avant même d'avoir entendu ce qu'ils avaient à nous dire. Cette tendance est encore plus grande lorsque les idées de la personne qui parle sont en conflit avec les nôtres. Des conversations qui devraient être des échanges d'idées deviennent des batailles verbales, chacun des «opposants» essayant de tendre des pièges à l'autre pour s'assurer de la victoire. Les désaccords ne sont pas le seul genre de conversation dans lequel la tendance à juger les autres est forte; il est également assez tentant de contre-attaquer lorsque les autres vous critiquent, même si les remarques qu'ils font renferment souvent une part de vérité et que les comprendre pourrait conduire à un changement positif. Même s'il n'y a pas critique ou désaccord, nous avons tendance à évaluer les autres d'après des premières impressions vite ébauchées, portant des jugements hâtifs qui ne sont pas du tout valides. Nos jugements prématurés ne sont pas tous négatifs pour autant. Il nous arrive aussi de sauter sur des conclusions plutôt favorables quant à la validité des propos tenus par la personne qui parle, lorsque nous avons de la sympathie pour cette personne ou que nous sommes d'accord avec les idées qu'elle défend. La leçon à tirer de ces exemples plutôt négatifs est claire: écouter d'abord. S'assurer que l'on a bien compris le message transmis. Apposer un jugement *en tout dernier lieu*.

Rechercher les idées principales Il est facile de perdre patience avec des orateurs intarissables qui ne semblent jamais arriver au but — ou qu'on soupçonne même de ne pas en avoir. Néanmoins, la plupart des gens partent d'une idée maîtresse. En réussissant à penser plus rapidement que la personne est capable de s'exprimer, vous pouvez être en mesure d'extraire l'idée maîtresse du flot de paroles que vous entendez. Si vous ne parvenez pas à deviner où l'orateur veut en venir, vous pouvez toujours l'interroger de manière subtile en lui posant des questions ou en le paraphrasant, comme nous allons le voir maintenant.

«Tu parles, tu parles, tu parles.
Comment pourrais-je apprendre à te connaître si tu ne
fais que parler?»

La toute première émotion que j'aimerais
partager avec toi c'est mon bonheur de
pouvoir vraiment «entendre» quelqu'un. Je
pense que c'est peut-être là un des traits de
ma personnalité les plus marqués. Cela
remonte à l'école primaire. Lorsqu'un enfant
posait une question au professeur, ce dernler
lui donnait une réponse généralement
parfaite, mais qui n'avait absolument aucun
rapport avec la question posée. J'en ressentais
une impression de peine et de détresse.
J'aurais voulu crier: «Mais vous ne l'avez donc
pas écouté!» J'éprouvais une sorte de désespoir enfantin devant ce manque de communication qui était (et qui est encore) si fréquent.

Carl R. Rogers

Poser des questions Jusqu'ici, nous avons considéré des méthodes d'écoute foncièrement passives
par nature, c'est-à-dire celles que l'on peut suivre
en silence. Il est également possible de vérifier ou
d'augmenter votre compréhension d'une manière
plus active, en posant des questions pour vous
assurer d'avoir correctement saisi les idées ou les
émotions de la personne qui parle.

Si la suggestion de poser des questions peut
vous paraître une chose tellement évidente qu'elle
en devient insignifiante, demandez-vous honnêtement si vous utilisez au maximum cette méthode
si efficace et pourtant si simple. Il est souvent plus
tentant de demeurer silencieux que de poser des
questions, et ceci pour deux raisons. On a parfois
quelques réticences à montrer son ignorance en
demandant des explications supplémentaires sur un
point apparemment évident. Cette hésitation est
spécialement forte lorsque le respect ou la sympathie de la personne en question compte beaucoup
pour vous. Il est parfois bon de se rappeler une
citation de Confucius: «Celui qui pose une question passe pour un imbécile pendant cinq minutes.
Celui qui n'en pose pas est un imbécile pour la vie.»

La seconde raison pour laquelle les gens hésitent à poser des questions est qu'ils pensent avoir
déjà compris la personne qui parle; mais compre-
nons-nous réellement aussi souvent et aussi bien
les autres que nous l'imaginons? Vous pouvez
répondre à cette question en pensant au nombre de
fois où vos interlocuteurs saisissent mal ce que
vous leur dites, alors qu'ils sont convaincus de vous
avoir parfaitement compris. Si vous prenez conscience que les autres devraient poser plus souvent
des questions, il devient logique de supposer que le
même principe est tout à fait réversible.

Reformuler Poser des questions est souvent un
moyen efficace d'accroître notre compréhension
des choses. Parfois, cependant, cela ne vous aidera
en rien à saisir plus clairement les idées de la
personne en face de vous et pourra même conduire
plus tard à une rupture de la communication. Pour
illustrer cela, prenez l'exemple courant qui consiste
à demander à un ami la route pour vous rendre
chez lui. Imaginez avoir reçu les directives suivantes: «Roule environ un kilomètre, puis tourne à
gauche au panneau indicateur.» Réfléchissez
maintenant aux problèmes immédiats que ce
message va poser. Songez d'abord que la notion de
«kilomètre» peut être différente pour votre ami et
pour vous: votre représentation mentale d'un
kilomètre est plus proche de deux kilomètres, alors
que celle de votre ami correspond à peu près à 300

J'ai un animal chez moi.

Ah! Quelle sorte d'animal est-ce?

Un chien.

Quelle sorte de chien?

Un saint-bernard.

Adulte ou jeune?

Adulte.

De quelle couleur est-il?

Brun et blanc.

Pourquoi ne pas m'avoir dit tout de suite que tu avais un saint-bernard brun et blanc adulte?

mètres. Puis, considérez que «panneau indicateur» veuille dire en réalité panneau «Arrêt»; après tout, il est courant pour nous de penser à une chose et d'en exprimer une autre. Gardant ces considérations en tête, supposez que vous vouliez vérifier si vous avez bien compris les indications et que vous demandiez: «Après avoir tourné au feu, combien de temps dois-je encore rouler?» À cette question, votre ami répondrait que la maison est la troisième à partir du tournant. Il semble évident que si vous vous sépariez sur cet échange, vous seriez en proie à de nombreux déboires avant de pouvoir trouver la résidence en question.

Quel était donc le problème ici? Il est facile de voir que vos questions ne vous ont aucunement aidé, car votre idée originale, quant à la distance à parcourir et à l'endroit où il fallait tourner, était inexacte dès le départ. De telles erreurs illustrent bien le plus gros problème concernant les questions: vos nouvelles demandes ne confirment en rien que vous ayez reçu correctement les informations qui vous ont *déjà* été transmises.

Considérez ensuite une autre méthode — qui vous indiquera si vous avez réellement saisi ce qui a été dit avant que vous ne posiez les questions additionnelles. Elle consiste à redonner dans vos mots le message qui vous semble être celui de votre interlocuteur, en faisant attention de n'y ajouter rien qui soit nouveau: «Tu me dis donc d'aller jusqu'au feu rouge à côté de l'école et de tourner ensuite en direction des montagnes, c'est bien cela?» Comprenant tout de suite le problème, votre ami pourrait alors répliquer: «Oh! non! c'est beaucoup trop loin. Je voulais dire que tu vas jusqu'au panneau "Arrêt" à côté du parc et que tu tournes à cet endroit. Ai-je parlé d'un feu rouge? Je dis toujours cela quand je veux parler d'un panneau "Arrêt".»

Le procédé qui consiste à redonner dans vos mots le message que la personne vous a transmis avant de poursuivre la conversation est

Le plus grand compliment qu'on m'ait jamais fait m'est advenu lorsque, me demandant ce que je pensais d'une certaine chose, on a pris la peine d'attendre que je donne une réponse.

Henry David Thoreau

> Dans cette perspective, ce n'est pas la dissemblance de l'autre qui fait l'objet de l'intervention, c'est la rencontre de deux humains qui essaient à chaque fois de devenir des personnes.
>
> Marie Lise Brunel

communément appelé **reformulation**; il constitue un moyen important d'arriver à une écoute efficace. Rappelez-vous que pour qu'une reformulation soit valable, elle doit *exprimer en d'autres termes* la pensée et les émotions de l'autre personne, et non pas répéter bêtement ses mots. Autrement dit, vous devez redonner le message *dans vos propres mots* pour en vérifier l'exactitude. Si vous vous contentez de répéter mot à mot les propos de l'autre personne, vous passerez pour un imbécile ou pour un dur d'oreille, et vous ne serez pas assuré de comprendre mieux ce qui a été dit.

La reformulation étant une approche peu familière, vous pouvez vous sentir quelque peu maladroit au début; si vous l'utilisez à petites doses et de façon progressive, vous ne tarderez pas à en tirer des avantages intéressants.

Pratique de la reformulation

Cet exercice vous aidera à voir qu'il est possible de comprendre une personne avec qui on est en désaccord sans pour autant se disputer ou sacrifier son point de vue.

1. Trouvez un partenaire, puis cherchez un endroit où vous pourrez parler à votre aise. Désignez-vous comme *A* et *B*.

2. Cherchez un sujet sur lequel votre partenaire et vous-même êtes apparemment en désaccord — un sujet d'actualité, une question d'ordre philosophique ou moral, ou simplement une question de goûts personnels.

3. *A* commence par émettre une opinion sur le sujet. La tâche de *B* est de reformuler l'idée de *A* en disant quelque chose comme: «Si je comprends bien...» Il est bien important à cette étape de ne retransmettre que ce que l'on a entendu, sans porter de jugement ou faire d'interprétation.

La tâche de *B* consiste simplement ici à comprendre et non pas à dire si il ou elle est d'accord ou non avec les propos de *A*.

4. *A* répond en disant à *B* si ce qu'il ou elle a compris est exact ou non. S'il y a eu un malentendu, *A* devrait en faire la correction et *B* redire à *A* ce qu'il ou elle a compris alors. Continuez jusqu'à ce que l'on soit assuré que *B* a bien compris le message envoyé par *A*.

5. C'est au tour de *B* de répondre au message de *A*, et à *A* de s'assurer que la compréhension est bonne en corrigeant *B* si nécessaire.

6. Continuez ces échanges jusqu'à ce que chacun des partenaires soit certain d'avoir bien exprimé tout ce qu'il devait exprimer et se soit bien fait comprendre de l'autre personne.

7. Discutez ensuite des questions suivantes:
   a. En tant qu'auditeur, comment aviez-vous saisi les propos de l'autre personne la première fois?
   b. Comment votre compréhension de la position de votre partenaire a-t-elle changé après avoir appliqué la méthode de l'écoute attentive?
   c. Pensez-vous que l'écart entre votre position et celle de votre partenaire ait diminué grâce à l'application de cette méthode?
   d. Comment vous sentiez-vous à la fin de la conversation? En quoi votre état émotionnel est-il comparable à celui qui suit habituellement des conversations sur des sujets controversés?
   e. En quoi votre vie changerait-elle si vous utilisiez la méthode de l'écoute active à la maison? au travail? avec vos amis?

Écouter pour pouvoir aider

L'écoute informative ne nous engage pas personnellement. Il n'en est pas de même si nous voulons aider les autres à faire face à leurs problèmes. Le dilemme est parfois de taille: «Je ne sais vraiment pas si nous devrions rester ensemble ou nous séparer» ou bien: «Je me vois toujours refuser les postes que j'aimerais occuper.» Souvent, le problème est quand même moins sérieux: un ami désire savoir quel cadeau d'anniversaire acheter ou comment passer la fin de semaine.

> Écouter une autre personne est un des plus beaux cadeaux que nous puissions lui faire.
>
> Gail E. Myers et Michele T. Myers

L'utilité de recevoir de l'aide pour faire face à certaines difficultés n'est pas le moindrement contestée. Une étude a montré que cette «capacité à apporter un certain réconfort» était l'une des aptitudes de communication les plus importantes qu'un ami pouvait avoir[4]. La valeur d'un soutien personnel est évidente lorsque de graves problèmes surviennent, mais les études ont également montré que les petits soucis ou les déceptions du quotidien peuvent peser très lourd sur la santé mentale et le bien-être physique[5].

Que le problème soit important ou non, le fait de savoir comment apporter son aide est un atout précieux. Pour connaître vos capacités dans ce domaine, essayez de faire l'exercice suivant avant de poursuivre votre lecture.

Que diriez-vous?

1. On va vous présenter une liste de situations; dans chacune d'elles, quelqu'un vous fait part d'un problème. Répondez par écrit en citant les mots que vous utiliseriez alors.

2. Voici maintenant ces déclarations:
   a. Je ne sais vraiment pas quoi faire avec mes parents. Ils ne semblent pas du tout me comprendre. Tout ce que j'aime va à l'encontre de leurs valeurs et ils désapprouvent le genre d'émotions qui sont les miennes. Ce n'est pas qu'ils ne m'aiment pas — au contraire. Mais ils ne m'acceptent pas telle que je suis.
   b. Je suis assez découragée depuis quelque temps. Je ne peux tout simplement pas avoir de relations sérieuses avec les garçons... Je veux dire de relations amoureuses... J'ai plein de bons copains, mais cela ne va jamais plus loin. J'en ai assez de n'être qu'une bonne amie pour eux... Je désire aller plus loin que cela.
   c. (Enfant à ses parents) Je vous déteste. Vous sortez constamment et vous me laissez avec une gardienne idiote. Pourquoi ne m'aimez-vous pas?

   d. Je suis réellement à terre. Je ne sais vraiment pas quoi faire de ma vie. J'en ai plus qu'assez d'aller à l'école, mais pas moyen de trouver de travail intéressant, et je ne veux pas non plus entrer dans l'armée. Je pourrais m'arrêter quelque temps, mais cela non plus n'est pas une très bonne solution.
   e. Les choses ont tendance à ne pas tourner très rond dans mon mariage ces derniers temps. Ce n'est pas que nous nous disputions trop ou quelque chose de ce genre, mais toute l'excitation du début semble avoir disparu. Nous nous encroûtons, et cette situation va de mal en pis...
   f. Je ne peux m'empêcher de penser à longueur de journée que mon patron m'en veut. Il n'a pas l'esprit à la blague depuis quelque temps, et il ne m'a rien dit du tout sur mon travail depuis au moins trois semaines. Je me demande ce que je dois faire.

3. Une fois que vous avez écrit vos réponses pour chacun des messages, imaginez l'issue probable de la conversation qui aurait suivi. Si vous avez essayé de faire cet exercice en classe, vous pourriez avoir deux groupes pour interpréter chaque situation. En vous basant sur ce que vous pensez avoir été la conversation qui a suivi, voyez quelles réponses pourraient s'avérer utiles et quelles autres ne le seraient pas du tout.

La plupart des réponses que vous avez données appartiennent probablement à une catégorie parmi d'autres: conseils, jugements, analyse, etc. Aucune de ces formes de réponses n'est bonne ou mauvaise en soi; mais nous les utilisons souvent, même si elles ne correspondent pas réellement aux besoins de la personne que nous aimons et qui connaît certaines difficultés. À chaque genre de réponse correspond en effet un moment et un lieu bien précis. Le problème survient généralement lorsque nous faisons usage de ces approches au mauvais moment ou que nous misons sur un ou deux types de réponses pour faire face à tous les genres de situations.

En prenant connaissance des différentes formes de réponses qui suivent, voyez quelles sont celles que vous avez utilisées le plus souvent dans l'exercice précédent, et pensez aux résultats qui en auraient probablement découlé.

Donner des conseils Lorsqu'on aborde les problèmes des autres, on a tendance le plus souvent à les **conseiller**: on veut leur venir en aide en leur proposant des solutions. Si ce genre de réponse est parfois valable, il n'est pas toujours aussi utile qu'on veut bien le penser.

La suggestion que vous faites n'est pas toujours la meilleure solution qui soit, et dans certains cas elle peut même être nocive. On est toujours tenté de dire aux autres comment on agirait si on était à leur place; or, il est important de prendre conscience que ce qui semble approprié pour une personne peut ne pas l'être pour une autre. Une des conséquences directes de cette approche, c'est qu'elle évite à l'autre d'assumer la responsabilité de ses décisions. En suivant un de vos conseils qui ne semble pas marcher pour lui, votre interlocuteur peut toujours en rejeter le blâme sur vous. Dans le fond, les gens ne désirent pas recevoir de conseils — ils peuvent ne pas être prêts à les recevoir — mais ils ont souvent besoin, simplement, d'exprimer leurs pensées et leurs émotions.

Avant d'offrir vos conseils, vous devez vous assurer que trois conditions sont bien remplies: la première est d'avoir la certitude que vos conseils sont bons. Il est essentiel de résister à la tentation d'agir comme une autorité dans des domaines où vos connaissances sont limitées. Il est également important de se rappeler que, même si telle solution a marché pour vous, il n'y a aucune garantie qu'il en aille de même pour les autres personnes. Vous devez, deuxièmement, vous assurer que la personne qui demande votre opinion est réellement prête à la recevoir. De cette façon, vous éviterez la frustration de donner de bons conseils et de vous apercevoir ensuite que la personne avait déjà depuis longtemps sa propre idée en tête. Finalement,

vous devez vous assurer que le receveur ne vous blâmera pas si les choses ne marchent pas pour lui. Vous êtes celui qui offrez des conseils, mais c'est à l'autre personne que reviennent le choix et la responsabilité de les suivre.

Porter un jugement Le fait de porter un **jugement** implique que l'on fait d'une certaine façon l'évaluation des pensées ou du comportement de l'émetteur du message. Ce jugement peut être favorable — «C'est une bonne idée» ou «Tu es sur la bonne voie maintenant» — ou défavorable: «Un comportement comme celui-ci ne te mènera nulle part.» Dans tous les cas, cela sous-entend que la personne qui pose le jugement soit en quelque sorte qualifiée pour faire l'évaluation des pensées ou des actes de son interlocuteur.

Les jugements négatifs sont parfois purement critiques. Combien de fois avons-nous entendu des réflexions comme: «Eh bien! tu me l'avais demandé» ou «Je te l'avais pourtant bien dit» ou bien «Tu n'as qu'à t'en prendre à toi»? Bien que des commentaires comme ceux que nous venons de voir aient parfois pour effet de donner une claque verbale et de faire revenir les personnes à la réalité, ils ne font le plus souvent qu'envenimer les choses.

Dans d'autres cas, les jugements négatifs sont moins critiques. Ils impliquent ce que nous appelons généralement une *critique constructive,* dont le but est d'aider la personne qui a certaines

> Bon nombre de personnes reçoivent des conseils, mais peu d'entre elles savent en tirer profit.
>
> Publius Syrius

difficultés à s'améliorer. C'est le genre de réponse que donnent des amis sur à peu près n'importe quel sujet, du choix de vêtements à celui du travail ou des relations. Un autre exemple courant de critique constructive se rencontre à l'école, lorsque les professeurs évaluent le travail des étudiants pour les aider à maîtriser certains concepts et techniques. Qu'elle soit justifiée ou non, la critique constructive court le risque de provoquer une réaction de méfiance, car elle peut représenter une menace pour le concept de soi de la personne visée.

De tels jugements ont les meilleures chances d'être bien acceptés si deux conditions sont remplies. Premièrement, la personne qui fait face à un problème doit vous avoir demandé au préalable de lui faire connaître votre opinion. Deuxièmement, vos remarques devraient être véritablement constructives et ne pas avoir comme objectif de dénigrer. Si vous pouvez vous rappeler ces deux points, les jugements que vous porterez à l'avenir seront probablement moins fréquents et beaucoup mieux acceptés.

D'autre part, l'utilisation des jugements en relation d'aide n'est pas une pratique courante dans les centres de formation des bénévoles. En effet, le postulat à la base d'une telle formation veut que la personne qui demande de l'aide demande, implicitement, des outils pour s'aider elle-même à trouver une solution à ses problèmes. Nous devrions avoir la même attitude avec nos amis, nos enfants, notre famille. Aider quelqu'un selon cette perspective, c'est l'accompagner dans une démarche qui le regarde en premier lieu. Et si vous êtes cette personne-ressource… tant mieux. Mais gardez-vous de prendre toute la place!

Analyser la situation Dans ce genre de réponse, la personne qui écoute propose d'**interpréter** le message de la personne qui parle. Ce genre d'analyse doit certainement vous être familier:

«Je pense que ce qui te tracasse véritablement, c'est…»

«Elle agit comme cela parce que…»

«Je ne pense pas que tu voulais réellement dire cela.»

«Tout a peut-être débuté du fait que…»

L'interprétation est souvent un moyen efficace d'aider les gens en difficulté à trouver des solutions de rechange — à envisager des solutions auxquelles ils n'auraient jamais pensé sans votre aide. Parfois, une analyse posée de la situation réussira à clarifier un problème, soit en proposant une solution, soit en donnant au moins une explication à ce qui arrive.

Dans d'autres cas, cette approche peut créer plus de complications qu'elle n'en résout. Deux problèmes en effet peuvent survenir. Premièrement, votre interprétation de la situation peut ne pas être exacte, auquel cas votre interlocuteur peut être encore davantage désorienté s'il en tient compte. Deuxièmement, même si l'analyse que vous donnez est exacte, la présenter à la personne concernée peut s'avérer inutile. Cela pourrait provoquer chez elle un sentiment de méfiance (dans la mesure où analyser les faits implique nécessairement supériorité, capacité d'évaluation). Même si ce n'est pas le cas, votre perception de la situation pourrait lui échapper, si elle n'avait pas fait elle-même le tour de la question.

Comment alors savoir s'il est utile de proposer une analyse? Il y a plusieurs points à prendre en considération. Premièrement, il est important de présenter votre interprétation des faits en

> La conclusion du thane rejoint celle du pontife: puisqu'on ne sait rien, pourquoi ne pas faire appel à ceux qui, peut-être, savent? Une telle vue est d'un esprit ouvert; elle mène à accepter certaines vérités ou hypothèses sublimes, et parfois aussi à accueillir l'imposture et à culbuter dans l'erreur.
>
> Marguerite Yourcenar

apportant certaines réserves, plutôt que d'affirmer les choses brutalement. Il y a toute une différence entre dire: «La raison en est peut-être...» et le fait de dire avec certitude: «C'est ainsi.» Deuxièmement, votre analyse doit avoir des chances raisonnables de s'avérer exacte. Nous avons déjà dit plus haut qu'une interprétation peu plausible et trop directe des faits peut laisser l'autre personne encore plus déconcertée qu'elle ne l'était auparavant. Troisièmement, vous devez être certain que votre partenaire est réceptif à votre interprétation. Même si votre analyse est tout à fait exacte, votre opinion ne sera pas d'un grand secours si votre interlocuteur n'est pas prêt à l'accepter. En dernier lieu, vous devez vous assurer que vos intentions sont bien de venir en aide à la personne que vous désirez aider. Il est souvent tentant de proposer une interprétation de la situation pour montrer que l'on est brillant, ou peut-être même pour rendre l'autre personne mal à l'aise de ne pas avoir trouvé elle-même la bonne solution dès le départ. Inutile de dire que dans ce cas, le genre d'analyse que vous offrez ne sera pas d'un grand secours.

Poser des questions (investiguer) Nous avons déjà vu dans les pages précédentes que **poser des questions** ou **investiguer** était un excellent moyen pour mieux comprendre les autres. Cette approche peut du même coup les aider à se pencher sur leurs problèmes et à mieux les saisir. Poser des questions peut aider une personne en proie à certaines difficultés à définir de manière plus précise des idées assez vagues. Vous pouvez répondre à un ami en posant plusieurs questions comme: «Tu m'as dit que le comportement de Jean-Pierre avait quelque peu "changé" à ton égard dernièrement. Qu'est-ce qui te fait penser cela?» Un autre exemple de question qui peut aider à clarifier une situation: «Tu as fait savoir à tes

compagnons de chambre que tu attendais d'eux plus de coopération pour l'entretien des lieux. Que voudrais-tu donc qu'ils fassent?»

Poser des questions peut également encourager l'autre personne à examiner une situation plus en détail, en parlant de ce qui est arrivé ou de sentiments personnels, comme: «Comment t'es-tu senti lorsqu'on t'a repoussé? Quelle a été ta réaction?» Ce genre de questions est particulièrement utile lorsqu'on se trouve devant une personne qui n'est pas très démonstrative ou qui, compte tenu des circonstances, n'a pas très envie de parler du problème qu'elle rencontre.

Si poser des questions est *a priori* utile, deux dangers peuvent cependant survenir en utilisant cette approche de façon exagérée ou à un moment mal choisi. D'abord, cela peut conduire la personne à un cul-de-sac, sans lui offrir de solution valable. Par exemple, le fait de poser la question suivante: «Quand le problème a-t-il débuté?» peut fournir quelques indices quant à la solution recherchée, mais peut également conduire à une longue digression qui n'aura pour effet que d'embrouiller les choses. Comme pour donner des conseils, il est important de s'assurer que l'on est sur la bonne piste avant de poser des questions.

Le deuxième danger, c'est que les questions elles-mêmes peuvent constituer un moyen détourné de donner des conseils ou de faire des critiques. Nous avons tous été questionnés par des parents, des professeurs ou d'autres personnes qui semblaient essayer de nous tendre des pièges ou de nous manipuler de façon indirecte. Dans ce sens, poser des questions devient une sorte de stratégie et sous-entend fréquemment que la personne qui utilise cette approche a déjà bel et bien une idée de la direction que doit prendre la discussion.

Offrir son soutien Cette approche peut revêtir plusieurs formes. Il s'agit parfois de rassurer l'autre: «Tu n'as pas à t'inquiéter. Je sais très bien que tu feras un bon travail.» Dans d'autres cas, cela peut prendre la forme d'un réconfort: «Ne t'en fais pas. Nous t'aimons tous.» Nous pouvons également apporter notre soutien aux personnes en détresse en les distrayant par notre humour, nos plaisanteries ou nos réflexions.

L'autre personne a parfois besoin d'un encouragement et, dans ce cas, une réponse de ce type est la meilleure qui existe. D'autres fois, cependant, ce

genre d'aide ne sera d'aucune utilité et pourra même rendre les choses pires qu'elles ne le sont. Dire à une personne qui est apparemment découragée que tout va bien, ou parler à la légère de ce qui semble être une préoccupation sérieuse pour elle, laisse entendre que, pour vous, le problème ne vaut vraiment pas la peine de tant de considération. Les gens peuvent prendre les réflexions que vous faites comme une rebuffade, et ils se sentiront encore plus mal qu'auparavant. Comme pour les autres types d'approches dont nous avons parlé, offrir son soutien peut être d'une certaine utilité... dans des circonstances bien précises seulement.

Faites-vous une idée des problèmes qui peuvent survenir lorsqu'on fait appel aux différentes approches que nous avons examinées en lisant le dialogue suivant:

Gilbert　Il y a certainement quelque chose qui ne marche pas chez moi. Hier soir, j'ai raté mon premier rendez-vous avec Marie. C'est toujours ainsi que cela se passe. J'ai l'impression de ne rien faire de bien. Je suis réellement un balourd.

Simon　Oh! N'y pense plus! Tu auras probablement tout oublié d'ici quelques jours (*soutien*).

Gilbert　Pas du tout. Ce rendez-vous manqué m'a profondément déprimé. Je me sens comme un paria.

Simon　Je pense que tu t'en fais trop. Essaie de ne plus y penser. C'est probablement le fait que tu t'en fasses trop qui gâche toujours les choses dès le départ (*jugement, conseil, interprétation*).

Gilbert　Mais je ne peux m'empêcher d'y penser. Comment te sentirais-tu, toi, si aucune femme, depuis trois ans, ne t'avait réellement montré qu'elle t'appréciait?

Simon　Eh bien! quel est le problème, à ton avis? T'es-tu montré prévenant avec elles? As-tu abusé de la boisson ou quelque chose de semblable? Il doit bien y avoir une raison qui explique que cela ne marche pas (*questions*).

Gilbert　Je n'en sais rien. J'ai essayé des tas d'approches et aucune d'elles n'a semblé fonctionner.

Simon　C'est bien là ton problème. Tu n'es tout simplement pas toi-même. Il faut rester naturel, et les femmes vont alors t'apprécier pour ce que tu es. Il n'y a rien de bien sorcier là-dedans. Sois naturel et tout ira bien (*jugement, interprétation, soutien*).

Cet exemple illustre bien comment les meilleures intentions ne sont pas toujours d'une grande utilité. Simon peut avoir compris les causes de l'insuccès de Gilbert et la façon de résoudre son problème; mais parce que Gilbert n'a pas trouvé la réponse tout seul, il est peu probable que cette aide lui soit utile. Comme vous le savez, les gens peuvent passer à côté de la vérité même lorsque celle-ci est tellement évidente qu'il paraît impossible de l'éviter.

Même si vos conseils, votre jugement et votre analyse des faits sont sincères, et même si le soutien que vous apportez à la personne reflète les meilleures intentions, les réponses qui en découlent n'apportent souvent pas l'aide souhaitée. Une étude récente montre comment de telles approches classiques manquent leur but[6]. Des personnes ayant perdu un membre proche de leur famille ont révélé que 80 p. 100 des réflexions qu'on leur faisait n'étaient d'aucune utilité. Près de la moitié d'entre elles, soi-disant utiles, n'étaient en fait que des conseils: «Vous devriez sortir plus» ou «On ne peut s'opposer à la volonté de Dieu.» En dépit de leur fréquence, ces suggestions ne se sont avérées utiles que dans 3 p. 100 des cas. En second lieu, la réponse la plus fréquente était du type réconfort: «Elle ne souffre plus, maintenant.» Comme les conseils, ce genre de soutien n'a été utile que 3 p. 100 du temps. Les réflexions qui tenaient compte de la peine ressentie par les personnes éprouvées ont été d'un bien plus grand secours.

Sonder l'autre personne

Offrir ses conseils, poser un jugement, analyser la situation, questionner ou apporter son soutien: voilà des formes d'aide active. Il existe aussi une autre approche, passive: **sonder** la personne consiste à savoir utiliser les silences et à faire de brèves réflexions d'encouragement pour la faire parler et l'aider ainsi à résoudre ses problèmes. Voyez plutôt l'exemple suivant:

Pascal Le père de Julie me propose un système informatique complet pour 1200 dollars. Si je veux l'acheter, il faut que je me décide immédiatement, car il a un autre acheteur en vue. C'est une bonne affaire. Si je l'achète, je vais par contre épuiser toutes mes économies. À l'allure où je dépense

mon argent, il me faudra au moins une année pour que j'arrive à amasser à nouveau autant d'argent.

William Oh! je vois.

Pascal Je ne pourrais pas non plus faire de séjour de ski pendant les vacances d'hiver... Par contre, je suis certain d'épargner du temps dans mon travail scolaire... et de faire également un meilleur travail.

William C'est certain.

Pascal Penses-tu que je devrais l'acheter?

William Je n'en sais rien. Qu'en penses-tu, *toi*?

Pascal Je n'arrive tout simplement pas à me décider.

William (silence)

Pascal Je pense que je vais l'acheter. Jamais plus une occasion semblable ne se représentera.

Sonder l'autre personne est une méthode efficace lorsque l'on semble impuissant à aider les autres à prendre une décision. Dans des situations semblables, votre présence peut faire office de catalyseur; elle aidera les autres à trouver une solution à leurs problèmes. Cette approche réussira le mieux si elle est effectuée de façon sincère. Votre comportement non verbal — regard, attitude, expression du visage, ton de la voix — doit montrer que vous prenez réellement à cœur les problèmes de l'autre personne. Une démarche

Montréal, le 7 décembre 1985 à 20 h 57

Tu m'as raconté ce qui se passe en toi. Tu m'as fait confiance et je t'exprime, par ces quelques mots, toute ma gratitude.

Tu m'as parlé du point commun qui reliait ces ruptures, toujours déplaisantes, toujours inévitables, et qui reliait ces absents: comme un deuil de «plein de monde». De ton monde. Un ressac comme la mer qui se retire et laisse ainsi le sable nu à nouveau pour un recommencement. Ce qui t'inquiète c'est que dans ce sable, juste avant la vague, juste avant l'écume, juste avant l'irréparable, il y avait trace de ton passage, et ce passage s'enfuit, s'efface…

Mais pas n'importe comment. Et surtout pas de l'extérieur. L'image de cette mer représente ton choix de vivre ou non: la mer comme source de vie et aussi de nouvelles vies. Cependant, le ressac te bouscule. Ton pas s'efface. Et de comprendre que ton pas, imprimé dans le sable, et de comprendre que la mer, imprégnée en toi, ne font inexorablement qu'un te menace. T'énerve. Te place dans une situation, comme tu me l'as dit, de non-retour. Des événements qui t'entourent comme la réalité des raisons profondes qui te construit, jour après jour, ne font qu'un. Tu comprends quelque chose… d'injuste. Et de décevant. De révoltant. Cette vie…

Ce qu'il y a de cahoteux et surtout de compliqué — et tu insistes sur le mot compliqué — c'est le «comme-si-c'est-ça-qui-se-prépare»: des événements comme la mort que tu choisis. «On meurt quand on veut, tu sais», tu me l'as dit et me le répètes. Tu l'as compris et tu me le dis: ton choix est fait et les événements que tu provoques (tu te méprises à cause de cela) te le prouvent. Non, ne te le prouvent pas, te l'indiquent: tu es un être-au-monde et ce monde n'existe pas sans ta responsabilité: les événements ne se créent pas d'eux-mêmes, hors-de-toi, hors-la-loi: sans toi. Non… Mais bien avec toi, à cause de toi. Un homicide involontaire, pas un suicide; les termes changent. À la fin, le résultat est le même. Tu me l'as dit.

Tu ne t'appartiens plus. Tu te cherches. Tu recherches pour comprendre ce que tu as choisi: de mourir. Et j'ai écrit pendant que tu me parles: Self-Helplessness, un néologisme. Helplessness comme impuissance vis-à-vis de quelque chose; Self comme de moi-même. Une impuissance vis-à-vis de soi-même. Un déchirement comme un éloignement. Un pont à construire, un écart à remplir. Et ce que tu dois remplir, tu ne peux le combler que par ta propre mort. Ces absents, ces ruptures, ces deuils: ta mort.

Je te serre très fort, je t'embrasse en retour et nos mains glissent l'une contre l'autre, lentement, très lentement, très silencieusement. Une longue et ineffable caresse.

Silence technique. 21 h 30.

22 h 45. Tu rappelles. T'as besoin d'être encore un peu avec moi. En fait, tu es couché. T'as envie d'un «Dodo l'enfant do». Tu me le chantes. Je ne dis rien. Je respire et demeure silencieux. Je t'imagine couché sur le côté, le récepteur sur l'oreille, les yeux fermés. Je t'imagine enfant malade à vouloir se bercer contre la poitrine de quelqu'un. Sécurité douce et chaleureuse. Je suis avec toi. Tendresse. Je m'imagine te recouvrant presque le visage, mon bras épousant la forme de ta tête, enfouie, toute enfouie. Silences. Impromptus. Berceuses.

«Je vais te laisser», tu me dis. Très long silence. Salut.

Silence technique. 23 h 00.

Je suis profondément ému, touché par cet être. Je n'ai su l'accompagner que quelques instants, mais de cela je suis très heureux. «Je suis très content de l'appel», tu me le dis. De moi? De toi? Je dis d'emblée de nous deux. Je te garde en moi, expérience fascinante. Tu me fais comprendre toute la pertinence du service d'écoute téléphonique dont je fais partie. Écouter l'autre, c'est aussi l'accompagner pour un bout de vie.

Anonyme

purement mécanique ne ferait que l'agacer au lieu de l'aider. C'est ce qu'on enseigne aux bénévoles qui font de l'écoute téléphonique pour venir en aide aux personnes seules et en détresse.

Reformuler Vous avez vu dans les pages précédentes la valeur que revêt la reformulation lorsqu'on cherche à comprendre le message envoyé par les autres. Cette même technique peut s'avérer ici un moyen d'une grande utilité. Lorsque vous choisissez la reformulation pour venir en aide aux autres, votre réflexion doit contenir deux éléments. Le premier consiste à répéter la pensée de la personne qui vient de parler. Bien qu'il soit de prime abord inutile de répéter les paroles que l'autre personne vient juste de prononcer, le faire peut souvent aider cette dernière à avoir un aperçu plus objectif de ce qui vient d'être dit et par là, éventuellement, d'en tirer une idée plus claire. Considérez maintenant l'exemple suivant:

L'autre   Je ne comprends pas ma patronne! Elle ne cesse d'empiler le travail et je ne m'en sortirai jamais. Que pense-t-elle donc que je suis?

Vous   Ce n'est pas très juste, n'est-ce pas?

L'autre   Elle n'en donne pas qu'à moi seul, tout le monde a du travail en quantité, elle y compris. Lorsque j'ai commencé, je ne pensais tout simplement pas que ce travail allait être un tel casse-tête et je me demande vraiment si le jeu en vaut la chandelle.

Vous   Alors, tu penses t'en aller.

L'autre   Non, pas maintenant. Peut-être à la fin de l'année scolaire, lorsque j'aurai davantage de temps pour chercher ailleurs. Je peux tenir le coup encore quelques mois, mais certainement pas toute une autre année!

Dans bien des cas, il vous faut aller plus loin que les pensées qui ont été exprimées et reformuler également certaines *émotions* souvent tues qui accompagnent le message verbal. Ce genre d'approche est particulièrement valable lorsqu'une personne est en proie à des difficultés. Étant donné que la plupart des gens ne sont pas conscients de leur état émotionnel, votre réflexion peut les aider à amener le sentiment qui les embarrasse à la surface et contribuer à le clarifier. Considérez cet exemple:

L'autre   Je ne comprends pas mon frère; quel pauvre type irréfléchi il peut être. Toutes les fois que je l'appelle pour lui parler, il me dit toujours que je suis sa «petite sœur chérie», mais il s'est bien gardé de me téléphoner ou de m'écrire depuis plus d'un an. C'est toujours moi qui dois faire le premier pas. Il est tellement faux jeton!

Vous   On dirait que tu lui en veux réellement de ne pas faire l'effort de garder contact avec toi.

L'autre   Oh! je pense que ce ne sont pas les lettres qui importent. J'ai tout simplement l'impression qu'il se fiche de moi.

> La réalité de l'autre personne n'est pas dans ce qu'elle dévoile, mais au contraire dans ce qu'elle ne dévoile pas.
>
> C'est pourquoi, si vous désirez réellement la comprendre, faites attention non pas à ce qu'elle dit, mais plutôt à ce qu'elle ne dit pas.
>
> Kahlil Gibran

Vous   Ainsi, tu n'es pas vraiment en colère contre lui mais plutôt blessée, pas vrai?

L'autre   C'est vraiment ça, je ne suis pas du tout fâchée. J'aimerais seulement savoir quelle place j'occupe dans son cœur.

Plusieurs raisons expliquent le succès de la reformulation. Tout d'abord, elle vous soulage d'un grand poids. Le fait d'être simplement disponible pour chercher à comprendre les préoccupations des autres leur permet d'éclaircir leurs propres problèmes. Cela veut dire que pour leur venir en aide, il n'est pas nécessaire de connaître toutes les réponses. Cela veut également dire qu'en utilisant cette approche, vous n'avez pas besoin de deviner des raisons ou des solutions qui pourraient par ailleurs ne pas s'avérer exactes. Votre ami et vous-même ne chercherez donc pas midi à quatorze heures.

Deuxième avantage de la reformulation: elle permet de clarifier certaines parties obscures des messages. Les gens expriment souvent leurs préoccupations d'une façon curieusement codée. La reformulation permet alors d'arriver plus rapidement au message véritable.

En plus d'autres avantages, la reformulation est un excellent moyen d'encourager les autres à s'ouvrir davantage à vous. Se rendant compte que vous leur prêtez attention, ils se sentiront moins menacés et bon nombre d'entre eux seront disposés à laisser tomber leurs défenses. Dans ce sens, cette approche est simplement un bon moyen d'apprendre davantage de choses sur une personne et constitue une bonne base sur laquelle bâtir une relation personnelle.

L'abréaction que cette approche procure à la personne en proie à des difficultés est un autre de ses avantages. Même lorsqu'il n'y a pas de solution apparente, le seul fait de pouvoir discuter de ce qui ne va pas peut lui apporter un soulagement appréciable. Cette sorte de libération permet souvent d'accepter plus facilement les situations qu'on ne peut aucunement changer, plutôt que de s'en plaindre ou d'y opposer de la résistance.

> Plus on écoute la personne et moins on a besoin de la traiter.
>
> Madeleine St-Michel (infirmière)

Un de mes patients à l'hôpital me fit un jour cette réflexion: «J'ai tellement maigri, regardez mes bras et mes jambes.» Je répondis alors: «Sensationnel», pensant que cette remarque allait lui faire plaisir. Plus tard, j'appris qu'il était déprimé d'avoir perdu tant de poids. Au lieu de lui apporter un soutien, ma réponse l'avait encore plus abattu.

Si je lui avais dit pour le paraphraser quelque chose comme: «Alors, vous semblez content d'avoir perdu du poids», il aurait pu clarifier immédiatement le malentendu et peut-être aurais-je été alors en mesure de lui venir en aide.

En tout dernier lieu, cette approche permet à l'autre personne de savoir que vous comprenez son problème. Bien que cela puisse être vrai pour les autres approches, la compréhension n'est pas toujours effective. Vous avez sûrement rencontré, par exemple, des personnes animées des meilleures intentions qui soient pour vous venir en aide ou vous offrir leurs conseils, mais qui l'ont fait d'une manière qui prouvait bien qu'elles n'avaient aucunement compris le problème qui vous préoccupait. Comme la reformulation vous oblige à redonner dans vos propres mots les idées de l'autre personne, elle constitue le moyen le plus sûr de comprendre une situation donnée.

Plusieurs facteurs doivent être considérés lorsqu'on décide d'utiliser cette approche:

1. *Le problème est-il assez complexe?*   Les autres désirent parfois simplement obtenir des renseignements et n'ont pas du tout l'intention d'exprimer des états émotionnels. Les reformuler dans ce cas serait inadéquat. Si quelqu'un vous demande l'heure, il vaut mieux lui donner immédiatement le renseignement et non donner une réponse comme: «Vous désirez savoir l'heure qu'il est.» Si vous êtes en train de préparer un souper et que l'on vous demande quand il sera prêt, il serait plutôt déplacé de répondre: «Vous désirez savoir l'heure à laquelle nous allons pouvoir manger.»

2. *Avez-vous suffisamment de temps et êtes-vous réellement disponible?*   Cette approche requiert du temps. C'est pourquoi, si vous êtes pressé ou si vous avez d'autres choses à faire en plus

Le caractère chinois composant le verbe «écouter» nous renseigne assez bien sur ce genre d'aptitude.

 OREILLE

YEUX

聽

ATTENTION SOUTENUE

CŒUR

d'écouter l'autre personne, il est sage d'éviter de commencer une discussion que vous ne serez pas en mesure d'achever. Plus important encore que le temps que vous avez devant vous, votre disponibilité est déterminante. Il n'est pas nécessairement incorrect de se dire trop préoccupé pour venir en aide à une autre personne, ou même de ne pas vouloir fournir les efforts que représente cette écoute attentive: vous ne pouvez pas aider toutes les personnes qui font face à des difficultés. Il est bien plus sage de dire honnêtement que vous n'êtes pas en mesure ou que vous n'êtes pas d'accord de venir en aide à telle ou telle personne, plutôt que de prétendre y faire attention alors que ce n'est pas ce que vous faites.

3. *Pouvez-vous vous garder de porter un jugement?*
Vous avez déjà vu comment le fait de reformuler permet aux autres personnes de trouver une solution à leurs problèmes. Vous ne devriez utiliser cette approche que si vous vous sentez en mesure de n'effectuer qu'une simple reformulation sans porter de jugement personnel. Il est parfois tentant de répéter les propos des autres d'une façon qui les pousse vers une solution que vous pensez être la meilleure pour eux, sans même dévoiler vos intentions au grand jour. Comme vous le verrez dans le chapitre 9, ce genre de stratégie peut se retourner contre vous en provoquant de la méfiance chez l'autre

personne si la supercherie est découverte. Si vous pensez que la situation exige que vous offriez des conseils, comme nous l'avons vu plus tôt dans le chapitre, donnez-les de façon ouverte.

4. *La reformulation est-elle la meilleure approche?*
Si l'écoute attentive peut être un moyen fort utile de répondre aux problèmes des autres, elle peut devenir factice et ennuyeuse lorsqu'on en abuse. C'est particulièrement vrai si vous commencez soudain à y faire appel de manière systématique. Même si ce genre de réponse peut s'avérer utile, un brusque changement de votre comportement sera si inattendu que les autres peuvent le trouver gênant. Introduire graduellement cette approche dans votre répertoire de réponses à offrir aux autres est une meilleure façon d'en faire usage. Cela vous permettra de la maîtriser petit à petit sans paraître trop maladroit. Une autre façon de vous y habituer, c'est de commencer à en faire usage avec des problèmes réels mais de moindre importance. Vous serez de ce fait plus en mesure de savoir comment et quand adopter cette approche lorsqu'une crise grave surviendra.

Quelle approche adopter? Vous devez avoir maintenant l'idée précise qu'il existe plusieurs façons de venir en aide aux autres — probablement plus que vous ne pouvez en utiliser. Chaque approche présente, vous en conviendrez, certains avantages et certains inconvénients. Ceci nous amène à nous poser la question fondamentale de savoir quelle ou quelles approches sont les plus efficaces. Il n'y a pas de réponse unique à cette question. Les études montrent que *toutes* les approches peuvent aider les autres à accepter une situation donnée, à se sentir plus à l'aise et à avoir l'impression de maîtriser leurs problèmes personnels[7]. De plus, les communicateurs qui sont capables de faire usage d'une grande variété de méthodes sont généralement plus efficaces que ceux qui ne se fient qu'à une ou deux approches[8].

Vous pouvez augmenter vos chances de choisir l'approche la plus appropriée à chaque situation en tenant compte de trois facteurs. Premièrement, réfléchissez à la *situation* et faites correspondre votre réponse à la nature du problème. Les autres ont parfois besoin de vos conseils. Dans certains cas, vos encouragements et votre soutien seront plus utiles, comme dans d'autres ce seront l'analyse de la situation ou le jugement que vous

Cette conversation réelle montre comment une reformulation peut être un moyen de résoudre des problèmes. Cette approche ne sera pleinement efficace que si elle est appliquée de façon sincère. En lisant la scène suivante, essayez d'imaginer le ton de voix de la mère, sincère et préoccupé. Notez également qu'elle fait appel à d'autres types de réponses en même temps qu'à la reformulation.

La mère: Il se fait tard. Éteins la lumière et va dormir.

Étienne: Je ne vais pas dormir.

La mère: Tu dois pourtant, car il est tard. Tu seras fatigué demain.

Étienne: Je ne vais pas dormir.

La mère (durement): Éteins la lumière immédiatement.

Étienne (catégorique): Je ne vais *jamais* dormir.

La mère (à part): Je pourrais l'étrangler. Je suis tellement fatiguée que je ne peux pas supporter ça ce soir... Je vais aller dans la cuisine, boire un jus puis aller le voir et essayer de l'écouter attentivement, même si cela ne me dit rien!

(Entrant dans la chambre d'Étienne.) Allons, il est tard. Je vais pourtant m'asseoir sur ton lit pendant quelques instants pour me reposer les jambes avant d'aller faire la vaisselle. (Elle prend le livre d'Étienne, éteint la lumière, ferme la porte et s'assied à côté de lui sur le lit, adossée au mur.)

Étienne: Donne-moi mon livre! N'éteins pas la lumière. Sors de la chambre. Je ne veux pas de toi ici. Je ne vais pas dormir. Je te déteste!

La mère: Tu es vraiment en colère.

Étienne: Oui, je déteste l'école et je ne veux plus jamais y retourner!

La mère: (Il aime l'école, pense-t-elle.) Alors comme ça, tu en as assez de l'école.

Étienne: C'est épouvantable. Je ne suis pas bon en classe. Je ne sais rien. Je devrais être en deuxième année. (Il est en troisième année.) Je suis nul en maths. (Il est très bon dans cette matière.) Le professeur doit penser que nous sommes au collégial, c'est pas possible.

La mère: Les maths sont difficiles pour toi.

Étienne: Non, c'est plutôt facile. Je n'ai tout simplement pas envie d'en faire.

La mère: Ah bon!

Étienne (brusque changement): Une chose certaine, c'est que j'aime le hockey. J'aimerais mieux jouer au hockey que d'aller à l'école.

La mère: Tu aimes réellement le hockey.

Étienne: Faut-il vraiment aller au collège? (Le frère aîné doit entrer prochainement au collège et la famille aborde souvent le sujet.)

La mère: Non.

Étienne: Pendant combien de temps faut-il donc aller à l'école?

La mère: Tu dois terminer au moins ton secondaire.

Étienne: Bon, je n'irai donc pas au collège. Ce n'est pas impératif, n'est-ce pas?

La mère: Non.

Étienne: Bien, alors je jouerai au hockey.

La mère: Le hockey, c'est si passionnant que cela?

Étienne: Pour sûr. (Complètement calmé, parlant à son aise, plus du tout en colère.) Bonne nuit alors.

La mère: Bonne nuit.

Étienne: Tu peux rester encore un peu avec moi?

La mère: Hm… hm…

Étienne: (Il remonte les couvertures qui avaient été écartées, couvre délicatement les genoux de sa mère et les caresse.) Tu es bien?

La mère: Oui, merci.

Étienne: Tu es la bienvenue. (Moment de silence, puis Étienne commence à renifler en se grattant le nez et la gorge de façon exagérée. Reniflements répétés. Étienne souffre d'une légère allergie, son nez est bouché, mais les symptômes ne sont jamais prononcés. La mère n'a jamais entendu Étienne renifler de la sorte auparavant.)

La mère: Ton nez t'embête?

Étienne: Oui. Je pense que j'ai besoin de prendre un décongestif.

La mère: Tu penses réellement que tu en as besoin?

Étienne: Non. (Reniflements répétés.)

La mère: Ton nez te tracasse donc vraiment.

Étienne: Oui. (Il renifle. Soupir angoissé.) Oh! j'aimerais tant que l'on n'ait pas à respirer par le nez quand on dort.

La mère: (Très surprise, tentée de demander d'où cette idée lui est venue.) Alors comme ça, tu penses que du dois respirer par le nez lorsque tu dors?

Étienne: Je *sais* que je dois le faire.

La mère: Tu en es vraiment certain.

Étienne: Je le sais. Richard me l'a dit, il y déjà longtemps. (Ami très admiré, de deux ans son aîné.) Il m'a dit qu'on devait faire ça. On ne peut pas respirer par la bouche quand on dort.

La mère: Tu veux dire que tu ne dois pas le faire?

Étienne: On ne *peut* tout simplement pas. (Reniflement.) Maman, est-ce bien exact? Je veux dire que l'on doit respirer par le nez lorsqu'on dort? (Longue explication — beaucoup de questions d'Étienne sur cet ami qu'il admire. «Il ne me mentirait pas, dis?»)

La mère: (Elle explique que cet ami voulait certainement l'aider, mais que parfois les enfants ont de mauvais renseignements. La mère met beaucoup l'accent sur le fait que tout le monde respire par la bouche en dormant.)

Étienne (très soulagé): Eh bien! bonne nuit alors.

La mère: Bonne nuit. (Étienne respire facilement par la bouche. Il renifle soudain.)

La mère: Tu as encore peur.

Étienne: Hm… hm… Qu'arrivera-t-il si je dors en respirant par la bouche et que mon nez est bouché? Qu'arrivera-t-il si au milieu de la nuit, lorsque je serai profondément endormi, je ferme la bouche?

La mère: (Prenant soudain conscience que pendant des années, Étienne avait peur d'aller dormir parce qu'il avait peur de s'étouffer. Elle pense: «Mon pauvre chéri.») Tu as peut-être peur d'étouffer?

Étienne: Oui, oui. Il *faut bien* respirer. (Il n'ose pas ajouter: «Sinon, je pourrais mourir.»)

La mère: (Donnant de plus amples explications.) Ça ne pourrait pas se produire. Ta bouche s'ouvrirait d'elle-même, de la même façon que ton cœur bat ou que tes yeux clignent.

Étienne: Tu en es bien *certaine*.

La mère: Tout à fait.

Étienne: Alors, bonne nuit.

La mère: Bonne nuit, mon chéri. (Elle l'embrasse. Étienne s'endort en l'espace de quelques minutes.)

Thomas Gordon
Parent Effectiveness Training

porterez qui seront les plus efficaces. Et comme vous avez pu le voir, dans d'autres circonstances encore, ce seront vos coups de sonde (une forme d'allusion à ce que la personne sous-entend par son discours) ou votre reformulation qui pourront aider les autres à trouver une solution à leurs problèmes.

En plus de tenir compte de la situation, vous devriez également penser à l'*autre personne* avant de décider de l'approche à adopter. Certaines personnes peuvent recevoir des conseils de manière réfléchie, tandis que d'autres utilisent les suggestions que vous leur faites pour éviter de prendre leurs propres décisions. Beaucoup de communicateurs sont extrêmement méfiants et ne sont aucunement capables d'accepter une interprétation ou un jugement sans réagir violemment. D'autres encore ne sont pas en mesure de réfléchir à leurs problèmes d'une manière suffisamment claire pour tirer avantage d'une reformulation ou de vos coups de sonde. Les aides les plus avisés savent choisir l'approche qui convient le mieux à la personne qui est en face d'eux.

En dernier lieu, c'est à *vous* qu'il faut penser avant de choisir la démarche à adopter. La plupart d'entre nous n'utilisons, par instinct, qu'une ou deux méthodes. Il se peut que vous réussissiez mieux en écoutant tranquillement les autres, en faisant un coup de sonde ou une réflexion de temps à autre. Vous êtes peut-être particulièrement perspicace et pouvez offrir dans ce cas une analyse réellement utile d'une situation. Bien sûr, il est toujours possible que l'on se fie à une approche qui ne sera *pas du tout efficace*. Vous pouvez être trop catégorique ou trop prompt à donner des conseils, même lorsque vos suggestions (infructueuses ici) ne sont pas sollicitées. Lorsque vous songez à une approche à adopter pour venir en aide aux autres, sachez tenir compte de vos points forts et de vos faiblesses.

RÉSUMÉ

Écouter est la forme de communication la plus courante et peut-être la plus oubliée. Plusieurs formes d'écoute se font passer pour telles, mais n'en sont souvent que de pâles imitations. Nous ne savons pas «bien écouter» pour maintes raisons. Certaines ressortent du nombre impressionnant de messages qui nous assaillent quotidiennement, de nos préoccupations personnelles ou de nos pensées

Si on est sans cesse frustré, si on semble coincé dans une situation, la goutte qui fera déborder le vase sera le manque total d'une personne en qui on peut avoir confiance...

L. Fréden

trop rapides qui nous distraient et nous empêchent de nous concentrer sur les informations que nous recevons. D'autres s'expliquent par l'effort considérable qu'une écoute appliquée demande. Selon une croyance erronée, l'écoute est une disposition naturelle qui ne demande pas d'aptitude ou d'application spéciales et, d'un autre côté, elle n'offre pas les mêmes satisfactions que la parole. Un petit nombre de personnes ne parviennent pas à recevoir les messages du fait de problèmes auditifs.

La recherche d'informations provenant des autres personnes constitue un type important d'écoute. Pour y parvenir avec succès, il est nécessaire que l'on parle moins, que l'on réduise les distractions autour de soi, que l'on évite de porter des jugements prématurés et que l'on recherche l'idée maîtresse de la personne qui est en train de parler. Les questions et la reformulation constituent également deux méthodes précieuses pour obtenir les informations recherchées.

Un deuxième type d'écoute a pour objectif d'aider les autres à résoudre leurs problèmes. Certaines approches courantes consistent à donner des conseils, à porter des jugements, à analyser des situations données, à questionner ou à offrir un soutien. Les coups de sonde et la reformulation sont des approches moins courantes (parce qu'elles demandent un certain entraînement) mais tout aussi efficaces. Les communicateurs les plus avisés font usage de plusieurs approches, choisissant celle qui leur convient le mieux en tenant compte de la situation et de la personne qu'ils désirent aider.

Mots clés

Conseiller
Écoute défensive
Écoute insensible
Écoute piégée
Écoute protégée

Écoute sélective
Fausse écoute
Interpréter
Juger
Mise en vedette

Offrir son soutien
Reformulation
Poser des questions (investiguer)
Sonder

Bibliographie spécialisée

AXLINE, Virginia. *Dibs*, Paris, Champs Flammarion, 1967, 250 p.

Ce livre est un compte rendu fascinant du travail qu'un enfant peut faire pour sortir de l'isolement. Il illustre parfaitement comment la reformulation peut être un outil thérapeutique.

BÉLANGER-SIMARD, Marie. «Écouter son enfant», *Québec français*, n° 61, Les Publications Québec français, 1986, p. 60 à 62.

Un court texte sur l'art d'écouter lorsqu'on est parent… L'auteure aborde l'écoute dans le cadre global de la communication verbale.

CARKHUFF, Robert T. *L'art d'aider*, Montréal, Les Éditions de l'Homme et CIM, 1988, 270 p.

L'auteur offre une démarche visant à l'intégration d'attitudes et de techniques qui sont susceptibles d'être utilisées lorsque vous serez dans la situation de venir en aide à quelqu'un. Un livre facile à consulter et imagé, où nous retrouvons de nombreux exemples d'interactions qui permettront de comprendre d'avantage le concept ou l'attitude présentés dans le texte.

CHAREST, Aline. «Quelqu'un à qui parler», *Santé Société*, vol. 2, n° 10, Gouvernement du Québec, Ministère de la santé et des services sociaux, 1988, p. 45 à 48.

Un article qui traite d'une problématique actuelle vue sous l'angle des ressources disponibles au Québec. L'auteure présente les recherches entreprises dans le milieu scolaire pour venir en aide aux adolescents âgés de 15 à 19 ans.

EGAN, Gérard, FOREST, Françoise. *Communication dans la relation d'aide*, Montréal, HRW, 1987, 420 p.

Cet ouvrage présente un modèle de la relation d'aide dans lequel sont abordées les techniques d'écoute et les habiletés de communication fondamentale à développer pour rendre l'action thérapeutique efficace. Des exemples et des exercices sont suggérés au fil des thèmes abordés.

HÉTU, Jean-Luc. *La relation d'aide*, Montréal, Éditions du Méridien, 1982, 152 p.

Dans ce livre, l'auteur décrit tous les aspects de la relation thérapeutique en y présentant son modèle d'intervention. Il s'avère un document intéressant à consulter.

MUCCHIELLI, Roger. *L'entretien de face à face dans la relation d'aide*, Paris, Éditions E.S.F., 1977, 139 p.

Un classique de la psychologie. Si vous êtes intéressé à connaître la technique d'écoute «centrée sur le client» élaborée par Carl Rogers, ce livre satisfera votre besoin. Attention: il viendra parfois contredire ce qui vous a été communiqué dans ce chapitre, notamment en ce qui a trait à l'interprétation, au support à offrir ou au fait de donner des conseils à quelqu'un. Bref, il fera réfléchir sérieusement à la «meilleure» approche à adopter pour aider quelqu'un.

ROGERS, Carl. *La relation d'aide et la psychothérapie*, (T. 1), Paris, Éditions E.S.F., 1979, 333 p.

Un classique de la relation d'aide! Le chapitre 3 de la deuxième partie du tome 1 traite de l'approche directive et non directive en psychothérapie. Rogers y présente les arguments qui militent en faveur de la deuxième approche. La troisième partie du livre s'intéresse aux méthodes de la relation d'aide.

SALOMÉ, Jacques, GALLAND, Sylvie. *Si je m'écoutais je m'entendrais*, Montréal, Les Éditions de l'Homme, 1990, 336 p.

Un livre de psychologie populaire qui permet, par une démarche réflexive, de questionner ses propres comportements. Des thèmes comme la communication, les relations interpersonnelles ou la manière de devenir un meilleur compagnon pour soi-même favorisent une meilleure connaissance de soi et fournissent aussi des éléments contribuant à faire du lecteur un aidant sincère et chaleureux.

Troisième partie

Regards sur les interactions

Chapitre 8

L'intimité et la distance dans les relations interpersonnelles

L'inextinguible désir de sentir mon âme et mon corps entre tes mains, sourd à tout moment. Je vague, je viens… Je me sens alangui comme à l'instant où l'on est sur le point d'atteindre cette lueur et que l'on doit encore attendre. Je me sens violé par le temps… Je me sens joué par ces jours et ces nuits qui nous ont séparés et qu'il nous reste encore à franchir. Je sais pourtant que la terre est ronde. Je sais, du cycle des saisons, que les choses passent et repassent encore. Mais ce qu'il me reste, c'est qu'au fond de moi ce cycle, comme une révolution, s'est enrichi de ton prénom et que ton absence me coûte.

Le mur du hasard nous laisse face à l'irréparable encore une fois.

Cette source en moi, si grande et si forte, m'entraîne vers des sentiers maintes fois visités… Pourtant, de par sa splendeur, elle apparaît aussi éblouissante d'espoir… Comme Kitajima le laisse entendre, elle est ce mystère vers lequel nos corps savent se retrouver naturellement, sans hésiter…

J'attends ton retour sans trop y croire. Ce départ précipité me laisse à l'oreille un long bourdonnement de crainte mêlée d'espoir. Comme un arc-en-ciel au sein de l'orage, cette émotion m'étreint dans ce qu'il y a de plus secret. Inconscience éveillée consumant mes rêves les plus éclatés, mes désirs les plus purs, mes attentes les plus folles… Peu m'importe. Le monde s'arrête, là. Moi, j'attends ton retour. Et pourtant…

Me sera-t-il pardonné pour cette insistance?

Je t'imagine cherchant la tendresse enfouie en toi qui appelle, en écho, celle qui résonne en moi. Écoute encore cet air de Catherine Leforestier:

Je connais un pays, on dirait un jardin
Je peux y vivre nue sans avoir jamais froid
Quand je ferme les yeux j'y retrouve sous mes doigts
Tous les chemins…
J'ai le fond de tes yeux pour y chercher de l'or
La couleur de ta peau pour y lire les saisons
Le creux de ton épaule pour ligne d'horizon
Et tout autour de moi, tes bras font le décor
Au pays de ton corps…

Garde-moi comme je te garde. Tu veux? Dans cette aventure infinie, nous pouvons reconnaître ce qu'il y a de mieux, enfin ce que j'y trouve de fascinant. Sans cette rencontre, la réalité serait toujours la même — elle l'est malgré tout, je le sais — et tu comprendras, comme le fait Lorelei, l'appel lancé à tout vent au hasard du temps. Et c'est ce temps qui s'arrête pour moi. Sans précipiter quoi que ce soit, laisse-moi goûter encore et toujours ce qui coule en toi… La vie… La mort… Cet infini du présent.

Je t'aime. L'aurais-tu deviné? L'insouciance m'est inconnue en ce moment. Comme un enfant gâté, je ne peux retenir mon excitation, ni me raisonner. Sans toi le monde m'apparaît si moche. Je n'ai plus envie d'être sage. Je n'ai pas envie d'être docile. Je ne sais plus être adulte. Je ne veux pas faire semblant. En ne sachant trop ce qui m'attire — et il n'y a que ces fous qui comprendront — je vais vers toi. Simplement.

Jacques Shewchuck

Et plus le temps nous fait cortège
Et plus le temps nous fait tourment
Mais n'est-ce pas le pire piège
Que vivre en paix pour des amants
Bien sûr tu pleures un peu moins tôt
Je me déchire un peu plus tard
Nous protégeons moins nos mystères
On laisse moins faire le hasard
On se méfie du fil de l'eau
Mais c'est toujours la tendre guerre…

Jacques Brel

> Comme un secret, je garde au fond du cœur
> Un morceau de diamant, trésor extravagant
> Un amour pur et sincère par désir
> De t'éblouir…
> Tournent les saisons, passe le temps
> Le temps n'y changera jamais rien vraiment
> Que l'on se revoie dans un mois, dans un an
> C'est toujours un coup de foudre
> À chaque fois…
>
> Geneviève Paris

Les relations personnelles peuvent être ambivalentes. D'un côté, nous souhaitons ardemment avoir des contacts avec les autres: nous cherchons à obtenir le soutien et la libération que procurent l'ouverture, le partage des idées et des sentiments avec eux. De l'autre, si nous suscitons ces contacts, nous éprouvons également certaines appréhensions et tentons, en conséquence, de les éviter. Nous craignons de nous ouvrir aux autres de peur de paraître stupides ou d'avoir à en souffrir. Nous apprécions l'intimité qui nous permet de conserver pour nous nos pensées et d'éviter d'expliquer ou de justifier chacun de nos actes.

Ce chapitre vous aidera à trouver un équilibre entre les deux pôles que sont l'intimité et la distance dans vos relations interpersonnelles. Il vous décrira les forces qui poussent les personnes les unes vers les autres et soulignera les étapes que franchissent ordinairement les relations personnelles. Nous apprendrons ce qu'est l'ouverture de soi: ce que cette notion sous-entend, les raisons qui nous poussent à nous ouvrir aux autres et comment le faire de façon appropriée. En dernier lieu, nous verrons d'autres formes de communication — différentes de l'ouverture aux autres — et nous parlerons du rôle qu'elles jouent dans les relations interpersonnelles.

L'attraction interpersonnelle: pourquoi formons-nous des liens avec les autres?

Pourquoi désirons-nous établir des liens avec certaines personnes plutôt qu'avec d'autres? Qu'est-ce qui nous attire les uns vers les autres? Voici une question que les spécialistes en communication ont abondamment étudiée[1]. Nous aurions besoin de tout un livre pour faire part de leurs recherches,

mais nous pouvons résumer ici un certain nombre des explications qu'ils nous donnent. En les lisant, voyez celles qui s'appliquent particulièrement à vous.

Nous aimons les gens qui nous ressemblent — en général…

Ce n'est pas surprenant. Une des premières étapes lorsqu'on fait la connaissance d'une personne, c'est de rechercher des points communs — des intérêts, des expériences ou d'autres éléments — avec elle. Lorsque nous nous trouvons des ressemblances, nous ressentons une certaine attirance l'un pour l'autre.

Cela ne veut pas dire pour autant que la clé de la popularité est d'être en accord sur tout avec tout le monde. Des études montrent que l'attraction est plus grande lorsque nous nous trouvons des points communs dans un grand nombre de domaines importants. Par exemple, dans un couple où chacun appuie les objectifs de carrière de l'autre, apprécie la compagnie des mêmes amis et partage les mêmes idées sur les droits de l'homme, on peut accepter des désaccords mineurs sur les mérites de la cuisine indienne ou sur les talents de Marie-Denise Pelletier. S'il y a suffisamment de points communs dans les domaines clés, le couple survivra à des conflits plus importants, sur le temps qu'il faut consacrer à la famille ou sur la possibilité de prendre des vacances chacun de son côté. Si, par contre, le nombre et la gravité des désaccords s'accroissent, la relation peut alors être menacée.

Nous pouvons passer de l'attraction à l'aversion lorsque nous faisons la connaissance de personnes qui nous ressemblent sur beaucoup de plans, mais qui se comportent de manière étrange ou choquante en société. Il vous est sûrement arrivé de ne pas aimer certaines personnes soi-disant «tout à fait comme vous» mais qui parlaient trop, se plaignaient constamment ou possédaient d'autres traits de caractère qui vous déplaisaient. De fait, nous avons tendance à ressentir davantage d'aversion pour les personnes qui nous ressemblent, mais qui

> Je sais faire l'amour, mais je ne sais pas faire l'amitié. Est-ce qu'on se déshabille? Est-ce que tu gardes ton jupon? (…) Ce qu'on ôte, c'est son masque. C'est son cœur qu'on dévêt.
>
> Réjean Ducharme

nous choquent, que pour celles qui nous choquent, mais qui sont tout à fait différentes. C'est probablement que ces personnes représentent une menace pour notre estime personnelle, nous faisant craindre d'être aussi peu attirants qu'elles le sont. Dans de telles circonstances, notre réaction est souvent de mettre le plus de distance possible entre nous et cette menace sur notre image personnelle idéale.

Nous aimons les gens qui sont différents de nous — d'une certaine façon... Le fait que «les contraires s'attirent» semble contredire le principe de ressemblance que nous venons d'énoncer. Les deux idées sont cependant valables. Certaines différences peuvent renforcer les liens personnels si elles sont *complémentaires* — lorsque les caractéristiques de chacun des partenaires comblent les besoins de l'autre. Dans un couple, par exemple, les partenaires ont tendance à s'attirer si l'un des deux est dominateur et l'autre passif. Les relations fonctionnent aussi très bien lorsque les partenaires sont d'accord pour que l'un exerce son autorité dans certains domaines («Tu prends la décision finale en matière financière») et que l'autre assume des responsabilités différentes («Je décide de la décoration intérieure de la maison»).

Les tensions surviennent souvent lorsqu'on se dispute sur les questions d'autorité.

Les études qui ont analysé des couples plus ou moins heureux en mariage sur une période de 20 ans montrent l'interaction entre les ressemblances et les différences. Elles indiquent que les partenaires d'un mariage heureux étaient suffisamment semblables au départ pour se satisfaire l'un l'autre sur le plan physique et mental, mais également suffisamment différents pour combler les besoins de l'autre et maintenir l'intérêt de la relation. Les couples heureux sont capables de trouver un certain équilibre entre leurs ressemblances et leurs différences, s'étant ajustés aux changements survenus au fil des années.

Nous aimons les gens qui nous apprécient — habituellement... Cette source d'attraction est particulièrement forte dans les premiers temps de la relation. À ce stade, nous sommes attirés par les gens que nous croyons attirer. Inversement, nous ne ferons probablement pas attention aux personnes qui nous attaquent ou se montrent indifférentes à nous. Une fois que nous avons lié connaissance, ce facteur revêt moins d'importance. Nous établissons alors nos préférences en fonction d'autres éléments que nous allons découvrir dans ce chapitre.

> Et ce n'est pas l'amour qui tisse l'intimité, c'est la tendresse qu'on se ménage mutuellement.
>
> Robert Blondin

Il n'y a aucun mystère dans le fait que des penchants réciproques provoquent une certaine attirance. Les gens qui ont une bonne opinion de nous renforcent nos sentiments d'estime personnelle. Cette approbation est gratifiante et peut également confirmer une image extérieure affichant: «Je suis une personne sympathique.»

Vous pouvez cependant penser à des exemples où vous n'avez pas aimé des gens qui paraissaient pourtant vous aimer vous. Ces expériences sont généralement de deux ordres. Nous pensons parfois que la prétendue sympathie de l'autre personne est fausse — un moyen détourné d'obtenir quelque chose de nous. Telle connaissance qui devient amicale lorsqu'elle a besoin d'emprunter votre voiture ou l'employé dont les propos flatteurs auprès du patron semblent être un moyen d'obtenir une augmentation en sont des exemples. Ce genre de comportement n'est pas vraiment ce que l'on peut appeler «éprouver de la sympathie» pour quelqu'un. La deuxième raison de ne pas répondre à l'approbation de l'autre personne, c'est qu'elle ne correspond pas à notre concept de soi. Comme vous l'avez vu dans le chapitre 2, il nous arrive de nous accrocher à un concept de soi qui peut être excessivement défavorable. Lorsque quelqu'un vous dit que vous êtes séduisant, intelligent et gentil, alors que vous êtes persuadé d'être laid, stupide et mesquin, vous pouvez décider de ne pas tenir compte de ces paroles flatteuses et de vous confiner dans votre situation malheureuse. Groucho Marx résumait bien cette attitude lorsqu'il disait qu'il ne ferait jamais partie d'un club qui consentirait à l'admettre comme membre.

Nous sommes attirés par les gens qui peuvent nous aider — Dieu merci...
Certaines relations sont fondées sur un modèle pseudo-économique appelé **théorie de l'échange**. Cela semble indiquer que nous recherchons souvent des personnes qui peuvent nous apporter certaines compensations — physiques ou émotionnelles — plus importantes ou égales à ce que nous nous trouvons à payer pour faire affaire avec elles. Lorsque nous fonctionnons sur une base d'échanges, nous décidons (souvent inconsciemment) si cette entreprise est «bonne» ou si elle «n'en vaut pas l'effort».

À son niveau le plus criant, une approche semblable apparaît froide et calculatrice, mais sous certains angles, elle peut cependant être raisonnable. Une relation d'affaires saine est basée sur la façon dont les partenaires peuvent s'aider mutuellement, et certaines amitiés sont fondées sur une certaine forme de troc: «Cela m'est égal d'entendre les hauts et les bas de ta vie amoureuse, parce que tu viens toujours à mon secours lorsque la maison a besoin de réparations.» Même les relations plus intimes comportent un élément d'échange. Les maris et les femmes tolèrent certaines de leurs excentricités réciproques, car le bien-être et le plaisir qu'ils tirent de leur relation leur font accepter les mauvais moments. Les relations personnelles les plus satisfaisantes sont cependant bâties sur autre chose que ces seuls avantages qui les font passer pour une bonne affaire.

Nous aimons les gens compétents — dans la mesure où ils se montrent également «humains»...
Nous aimons nous entourer de gens talentueux, probablement parce que nous pensons que leurs aptitudes et habiletés sauront déteindre sur nous. Par contre, nous nous sentons mal à l'aise en compagnie de personnes *trop* compétentes — probablement parce que nous souffrons de la comparaison.

Ces attitudes contradictoires une fois admises, il n'est pas surprenant que l'on soit généralement attiré par les personnes talentueuses qui montrent certains défauts, indiquant par là qu'elles sont humaines comme nous. Il y a pourtant quelques réserves à apporter à ce principe. Les gens qui ont une estime d'eux-mêmes particulièrement haute ou particulièrement basse trouvent les personnes «parfaites» plus séduisantes que celles qui sont compétentes, mais imparfaites. Certaines études laissent également entendre que les femmes sont plus facilement impressionnées par des personnes des deux sexes uniformément supérieures, tandis que les hommes trouvent séduisants, mais également ment «humains», les sujets particulièrement attirants. Dans l'ensemble, cependant, le postulat est le suivant: la meilleure façon de se gagner la sympathie des autres est d'être compétent dans son domaine tout en sachant reconnaître ses erreurs.

Qu'un certain degré d'imperfection soit désirable enfonce un autre clou dans le cercueil du mythe perfectionniste décrit dans le chapitre 4. Nous croyons, à tort, que nous devons nous montrer parfaits pour gagner le respect et l'affection des autres, alors qu'en fait agir de cette manière peut détourner de nous les personnes que nous aimerions voir se rapprocher.

Nous sommes attirés par les gens qui s'ouvrent à nous — de façon appropriée...

Fournir des renseignements importants sur soi peut aider à développer des liens personnels. Le fait d'apprendre en quoi nous nous ressemblons nous rapproche, soit par des expériences communes («J'ai moi-même rompu des fiançailles»), soit par certains comportements («Je me sens également nerveux en face d'inconnus»). L'ouverture de soi accroît également la sympathie pour une autre raison: elle est un signe de considération. Lorsque des personnes partagent des confidences avec vous, cela indique qu'elles vous respectent et se fient à vous — une sorte de penchant qui, nous l'avons déjà vu, accroît l'attirance.

Toute ouverture aux autres ne conduit pas non plus à de la sympathie. Les gens qui font des confidences au mauvais moment obtiennent de piètres résultats. Il est certainement peu avisé, par exemple, de parler de son insécurité sexuelle à une nouvelle connaissance ou de faire part de ses bêtes noires à un ami qui fête son anniversaire. En plus de mal tomber, le fait de trop s'ouvrir aux autres peut également s'avérer maladroit. Les études montrent que les gens savent plaire dans la mesure où les confidences qu'ils font correspondent à celles de l'autre personne en nature et en nombre. Voir les pages 232 à 234 pour d'autres directives concernant le moment et la façon de s'ouvrir aux autres.

Nous éprouvons des sentiments plus vifs pour les gens que nous rencontrons...

souvent! Comme l'indique le bon sens, nous sommes davantage enclins à développer des liens plus étroits avec des personnes que nous rencontrons fréquemment. Dans beaucoup de cas, la proximité favorise les rapprochements. Nous aurons tendance à lier davantage amitié avec des voisins proches qu'avec d'autres plus éloignés, par exemple; plusieurs études montrent aussi que les chances sont meilleures de nous trouver un conjoint parmi les personnes que nous croisons assez souvent. Cela est très compréhensible si nous considérons que le fait d'être proches nous permet d'apprendre plus de choses sur les autres et de tirer certains avantages d'une relation avec eux.

La familiarité, par contre, peut également engendrer le mépris. À preuve les registres de police ou les études sociologiques. Les voleurs s'attaquent souvent à des victimes de leur voisinage, même si le risque de se faire reconnaître est plus grand. Les pires agressions surviennent en général à l'intérieur de la famille même ou parmi les voisins proches. Pour la conduite des enquêtes, le même principe demeure: vous êtes enclins à développer des sentiments personnels profonds de sympathie ou d'aversion avec les personnes que vous rencontrez fréquemment.

Analysez vos sources d'attractions interpersonnelles

1. Faites la liste de cinq personnes avec lesquelles vous entretenez de solides liens personnels. Servez-vous ensuite de la liste qui suit pour déterminer en quoi ces personnes vous plaisent:

   a. Leurs intérêts, leurs opinions, leurs valeurs, leurs convictions ou leur formation sont-ils semblables aux vôtres?
   b. Comblent-elles un besoin de complémentarité?
   c. Vous plaisent-elles?
   d. Votre relation est-elle un échange équitable de gratifications?
   e. Sont-elles talentueuses tout en étant humaines?
   f. Avez-vous échangé certaines confidences avec elles?

   g. Les rencontrez-vous fréquemment?

2. Pensez maintenant à cinq personnes avec lesquelles vous aimeriez avoir des relations plus fortes. Servez-vous de la même liste pour savoir si vous êtes le genre de personne qui leur plairait.

Les étapes des relations interpersonnelles

Le processus de l'attraction interpersonnelle est seulement le point de départ de la relation. Comme cette attraction nous pousse à nous engager davantage avec l'autre personne, nos relations semblent passer par différents stades[2].

Si le tableau 8-1 indique des étapes bien définies, dans la réalité cependant, elles semblent souvent s'entremêler. Dans certaines circonstances, les relations semblent atteindre un tournant et changer presque immédiatement — passant du stade de la découverte à celui du renforcement des liens ou du stade de l'engagement à celui de la

Tableau 8-1 Aperçu des étapes d'une relation

Processus	Stade	Dialogue type
Rapprochement	Phase initiale	«Salut! Comment allez-vous?» «Très bien, merci.»
	Découverte	«Ainsi, à ce que je peux voir, vous aimez le ski, pas vrai?» «Vous aussi? Sensationnel. Où allez-vous skier?»
	Renforcement des liens	«Je pense… que je t'aime.» «Moi aussi.»
	Fusion	«Je me sens si proche de toi.» «Oui, nous semblons ne faire plus qu'un. Ce qui te touche me touche également.»
	Engagement	«Je veux être toujours avec toi.» «Alors, marions-nous.»
Séparation	Différenciation	«Je n'aime pas les grandes réunions mondaines.»
	Circonspection	«As-tu aimé ton voyage?» «À quelle heure le souper sera-t-il prêt?»
	Stagnation	«À quoi bon en parler?» «Très juste. Je sais d'avance ce que tu vas dire comme tu sais très bien ce que je vais dire.»
	Évitement	«Je suis tellement occupé que je ne sais pas du tout quand je pourrai te voir.» «Si je ne suis pas là, tu sauras pourquoi!»
	Rupture	«Je te quitte… et ne te donne pas la peine d'essayer de me rejoindre.» «Sois sans crainte.»

Autorisation de reproduction: Mark L. Knapp, *Interpersonal Communication and Human Relationships*, Boston, Allyn and Bacon, 1984.

C'était dans un *jet set* aride
Les femmes riaient de leurs yeux vides
Les gens n'admiraient que l'argent
Et il faisait partie des leurs
Ça m'a fait vraiment, vraiment peur
Je lui ai caressé les mains
Elles étaient douces comme du satin
Et dans une marée de brouillard
J'ai eu besoin de son regard
Qui était doux...
J'ai su soudain que mon désir le rendait fou.

Véronique Sanson

différenciation, par exemple. Dans la plupart des cas, cependant, nos relations évoluent de façon plus graduelle. Une relation qui a atteint le stade de la fusion présente encore probablement certains éléments de découverte, et celle qui a atteint pratiquement le stade de l'évitement peut encore montrer certains signes d'engagement. Néanmoins, la plupart des relations semblent progresser en franchissant ces étapes.

Si les explications qui suivent s'adressent davantage aux relations homme-femme, elles s'appliquent également aux autres types de liens interpersonnels. Elles conviendront certainement aux relations avec les collègues de travail, avec les amis proches et, si l'on y apporte de légères modifications dans les étapes initiales, avec tous les membres de la famille. Toutes les relations personnelles ne passent pas chacune de ces étapes, bien entendu. Certaines ne franchissent jamais le cap de la découverte, tandis que d'autres se stabilisent au stade de la différenciation sans jamais passer à l'étape de la détérioration.

Phase initiale Au cours de cette première phase, vos objectifs sont de montrer que vous êtes intéressé à établir un contact et que vous êtes le genre de personne avec qui il est intéressant de parler. La communication à ce stade est en général assez brève et conventionnelle: poignées de mains, remarques sur des sujets d'intérêt général, comme le temps qu'il fait, et expressions toutes faites. Ce genre de message peut sembler superficiel et dénué de sens, mais c'est une façon de faire savoir que vous êtes intéressé à entamer une sorte de relation avec l'autre personne. Cela vous permet de faire

savoir sans le dire vraiment: «Je suis une personne affectueuse et j'aimerais lier connaissance avec vous.»

Découverte Après avoir pris contact avec la personne, nous commençons en général à nous chercher des points communs avec elle. Nous prononçons des phrases usuelles comme: «D'où venez-vous? Quelles études faites-vous?» De là, nous cherchons à trouver d'autres ressemblances: «Vous courez aussi? Combien de kilomètres faites-vous chaque semaine?»

Ce qui distingue cette étape, c'est la brièveté des conversations. Comme le dit Mark Knapp, ces conversations ressemblent au rince-bouche: «Nous n'aimons pas beaucoup cela, mais nous en prenons de fortes doses quotidiennement[3].» Nous supportons ce genre de conversations parce qu'elles remplissent plusieurs fonctions. C'est d'abord un moyen facile de chercher nos ressemblances avec l'autre personne. C'est aussi une façon de pouvoir l'«entendre» — nous aider à décider si une relation avec elle vaut la peine d'être poursuivie. Ce mode d'échanges est également un moyen sûr de se sentir à l'aise dans la conversation. Finalement, en plus de nous avoir peu engagés, il nous *permet* de créer des liens avec les autres.

Renforcement des liens Plusieurs changements dans les schémas de communication surviennent à ce stade. La conversation devient plus familière. Les partenaires commencent à s'identifier comme «nous» au lieu de se voir comme des individus distincts. C'est à ce stade que nous commençons à exprimer directement des sentiments d'engagement

Un' fois de temps en temps
Un cinéma d'quartier
Après le restaurant
Oubliant les cafés
Envahis et troublés
En revenant chez nous
Pas un mot entre nous
On s'retrouvait très loin
Je crois au bout du monde
On s'oubliait très loin
À pein' quelques secondes...

Claude Léveillée

l'un envers l'autre: «Je suis si content que nous nous soyons rencontrés. Notre rencontre est ce qui m'est arrivé de mieux depuis fort longtemps.»

Ce renforcement des liens peut se faire rapidement dans certaines relations, tandis que d'autres n'atteindront jamais ce stade. Dans une étude, on avait apparié des inconnus et on les avait invités à se parler[4]. À la moitié des couples ainsi formés, on avait déclaré que les partenaires se ressemblaient beaucoup, tandis qu'à l'autre moitié des couples on avait dit que le partenaire était fort différent. Dans les couples qui se croyaient assortis, les partenaires communiquaient de façon remarquable, comme des personnes qui se seraient connues de longue date, alors qu'elles venaient à peine de faire connaissance. Par contre, dans les couples qui se pensaient différents, les partenaires se comportaient comme des personnes totalement étrangères. Apparemment, le fait de savoir que l'on se ressemble conduit à davantage d'intimité et de familiarité. Lorsque des gens qui se croient semblables sont également disponibles, les chances sont bonnes que leurs relations s'intensifient rapidement.

Fusion   Leurs liens s'intensifiant, les parties commencent à accepter une identité commune. Les invitations sont maintenant adressées au couple; les cercles d'amis se fondent. Les partenaires commencent à prendre des engagements l'un envers l'autre: «Bien sûr que j'irai passer l'Action de grâce avec ta famille.» On commence à désigner la propriété «commune»: notre appartement, notre voiture, notre chanson. Dans ce sens, le stade de la fusion est une période où nous renonçons à certaines caractéristiques de nos «vieux moi» pour devenir de nouvelles personnes.

Engagement   À ce stade, les parties posent certains gestes publics symboliques pour montrer au monde les liens qui les unissent. Ces gestes peuvent prendre la forme d'un contrat: ils deviennent partenaires en affaires ou mari et femme par

> Pour que l'amour existe, on doit accepter d'être heureux en présence de quelqu'un sans avoir rien à faire.
>
> Denise Bombardier et Claude St-Laurent

> L'aveuglement, loin d'augmenter notre puissance d'aimer, rétrécit l'horizon où se meut notre amour.
>
> Marguerite Yourcenar

le mariage. Cette union donne une dimension et un soutien social à la relation. Les coutumes et les lois imposent cependant certaines obligations aux partenaires qui se sont officiellement unis.

Différenciation   Maintenant que les deux personnes ont formé une communauté, il leur est nécessaire de rétablir leur identité personnelle. En quoi sommes-nous différents? En quoi suis-je unique? Les identifications antérieures en tant que «nous» mettent maintenant l'accent sur le «je». La différenciation se manifeste souvent pour la première fois lorsque la relation laisse apparaître des tensions inévitables. Si un employé satisfait peut faire référence à «notre compagnie», la description qu'il en donne pourrait se changer en «leur compagnie» si une augmentation ou un autre avantage tarde à venir. Nous rencontrons ce genre de différenciation lorsque les parents se disputent à propos de la mauvaise conduite de leur enfant: «As-tu vu ce que *ton* fils vient de faire?»

La différenciation peut être également positive: les partenaires ont autant besoin d'être reconnus en tant que personnes indépendantes que comme parties dans la relation. Le désir de maintenir les engagements qui ont été pris tout en permettant aux partenaires de se sentir des individus à part entière est la clé d'une différenciation réussie.

Circonspection   Jusqu'ici nous avons observé des relations en croissance. Si certaines peuvent atteindre une plénitude qui se maintient avec bonheur la vie durant, d'autres passent par divers stades de déclin et de dissolution. Au stade de la circonspection, la communication entre les partenaires décroît en qualité et en quantité. Les restrictions et les retenues caractérisent ce stade, et la communication n'est plus dynamique mais statique. Plutôt que de discuter d'un désaccord (ce qui demande une certaine dose d'énergie de part et d'autre), les partenaires choisissent le retrait: retrait mental (silence, rêve éveillé ou fantasmes)

ou physique (ils passent moins de temps ensemble). Cette étape ne signifie pas un évitement total, ce qui surviendra un peu plus tard; elle donne plutôt lieu à une certaine diminution d'intérêt et d'engagement.

Stagnation   Si l'étape de la circonspection se poursuit, les relations commencent à stagner. Les partenaires se comportent l'un envers l'autre de façon routinière, sans manifester beaucoup de sentiments. Il n'est plus question de croissance, et la relation n'est plus que l'enveloppe vide de sa forme antérieure. Nous observons ce phénomène chez beaucoup de travailleurs qui ont perdu tout enthousiasme pour leur travail, mais qui continuent à le faire machinalement pendant des années. La même tristesse atteint les couples qui poursuivent inlassablement le même genre de conversation, voient toujours les mêmes personnes et observent la même routine sans aucun sentiment de joie ni aucune impression de nouveauté.

Évitement   Lorsque la phase de stagnation devient trop désagréable, les partenaires commencent à mettre des distances entre eux. Ils le font parfois sous le couvert d'excuses: «J'ai été malade dernièrement et je ne suis pas en mesure de te voir» ou parfois de façon directe: «Veux-tu ne plus m'appeler: je ne tiens pas à te voir maintenant.» Dans tous les cas, à ce stade, il n'y a plus de doutes quant à l'avenir de la relation.

Rupture   Des dialogues sommaires sur l'état de la relation et le désir de se séparer caractérisent cette étape finale. La relation peut prendre fin par un souper cordial, une note laissée sur la table de la cuisine, un coup de téléphone ou… un document juridique faisant part de la dissolution. Selon les réactions de chaque personne, cette étape peut être brève ou peut au contraire s'éterniser, avec des attaques acerbes de part et d'autre. Dans certains

> Avec le temps…
> Avec le temps, va, tout s'en va
> Et l'on se sent blanchi comme un cheval fourbu
> Et l'on se sent glacé dans un lit de hasard
> Et l'on se sent tout seul peut-être mais peinard
> Et l'on se sent floué par les années perdues
> Alors vraiment
> Avec le temps, on n'aime plus.
>
> Léo Ferré

exercée par une personne. Ces faits établis, il nous faut maintenant nous pencher de plus près sur la question de l'ouverture de soi. Quelle est-elle? Quand est-elle souhaitable? Comment s'effectue-t-elle le mieux?

La meilleure façon de commencer est d'en donner une définition. L'**ouverture de soi** est le processus qui consiste à dévoiler délibérément certaines informations concernant sa personne — informations à la fois significatives et pas encore connues des autres. Examinons plus en détail certaines parties de la définition. L'ouverture de soi doit être *délibérée*. Si vous mentionnez accidentellement à un ami que vous pensez quitter votre emploi ou faire une proposition de mariage, cette information n'est pas de l'ouverture de soi. En plus d'être intentionnelle, l'information doit également être *révélatrice*. Faire part de son plein gré d'opinions, d'impressions ou de faits insignifiants — que vous aimez le caramel par exemple — n'est pas une révélation en soi. La troisième exigence est que l'information dévoilée *ne doit pas être connue des autres*. Il n'y a rien de remarquable à faire savoir aux autres que vous êtes déprimé ou que vous débordez de joie s'ils le savent déjà.

cas, la séparation peut ne pas être totalement négative. Savoir reconnaître les investissements de chacun dans la relation et comprendre la nécessité de poursuivre un cheminement personnel peut aider à faire passer certains sentiments d'amertume.

L'ouverture de soi dans les relations interpersonnelles

Nous avons vu qu'on peut juger de la solidité d'une relation par la quantité de confidences que les partenaires échangent. De plus, nous avons cité plusieurs études qui montraient qu'une ouverture de soi appropriée pouvait accroître l'attraction

Des degrés dans l'ouverture de soi Si notre définition est utile, elle ne mentionne cependant pas le fait important que toute ouverture de soi n'est pas uniformément révélatrice — que certains messages donnent plus de renseignements sur nous que d'autres.

Le temps, ce grand sculpteur...

Tu ne m'aimes plus. Si tu consens à m'écouter durant une heure, c'est qu'on est indulgent envers ceux qu'on abandonne. Tu m'as lié, et tu me délies. Je ne te blâme pas, Gherardo. L'amour d'un être est un présent si inattendu, et si peu mérité, que nous devons toujours nous étonner qu'on ne nous le reprenne pas plus tôt. Je ne suis pas inquiet de ceux que tu ne connais pas encore, mais vers lesquels tu vas et qui t'attendent peut-être: celui qu'ils connaîtront sera différent de celui que je crus connaître, et que je m'imagine aimer. On ne possède personne (ceux qui pèchent même n'y parviennent pas) et l'art étant la seule possession véritable, il s'agit moins de s'emparer d'un être que de le recréer. Gherardo, ne te méprends pas sur mes larmes: il vaut mieux que ceux que nous aimons s'en aillent, lorsqu'il nous est encore loisible de les pleurer. Si tu restais, peut-être ta présence, en s'y superposant, eût affaibli l'image que je tiens à conserver d'elle. De même que tes vêtements ne sont que l'enveloppe de ton corps, tu n'es plus pour moi que l'enveloppe de l'autre, que j'ai dégagé de toi, et qui te survivra. Gherardo, tu es maintenant plus beau que toi-même.

Marguerite Yourcenar

Figure 8-1 Schéma d'interpénétration sociale

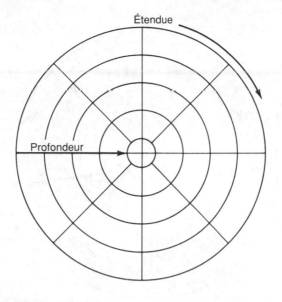

Les psychologues Irwin Altman et Dalmas Taylor indiquent deux façons de rendre la communication plus ou moins révélatrice[5]. Leur **schéma d'interpénétration sociale** est montré à la figure 8-1. La première dimension indiquée sur le schéma concerne l'*étendue* des informations divulguées de plein gré — l'éventail des sujets abordés. Par exemple, l'étendue de l'ouverture de soi dans votre relation avec un collègue de travail augmentera si vous commencez à lui dévoiler des informations concernant votre vie en dehors du travail aussi bien que certains détails pendant le travail. La deuxième dimension est la *profondeur* des informations divulguées, le passage de messages relativement peu révélateurs à celui de messages plus personnels.

Selon l'étendue et la profondeur des informations partagées, une relation peut se définir comme superficielle ou personnelle. Dans une relation sans importance, l'étendue des informations divulguées peut être grande, mais non pas la profondeur. Une relation plus intime a en général plus de profondeur, au moins dans un certain domaine. Les relations les plus intimes sont celles dans lesquelles l'ouverture est importante à la fois par son étendue et par sa profondeur. Altman et Taylor voient le développement d'une relation personnelle comme une progression partant de la périphérie et se dirigeant vers le centre du schéma, un processus qui se déroule sur une certaine période de temps.

Chacune de vos relations personnelles présente probablement une combinaison différente d'étendue de sujets et de profondeur d'ouverture. La figure 8-2 décrit celle d'un étudiant.

Qu'est-ce qui rend l'ouverture plus profonde dans certains messages que dans d'autres? On mesure cette profondeur en regardant jusqu'où elle va dans deux des dimensions qui définissent l'ouverture de soi. Certaines divulgations sont assurément plus *révélatrices* que d'autres. Voyez la différence entre les déclarations: «J'aime ma famille» et «Je vous aime». D'autres énoncés peuvent être qualifiés d'ouverture profonde du fait qu'ils sont *confidentiels*. Partager un secret que vous n'avez confié qu'à très peu d'amis intimes est certainement un acte d'ouverture de soi; il est cependant encore plus révélateur de divulguer des informations que vous n'avez jamais dites à personne.

Une autre façon de mesurer la profondeur de l'ouverture de soi c'est de considérer les types de renseignements dévoilés. En voici des exemples.

CLICHÉS Les **clichés** sont des réponses ritualisées, anodines, à des situations données — virtuellement à l'opposé de l'ouverture de soi: «Comment allez-vous?» «Très bien!» «Alors il faut qu'on se voie bientôt.»

Des remarques comme celles-ci ne sont pas faites pour être prises au pied de la lettre; de fait,

Figure 8-2 Modèle du schéma d'interpénétration sociale

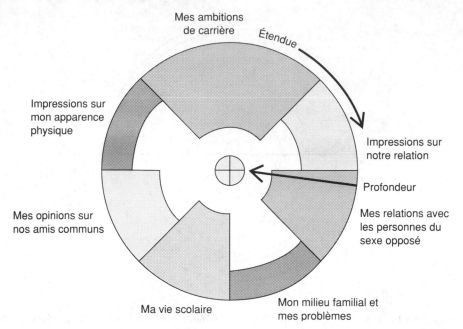

l'autre personne serait très surprise si vous répondiez à la question: «Comment allez-vous?» par une longue tirade sur votre santé, votre état d'esprit, votre vie amoureuse ou vos finances personnelles. C'est pourtant une erreur que de considérer les clichés comme dénués de sens, car ils remplissent plusieurs fonctions. Ils permettent par exemple de donner le temps aux interlocuteurs de s'évaluer l'un l'autre et de savoir s'il est souhaitable de prolonger la conversation. Nos premières impressions se basent en général sur le comportement non verbal de l'autre personne plutôt que sur les mots qu'elle prononce. Des éléments comme le regard, le ton de la voix, l'expression du visage et la posture peuvent souvent nous renseigner davantage que les premières phrases d'une conversation. Une fois reconnue la valeur de ces indices non verbaux et écartée la maladresse qui consisterait à dire ouvertement: «Je désire prendre quelques minutes pour vous évaluer avant de faire plus ample connaissance avec vous», l'échange de quelques phrases anodines peut être la solution qui vous aide à franchir cette étape initiale en toute quiétude.

Les clichés peuvent également servir de codes aux autres messages que nous n'exprimons pas, en général, de façon directe, comme: «Je veux saluer votre présence» (lorsque deux connaissances se croisent). D'autres messages non exprimés, souvent contenus dans les clichés, peuvent être: «J'aimerais vous parler si vous le désirez» ou bien «Restons-en à ce niveau de conversation légère et impersonnelle; je ne tiens pas à m'ouvrir davantage à vous pour le moment.» Accompagné d'un ensemble d'indices non verbaux, un cliché peut vouloir exprimer: «Je ne voudrais pas me montrer impoli, mais vous feriez mieux de vous tenir loin de moi pour le moment.» Dans tous les cas, les clichés constituent une sorte de raccourci pour garder les rouages bien huilés et indiquer la possibilité d'une conversation ultérieure éventuellement plus profonde.

Faits Tous les énoncés factuels ne sont pas de l'ouverture aux autres: ils doivent être, comme nous l'avons vu, intentionnels, révélateurs et ne pas être connus des autres:

> «Je n'en suis pas à ma première tentative au collège. J'ai abandonné il y a un an car j'avais des notes abominables.»

> «Je suis pratiquement fiancé.» (Lors d'une rencontre avec une autre personne loin de chez soi.)

> «Cette idée que tout le monde trouvait si géniale ne vient pas en fait de moi. Je l'ai lue dans un livre l'an dernier.»

Avec la permission de John Hart et du News America Syndicate.

Des faits comme ceux-ci peuvent être révélateurs en eux-mêmes; ils ont cependant une signification plus grande dans une relation personnelle. Le fait de dévoiler certaines informations importantes suppose un degré de confiance et d'engagement envers l'autre personne et indique un désir de faire passer cette relation à un nouveau stade.

OPINIONS Les opinions sont en soi encore plus révélatrices:

«Je pensais que le sujet de l'avortement n'était pas important, mais j'ai changé d'avis récemment.»

«J'ai vraiment beaucoup de considération pour Carmen.»

«Je ne pense pas que vous me donniez le fond de votre pensée.»

Des opinions comme celles-ci révèlent généralement plus de choses sur la personne qui les émet que de simples énoncés factuels. Si vous connaissez l'opinion de votre partenaire sur le sujet, vous pouvez avoir une idée plus nette de ce que pourra être votre relation avec lui. De la même façon, chaque fois que vous faites part d'une opinion personnelle, vous donnez aux autres des informations précieuses sur vous.

SENTIMENTS Le quatrième niveau d'ouverture de soi — et habituellement le plus révélateur — est le domaine des sentiments. À première vue, l'expression des sentiments peut ressembler à celle des opinions, mais il existe pourtant une grande différence. Comme nous l'avons vu plus tôt, la phrase: «Je ne pense pas que vous me donniez le fond de votre pensée» est une opinion. Maintenant, observez comment nous pouvons apprendre plus de choses sur la personne qui l'émet en considérant trois réactions différentes, qui pourraient accompagner cet énoncé:

«Je ne pense pas que vous me donniez le fond de votre pensée, *et je suis assez méfiant.*»

«Je ne pense pas que vous me donniez le fond de votre pensée, *et j'en suis fâché.*»

«Je ne pense pas que vous me donniez le fond de votre pensée, *et j'en suis blessé.*»

La différence entre ces quatre niveaux de communication — clichés, faits, opinions et sentiments — explique pourquoi certaines relations peuvent être frustrantes. C'est que la profondeur de l'ouverture personnelle atteinte ne mène pas nécessairement au genre de relation qu'un ou les deux partenaires souhaiteraient. Certains communicateurs

«Si tu veux parler, prends le journal et nous parlerons de ce qu'il y a dedans.»

Dessin de Drucker ©1985 The New Yorker Magazine Inc.

peuvent vouloir s'en tenir au niveau des faits. Ce serait tout indiqué pour une relation d'affaires, mais cela ne conviendrait certainement pas dans d'autres circonstances. Le pire, c'est qu'il existe des gens qui ne dépassent pas le niveau des clichés. De même qu'un régime très riche finit par lasser, vouloir exprimer trop de sentiments ou d'opinions peut devenir assez désagréable. Dans la plupart des cas, une conversation réussie est celle dans laquelle les participants passent d'un niveau à l'autre, selon les circonstances.

Un autre problème courant survient lorsque deux interlocuteurs désirent échanger, mais à un niveau différent. Si l'un s'en tient seulement à des faits et, à l'occasion, à l'expression d'une opinion ou deux et que l'autre désire révéler des sentiments personnels, il en résultera un malaise pour les deux partenaires. Voyez la rencontre de Jean-Sébastien et de Stéphane lors d'une soirée:

J.-S.: Bonjour. Je m'appelle Jean-Sébastien. Je ne pense pas que nous nous soyons déjà rencontrés. *(cliché)*

S.: Je m'appelle Stéphane. Enchanté de faire votre connaissance. *(cliché)*

J.-S.: Connaissez-vous beaucoup de monde ici? Je viens juste d'emménager dans la maison d'à côté et je ne connais strictement personne si ce n'est notre hôte. Son nom est... Louis, n'est-ce pas? *(fait)*

S.: Louis, c'est exact. Je suis ici avec ma femme — celle qui est là-bas — et nous connaissons d'autres personnes. *(faits; les deux interlocuteurs sont à l'aise jusqu'ici)*

J.-S.: J'avais moi aussi une femme, mais elle m'a quitté. Elle m'a tout simplement liquidé. *(fait et opinion)*

S.: Oh? *(cliché; il ne sait pas comment répondre à cette remarque)*

J.-S.: Oui. Tout allait bien — du moins, je le pensais. Mais un jour elle m'a dit qu'elle aimait son gynécologue et qu'elle voulait divorcer. Je ne m'en suis pas encore remis. *(sentiment et fait)*

S.: C'est bien malheureux en effet. *(cliché; Stéphane se sent vraiment très mal à l'aise maintenant)*

J.-S.: Je pense ne plus jamais pouvoir faire confiance à une femme. J'aime encore ma femme et c'est ce qui me tue. Elle m'a réellement fendu le cœur. *(sentiment et fait)*

S.: J'en suis vraiment désolé. Excusez-moi, mais je dois partir. *(cliché)*

De façon très claire, Jean-Sébastien est passé au niveau de l'expression des sentiments, bien longtemps avant que Stéphane ne soit préparé à ce genre de communication. Alors que ce type de discussion aurait pu être constructif s'il était survenu un peu plus tard, Jean-Sébastien a seulement réussi ici à éloigner Stéphane en y venant trop rapidement. Souvenez-vous des risques que vous courez en passant trop vite à un niveau auquel votre partenaire se sentira mal à l'aise.

> Au fond, il n'existe pas d'intimité entre les sexes, ni chez les gens d'un même sexe, parce que la plupart des êtres n'ont pas d'intimité avec eux-mêmes, c'est-à-dire qu'ils n'ont pas de «rapport vivant» avec ce qui se passe en eux-mêmes.
>
> Guy Corneau

Analysez votre degré d'ouverture aux autres

Voici une occasion de sonder les niveaux d'ouverture de soi dont vous usez avec certaines personnes de votre entourage.

1. Choisissez une personne importante à vos yeux comme sujet de l'exercice.

2. Passez trois jours à recueillir les énoncés que vous faites dans chacune des catégories suivantes: clichés, faits, opinions et sentiments.

3. Essayez de vous souvenir des sujets que vous avez abordés à chaque niveau ainsi que du nombre d'énoncés dans chaque catégorie.

4. En vous basant sur ces résultats, répondez maintenant aux questions suivantes:

   a. À quels types d'ouverture faites-vous le plus souvent appel? Le moins souvent appel?

   b. À quel type d'ouverture (cliché, fait, opinion ou sentiment) avez-vous fait appel dans chaque domaine abordé?

   c. Expliquez les raisons qui vous ont fait omettre certains sujets importants (des conflits, le futur, par exemple), certains niveaux d'ouverture ou même les deux (les sentiments, par exemple).

   d. Expliquez les conséquences de toutes les omissions relevées dans la partie c.

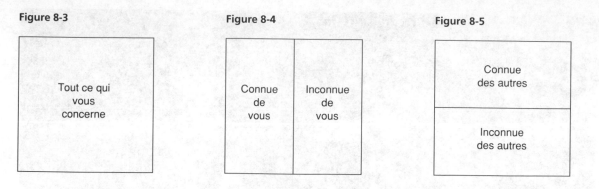

Figure 8-3

Tout ce qui
vous
concerne

Figure 8-4

| Connue de vous | Inconnue de vous |

Figure 8-5

Connue
des autres

Inconnue
des autres

Un modèle d'ouverture de soi La méthode appelée **fenêtre de Johari**[6] permet de comprendre le rôle important joué par l'ouverture de soi dans les communications interpersonnelles. (Cette «fenêtre» tire son nom des prénoms de ses concepteurs, Joseph Luft et Harry Ingham.) Imaginez un cadre comme celui de la figure 8-3 qui contienne toutes les choses qui vous concernent: vos préférences et aversions, vos objectifs, vos secrets, vos besoins — enfin tout.

Vous n'avez pas bien sûr connaissance de tout ce qui vous concerne. Comme la plupart des gens, vous continuez certainement à découvrir de nouvelles choses sur votre personne. Pour représenter cela, nous pouvons diviser le cadre en deux parties: une première partie représentant les choses dont vous avez connaissance, et une deuxième représentant les choses qui vous sont inconnues, comme sur la figure 8-4.

Nous pouvons également diviser le cadre d'une autre façon. Dans cette nouvelle division, une des parties représentera les choses que les autres connaissent sur vous, et la deuxième les choses que vous tenez à garder pour vous. La figure 8-5 illustre cette division.

Lorsque nous superposons les deux cadres ainsi divisés, nous obtenons une fenêtre de Johari. En jetant un coup d'œil sur la figure 8-6, vous pouvez voir *toutes les informations qui vous concernent* réparties entre les quatre cases.

La partie n° 1 représente les informations dont vous et les autres avez connaisssance. Cette partie est votre *zone ouverte*. La partie n° 2 représente la *zone aveugle:* les informations dont vous n'avez pas connaissance mais que les autres connaissent. Vous prenez connaissance des informations de la zone aveugle principalement par les rétroactions formulées par votre entourage. La partie n° 3

représente votre *zone cachée:* les informations dont vous avez connaissance mais que vous ne tenez pas à révéler aux autres: les éléments de cette zone cachée deviennent publics par l'ouverture de soi — le sujet de ce chapitre. La partie n° 4 représente les informations qui sont *inconnues* à la fois de vous et des autres. Au départ, la zone inconnue semble impossible à confirmer. Après tout, si ni vous ni les autres ne savez ce qu'elle contient, comment être certain qu'elle existe? Nous pouvons cependant en déduire l'existence par le fait que nous apprenons constamment de nouvelles choses sur nous-mêmes. Il n'est pas inhabituel de découvrir, par exemple, que l'on a un talent, un point fort ou une faiblesse que l'on ne se connaissait pas. Ces éléments passent de la zone inconnue soit directement dans la zone ouverte, lorsque vous révélez votre façon de penser, soit d'abord dans une des autres zones.

La taille relative de chaque zone dans nos fenêtres de Johari personnelles change de temps à autre, selon nos humeurs, le sujet que l'on aborde et notre relation avec l'autre personne. En dépit de

Figure 8-6

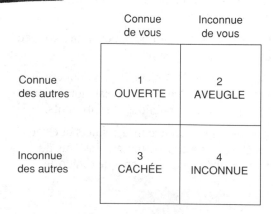

	Connue de vous	Inconnue de vous
Connue des autres	1 OUVERTE	2 AVEUGLE
Inconnue des autres	3 CACHÉE	4 INCONNUE

Figure 8-7

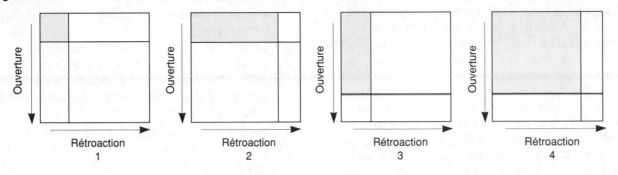

ces changements, le style global d'ouverture de la majorité des gens peut être représenté par une seule fenêtre de Johari. La figure 8-7 présente des fenêtres illustrant quatre styles d'interaction très typés.

Le modèle n° 1 décrit une personne qui n'est ni réceptive aux informations rétroactives, ni consentante à l'ouverture de soi. Cette personne prend peu de risques et peut paraître distante et renfermée. Sa plus grande case est la zone inconnue: de telles personnes ont beaucoup à apprendre sur elles-mêmes, comme les autres d'ailleurs. Le modèle n° 2 décrit une personne qui est ouverte aux informations rétroactives venant des autres mais qui, par contre, ne s'ouvre pas volontairement aux autres. Cette personne peut craindre la mise à nu, peut-être parce qu'elle ne fait pas tellement confiance aux autres. Les personnes qui correspondent à ce portrait peuvent sembler d'un grand soutien au départ. Elles tiennent à écouter *votre*

histoire et semblent vouloir s'effacer en demeurant silencieuses. Puis, la première impression s'efface et en fin de compte vous pouvez les trouver méfiantes et indifférentes. Une fenêtre de Johari décrivant ce genre d'individu a une large zone cachée.

Le modèle n° 3 de la figure 8-7 décrit les personnes qui repoussent les informations rétroactives venant des autres, mais qui s'ouvrent librement. Comme les personnes du modèle n° 2, elles peuvent se méfier des opinions des autres. Elles paraissent assurément égocentriques. Leur case la plus grande est la zone aveugle: elles écartent les informations rétroactives et se privent ainsi de savoir comment les autres les perçoivent.

Le modèle n° 4 dépeint les personnes qui sont à la fois désireuses de dévoiler des informations les concernant et de s'ouvrir aux idées des autres. Elles ont suffisamment confiance pour rechercher les opinions des autres et dévoiler les leurs. Poussé à l'extrême, ce genre de communication peut

Figure 8-8

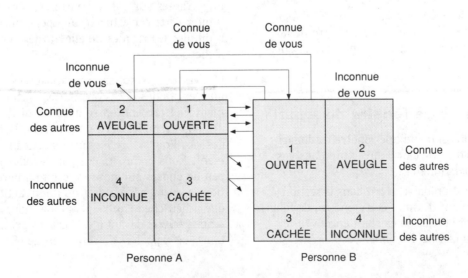

paraître intimidant et écrasant, parce qu'il dépasse les attentes habituelles quant au comportement dans les relations non intimes. À petites doses, cependant, ce style d'ouverture offre les meilleures chances de créer des relations interpersonnelles fortes.

Quelle que soit sa profondeur, la communication interpersonnelle est pratiquement impossible si les individus en cause ont une zone d'ouverture minime. Si vous poussez les choses un peu plus loin, vous vous apercevrez qu'une relation est limitée par la personne la moins ouverte, c'est-à-dire celle qui affiche la zone d'ouverture la plus petite. La figure 8-8 illustre cette situation avec les fenêtres de Johari. La fenêtre **A** est retournée pour permettre aux zones ouvertes de **A** et de **B** de se trouver face à face. Remarquez que la quantité de communication (représentée par les flèches qui relient les deux zones ouvertes) est dictée par la taille de la plus petite zone ouverte, celle de **A**. Les flèches venant de la zone ouverte de **B**, qui sont détournées par les zones cachées et aveugles de **A**, représentent les tentatives infructueuses de communication.

Vous vous êtes déjà certainement retrouvé dans des situations qui ressemblaient à celles de la figure 8-8. Vous avez peut-être déjà ressenti la frustration de n'avoir pas pu lier connaissance avec une personne qui était trop réservée. Par contre, vous avez peut-être également stoppé les tentatives d'une autre personne qui voulait lier une relation avec vous de la même façon. Que vous vous considériez davantage comme la personne **A** ou comme la personne **B**, le fait est que l'ouverture de soi est nécessaire des deux côtés pour que se développe une relation interpersonnelle. Ce chapitre ne fait qu'indiquer quelle ouverture est optimale et quel en est le type.

Construisez votre fenêtre de Johari

Vous pouvez vous servir d'une fenêtre de Johari pour observer votre niveau d'ouverture dans vos relations interpersonnelles.

1. Servez-vous du modèle décrit dans la section précédente pour dessiner deux fenêtres de Johari représentant la relation existant entre vous et une autre personne. N'oubliez pas de renverser une des fenêtres pour que votre zone ouverte et celle de l'autre personne puissent se trouver face à face.

2. Indiquez quelles parties de vous-même vous retenez dans la zone cachée. Donnez les raisons qui vous poussent à le faire. Indiquez les désavantages ainsi que les avantages de ne pas révéler ces facettes de votre personne.

3. Regardez la zone aveugle de votre schéma. Est-elle importante (ou au contraire petite) du fait de la quantité plus ou moins grande d'informations rétroactives que vous obtenez de votre partenaire ou du fait de votre empressement à tenir compte des informations rétroactives qui vous sont offertes?

4. Expliquez pourquoi vous êtes satisfait ou insatisfait des résultats présentés par vos réponses. Si vous n'êtes pas satisfait, expliquez ce que vous pouvez faire pour remédier à ce problème.

Caractéristiques de l'ouverture de soi Il est maintenant clair que l'ouverture de soi n'est pas un type courant de communication, même lorsqu'il s'agit de relations proches. Les caractéristiques suivantes montrent la place qu'occupe l'ouverture de soi dans les relations interpersonnelles.

L'OUVERTURE DE SOI SE FAIT GÉNÉRALEMENT ENTRE DEUX PERSONNES. Bien qu'il soit possible de révéler beaucoup de choses sur soi en groupe, une telle communication se manifeste en général en tête-à-tête. Étant donné que la révélation d'informations importantes sur soi comporte certains risques, limiter cette ouverture à une personne à la fois minimise les risques qu'elle ait des conséquences fâcheuses.

L'OUVERTURE DE SOI SE FAIT PROGRESSIVEMENT Bien qu'il existe des occasions où les partenaires entament une relation en se disant tout l'un à l'autre, des tels exemples sont plutôt rares. Dans la plupart des cas, l'ouverture à l'autre se fait progressivement. Nous commençons par dévoiler relativement peu de choses sur nous; si ces premières révélations sont bien reçues et qu'une réaction réciproque a lieu chez l'autre personne, nous consentons à nous ouvrir davantage. C'est un principe important à se rappeler. Ce serait, en général, une erreur de croire que de bâtir une relation solide consiste à dévoiler les détails les plus intimes sur soi lors des premiers contacts avec les autres. À moins de circonstances exceptionnelles, une telle mise à nu de son âme n'aurait pour effet que de faire fuir les partenaires éventuels plutôt que de les attirer.

L'OUVERTURE DE SOI SANS RETENUE N'EST QUE RAREMENT DE MISE Tout comme il n'est pas sage de rechercher une trop grande ouverture trop rapidement, il est également peu productif de trop se dévoiler. À moins de circonstances exceptionnelles — comme une thérapie par exemple — il n'est pas nécessaire de s'ouvrir de façon fréquente ou régulière.

L'OUVERTURE DE SOI SE FAIT GÉNÉRALEMENT LORSQUE LES RELATIONS SONT POSITIVES C'est évident. Nous sommes généralement plus enclins à dévoiler des informations nous concernant lorsque nous nous sentons acceptés par l'autre personne. Cela ne veut pas dire pour autant que vous devriez éviter de faire des énoncés contenant des messages négatifs comme: «Je me sens mal à l'aise pour ce qui s'est passé hier soir.» De telles explications deviendront positives si elles ont pour but d'être constructives ou d'aider votre relation à grandir. D'un autre côté, une ouverture qui aurait pour effet d'attaquer l'autre personne («C'est vrai que tu n'es vraiment pas brillant!») sera pratiquement à coup sûr destructrice. Pour cette raison, il est particulièrement important d'exprimer les messages négatifs de la manière assurée et constructive décrite dans les chapitres 9 et 10.

Motifs de l'ouverture de soi L'ouverture de soi donne la possibilité d'améliorer et d'approfondir des relations interpersonnelles tout en servant également d'autres buts[7]. En prenant connaissance des raisons qui poussent les gens à s'ouvrir aux autres, découvrez lesquelles s'appliquent particulièrement à vous.

CATHARSIS Il se peut que vous dévoiliez des informations vous concernant dans le but de vous «libérer d'un poids». Dans un moment de sincérité, vous pourriez, par exemple, exprimer vos regrets de vous être mal comporté dans le passé.

ÉCLAIRCISSEMENT Vous désirez parfois clarifier certaines convictions, opinions, pensées, réactions ou sentiments en en parlant avec une autre personne. Ce genre de discussion assez élaborée sur un problème a lieu avec un psychothérapeute, mais également avec d'autres personnes, des bons amis aux barmans ou aux coiffeurs.

VALIDATION Si vous dévoilez certaines informations («Je pense avoir bien fait...») dans l'espoir d'obtenir le consentement de la personne qui écoute, vous cherchez à faire confirmer votre comportement — à recevoir un assentiment au jugement que vous portez sur vous-même. À un niveau plus profond, ce genre d'ouverture cherche l'approbation de certaines facettes jugées importantes de votre concept de soi.

RÉCIPROCITÉ Les conclusions de recherches bien documentées montrent que l'acte d'ouverture de soi en engendre un autre[8]. Ainsi, dans certaines circonstances, vous pouvez décider de dévoiler des informations sur vous-même dans le but d'encourager l'autre personne à en faire autant.

FAIRE BONNE IMPRESSION Dans certaines circonstances, vous pouvez également décider de vous ouvrir à une autre personne pour créer une impression particulière. Le comportement lors d'un rendez-vous amoureux, et surtout les premières fois, vise souvent à donner une impression favorable. Pour bien paraître, nous révélons parfois quelques informations sur notre personne — nos réalisations ou nos objectifs, par exemple.

ENTRETIEN ET DÉVELOPPEMENT DE LA RELATION Les relations ont besoin de l'ouverture personnelle pour rester saines et pour se développer. Si vous ne faites pas savoir comment vous vous sentez face à votre partenaire et que vous ne mentionnez pas les autres côtés de votre vie, les sujets de discussions restent limités et superficiels.

AUTORITÉ Révéler des informations personnelles peut parfois accroître votre emprise sur l'autre personne et sur la situation dans laquelle vous vous trouvez toutes deux. Par exemple, un employé qui révèle à son patron qu'une autre entreprise lui a fait des propositions intéressantes aura une chance plus grande d'obtenir une augmentation et d'améliorer ses conditions de travail.

MANIPULATION Même si la plupart des raisons précédentes ont pu vous paraître quelque peu calculatrices, ce ne sont bien souvent pas des stratégies préméditées. Il existe bien sûr des cas où un acte d'ouverture est planifié dans le but d'atteindre un objectif bien précis. Si la raison cachée vient à être découverte par le récepteur, il y a de fortes chances que les résultats ne soient pas ceux qui étaient escomptés.

Les raisons qui poussent une personne à s'ouvrir varient d'une situation à l'autre, en fonction de différents facteurs. Tout dépend du genre de relation[9]. S'il s'agit d'un ami, la raison la plus fréquemment invoquée est de conserver ou de faire progresser la relation. Autrement dit, nous nous ouvrons à nos amis dans le but de renforcer notre relation avec eux. Nous recherchons en second lieu un éclaircissement — un moyen de mieux nous comprendre nous-mêmes.

Avec des inconnus, la réciprocité est la raison principale de notre ouverture aux autres. Nous donnons des informations sur nous-mêmes afin d'obtenir davantage de renseignements sur eux et d'être en mesure de déterminer s'il est utile de poursuivre cette relation — et de quelle manière le faire. En second lieu, nous voulons faire bonne impression. Autrement dit, nous dévoilons souvent des informations sur nous-mêmes à des inconnus pour renforcer notre image. Ces informations sont en général positives, du moins dans les premiers temps de la relation.

Directives pour l'ouverture de soi
Comme pour les autres formes de communication, il faut user de l'ouverture de soi avec discernement si l'on veut améliorer ses relations interpersonnelles. Les directives qui suivent vous aideront à savoir comment dispenser les informations de façon à ce que cet acte soit profitable, à la fois pour vous et pour votre entourage.

L'AUTRE PERSONNE A-T-ELLE DE L'IMPORTANCE À VOS YEUX? Il y a différentes façons de le considérer. Il se peut que vous ayez une relation suffisamment sérieuse pour que la divulgation d'informations importantes soit justifiée: cela en maintient l'intensité. Il se peut également que vous songiez à faire des confidences à une personne avec qui vous avez eu jusqu'ici des liens à un niveau moins intime. Vous voyez maintenant l'occasion de vous rapprocher d'elle, et votre ouverture peut être la façon d'y parvenir.

LES RISQUES D'OUVERTURE SONT-ILS RAISONNABLES? Considérez d'un œil attentif les risques potentiels d'une telle manœuvre. Même si les avantages retirés sont importants, vous ouvrir aux autres jusqu'au point de friser le rejet peut vous occasionner des problèmes. Il pourrait être imprudent, par exemple, de dévoiler certains sentiments profonds à une personne qui, vous le savez fort bien, est susceptible de vous trahir ou de les tourner en ridicule. D'un autre côté, le fait de savoir que votre interlocuteur est digne de confiance et d'un grand soutien rend la perspective d'une telle ouverture plus raisonnable. En calculant les risques, assurez-vous d'être réaliste. Nous nous laissons parfois envahir par des appréhensions qui nous font imaginer toutes sortes de conséquences désastreuses, alors qu'en réalité de telles horreurs ont bien peu de chances de survenir.

Le nombre et le type de révélations sont-ils appropriés?

C'est souvent une erreur que de vouloir échanger trop d'informations trop rapidement. Les recherches montrent que dans la plupart des relations le processus d'ouverture est graduel[10]. Dans les débuts, la majorité des informations échangées sont assez générales. Au fur et à mesure que la relation atteint les stades de renforcement des liens, de fusion et d'engagement, la profondeur des révélations augmente.

Même dans les relations où l'ouverture de soi est un élément important, le nombre de détails très personnels est relativement faible comparé à celui des informations plus générales. La plupart des relations qui durent longtemps ne se caractérisent pas par un échange constant de détails intimes. Elles sont plutôt une combinaison d'informations assez générales, quotidiennes, et de messages moins fréquents mais plus personnels.

En plus d'être modérée, l'ouverture devrait révéler des informations positives et négatives de façon équilibrée. N'entendre qu'une suite de confessions mornes ou de plaintes peut être décourageant. De fait, les gens qui dévoilent trop d'informations négatives passent souvent pour des personnes «mal adaptées»[11].

En dernier lieu, en considérant la pertinence de l'ouverture dans une relation, le moment choisi a également son importance. Si l'autre personne est fatiguée, préoccupée ou de mauvaise humeur, il peut être plus sage de reporter une importante conversation.

L'ouverture est-elle appropriée à la situation présente?

L'ouverture de soi ne demande pas de longues confessions sur votre vie passée ou sur vos pensées actuelles n'ayant aucun lien avec la situation présente. Au contraire, elle doit avoir un rapport direct avec la conversation en cours. Il est ridicule de dépeindre une personne qui s'ouvre à l'autre comme quelqu'un qui lâche étourdiment les détails intimes de chacune de ses expériences vécues. Au contraire, le modèle est une personne qui, le temps venu, nous fait suffisamment confiance pour révéler les faces cachées d'elle-même qui pourraient affecter la poursuite de la relation.

Généralement, l'objet d'une ouverture appropriée implique le présent, l'«ici et maintenant». «Comment est-ce que je me sens maintenant? Comment allons-nous maintenant?» Ce sont là des sujets appropriés d'échanges de pensées et de sentiments. Il y a bien sûr des moments où il est bon de faire ressurgir le passé, dans la mesure où il a des liens directs avec le présent.

L'ouverture est-elle réciproque?

Il n'y a rien de plus déroutant que d'ouvrir franchement votre cœur à une autre personne pour vous apercevoir ensuite qu'elle ne vous a encore rien dit sur elle qui atteigne même la moitié de ce que vous lui avez révélé. Vous pensez alors en vous-même: «Que

Mademoiselle Pêche

Mell Lazarus

suis-je en train de faire?» Une ouverture inégale engendre une relation déséquilibrée condamnée à s'effriter à plus ou moins brève échéance.

À certains moments pourtant, une ouverture à sens unique est concevable. C'est le cas dans les relations formelles, thérapeutiques, dans lesquelles un client consulte un professionnel reconnu dans le but de résoudre un problème. Et de fait, vous ne vous attendriez pas nécessairement à entendre votre médecin parler de ses maux personnels lorsque vous allez le consulter dans son cabinet. Néanmoins, il est intéressant de noter qu'une caractéristique fréquemment observée chez des psychothérapeutes, des conseillers ou des professeurs compétents c'est leur bonne volonté à révéler leurs impressions sur la relation qu'ils ont avec leur client.

L'ISSUE SERA-T-ELLE CONSTRUCTIVE? L'ouverture de soi peut être un outil redoutable si on en fait usage sans discernement. Le psychologue George Bach pense que chaque personne a une «ceinture» psychologique. Au-dessous de cette ligne se situent les domaines dans lesquels la personne est extrêmement sensible. Bach ajoute que porter des coups «au-dessous de la ceinture» est un moyen infaillible de désemparer l'autre personne, et généralement à grands frais pour la relation que l'on a avec elle. Il est important de penser aux effets de votre franchise avant de vous ouvrir aux autres. Des remarques comme: «J'ai toujours pensé que tu n'étais pas très intelligent» ou: «L'année dernière j'ai fait l'amour avec ta meilleure amie» peuvent parfois résoudre de vieux problèmes et dans ce sens être constructives, mais *peuvent* également être dévastatrices — pour la personne qui écoute, pour la relation et pour votre estime personnelle.

L'OUVERTURE DE SOI EST-ELLE CLAIRE ET COMPRÉHENSIBLE? Lorsque vous vous ouvrez aux autres, il est important de le faire de façon compréhensible. Cela implique de donner clairement les sources de votre message. Il est, par exemple, bien préférable de décrire le comportement d'une autre personne en des termes comme: «Lorsque tu ne réponds pas à mes appels téléphoniques ou que tu ne viens pas me rendre visite...» que de se plaindre en des termes aussi vagues que: «Lorsque tu m'évites...»

Il est également très important d'exprimer ses *pensées* et ses *sentiments* de façon explicite: «Je m'inquiète que tu ne fasses pas tellement attention à moi...» est plus compréhensible que de dire: «Je n'aime pas que...»

Alternative à l'ouverture de soi

Si l'ouverture joue un rôle important dans les relations interpersonnelles, ce n'est pas le seul type de communication possible. Pour comprendre que la franchise n'est pas toujours un choix idéal ou facile, pensez à certains dilemmes courants d'après les exemples suivants.

Une nouvelle connaissance est beaucoup plus intéressée à devenir amie avec vous que vous ne l'êtes. Elle vous invite à une soirée le week-end prochain. Vous n'avez rien de spécial à faire, mais vous ne désirez pas y aller. Que répondrez-vous?

Votre patron, qui vient juste de divorcer après 10 ans de mariage, vous demande ce que vous pensez de sa nouvelle garde-robe. Vous la trouvez de mauvaise qualité et plutôt tape-à-l'œil. Le lui direz-vous?

Vous êtes attiré par l'épouse de votre meilleur ami et cette dernière vous a fait savoir qu'elle éprouvait les mêmes sentiments pour vous. Vous avez tous deux convenu de ne pas écouter vos sentiments et de ne même pas aborder le sujet, qui pourrait gravement perturber votre ami. Or, votre ami vient juste de vous demander si vous êtes quelque peu attiré par sa femme. Lui direz-vous la vérité?

Vous venez de recevoir en cadeau une grande et horrible peinture d'un ami qui vient souvent vous rendre visite. Que répondrez-vous à la question: «Où penses-tu accrocher ce tableau?»

Ces situations montrent que si la franchise est souhaitable, elle présente cependant certains risques et des conséquences potentiellement désagréables. Il est tentant d'éviter les situations dans lesquelles une totale sincérité serait plutôt maladroite, mais l'évasion n'est pas toujours possible et garder le silence est un message en lui-même.

Il existe cependant deux échappatoires courantes à l'ouverture de soi: le mensonge pieux et les paroles équivoques.

Le mensonge pieux Mentir est une tentative délibérée de cacher ou de déformer la vérité. Si la plupart des gens s'accordent pour dire que mentir pour tirer avantage d'une victime innocente est

condamnable, un autre type de mensonge — le mensonge pieux — n'est pas facile à rejeter comme totalement immoral. Le **mensonge pieux** se définit (au moins selon les personnes qui en font usage) comme sans malice ou même utile pour la personne à qui on le dit.

Qu'ils soient innocents ou non, les mensonges pieux sont certainement courants. Pour une étude, on avait demandé à 130 personnes de faire un relevé de la véracité de leurs propos quotidiens courants[12]. Seulement 38,5 p. 100 de leurs réflexions — un peu plus du tiers — se sont révélées entièrement honnêtes. Quelles raisons les gens invoquent-ils donc pour se montrer si fourbes? Lorsqu'on a demandé aux personnes interrogées de rendre compte, mensonge par mensonge, de leurs raisons à cacher ou à fausser la vérité, cinq raisons importantes ont été invoquées.

POUR SAUVER LA FACE   La moitié des mensonges se justifiaient comme une façon d'éviter la gêne. On ment pour «faire preuve de tact» dans les situations où «il ne serait pas gentil de se montrer honnête, mais malhonnête de se montrer gentil[13]». Ce genre de mensonge sauve parfois la face au récepteur, comme lorsque vous prétendez reconnaître une personne dans une assemblée pour lui épargner la gêne de se sentir oubliée. Dans d'autres cas, il sauve de l'humiliation la personne qui parle. Vous pourriez, par exemple, couvrir vos erreurs en en faisant porter le blâme sur des éléments extérieurs: «Vous n'avez pas reçu le chèque? Il doit y avoir des retards dans le courrier.»

POUR ÉVITER LES TENSIONS OU LES CONFLITS   Il vaut parfois la peine de commettre un léger mensonge pour empêcher un conflit grave d'éclater. Vous pourriez dire, par exemple, que vous n'êtes pas du tout fâché par les taquineries d'un ami pour éviter la dispute qui ne manquerait pas de survenir si vous lui avouiez votre mécontentement. Il est souvent plus facile d'expliquer une réaction dans des termes quelque peu faussés plutôt que d'envenimer les choses. Vous pourriez expliquer votre irritation manifeste en disant: «Je ne suis pas du tout fâché contre toi; c'est juste que ce n'est pas mon jour aujourd'hui.»

PAR POLITESSE   Nous faisons parfois des mensonges pour faire bien aller les choses. Vous pourriez, par exemple, prétendre être content de voir telle personne qu'en réalité vous n'aimez pas du tout ou faire semblant de prêter attention aux histoires plutôt ennuyeuses de votre voisin de table pour faire passer plus rapidement le temps. Les enfants qui n'ont pas ces dispositions et qui ne font pas spontanément ce genre de mensonges sont souvent une source de gêne pour leurs parents.

POUR DÉVELOPPER OU POUR FREINER CERTAINES RELATIONS   Certains mensonges ont pour but d'encourager les relations: «Vous allez au centre-ville? J'y vais moi aussi. Voulez-vous que je vous y conduise?» «J'aime aussi la science-fiction. Qu'avez-vous lu récemment?» Les mensonges qui flattent la personne qui parle entrent également dans cette catégorie. Vous pouvez vouloir impressionner un employeur éventuel en prétendant étudier en gestion, alors que vous n'avez suivi qu'un ou deux cours en commerce. Nous mentons aussi pour écourter un entretien. Cela nous permet souvent d'échapper à des situations désagréables: «Je dois vraiment m'en aller. Je devrais être en train d'étudier pour mon test de demain.» Dans d'autres cas, les gens font un mensonge pour rompre une relation: «Tu es vraiment formidable, mais je ne suis pas encore prête à me stabiliser.»

POUR ACQUÉRIR UN CERTAIN POUVOIR Nous faisons parfois des mensonges pour montrer que nous contrôlons la situation. Repousser une invitation de dernière minute en disant que l'on est occupé peut être une façon de se placer dans une position de force, en voulant signifier: «Ne crois surtout pas que j'attende tes appels.» Mentir pour obtenir certaines informations confidentielles — même pour une bonne cause — entre également dans cette catégorie.

Ce scénario en cinq parties n'est pas la seule façon de classer les mensonges par catégories. La taxonomie du tableau 8-2 est plus compliquée que les cinq parties décrites précédemment et couvre certains types de mensonges qui n'entrent pas dans le schéma plus simple. Les exagérations, par exemple, sont des mensonges que l'on fait pour amplifier l'effet d'une histoire. Dans les contes de ce genre, les poissons deviennent plus gros, les expéditions plus longues et plus pénibles, et ainsi de suite. De telles histoires sont peut-être moins

honnêtes, mais elles deviennent plus intéressantes — du moins pour le narrateur.

La plupart des gens pensent que les mensonges pieux sont dits pour le bénéfice du récepteur. Dans l'étude que nous avons citée plus haut, la majorité des personnes assurent que «c'était la meilleure chose à faire». D'autres recherches donnent une image moins flatteuse de celui à qui profitent le plus des mensonges semblables. Une étude a montré que deux mensonges sur trois sont dits pour des raisons parfaitement égoïstes[14]. Un coup d'œil au tableau 8-2 semble indiquer que ce rapport est en deçà de la vérité. Des 322 mensonges enregistrés, 75,8 p. 100 profitaient à la personne qui les faisait; moins de 22 p. 100 profitaient à la personne qui les écoutait, tandis que seulement 2,5 p. 100 d'entre eux étaient destinés à venir en aide à une tierce personne.

Avant que nous devenions complètement cyniques, cependant, les chercheurs nous poussent à faire une interprétation plus charitable. Après tout,

Tableau 8-2 Types et fréquence des mensonges pieux

	Profite à soi	Profite à l'autre	Profite à un tiers
Besoins de base	68	1	1
A. Acquérir certaines ressources	29	0	0
B. Protéger certaines ressources	39	1	1
Affiliation	128	1	6
A. Positive	65	0	0
1. Initier le dialogue	8	0	0
2. Poursuivre le dialogue	6	0	0
3. Éviter les conflits	48	0	0
4. Accepter les obligations	3	0	0
B. Négative	43	1	3
1. Éviter la rencontre	34	1	3
2. Prendre congé	9	0	0
C. Contrôle de la conversation	20	0	3
1. Détourner la conversation	3	0	0
2. Éviter l'ouverture de soi	17	0	3
Estime personnelle	35	63	1
A. Compétence	8	26	0
B. Goût	0	18	1
C. Désirabilité sociale	27	19	0
Autres	13	5	0
A. Réduction de la dissonance	3	5	0
B. Farce	2	0	0
C. Exagération	8	0	0

De Camden, C., M. T. Motley et A. Wilson, «White Lies in Interpersonal Communication: A Taxonomy and Preliminary Investigation of Social Motivations», *Western Journal of Speech Communication*, n° 48, 1984, p. 315.

> (Les paroles équivoques) Ce sont des types de communication dont l'objectif n'est pas d'envoyer des messages précis — elles sont remplies d'allusions qui se répercutent, de sous-entendus jamais exprimés. Comme une image réversible, un cube Nekker, elles se transforment sous vos yeux, voulant signifier une chose, puis ne la signifiant plus, pour y revenir encore... des flèches destinées à manquer leur cible...
>
> Janet Bavelas, Alex Black, Nicole Chovil
> et Jennifer Mullett

la plus grande partie des comportements de communication intentionnelle — honnête ou non — a pour but d'aider la personne qui parle à atteindre son objectif. C'est pourquoi il serait injuste de juger des mensonges pieux plus durement que d'autres types de messages. Si nous définissons l'égoïsme comme la volonté de priver l'interlocuteur ou une tierce personne d'un renseignement ou un échange, alors seulement 111 mensonges (34,5 p. 100 d'entre eux) peuvent passer pour réellement égoïstes. Ce résultat peut correspondre au niveau d'égoïsme contenu dans des messages tout à fait honnêtes.

Les paroles équivoques Mentir n'est pas la seule échappatoire à l'ouverture de soi. Lorsqu'ils ont le choix entre mentir et dire une vérité désagréable, les communicateurs peuvent faire — et font souvent — usage de faux-fuyants. Le langage ambigu a deux significations plausibles. Les gens envoient parfois des **messages équivoques** sans en avoir vraiment l'intention, ce qui a pour résultat de provoquer une certaine confusion. «Je te retrouverai à l'appartement» peut faire référence à plus d'un endroit. Parfois, par contre, nous nous montrons délibérément vagues. Lorsque par exemple un ami vous demande ce que vous pensez d'une tenue que vous trouvez horrible, vous pouvez répondre: «C'est vraiment très spécial.» De même, lorsque vous êtes vraiment trop en colère pour accepter l'excuse d'un ami mais que vous ne désirez pas vous montrer mesquin, vous pouvez dire: «N'en parlons plus.»

Les messages équivoques peuvent ne pas être aussi positifs que les mensonges pieux, mais ils

présentent certains avantages. Ils épargnent de la gêne au récepteur. Plutôt que de répondre sèchement «non» à une invitation qui ne vous tente pas, il peut être plus aimable de dire: «J'ai d'autres projets», même si ces derniers sont de rester à la maison et de regarder la télévision.

Pour le transmetteur comme pour le récepteur, les paroles équivoques peuvent être plus faciles à dire que la vérité ou le mensonge. Parce qu'elles sont souvent plus simples à accepter que la froide et dure réalité, les paroles équivoques évitent à la personne qui les prononce de se sentir coupable. Il est plus léger à la conscience de dire: «Ce plat est plutôt spécial» que de dire: «Il est vraiment infect», même si la deuxième remarque est plus précise. Peu de personnes aiment mentir, et les paroles équivoques sont une alternative à la duplicité.

Le langage ambigu évite également à celui qui parle d'être pris en flagrant délit de mensonge. Si un employeur potentiel, lors d'une entrevue, vous demande les notes que vous avez obtenues, vous serez à l'abri en répondant: «J'ai eu une moyenne de B le semestre dernier», même si l'ensemble de vos notes approchait plutôt le C. Cet énoncé n'est pas une réponse complète, mais il est suffisamment honnête.

Ces avantages considérés, il n'est pas surprenant que la majorité des gens choisissent habituellement de prononcer des paroles équivoques plutôt que de mentir. Dans une série d'expériences, on avait demandé à des personnes de choisir entre dire un mensonge qui sauve la face, la vérité ou des paroles équivoques. Seulement 6 p. 100 d'entre elles ont choisi le mensonge et entre 3 et 4 p. 100 la vérité blessante. Donc, plus de 90 p. 100 ont choisi les paroles équivoques[15].

L'éthique des faux-fuyants Il est facile de voir pourquoi, la plupart du temps, les gens choisissent les mensonges pieux ou les paroles équivoques au lieu de la vérité nue. Ces faux-fuyants sont le moyen de régler les situations difficiles le plus facilement qui soit, à la fois pour la personne qui parle et pour celle qui reçoit le message. Dans ce sens, des paroles équivoques et des mensonges réussis peuvent passer pour une certaine forme d'habileté ou de compétence en communication. D'un autre côté, il y a des circonstances où l'honnêteté est le meilleur choix à faire, même s'il est douloureux. Dans de tels cas, les gens qui cherchent à s'esquiver pourraient être considérés comme manquant d'aptitudes ou d'intégrité face à la situation.

Les mensonges pieux et les paroles équivoques sont-ils donc une alternative morale à l'ouverture de soi? Bien que nous hésitions à répondre à cette question par un oui inconditionnel, les recherches citées dans ces pages affirment que cette forme de communication est parfaitement honnête. La question véritable est peut-être de savoir si un mensonge léger ou des paroles équivoques se font réellement dans l'intérêt du récepteur et si ce genre de faux-fuyant est la seule façon vraiment efficace de se comporter.

RÉSUMÉ

Les relations interpersonnelles se développent pour différentes raisons. Dans certains cas, nous sommes attirés par les personnes qui nous ressemblent par un ou plusieurs traits; par contre, nous ne nous sentons pas toujours très à l'aise avec celles qui, bien qu'elles nous ressemblent, se comportent en société de façon choquante. Nous sommes aussi attirés par les personnes dont les caractéristiques sont complémentaires aux nôtres, comblant ainsi certains de nos besoins. Nous apprécions le plus souvent les gens que nous semblons intéresser, et certaines relations sont basées sur le fait qu'elles peuvent nous être utiles d'une façon ou d'une autre. Les personnes qui sont à la fois compétentes et humaines, c'est-à-dire pas trop parfaites, nous attirent également, tout comme celles qui savent s'ouvrir à nous de la bonne manière. Enfin, nous

sommes amenés à éprouver des sentiments profonds d'amour ou d'aversion pour les gens que nous rencontrons souvent.

Certains théoriciens de la communication affirment que les relations interpersonnelles passent par 10 stades: phase initiale, puis découverte, renforcement des liens, fusion, engagement, différenciation, circonspection, stagnation, évitement et phase finale. Toutes les relations ne franchiront pas l'ensemble de ces étapes. Les plus saines semblent trouver leur équilibre entre le stade de l'engagement et celui de la différenciation: les partenaires peuvent conserver leur individualité propre tout en respectant les engagements qu'ils ont pris l'un envers l'autre.

L'ouverture de soi est un élément important des relations interpersonnelles. Elle consiste à dévoiler certaines informations sur soi, renseignements révélateurs qui ne doivent pas être connus au préalable des autres. L'ouverture de soi est un acte relativement rare, même dans des relations à deux positives où elle se développe habituellement de façon graduelle. Le schéma de l'interpénétration sociale montre que l'ouverture peut se mesurer à la fois par l'étendue et par la profondeur des informations dévoilées. Les gens révèlent des renseignements sur eux-mêmes pour différentes raisons: catharsis, éclaircissement, validation, réciprocité; pour faire bonne impression, conserver et approfondir la relation, s'assurer une certaine autorité ou manipuler les autres. L'ouverture la plus efficace est celle qui est constructive en soi, clairement énoncée, suffisamment profonde et qui survient au moment approprié entre des personnes qui comptent l'une pour l'autre. Elle implique un certain nombre de risques et doit avoir un rapport avec la situation présente.

L'ouverture de soi n'est pas la façon la plus courante de faire face à des révélations qui pourraient être difficiles à exprimer ou à entendre. Les mensonges pieux sans gravité constituent un moyen commun de sauver la face, d'éviter les tensions et les conflits, de montrer de la politesse, d'augmenter ou de réduire les relations personnelles, d'acquérir un pouvoir. Les paroles équivoques constituent un moyen encore plus répandu de faire face à des situations inconfortables, puisqu'elles permettent à la personne qui les prononce d'éviter à la fois d'avoir à dire une vérité désagréable et de commettre un mensonge.

Le monde à nos pieds
On avait décidé de changer l'univers
Rien à faire pour nous arrêter
Dans nos yeux se croisaient le fer et le feu
Sans peur de se tromper
Sûrs de gagner
Jamais se laisser tomber
Sûrs de s'garder
Et j'ai ouvert la main, oh pourquoi?
Comme on perd son chemin sans le savoir
J'ai pris tous les détours
Et me suis retrouvée seule dans le noir...

Marie Philippe et Jean-Pierre Bonin

Mots clés

Circonspection	Fenêtre de Johari	Renforcement des liens
Clichés	Fusion	Rupture
Découverte	Mensonge pieux	Schéma d'interpénétration sociale
Différenciation	Message équivoque	Stagnation
Engagement	Ouverture de soi	Théorie de l'échange
Évitement	Phase initiale	

Bibliographie spécialisée

ALBERONI, Francesco. *L'amitié,* Paris, Ramsay, 1984, 216 p.

Qu'est-ce que l'amitié? Comment fonctionne-t-elle? Vous y trouverez des réflexions intéressantes qui vous permettront probablement de mieux vivre vos amitiés.

ALBERONI, Francesco. *Le choc amoureux*, Paris, Ramsay, 1979, 189 p.

L'auteur propose une analyse intéressante du phénomène de l'amour naissant. Il tente de faire le parallèle entre cet instant d'extase et les mouvements collectifs. Comme on le souligne sur la jaquette extérieure: «On tombe amoureux comme on se rassemble derrière une cause, un drapeau ou un chef.»

AUGER, Lucien. *L'amour: de l'exigence à la préférence*, Montréal, Éditions de l'Homme et CIM, 1979, 143 p.

L'amour analysé sous toutes ses coutures: ses mythes, ses maladies, le mariage, la sexualité, les enfants, le divorce… Un ouvrage à consulter pour ceux et celles qui veulent faire un tour rapide du sujet.

BLONDIN, Robert. *Le mensonge amoureux,* Montréal, Éditions de l'Homme, 1985, 192 p.

Oui. Pour cet homme, l'amour et le mensonge sont intimement liés. Ce livre présente les réflexions d'un auteur sur ce qui fait courir le monde. Un développement intéressant de la pensée soutenue, par ailleurs, de nombreuses citations.

BOSCH, Roselyne. «Couples. Attention, fragile», *L'Actualité,* Maclean Hunter Canada, avril 1988, p. 34 à 40.

Un article qui fait état de l'éclatement du couple… et de son corollaire: «Comment font-ils pour durer?» L'auteure présente des statistiques et formule quelques commentaires personnels. La problématique est posée, reste l'analyse…

BOURIN, Jeanne. *Très Sage Éloïse,* Paris, Éditions de la Table Ronde, 1980, 253 p.

C'est le livre qui l'a fait découvrir au grand public. *Très Sage Éloïse* ne charmera pas tout le monde. Cependant, la force et l'honnêteté des sentiments exprimés dans ce livre en font certainement un des plus beaux sur les sujets de l'amour et de l'amitié.

CLAES, Michel. «Le rôle des amitiés sur le développement et la santé mentale des adolescents», *Santé mentale au Québec*, vol. 13, n° 2, p. 112 à 118.

Un article scientifique de première main. Quelle est la place des amitiés, des liens interpersonnels forts dans les relations entre adolescents? Une étude pilote suggère des corrélations positives entre la qualité des liens et l'absence de symptômes psychopathologiques.

COLLECTIF. «Je t'aime d'amitié», *Autrement,* n° 41, juin 1982, 217 p.

Ce numéro de la revue *Autrement* fait état d'une enquête sur l'amitié. Ce numéro compte plusieurs textes d'auteurs européens organisés autour de thèmes généraux: des «grandes amitiés» aux «contes de l'amitié ordinaire». *«L'amitié. Ce qui reste quand tout s'effrite…»*

FERNANDEZ, Dominique. *L'Étoile rose*, Paris, Grasset, 1978, 512 p. (Offert aussi en Livre de poche, n° 5473.)

Des romans dans un roman… Une histoire d'amour peu conventionnelle qui prend naissance dans le Paris de 68. Fernandez raconte comment deux personnages découvrent leur préférence amoureuse, l'un dans la spontanéité, l'autre dans la honte et la souffrance. Une rencontre développée sous la «lumière» de la nuit: une étude des mœurs françaises en matière d'amour!

GERGEN, Kenneth G., GERGEN, Mary M. *Psychologie sociale,* Montréal, Études Vivantes, 1984, 530 p.

L'attraction interpersonnelle est un des grands thèmes de la psychologie sociale. Vous trouverez au chapitre 3 des informations en ce domaine ainsi qu'une analyse des relations profondes qui peuvent naître entre deux personnes.

GROVE-STEPHENSON, Ian, QUILLIAM, Susan. *Les passages de l'amour, aimer autant sans perdre la tête,* Montréal, Édiforma, 1988, 232 p.

Les amours excessives… vous connaissez? Cet ouvrage suggère comment aimer sans faire un fou (ou une folle…) de soi. Un livre simple à consulter, mais qui proposera certainement plusieurs avenues de réflexion.

MOISAN, Sylvie. *Le Cœur net,* Montréal, Quinze, 1989, 192 p.

L'auteure québécoise recherche l'amour. Elle ne le laissera entendre qu'à mi-voix, presque à pas feutrés, souvent de manière ironique avec un humour mordant… Moisan nous offre avant tout une réflexion sur l'amour.

MURSTEIN, Bernard. *Styles de vie intime,* Bruxelles, Pierre Mardaga, 1981, 352 p.

«Ils se marièrent et eurent beaucoup d'enfants…» Ce n'est certainement pas le sujet de cet ouvrage! L'auteur rassemble, sous un titre évocateur, des textes traitant de sujets tels que l'androgynie, les communautés, le mariage ouvert, le célibat, l'homosexualité, la sexualité comaritale, bref d'autres styles de vie qui sont autant de possibilités pour ceux et celles qui les recherchent.

POLLAK, Véra. *Nuit en solo,* Montréal, Quinze, 1988, 192 p.

Une femme fait l'autopsie de sa rencontre avec l'homme qu'elle aime. Le début, le déroulement, la fin. Une histoire banale en somme, mais qui, sous la plume de Véra Pollak, prend forme et vie par le biais du recueillement et de la réflexion.

WRIGHT, John. *La survie du couple, une approche simple, pratique et concrète,* Montréal, La Presse, 1985, 264 p.

Ce chercheur de l'Université de Montréal est spécialiste des relations de couple. Il explique dans un langage clair et accessible l'amour, les hauts et les bas de la vie de couple, les fondements de la communication. Vous apprendrez comment vous disputer de manière efficace, comment vous réconcilier, comment analyser votre comportement à l'intérieur de votre union, comment faire des compromis, etc.

Chapitre 9

Améliorer son style de communication interpersonnelle

Les relations interpersonnelles ressemblent beaucoup au temps. Certaines sont belles et ensoleillées, tandis que d'autres sont orageuses et froides; certaines sont tempérées, d'autres vives comme le vent du nord ou écrasantes comme le temps chaud et humide des régions tropicales. Si certaines sont stables, d'autres changent de façon spectaculaire — calmes à certains moments, turbulentes à d'autres. Vous ne pouvez cependant évaluer le climat relationnel en regardant un thermomètre ou en jetant un regard sur le ciel! Une chose est certaine: ce climat existe. Chaque relation dégage une chaleur, une ambiance qui donne le ton au dialogue qui s'établit entre les participants.

Si nous ne pouvons pas modifier les conditions atmosphériques, nous *pouvons* par contre prendre certaines dispositions pour améliorer un climat relationnel. Ce chapitre traite des facteurs qui font que certaines relations peuvent être agréables et heureuses, tandis que d'autres seront moins plaisantes. Vous apprendrez comment certains comportements contribuent à créer un climat de défense et d'hostilité, tandis que d'autres conduisent à des situations plus positives. Après avoir lu ces pages, vous aurez une idée plus nette du climat qui règne dans vos relations interpersonnelles... et qui plus est, vous apprendrez comment l'améliorer s'il y a lieu.

Le climat de communication, clé des relations positives

Le terme **climat de communication** fait référence au ton émotionnel — ou encore à l'ambiance — d'une relation interpersonnelle. Il ne désigne pas ce que les personnes font ensemble, mais reflète plutôt la façon dont elles se sentent les unes par rapport aux autres. Prenez, par exemple, deux classes qui étudient la communication interpersonnelle. Les deux ont des cours de même durée et suivent le même programme. Il est pourtant facile d'imaginer comment l'une d'elles peut être un endroit chaleureux où il fait bon étudier, tandis que l'autre peut être froide et tendue — voire hostile. Le même principe est valable pour les familles, les équipes de travail, ou dans d'autres relations personnelles: le climat de communication est fonction de la façon dont les gens se sentent les uns par rapport aux autres, et non pas tant des tâches qu'ils accomplissent.

> Le pire péché que l'on puisse commettre envers ses semblables n'est pas de les haïr, mais plutôt de se montrer indifférent; c'est l'essence même de la cruauté.
>
> George Bernard Shaw

Communication positive ou négative Qu'est-ce qui rend un climat de communication positif ou négatif? La réponse est étonnamment simple. Le ton d'une relation est fonction du degré de considération que les personnes en communication éprouvent.

Les spécialistes des sciences humaines utilisent le terme de **communication positive** pour définir les messages qui véhiculent une certaine considération et le terme de **communication négative** pour ceux qui, au contraire, marquent un manque de considération. Il est évident que les messages positifs sont plus souhaitables que ceux qui sont négatifs. Mais qu'est-ce qui les distingue? C'est simplifier à l'extrême que de parler d'un seul type de message positif. En réalité, la communication positive se bâtit sur trois niveaux de considération[1].

RECONNAISSANCE La reconnaissance de la personne est l'acte fondamental de considération. Si cette démarche paraît facile et évidente, il arrive cependant que nous ne répondions même pas aux autres à cet échelon des plus élémentaires. Oublier d'écrire à un ami ou d'aller lui rendre visite en est un exemple courant, comme l'est celui de ne pas retourner un appel téléphonique. Éviter de regarder ou d'approcher une personne que l'on connaît, à une soirée au collège ou dans la rue, véhicule un message négatif. Ce manque de reconnaissance peut, bien sûr, être le fait d'une distraction; il se peut que vous n'ayez pas remarqué un ami ou que les contraintes imposées par le travail ou l'école vous empêchent de garder le contact. Néanmoins, si l'autre personne *perçoit* que vous semblez éviter le contact, le message envoyé sera considéré comme négatif.

ACCEPTATION Admettre les idées et les sentiments des autres est une forme plus prononcée de considération. L'écoute en est certainement la forme la plus courante. La fausse écoute — l'écoute piégée, la mise en vedette, l'écoute défensive, etc. —

produit, bien entendu, l'effet contraire. Poser des questions, reformuler et utiliser la technique du reflet des sentiments constituent des approches d'acceptation plus actives. Comme nous l'avons vu dans le chapitre 7, traduire dans ses propres mots les pensées et les sentiments de la personne qui parle peut être un moyen efficace de lui offrir un soutien si elle fait face à certaines difficultés.

APPROBATION   Si l'acceptation des idées de l'autre personne indique que vous lui portez intérêt, l'approbation signifie que vous êtes d'accord avec ce qu'elle dit. Il est facile de comprendre que cette approche est le type le plus marqué de considération, puisqu'elle constitue la forme suprême d'estime. Sa forme la plus évidente est l'accord. Il n'est heureusement pas toujours nécessaire d'être entièrement d'accord avec une autre personne pour approuver ce qu'elle nous dit. Vous pouvez vous contenter de trouver quelques points sur lesquels acquiescer. «Je peux comprendre ta colère», pourriez-vous répondre à un ami, même si vous n'approuvez pas son emportement. Les louanges sincères sont, bien sûr, une forme prononcée d'approbation dont vous pouvez faire usage lorsque vous cherchez à complimenter les autres.

Contrairement aux messages positifs, la communication négative traduit un manque de considération pour l'autre personne, soit en contestant, soit en négligeant certains aspects du message qu'elle envoie[2]. Un désaccord peut être négatif, surtout s'il va plus loin que de contester les idées de l'autre, en l'attaquant personnellement. Il est peut-être difficile d'entendre quelqu'un dire: «Je ne pense pas que ce soit une bonne idée», mais une attaque comme: «Tu es fou!» est encore plus insultante. Un désaccord n'est cependant pas la forme la plus préjudiciable de refus. Pires sont les réactions qui ne tiennent pas compte des idées des autres — ou même de leur existence. Plusieurs exemples de messages qui traduisent un manque de considération sont présentés aux pages 244 et 245. Il est facile de comprendre que ces messages peuvent engendrer des climats relationnels négatifs.

Comment se développe un climat de communication?   Dès que deux personnes commencent à échanger, un climat relationnel se crée. Si les messages sont positifs, le climat tend à leur ressembler. Si les partenaires ne se reconnaissent pas mutuellement, la relation sera probablement hostile, froide ou défensive.

Les messages verbaux contribuent certainement à donner le ton à la relation. Cependant, les messages non verbaux ont aussi un rôle important à jouer. Le fait de s'approcher des autres peut en lui-même être positif, tout comme le fait de les éviter peut être négatif. Des sourires ou des froncements de sourcils, la présence ou l'absence de regards, le ton de la voix, la place que l'on occupe... tous ces

DES COMMUNICATIONS NÉGATIVES...

Des réactions négatives traduisent un manque de respect ou de considération. Tout comme leurs équivalents positifs, ces messages peuvent déterminer le climat de toute une relation.

Réponses fermées   Les **réponses fermées** ne tiennent pas compte des tentatives de communication des autres. Refuser de répondre à une autre personne dans une conversation en tête à tête en est la forme la plus évidente, même si ce n'est pas la plus habituelle. Ne pas retourner un appel téléphonique ou oublier de répondre à une lettre sont des réactions plus courantes, comme l'est le fait de ne pas réagir à un signe de la main ou à un sourire.

Réponses abruptes   Les **réponses abruptes** sont celles qui viennent interrompre une personne qui est en train de parler; elles traduisent un manque de respect pour ce qu'elle est en train de dire.

A: Je me cherche une tenue à porter au travail, et aussi en voyage...

B: J'ai tout à fait ce qu'il vous faut. Celle-ci est moitié laine moitié polyester et ne se froissera pas du tout.

A: Qu'elle se froisse ou non n'est pas ce qui m'importe. Je cherche quelque chose qui fera l'affaire au bureau et...

B: Nous avons un magnifique blazer que vous pouvez porter habillé ou non, selon les accessoires que vous lui ajoutez.

A: Ce n'est pas ce que j'allais dire. Je cherche quelque chose que je puisse porter ici comme dans le Sud. Je dois aller...

B: N'en dites pas plus. Je sais très bien ce que vous cherchez.

A: Ne vous donnez pas cette peine... Je pense que je vais aller voir ailleurs.

Réponses hors de propos   Les **réponses hors de propos** sont celles qui n'ont aucun rapport avec ce que vient de dire l'autre personne.

A: Quelle journée! Je pensais qu'elle n'allait jamais finir. La voiture a commencé par surchauffer et j'ai dû appeler une dépanneuse; l'ordinateur est ensuite tombé en panne au bureau.

B: Écoute, il faut que l'on parle du cadeau que l'on va faire à Anne pour son anniversaire. La soirée a lieu samedi et il ne me reste que demain pour aller l'acheter.

---

indices — et bien d'autres — émettent des messages sur la façon dont se sentent les partenaires les uns par rapport aux autres.

Une fois que l'ambiance est créée, elle va pouvoir évoluer d'elle-même en une spirale perpétuelle. Cette forme cyclique est plus évidente dans les spirales régressives, lorsqu'un conflit dégénère[3].

A: (légèrement irrité) Mais où étais-tu? Je pensais que nous avions convenu de nous rencontrer ici il y a une demi-heure.

B: (sur la défensive) Je m'excuse. J'ai été retenu à la bibliothèque. Je n'ai pas autant de temps libre que toi.

A: Je ne t'*accuse* pas, ne sois pas si susceptible.

Je suis cependant assez contrarié par ce que tu viens de dire. Je suis très occupé moi aussi. J'ai des tas d'autres choses plus intéressantes à faire que de t'attendre!

B: Qui se montre susceptible ici? J'ai fait une simple remarque. Tu es bien sur la défensive ces temps-ci. Qu'est-ce qui ne va donc pas?

La spirale peut heureusement évoluer de façon harmonieuse. Un comportement positif conduit à une réponse similaire de la part de l'autre personne; et cela amènera une confirmation ultérieure de la part du premier partenaire.

Les spirales — qu'elles soient positives ou négatives — ne se prolongent pas toujours indéfiniment. Lorsqu'une spirale négative dégénère, les

A: Je suis vraiment claqué. On ne peut pas attendre quelques minutes pour en parler? Je n'ai jamais eu une journée comme ça.

B: Je ne vois rien qui fasse vraiment plaisir à Anne. Elle a tout ce que...

Réponses-échappatoires Les **réponses-échappatoires** sont des «aiguillages» de la conversation. Plutôt que de négliger les remarques de la personne qui parle, elles les utilisent comme point de départ pour changer de sujet.

A: J'aimerais savoir vraiment si tu veux aller skier pendant les vacances. Si nous ne nous décidons pas rapidement, il sera impossible de faire des réservations où que ce soit.

B: Ouais. Et si j'échoue à mon cours de botanique, je ne serai pas d'humeur à aller où que ce soit non plus. Peux-tu me donner un coup de main pour ce travail?...

Réponses impersonnelles Les **réponses impersonnelles** sont pleines de clichés et d'autres réflexions qui ne répondent jamais vraiment à la personne qui parle.

A: J'ai eu quelques petits problèmes personnels dernièrement et j'aimerais quitter le travail plus tôt. Une ou deux fois cette semaine, c'est possible?

B: Ah oui? Nous avons tous nos petits problèmes. Ce doit être un signe des temps.

Réponses ambiguës Les **réponses ambiguës** contiennent des messages à plusieurs sens qui laissent le partenaire dans le doute.

A: J'aimerais te rencontrer très bientôt. Que dis-tu de mardi?

B: Euh, peut-être.

A: Alors? Pouvons-nous nous parler mardi?

B: Oui, probablement. À bientôt.

Réponses incongrues Les **réponses incongrues** renferment deux messages qui semblent se contredire. Souvent, au moins un de ces messages est non verbal.

A: Chérie, je t'aime.

B: Je t'aime moi aussi. (Soupirs.)

partenaires peuvent se mettre d'accord pour tirer leur épingle du jeu. «Une minute, peut dire l'un, cela ne nous mène nulle part.» Il peut y avoir à ce stade une période de répit, où les partenaires travaillent de concert de manière plus constructive afin de résoudre leur problème. Mais s'ils franchissent le «point de non-retour», la relation peut tout simplement se terminer. Comme vous l'avez lu dans le premier chapitre, il est impossible de reprendre un message qui a été émis, et certains échanges sont tellement meurtriers que la relation ne peut y survivre. Les spirales positives ont elles aussi une limite: les meilleures relations passent par des moments précaires, et le climat en souffre. La bonne volonté et l'aptitude à communiquer des partenaires, si elles sont cultivées, peuvent cependant rendre ces moments moins fréquents ou moins intenses. La plupart des relations passent par des cycles de progression et de régression.

Évaluez un climat de communication...

Vous pouvez certainement savoir quel est le climat de communication de chacune de vos relations personnelles sans pousser trop loin l'analyse. Mais le fait de répondre aux questions suivantes vous aidera à expliquer *pourquoi* il en est ainsi. Les étapes suivantes vous permettront également de savoir comment améliorer certains climats relationnels négatifs.

1. Pensez au climat de communication d'une de vos relations personnelles importantes. L'utilisation

de métaphores météorologiques (ensoleillé, sombre, calme) peut vous y aider.

2. Faites la liste des messages positifs et des messages négatifs qui ont permis d'établir et de maintenir le climat actuel. Assurez-vous d'identifier tous les messages verbaux et non verbaux.

3. Décrivez ce que vous pouvez faire, soit pour conserver le climat actuel (s'il est positif), soit pour le modifier (s'il est négatif). Faites à nouveau la liste de tous les comportements verbaux et non verbaux.

* En fait, c'est une erreur que de parler d'un seul soi extérieur. En vérité, nous essayons de projeter différents «soi» à différentes personnes. Vous pouvez, par exemple, essayer d'impressionner un

La défensive: les causes... et les remèdes

Aucun type de communication ne gâte plus sûrement un climat relationnel que les spirales défensives. Une attaque verbale en suit une autre, et bientôt le conflit prolifère, on en perd le contrôle, et il laisse des séquelles de blessures et d'amertume qu'il est difficile — sinon impossible — de réparer.

Les causes de la défensive Le mot *défensive* fait allusion à la protection contre une attaque. Mais de quelle attaque s'agit-il? Cela n'implique pas, la majorité du temps, une attaque physique. Si vous n'êtes pas menacé physiquement, contre quoi avez-vous donc à vous protéger? Pour répondre à cette question, nous devons rediscuter du «soi extérieur» présenté au chapitre 2.

Rappelez-vous que le soi extérieur est constitué de tous les traits physiques, traits de caractère, attitudes, aptitudes et autres parties de l'image que vous désirez présenter au monde*. Ces différentes composantes ne revêtent pas toutes la même importance. Faire savoir aux autres que vous êtes droitier ou Capricorne est sans doute moins important que de les convaincre que vous êtes un ami fidèle et honnête.

Lorsque les autres acceptent d'importantes facettes de votre image extérieure, il n'est pas nécessaire d'être sur la défensive. Par contre, il y a **défensive** lorsque nous essayons de protéger les parties vitales de notre image qui, selon nous, sont attaquées. Pour comprendre comment se passent les choses, imaginez ce qui pourrait arriver si on attaquait soudain une partie importante de votre image extérieure. Supposez par exemple que:

> un professeur vous critique pour avoir commis une erreur stupide;
>
> une connaissance vous accuse d'être égoïste;
>
> un employeur vous traite de paresseux.

Il n'est pas surprenant que vous vous sentiez insulté si les attaques sont injustes. Votre expérience personnelle vous indiquera cependant que nous réagissons souvent de manière défensive

employeur éventuel par votre sérieux et montrer à vos amis un côté de votre personnalité beaucoup plus enjoué.

même lorsque nous savons pertinemment bien au fond de nous-mêmes que la critique est justifiée. Par exemple, vous avez pu avoir une attitude défensive lorsque vous aviez *bel et bien* commis une erreur, agi égoïstement ou rogné sur votre travail. De fait, nous nous sentons davantage sur la défensive lorsque la critique atteint sa cible.

Cette attitude défensive provient en partie de notre besoin d'approbation. En réponse à la question: «Pourquoi ai-je peur de vous dire qui je suis?», l'auteur John Powell donne la réponse concrète suivante: «Parce que si je vous dis qui je suis, vous pourriez ne pas aimer ce que je suis et c'est malheureusement tout ce que je possède[4].» Nous portons ainsi des masques défensifs en espérant être le genre de personne qui se verra accorder l'approbation des autres.

En réagissant de manière défensive à des critiques déplaisantes mais justifiées, non seulement nous dupons les autres, mais nous nous dupons également nous-mêmes. Nous voulons croire à la comédie que nous jouons, car il n'est pas très agréable d'admettre que nous ne sommes pas, en réalité, la personne que nous aimerions être. Lorsque nous nous trouvons dans une situation où la vérité pourrait blesser, nous sommes tentés de nous convaincre que nous correspondons bien à l'image idéalisée que nous avons construite.

Les types de réactions défensives Lorsqu'une partie de notre image extérieure est attaquée par les autres et que nous n'acceptons pas leur jugement, nous faisons face à ce que les psychologues appellent une **dissonance cognitive** — un désaccord entre deux informations, deux réactions ou

> Plus tard, beaucoup plus tard, lorsqu'on écrira cette histoire, on trouvera peut-être extrêmement cocasse que l'homme ait inventé un moyen aussi coûteux, aussi complexe et aussi dangereux que l'énergie nucléaire... pour faire bouillir de l'eau.
>
> Fernand Seguin

> ... Une fois parvenus à une solution — par un chemin largement pavé d'angoisse et d'attente —, notre investissement devient si grand que nous préférerions déformer la réalité pour la plier à notre solution plutôt que de sacrifier la solution.
>
> Paul Watzlawick

deux comportements[5]. La dissonance crée une situation inconfortable que les communicateurs s'efforcent de dissiper en recherchant la cohérence. Une des façons d'éliminer cette dissonance est d'accepter la critique et de modifier son image extérieure en conséquence. Vous pouvez reconnaître que vous avez été stupide ou que vous avez fait une erreur, par exemple. Mais nous n'acceptons pas toujours les critiques. Elles peuvent être injustes et, même si elles sont fondées, il se peut que nous ayons certaines difficultés à admettre qu'elles le soient. Il n'est pas agréable de reconnaître que l'on est paresseux, injuste ou bête. Il existe trois manières reconnues de dissiper une dissonance sans avoir à tomber d'accord avec la personne qui nous critique. Chacune d'elles se caractérise par divers **mécanismes de défense***: des outils psychologiques permettant de réduire la dissonance tout en conservant une image de soi positive.

CONTRE-ATTAQUER LA PERSONNE QUI VOUS CRITIQUE La contre-attaque suit le vieux principe selon lequel la meilleure défense, c'est l'attaque. Elle peut prendre plusieurs formes.

L'agressivité verbale Parfois, le récepteur fait appel à l'**agressivité verbale** pour attaquer de façon directe: «Qui te permet de dire que je suis salaud?» pouvez-vous lancer à un compagnon de chambre. «C'est bien toi qui laisses des monceaux de dentifrice dans le lavabo et des affaires sales partout dans la chambre!» Ce genre de réaction fait porter le blâme sur celui qui a émis la critique sans reconnaître l'exactitude éventuelle du premier jugement. D'autres formes d'attaque sont complètement hors du sujet: «Tu n'es pas en position

---

* Il ne s'agit pas ici de faire la nomenclature des mécanismes de défense qui sont, en eux-mêmes, des moyens *inconscients* utilisés pour éviter une situation jugée anxiogène par le moi. Adler et Towne s'intéressent aux mécanismes qui sont utilisés de manière plutôt *consciente*. Mais ce n'est pas nécessairement le cas. J'ai donc

choisi de conserver ce terme générique, car le but poursuivi semble être le même: protéger une partie importante de soi pour éviter un sentiment désagréable. Qu'ils soient conscients ou non, ces mécanismes existent en réaction *défensive*. (Note de l'adaptateur.)

pour te plaindre de mon manque de soin. Au moins, je paie ma part des factures à temps.» De nouveau, ce genre de réponse réduit la dissonance sans même faire référence à la validité de la critique.

Le sarcasme Déguiser l'attaque sous un message humoristique et acéré est une forme d'agressivité moins directe. «Tu penses que je devrais étudier davantage? Merci de te priver de tes romans «savon» et de tes cacahouètes pour organiser ma vie!» Des réponses sarcastiques peuvent être frappantes sur le plan de l'esprit et de la rapidité de la pensée, mais leur nature négative et hostile conduit à des contre-attaques et à une spirale défensive mutuellement destructive.

DÉFORMER LA CRITIQUE Une deuxième façon de défendre une image de soi est de déformer quelque peu la remarque entendue pour permettre à son image de demeurer intacte — du moins à ses propres yeux. Il existe bien des moyens de déformer la critique.

La rationalisation La **rationalisation** est la création d'explications logiques (mais fausses) à une conduite indésirable. «J'aimerais bien te donner un coup de main, mais je dois vraiment étudier», pourriez-vous donner comme excuse pratique pour éviter une corvée désagréable. «Je ne mange pas trop», pouvez-vous répondre à une critique que vous sentez venir. «Je vais avoir une dure journée et j'ai besoin de prendre des forces.»

La compensation Ceux qui utilisent la **compensation** mettent en valeur un de leurs points forts, dans un domaine donné, pour masquer une faiblesse dans un autre. Un parent coupable peut sauver la face et se sentir consciencieux en protestant: «Il se peut que je sois souvent absent, mais je donne à mes enfants tout ce que l'argent peut acheter de mieux!» De même, vous pouvez essayer de vous convaincre et de convaincre les autres que vous êtes un bon ami en compensant de cette façon: «Je m'excuse d'avoir oublié ton anniversaire. Laisse-moi donc te donner un coup de main pour ce travail.» Il n'y a rien de répréhensible en soi dans la plupart de ces actes. Le tort est de s'en servir de façon hypocrite dans le but de conserver une image extérieure fictive.

La régression Jouer l'impuissance est une autre façon d'éviter de faire face aux attaques: prétendre que vous ne pouvez pas faire une chose quand en vérité vous ne *voulez* pas la faire. «J'aimerais bien avoir des relations suivies avec toi, mais je ne peux pas: je ne suis pas prêt.» «J'aimerais pouvoir faire mieux ce travail, mais je n'en suis pas capable: je ne le comprends tout simplement pas.» On teste la **régression** en substituant l'expression «Je ne veux pas» à «Je ne peux pas.» Dans bien des cas, il apparaît que le «Ce n'est pas ma faute» est une pure invention.

ÉVITER L'INFORMATION DISSONANTE Écarter l'information constitue une troisième manière de protéger une image de soi menacée. Cela peut revêtir plusieurs formes.

La fuite Se tenir à l'écart des personnes qui attaquent votre image personnelle est une façon claire d'éviter toute dissonance. Le retrait est parfois sage. On ne tire pas grand bénéfice à être martyrisé par des critiques injurieuses ou hostiles. Dans d'autres cas, cependant, la relation peut être suffisamment importante et les critiques être

suffisamment valables pour que la fuite ne puisse qu'envenimer les choses.

La répression Nous faisons parfois mentalement obstruction à l'information dissonante. Vous pouvez, par exemple, être conscient que vous devriez discuter d'un problème avec un ami, votre patron ou votre professeur, mais vous chassez cette éventualité de votre esprit lorsqu'elle se pose. Il est même possible de réprimer un problème face à la personne qui vous critique. Changer de sujet, faire comme si vous ne compreniez pas et même prétendre que vous n'entendez pas les critiques: ces échappatoires tombent toutes dans la catégorie de la **répression**.

La négation Opposer une **négation** est une autre réaction de fuite: accuser réception d'une information désagréable, mais prétendre ne pas s'en soucier. Il se peut par exemple que vous écoutiez tranquillement les critiques d'un ami et que vous fassiez comme si cela ne vous dérangeait

---

Recueil de rationalisations à l'intention des étudiants

Situation	Que dire
Lorsque le cours est de type magistral:	Nous n'avons jamais l'occasion de dire quoi que ce soit.
Lorsque le cours est de type discussion:	Le professeur se contente d'être assis avec nous. Nous ne savons pas quoi étudier.
Lorsque tous les aspects du cours sont couverts en classe:	Tout ce qu'il fait, c'est de suivre le texte.
Lorsqu'on a la responsabilité de couvrir une partie du cours en dehors de la classe:	Il ne couvre pas la moitié des choses sur lesquelles nous sommes interrogés.
Lorsqu'on nous donne des tests objectifs:	Cela ne nous permet pas d'exprimer notre vraie personnalité.
Lorsqu'on nous donne des épreuves écrites:	Elles sont trop vagues. On ne sait pas ce que l'on attend de nous.
Lorsque le professeur ne donne pas d'examens:	Ce n'est pas juste! Il ne peut pas dire ce que nous savons réellement.
Lorsqu'on a de nombreux mini-tests au lieu d'un examen de mi-session et d'un examen final:	Il nous faut des examens importants. Les interrogations rapides ne couvrent pas suffisamment de matière pour être significatives.
Lorsqu'on a seulement deux examens pour l'ensemble du cours:	La pression est trop forte. Il se peut que nous ne soyons pas en forme ce jour-là.

Et je te connais
Tu fais toujours semblant
Presque toujours semblant quand tu me
fermes les yeux
Tu joues d'indifférence
C'est alors que je pense
Je me revois rêver
Ce rêve que je déteste
Tu danses
Tu saisis une pensée bleue rouge
Tu la mets devant ton cœur
Pour pas que passe l'amour

Véronique Sanson

pas du tout. De la même façon, vous pouvez réagir, en apprenant la perte de votre emploi, en restant apathique: pas de demande à l'assurance-chômage, pas de restrictions dans les dépenses courantes; bref, vous faites comme si de rien n'était.

Le déplacement   Le **déplacement** se manifeste lorsque nous retournons notre hostilité ou notre agressivité contre des personnes ou des objets considérés comme moins dangereux que la ou les personnes qui nous ont menacés à l'origine. Vous pouvez être en colère contre votre patron, mais plutôt que de prendre le risque de vous faire congédier, vous pouvez déplacer votre agressivité en criant contre les personnes avec qui vous vivez. Cette réaction nous permet de toujours préserver (du moins pour nous-mêmes) l'image de notre *puissance* — montrer que nous avons la situation en main et que son contrôle ne nous échappera pas. Cette attitude est bien entendu une supercherie — mais une supercherie que la personne en question ne veut pas reconnaître.

Faites l'inventaire de vos mécanismes de défense

Faites la liste des trois mécanismes de défense que vous utilisez le plus souvent et donnez trois exemples pour chacun. Vous pouvez dresser cette liste en réfléchissant à votre propre comportement, en lisant l'encadré des pages 252 et 253, et en demandant aux autres de vous faire part de leurs impressions sur vous.

Terminez votre inventaire en indiquant:

1.   Les personnes avec lesquelles vous êtes le plus souvent sur la défensive.

2.   Les parties de votre image extérieure que vous défendez le plus souvent.

3.   Les conséquences habituelles de l'utilisation de mécanismes de défense.

4.   Toute autre façon plus satisfaisante de vous comporter à l'avenir.

Comment prévenir les réactions défensives?

Les réactions défensives peuvent nuire au climat de la communication. Mais qu'est-ce qui les provoque? Nous avons déjà vu que la défensive est causée par des messages qui menacent le concept de soi; l'étude de Jack Gibb donne cependant une image encore plus précise des genres de comportements qui sont à l'origine de réactions défensives — et de ceux qui, par contre, peuvent les prévenir[6].

Après avoir étudié des groupes pendant plusieurs années, Gibb a été en mesure d'isoler six types de messages entraînant des réactions défensives et six autres types qui semblaient, au contraire, réduire le niveau de menace et de défensive. Les **catégories de Gibb** sont répertoriées au tableau 9-1. En faisant appel aux types positifs de comportement et en évitant ceux qui sont défensifs, vous augmenterez vos chances de pouvoir créer et conserver des climats relationnels positifs dans vos relations personnelles.

1.   *Jugement ou description?*   Le premier type de comportement observé par Gibb, et susceptible de provoquer des réactions défensives, est une **communication empreinte de jugement**. La majorité des gens sont agacés par les opinions catégoriques et auront tendance à les interpréter comme un manque de considération à leur égard. Des messages de ce genre sont souvent décrits comme des messages «à la deuxième personne», car la plupart des réflexions font une utilisation accusatrice du pronom «tu». Par exemple:

«Tu ne sais pas ce que tu dis.»

«Tu ne fais pas de ton mieux.»

«Tu fumes beaucoup trop.»

Tableau 9-1   Les catégories de Gibb: comportements négatifs et positifs

Comportements négatifs	Comportements positifs
1. jugement	1. description
2. contrôle	2. orientation
3. stratégie	3. spontanéité
4. neutralité	4. empathie
5. supériorité	5. égalité
6. dogmatisme	6. relativisme

[Annotations manuscrites: « → indifférence » et « → la vérité. dogme »]

Gibb oppose, à ce genre de langage «à la deuxième personne», la **communication descriptive** présentée au chapitre 5 comme le langage «à la première personne». Plutôt que de porter un jugement sur le comportement de son interlocuteur, la personne qui utilise un langage descriptif explique simplement l'effet que provoque sur elle ce comportement. Par exemple, plutôt que de dire: «Tu parles trop», un communicateur de ce type emploierait les termes: «Lorsque tu me refuses la possibilité de te donner le fond de ma pensée, je me sens frustré.»

Remarquez comment une réflexion de ce genre donne, à la fois, une description claire du comportement, l'effet produit ainsi que les impressions ressenties.

2. *Contrôle ou orientation sur le problème?* Le second type de message qui provoque une réaction défensive est typique de celui qui cherche à dominer. Le **message dominateur** veut imposer une solution au récepteur sans tenir compte de ses besoins ou de ses intérêts. Cela peut concerner l'endroit où aller souper ou le programme de télévision à regarder, mais le message peut aussi imposer une décision importante: la maintien d'une relation, la gestion des dépenses, etc. Quelle que soit la situation, les personnes qui se comportent de cette manière ont tendance à créer un climat défensif. Nous

n'aimons pas sentir que nos idées n'ont pas de valeur et que rien de ce que nous disons ne changera la détermination des autres à faire comme ils l'entendent — c'est précisément cette attitude qu'un tel message véhicule. Que ce soit par des mots et des gestes, par le ton de la voix ou par tout autre canal, que la domination s'appuie sur la situation sociale, sur quelques règles obscures ou dépassées, ou même sur la force physique, la personne qui en use génère de l'hostilité partout où elle va. Le message sous-entendu d'un tel comportement est le suivant: «Je sais ce qui te convient le mieux et, si tu fais comme je te dis, nous allons pouvoir nous entendre.»

> Nous n'avons pas besoin d'obtenir la confirmation de qualités dont nous sommes absolument certains, mais devenons extrêmement susceptibles lorsque nos prétentions sont mises en doute.
>
> Karen Horney

LES MÉCANISMES DE DÉFENSE EN ACTION

Agressivité verbale

Il y a quelques mois nous nous trouvions, mon ami et moi, à bord de notre camionnette lorsqu'un automobiliste a brûlé un feu rouge et est venu heurter le côté de la voiture. C'était assurément de sa faute — d'autres voitures se trouvaient encore arrêtées sur la file voisine.

Alors que cet homme aurait dû reconnaître qu'il était coupable, il est sorti en trombe de sa voiture et a commencé à nous injurier. Il nous a traités de «punks» et de «cons». Il a laissé éclater toute son agressivité simplement pour camoufler la vérité — qu'il était bel et bien dans son tort.

Rationalisation

Un garçon de ma connaissance venait de rompre avec sa petite amie peu de temps auparavant. La façon dont il a mené toute l'affaire montre bien comment une rationalisation peut nuire à la communication. La raison qu'il lui a donnée pour rompre était qu'il devait partir pour l'Europe sous peu et ne désirait pas se séparer brutalement d'elle au moment du départ. La vérité était plutôt qu'il en avait assez d'elle. Elle le savait fort bien, mais je pense que ce genre de rationalisation l'a blessée beaucoup plus que s'il s'était montré tout à fait honnête envers elle. Je sais aussi très bien qu'il n'a dupé que lui-même en tentant de se persuader qu'il était un chic type qui ne voulait penser qu'à son bien-être à elle!

Compensation

L'autre jour, je me trouvais à une soirée lorsque la conversation a tourné sur la politique. Je suis réellement hermétique à ce genre de chose, même si je comprends très bien que ce soit un sujet très important. Aussi, lorsque quelqu'un a amené la question des élections sur le tapis, j'ai tout de suite essayé de détourner la conversation sur les motos, sujet que je connais à fond. Je fais cela très souvent. Lorsqu'il y a quelque chose que je ne comprends pas ou que je n'aime pas, j'essaie de détourner la conversation sur un sujet dans lequel je suis un expert.

À l'opposé, dans les **messages axés sur la problématique**, les communicateurs mettent l'accent sur la recherche d'une solution qui satisfasse à la fois leurs besoins et ceux des autres. L'objectif ici n'est pas de «gagner» sur le dos de son partenaire, mais de trouver un arrangement dans lequel tout le monde y gagne. (Le chapitre 10 vous renseignera davantage sur la résolution du type «gagnant-gagnant» de certains problèmes.

3. *Stratégie ou spontanéité?* Le troisième comportement identifié par Gibb comme créant un mauvais climat de communication concerne le recours à la **stratégie** ou à la manipulation. Un des moyens les plus efficaces de mettre les gens sur la défensive est de se faire prendre en train d'essayer de les manipuler. Le fait que vous ayez tenté de les tromper plutôt que de leur demander ce qu'ils désiraient est suffisant pour établir un climat de méfiance. Personne n'aime passer pour un cobaye ou pour une poire, et même la manœuvre la mieux intentionnée peut être source de réactions très négatives.

La **spontanéité** est à l'opposé de la manipulation. Elle signifie, tout simplement, s'exprimer de façon honnête. En dépit de cette appellation, la communication spontanée n'a pas besoin d'être exprimée aussitôt qu'une idée vous vient à l'esprit. Vous tenez à réfléchir soigneusement aux termes de votre message afin de vous exprimer clairement. L'important, c'est d'être franc. Bien souvent, la spontanéité ne vous fera pas obtenir ce que vous recherchez. À la longue, il est préférable d'être franc, quitte à manquer quelques petits objectifs. Plus d'une fois, nous avons entendu les gens dire: «Je n'ai pas aimé ce qu'il a dit, mais au moins je sais qu'il était honnête.»

Bien que cela soit paradoxal à première vue, la spontanéité peut être également un genre de stratégie. Les gens se montrent parfois honnêtes par calcul,

Régression ✓

J'adopte cette réaction à la maison lorsque je ne veux pas faire les corvées. Si un travail me semble désagréable, je m'écrie: «Je ne suis *pas capable* de le faire. Je ne «sais» pas tailler les arbres fruitiers de la bonne façon, décaper la vieille peinture, passer de la cire sur la voiture, etc.» De cette façon, j'obtiens l'aide des autres membres de la famille sans avoir à admettre que je suis paresseux. Ils n'en sont probablement pas dupes — et maintenant que j'en ai pris conscience, ce genre de régression ne me prendra plus moi non plus.

Répression ✓

Ma famille est particulièrement douée pour réprimer nos sentiments sur un problème sérieux. Mon frère est en train de devenir alcoolique et je crains que cela lui nuise très bientôt, ainsi qu'à toute la famille. En dépit de l'inquiétude que tout le monde ressent, lorsque nous nous retrouvons tous ensemble, nous prétendons qu'il n'y a vraiment rien d'anormal. Je pense que nous espérons qu'en nous conduisant comme une famille heureuse et sans problèmes, nous allons finir par le devenir!

Négation ✓

Après avoir pris connaissance de tous les mécanismes de défense, j'ai découvert qu'un de mes «favoris» était la négation. Lorsque je suis critiqué par ma famille, mes amis ou mes professeurs, je prétends ne pas m'en soucier. En réalité, j'y suis *très* sensible, mais il m'est très difficile d'admettre que j'ai tort. Je pense que cela ne fait pas partie de mon image extérieure. Après y avoir pensé, je vois que de se montrer apathique n'impressionne pas beaucoup les autres et cela me pousse à changer pour le mieux.

Déplacement ✓

Hier, au travail, j'ai fait usage de ce mécanisme de défense. Mon superviseur m'avait drôlement attrapé pour un problème qui était véritablement de sa faute. C'est un vieux c... pour commencer, et il ne sert à rien de discuter avec lui. Aussi, je pense que lorsqu'un membre de mon équipe est venu me demander s'il pouvait quitter le travail un peu plus tôt ce jour-là, je l'ai traité de paresseux parce que j'étais réellement en colère. Je n'avais fait que déplacer ma colère. J'étais vraiment désolé et suis allé m'excuser un peu plus tard, mais il a fallu plusieurs jours à cet homme pour digérer complètement l'affaire.

en étant juste assez francs pour pouvoir se gagner la confiance ou la sympathie d'une autre personne. Cette sorte de «franchise» est certainement la stratégie la plus susceptible de susciter de la défensive, parce qu'une fois que nous avons appris que quelqu'un l'utilisait pour nous manipuler, il y a fort peu de chances que nous lui refassions jamais confiance.

Vous comprenez maintenant que l'usage d'une communication positive (messages descriptifs, d'orientation, d'empathie, etc.) puisse être une excellente façon de manipuler les autres. Avant d'aller plus loin, notez bien que si vous agissez de manière positive, mais insincère, vous avez mal compris l'objectif de ce chapitre et vous prenez le risque de susciter encore davantage de réactions défensives qu'auparavant. Aucune des suggestions que nous présentons dans ce livre ne peut entrer dans un «sac à malices» dont on se servira

ensuite pour dominer les autres: si vous vous en servez de cette manière, prenez garde!

4. *Neutralité ou empathie?* Gibb utilise le terme **neutralité** pour décrire une quatrième forme de comportement qui engendre la défensive. *Indifférence* serait peut être plus approprié. Une attitude neutre est négative parce qu'elle traduit un manque de considération par rapport au bien-être de l'autre personne; elle indique aussi que cette dernière n'a pas beaucoup d'importance à vos yeux. Cette indifférence, si elle est perçue, aura tendance à engendrer la défensive. Les gens n'aiment pas sentir qu'ils ne valent pas grand chose et chercheront de ce fait à protéger un concept de soi qui les mette en valeur.

Un jeune enfant qui a des choses urgentes à confier à ses parents sera fâché de leur indifférence. Le médecin qui se montre objectif et tout à fait détaché avec ses patients s'étonnera de les voir en consulter un autre.

Les effets négatifs de la neutralité deviennent tout à fait évidents lorsque l'on pense à l'hostilité que la majorité des gens éprouvent pour les grands organismes impersonnels avec lesquels ils font affaire: «Ils me traitent comme un numéro et non comme une personne»; «Je me sens comme pris en charge par des ordinateurs et non pas par des êtres humains.» Ces deux réflexions courantes reflètent les impressions que l'on ressent lorsqu'on est traité avec indifférence. Gibb a pensé que l'**empathie** pouvait, à l'opposé, débarrasser la communication de cette indifférence. Lorsque l'on montre que l'on prend à cœur les sentiments des autres, il y a très peu de chances que leur concept de soi soit menacé. Éprouver de l'empathie signifie accepter les sentiments des autres, se mettre à leur place. Cela ne veut pas dire que l'on doive être d'accord avec la personne. Lorsque vous lui faites savoir qu'elle est importante à vos yeux et que vous avez de la considération pour elle, vous agissez de façon positive. Gibb a noté l'importance des messages non verbaux dans cette forme de communication. Il a remarqué que les expressions faciales et corporelles marquant de la considération sont souvent plus importantes pour le récepteur que les mots qui sont prononcés.

5. *Supériorité ou égalité?* Manifester une prétendue **supériorité** constitue un cinquième comportement pouvant engendrer un climat défensif. Combien de relations interpersonnelles avez-vous laissé tomber parce que vous ne pouviez endurer la supériorité affichée par votre partenaire? Un individu qui adopte ce genre de comportement engendre un sentiment de médiocrité chez l'interlocuteur. Peu importe le genre de supériorité, nous nous montrons automatiquement défensifs. L'argent, le pouvoir, les capacités intellectuelles, l'apparence physique ou les prouesses sportives sont des domaines sur lesquels notre culture met l'accent. En conséquence, c'est dans ces domaines que nous éprouvons souvent le besoin d'exprimer notre supériorité.

Les individus qui affichent un comportement de supériorité semblent indiquer qu'ils ne tiennent pas à être mis sur le même pied que les autres dans la relation. De plus, ils laissent entendre qu'ils ne désirent pas recevoir de conseils ou d'aide qui viendraient d'une personne «inférieure». La personne qui écoute est donc mise en garde, car les transmetteurs de tels messages auront tendance à diminuer la valeur, l'autorité, la position sociale du récepteur afin de conserver ou même de rehausser leur propre image de supériorité.

Vous pouvez avoir eu des professeurs qui rappelaient continuellement à leur classe leur supériorité intellectuelle et leur position. Souvenez-vous combien vous étiez ravis lorsque vous-même ou certains de vos compagnons de classe preniez un de ces êtres «supérieurs» en défaut! Qu'est-ce qui était si satisfaisant à votre avis? On pourrait penser qu'un tel rapport de force est stimulant, mais en réalité l'attention des étudiants est détournée vers leur propre défense, plutôt que d'être concentrée sur les objectifs du cours.

Lorsque nous sentons que les autres nous font parvenir des messages de supériorité, nous réagissons le plus souvent de manière défensive.

Nous les «rejetons» en cherchant à nous justifier, ou alors nous entretenons des fantasmes agressifs pour nous «soulager». Nous choisissons parfois de changer de sujet ou de nous éloigner, de contre-attaquer ou d'essayer de rabaisser ces personnes. Nous nous donnons beaucoup de mal pour les «remettre à leur place». Toutes ces réactions défensives sont cependant négatives pour le climat relationnel.

Au cours de la vie, nous nous trouvons bien souvent en relation avec des personnes dont les talents sont plus grands que les nôtres. Est-ce une raison pour qu'elles projettent ainsi une telle supériorité? Votre expérience vous dira que non. Gibb a trouvé que beaucoup de ceux qui ont des talents ou des habiletés supérieures sont capables d'envoyer des messages d'**égalité** plutôt que de supériorité. Ces personnes projettent cette image même si elles possèdent un talent plus grand dans certains domaines, car elles considèrent que les gens qui les entourent ont autant de valeur qu'elles en tant qu'êtres humains.

6. *Dogmatisme ou relativisme?* N'avez-vous jamais rencontré de gens qui sont absolument certains d'avoir toujours raison, qui sont persuadés que leur façon de faire les choses est la meilleure, qui affirment qu'ils ont tous les faits en main et n'ont donc pas besoin d'informations supplémentaires? Si c'est le cas, vous avez alors rencontré des individus qui projettent un comportement **dogmatique**, comme le qualifie Gibb.

Comment réagissez-vous lorsque vous êtes la cible d'un tel comportement? Vous sentez-vous soudain plein d'énergie pour essayer de prouver à ce genre d'individu dogmatique qu'il a tort? Si vous le faites, vous réagissez de façon normale, mais pas très constructive.

Les communicateurs qui considèrent leurs opinions personnelles avec une telle assurance, tout en méprisant celles de leur entourage, traduisent clairement un manque de considération pour les idées que les autres tiennent pour

> Le besoin d'avoir raison — le signe d'un esprit grossier.
>
> Albert Camus

importantes. Le récepteur aura tendance à juger ce comportement comme un affront personnel et à réagir de façon défensive.

À l'opposé de ce comportement dogmatique, on rencontre le comportement **relatif**: certaines personnes peuvent avoir des opinions arrêtées, mais elles admettent qu'elles sont loin de détenir toute la vérité, et elles sont prêtes à changer de position si une autre leur paraît plus raisonnable.

Informations rétroactives sur la réaction défensive

1. Choisissez une personne importante pour vous et demandez-lui de vous aider à connaître davantage de choses sur vous-même. Dites-lui que votre discussion prendra au moins une heure, pour vous assurer qu'elle soit prête à vous consacrer tout ce temps.

2. Commencez par lui expliquer les 12 types de comportements proposés par Gibb. Assurez-vous de lui donner suffisamment d'exemples pour qu'elle comprenne clairement chacune des catégories.

3. Lorsque votre explication est terminée et que vous avez répondu à toutes ses questions, demandez-lui de vous dire quelles catégories de comportement vous semblez utiliser le plus. Exigez des exemples précis, de façon à vous assurer de comprendre clairement ces informations rétroactives. (Étant donné que vous lui demandez de porter un jugement sur vous, attendez-vous à réagir de manière un peu défensive.) Informez votre partenaire que vous êtes intéressé à découvrir à la fois vos comportements défensifs et ceux qui sont positifs, et que vous désirez obtenir une réponse franche. (Attention: si vous ne tenez pas à entendre la vérité, n'essayez pas de faire cet exercice.)

4. Pendant que votre partenaire parle, prenez en note les catégories qu'il passe en revue, suffisamment en détail pour que vous soyez certains tous deux que ses commentaires soient fidèlement transcrits.

5. Lorsque vous avez fini de dresser la liste, montrez-la à votre partenaire. Écoutez ses réactions et apportez les corrections nécessaires pour que

toutes ses remarques soient correctement comprises. Lorsque votre liste est bien exacte, faites-la signer par votre partenaire pour qu'il certifie que vous l'avez bien compris.

6. En guise de conclusion, notez:

   a. ce que vous ressentiez pendant que votre partenaire était en train de vous décrire.

   b. si vous êtes d'accord avec son évaluation.

   c. l'effet que l'utilisation des différentes catégories de Gibb a sur votre relation avec votre partenaire.

Réagir de manière non défensive à la critique

Le monde serait plus heureux si chacun savait communiquer positivement. Mais comment pouvez-vous réagir de façon non défensive lorsque les autres font montre de jugement, de domination, de supériorité ou de tout autre comportement que Gibb a identifié comme constituant une attaque? En dépit des meilleures intentions, il est difficile de se montrer raisonnable lorsqu'on fait face à une critique très vive. Se faire attaquer est assez difficile à supporter lorsque la critique est visiblement injuste; cela est cependant souvent plus menaçant encore lorsque les jugements visent en plein dans le mille. Malgré l'exactitude de la critique, vous aurez tendance soit à contre-attaquer par un torrent d'agressivité verbale, soit à vous retirer par manque d'assurance.

Étant donné qu'aucune de ces réactions n'est susceptible de régler un conflit, nous avons besoin de solutions de rechange. Voici deux méthodes qui, malgré leur apparente simplicité, se sont avérées les plus valables que la plupart des communicateurs aient pu apprendre[7].

RECHERCHER DAVANTAGE D'INFORMATION Vouloir obtenir davantage d'information est plein de bon sens: il est inapproprié de réagir à une critique sans comprendre ce que l'autre personne a voulu dire. Même les remarques qui, à première vue, semblent complètement injustifiées ou carrément stupides se révèlent souvent contenir au moins une part de vérité — parfois beaucoup plus.

Bien des lecteurs désapprouvent l'idée de demander davantage de détails lorsqu'ils font l'objet de critiques. Leur résistance ne fait que s'amplifier parce qu'ils confondent le fait d'*écouter*

ouvertement les remarques de la personne qui parle avec le fait de les *accepter*. Une fois que vous prenez conscience que vous êtes capable d'écouter, de comprendre et même d'admettre les commentaires les plus hostiles sans nécessairement devoir les accepter, il devient beaucoup plus facile de les entendre jusqu'au bout. Si vous n'êtes pas d'accord avec les objectifs de la personne qui parle, vous vous trouverez dans une position bien meilleure pour vous expliquer, une fois que vous aurez compris la critique. D'un autre côté, après avoir écouté attentivement les remarques des autres, vous pouvez également vous rendre compte qu'elles peuvent être valables, auquel cas vous aurez reçu certaines informations précieuses sur votre personne. De toute façon, vous avez tout à gagner et rien à perdre en prêtant attention à ce que l'on vous dit.

Après avoir passé des années à résister instinctivement à la critique, apprendre à écouter les autres demandera, bien entendu, une certaine pratique. Voici maintenant plusieurs façons d'aller chercher des informations additionnelles sur ces critiques.

1. *Demander des exemples précis* Souvent, l'imprécision d'une critique la rend inutile en pratique, même si vous voulez sincèrement changer de comportement. Des accusations abstraites comme: «Tu es vraiment injuste» ou «Tu ne donnes jamais un coup de main» peuvent être difficiles à comprendre. Dans des cas semblables, c'est une bonne idée que de demander davantage d'information à la personne qui émet le message: «Qu'ai-je *fait* qui soit injuste?» ou «Quand ne t'ai-je pas donné un coup de main?» sont de bonnes questions à poser avant de savoir si l'accusation est justifiée ou non, et s'il est bon de l'accepter ou de la refuser.

Si vous avez déjà recherché des faits précis en posant des questions et que vous soyez encore accusé de réagir de manière défensive, le problème pourrait venir de la *façon* dont vous posez les questions. Le ton de votre voix et l'expression de votre visage, votre posture ou d'autres indices non verbaux peuvent donner à vos paroles des connotations radicalement différentes. Pensez par exemple à la façon dont vous pourriez vous servir de la phrase: «De quoi veux-tu exactement parler?» pour traduire soit un désir réel de recevoir davantage d'information, soit votre conviction que la personne est devenue folle. Il est important de ne demander des informations précises que dans le cas où vous désirez sincèrement en apprendre sur vous, car si vous le faites pour d'autres raisons, cela ne fera qu'envenimer les choses.

2. *Deviner certains détails* Parfois, même vos demandes les mieux tournées et les plus sincères pour obtenir des faits précis n'obtiendront pas l'effet recherché. Vos interlocuteurs ne seront pas en mesure de définir avec précision le genre de comportement qu'ils vous reprochent. Vous entendrez alors des remarques du genre: «Je ne peux pas te dire vraiment ce qui ne va pas avec le genre d'humour qui est le tien — tout ce que je peux dire c'est que je ne l'apprécie pas beaucoup.» Dans d'autres cas, vos partenaires peuvent très bien avoir saisi le comportement exact qu'ils n'aiment pas, mais pour une raison particulière, ils semblent tirer une satisfaction perverse à vous voir vous débattre pour essayer de comprendre la situation. Là, vous entendrez des commentaires comme: «Eh bien! si tu ne sais pas ce qui a pu me blesser, ne t'attends surtout pas à ce que ce soit moi qui te le fasse savoir!»

Inutile de dire que de ne pas pouvoir obtenir tous les détails d'une critique que l'on désire réellement connaître peut être une expérience frustrante. Dans des cas comme ceux-ci, vous pouvez souvent apprendre de façon plus précise ce qui contrarie votre interlocuteur en *devinant* les détails de son grief. Dans un certain sens, vous êtes à la fois détective et suspect, l'objectif étant de trouver exactement quel «crime» vous avez bien pu commettre. Comme lorsque vous demandez des détails précis, cette démarche doit être faite avec zèle si vous voulez qu'elle donne des résultats satisfaisants. Vous devez laisser savoir à la personne qui vous a fait la critique que vous êtes réellement intéressé à connaître ce qui ne va pas. Une fois que vous lui avez fait part de

vos intentions, le climat émotionnel devient en général plus agréable puisque tous deux visez en fait le même objectif.

Voici certaines questions courantes que vous pourriez entendre d'une personne cherchant à deviner certains détails d'une critique qui lui a été adressée:

«Ainsi, vous n'êtes pas d'accord avec le style que j'ai utilisé en rédigeant cet article. Était-il trop formel?»

«D'accord, je comprends que vous puissiez trouver cette tenue assez bizarre. Qu'est-ce qui vous choque le plus? La couleur? Quelque chose qui ne va pas dans la coupe? Le tissu?»

«Lorsque tu dis que je ne fais pas ma part dans la maison, veux-tu dire que je ne t'ai pas suffisamment aidé pour le ménage?»

3. *Reformuler les idées de la personne qui parle* Une autre stratégie consiste à faire parler les personnes embarrassées ou peu désireuses de s'ouvrir en reformulant leurs pensées et leurs impressions. De plus, utiliser la méthode d'écoute active décrite dans le chapitre 7 poursuit le même objectif. La reformulation est particulièrement efficace lorsqu'on désire aider les autres à résoudre certains problèmes; et puisque les gens vous critiquent généralement du fait que votre comportement leur crée certaines difficultés, cette méthode est particulièrement recommandable.

Un des avantages de la reformulation est que vous n'avez pas à deviner les détails de votre comportement qui auraient pu être offensants. En clarifiant ou en amplifiant ce que vous pensez être les critiques en question, vous en saurez davantage sur les objections de votre interlocuteur. Un dialogue rapide entre une cliente mécontente et le directeur d'un magasin particulièrement doué, qui fait usage de la reformulation, pourrait ressembler à ceci:

La cliente: La façon dont vous gérez ce magasin est réellement révoltante! Je tiens à vous faire savoir que je ne remettrai plus jamais les pieds ici.

Le directeur: (reprenant les sentiments exprimés par la cliente) Vous semblez particulièrement fâchée. Pouvez-vous me faire part de votre problème?

La cliente: Il ne s'agit pas de *mon* problème mais de celui de vos vendeurs. Il semble que cela les ennuie d'aider les clients à trouver ce qu'ils cherchent ici.

Le directeur: Ainsi, on ne vous a pas suffisamment aidée à trouver les articles que vous cherchiez, c'est bien ça?

La cliente: Aidée? J'ai passé 20 minutes à essayer de les trouver moi-même avant même de parler à un vendeur. Tout ce que je puis dire, c'est que c'est une drôle de façon de tenir un magasin!

Le directeur: Ce que vous voulez dire, c'est que les vendeurs ne semblent pas prêter attention aux clients?

La cliente: Non, pas du tout. Ils étaient tous occupés avec d'autres personnes. Ce que je pense, c'est que vous auriez besoin de plus de personnel pour aider tous les clients qui affluent à cette heure.

Le directeur: Je comprends maintenant. Ce qui vous a contrariée le plus, c'est qu'il n'y avait pas suffisamment de vendeurs pour venir vous répondre rapidement.

La cliente: C'est bien cela. Je n'ai pas à me plaindre du service que je reçois une fois que l'on m'a répondu. J'ai toujours également trouvé que vous aviez un bon choix ici. C'est seulement que je suis trop occupée pour pouvoir me permettre d'attendre aussi longtemps pour être servie.

Le directeur: Je suis très heureux que vous ayez attiré mon attention sur ce point. Nous ne tenons certainement pas à ce que nos clients fidèles partent fâchés. Je veillerai à ce que cela ne se reproduise plus à l'avenir.

Cette conversation illustre deux avantages de la reformulation. D'abord, la personne qui émet la critique réduit souvent l'intensité de son attaque une fois qu'elle se rend compte que son grief a été entendu. La critique s'intensifie, en revanche, du fait de la frustration ressentie pour des besoins non assouvis — ce qui dans ce cas-ci était dû en partie à un manque d'attention. Dès que le directeur a sincèrement manifesté un certain intérêt pour la critique de sa cliente, cette dernière a commencé à se sentir soulagée et a pu quitter le magasin relativement calme. Ce genre

d'écoute attentive ne calmera pas toujours les critiques, mais même si elle n'y parvient pas, cette méthode présente également un autre avantage. Dans la conversation précédente, par exemple, le directeur a pu obtenir des informations précieuses en prenant le temps de comprendre sa cliente. Il a pris conscience que le nombre d'employés était insuffisant pour répondre à tous les clients qui se pressaient à cette heure-là et que ces retards en contrariaient plus d'un. Cela pouvait amener une baisse des ventes. L'avoir appris est certainement très important. Si le directeur avait réagi de façon négative avec la cliente, il n'aurait jamais pu obtenir toutes ces informations. Comme vous l'avez vu plus tôt, même la critique la plus bizarre en apparence contient souvent une part de vérité, et une personne qui est réellement désireuse d'améliorer les choses aurait tout intérêt à l'écouter.

4. *Demander à la personne ce qu'elle désire vraiment* Parfois, les requêtes de votre interlocuteur sont vraiment évidentes:

«Baisse cette musique!»

«J'aimerais bien que tu n'oublies pas de me communiquer les messages téléphoniques.»

«Pourrais-tu laver ta vaisselle *maintenant*!»

Dans d'autres cas, cependant, vous aurez besoin de faire une certaine recherche pour comprendre ce que la personne attend de vous:

Alexandre: Je ne peux pas croire que tu aies invité toutes ces personnes sans me l'avoir demandé auparavant!

Danielle: Tu veux dire que je dois annuler la soirée?

Alexandre: Non, j'aurais simplement aimé que tu m'en parles avant de prendre toutes ces dispositions.

Cynthia: Tu es tellement critique! Il semble qu'il n'y ait pas grand-chose que tu aimes dans cet article.

> Chérissez vos ennemis, car ils vous feront connaître vos erreurs.
>
> Benjamin Franklin

Carole: Tu m'as bien demandé mon avis? Qu'attends-tu donc de moi lorsque tu me poses cette question?

Cynthia: J'aimerais savoir ce qui ne va pas, mais je ne tiens pas *seulement* à entendre les critiques négatives. Si tu penses qu'il y a aussi du bon, j'aimerais que tu me le dises également.

Ce dernier exemple montre bien qu'il est important d'accompagner vos questions des messages non verbaux appropriés. Il est facile d'imaginer deux façons dont Carole aurait pu répondre: «Qu'attends-tu donc de moi lorsque tu me poses cette question?» L'une d'elles indiquerait un désir véritable de clarifier ce que Cynthia voulait réellement obtenir, tandis que l'autre aurait été véritablement défensive et hostile. Comme pour toutes les autres approches de ce chapitre, vos réactions à la critique doivent être sincères si vous voulez qu'elles donnent un résultat.

5. *Poser des questions sur les effets de votre comportement* En règle générale, les gens trouvent à redire à votre comportement seulement lorsqu'un de leurs besoins n'est pas assouvi. Une façon de répondre à ce genre de critique est de savoir exactement quelles conséquences gênantes votre comportement présente pour eux. Vous vous rendrez souvent compte que des gestes qui vous semblent tout à fait naturels peuvent causer certains problèmes à la personne qui s'en plaint; une fois que vous avez saisi cela, les remarques qui pouvaient paraître stupides auparavant revêtent une nouvelle signification:

Voisin A: Vous me dites que je devrais faire castrer mon chat. Pourquoi est-ce si important pour vous?

Voisin B: Parce que la nuit il se querelle avec le mien, et j'en ai assez de payer les notes de vétérinaire.

Ouvrier A: Pourquoi t'en fais-tu autant si je suis en retard au travail?

Ouvrier B: Parce que quand le patron demande où tu es, je me sens obligé de trouver des excuses pour que tu n'aies pas d'histoires, et je n'aime pas du tout mentir.

L'époux: Pourquoi cela t'ennuie-t-il que je perde de l'argent au poker. Tu sais très bien que je ne parie jamais plus que ce que je peux me permettre.

L'épouse: Ce n'est pas l'argent en soi. C'est que lorsque tu perds, tu es de mauvaise humeur pendant deux jours, et c'est cela que je ne trouve pas très drôle.

6. *Demander s'il y a d'autres choses qui ne vont pas* Il peut paraître fou de solliciter davantage de critiques, mais le fait de demander s'il y en a d'autres peut aider à mettre à nu un problème réel:

Paul: Tu es en colère contre moi, n'est-ce pas?

Tania: Non. Pourquoi demandes-tu cela?

Paul: Parce que tout le temps du pique-nique, tu ne m'as pratiquement pas adressé la parole. En fait, chaque fois que j'allais de ton côté, tu partais ailleurs.

Tania: Y a-t-il autre chose qui n'aille pas?

Paul: Eh bien, depuis quelque temps, je me demande si tu n'en as pas assez de moi.

Cet exemple montre bien que de demander s'il y a d'autres choses qui contrarient votre interlocuteur n'est pas du pur masochisme. Si vous êtes en mesure de contrôler votre tendance à être sur la défensive, le fait de vouloir en savoir davantage peut conduire la conversation aux sources du mécontentement véritable de la personne qui vous adresse la critique.

Parfois, une demande d'information supplémentaire ne suffit pas. Que faites-vous, par exemple, lorsque vous comprenez très bien les objections de votre interlocuteur mais que vous avez toujours une réaction défensive sur le bout de la langue? Vous savez fort bien que si vous essayez de vous protéger, cela va se terminer par une dispute; d'un autre côté, vous ne pouvez tout simplement pas accepter ce que l'autre personne est en train de dire sur vous. La solution à ce dilemme est fort simple; nous vous la présentons maintenant.

Tomber d'accord avec la personne qui vous critique. Comment, protesterez-vous, pouvoir tomber *honnêtement* d'accord sur des remarques que vous pensez infondées? Les pages suivantes répondront à cette question en montrant qu'il n'existe pratiquement pas de situation dans laquelle vous ne puissiez pas accepter honnêtement le point de vue de l'autre personne tout en conservant votre position. Pour le savoir, il vous faut comprendre qu'il existe deux types d'accord dont l'un peut être utilisé dans pratiquement n'importe quelle situation.

1. *Être d'accord avec ce qui est vrai* C'est le type d'accord le plus facile à comprendre, mais qui n'est pas toujours facile à mettre en pratique. Vous êtes d'accord avec ce qui est vrai lorsque la critique de l'autre personne est exacte pour ce qui est des faits:

   «Tu as raison, je suis en colère.»

   «J'imagine que j'*étais* sur la défensive.»

   «Maintenant que tu le dis, c'est vrai que je me suis montré assez sarcastique.»

   Tomber d'accord sur des faits semble assez sensé lorsque vous prenez conscience que certains d'entre eux sont incontestables. Si vous avez convenu de vous trouver à un endroit précis à 16 h et que vous n'y arrivez qu'à 17 h, vous êtes en retard, quelle que soit l'explication que vous en donniez. Si vous avez cassé un objet que l'on

vous a prêté, que vous manquez d'essence ou que vous ne finissez pas un travail que vous aviez commencé, vous ne pouvez pas nier les faits. De la même façon, si vous êtes honnête, il vous faudra tomber d'accord sur plusieurs interprétations possibles de votre comportement, même si elles ne sont pas toujours flatteuses pour vous. C'est vrai que vous vous mettez en colère, que vous agissez de façon déraisonnable, que vous n'écoutez pas, ou que vous vous comportez de façon irréfléchie. Une fois que vous vous êtes débarrassé du mythe de la perfection, il est beaucoup plus facile de reconnaître ces vérités.

Mais s'il est évident que les remarques que font les autres sur votre conduite sont souvent pertinentes, pourquoi est-ce si difficile de les accepter sans se montrer si défensif? La réponse à cette question se trouve dans la confusion qui existe entre, d'une part, l'idée d'être d'accord sur certains *faits* et, d'autre part, l'idée d'accepter le *jugement* qui les accompagne souvent. La plupart de vos interlocuteurs ne se contentent pas

de critiquer simplement le geste qui les a offensés; ils posent également un jugement, et c'est à ce jugement que vous vous opposez:

«C'est vraiment bête de se mettre en colère.»

«Il n'y a aucune raison pour que vous soyez sur la défensive.»

«Vous avez tort de vous montrer si sarcastique.»

Ce sont des jugements comme ceux-ci auxquels nous nous opposons. En réalisant que vous pouvez tirer une leçon de la partie descriptive de bien des critiques, mais que vous n'êtes pas encore en mesure d'accepter les réflexions qui les accompagnent, vous aurez souvent une réaction qui sera à la fois honnête et moins défensive.

Bien sûr, pour réduire cette défensive, votre accord sur les faits doit être honnête: vous les avez admis sans arrière-pensées. Il est humiliant d'accepter une réflexion injuste, et prétendre hypocritement être d'accord avec elle conduit tout droit au malentendu. Vous pouvez imaginer combien la conversation citée plus haut aurait été peu productive si le directeur avait prononcé les mêmes paroles sur un ton sarcastique. Ne soyez donc d'accord sur les faits que lorsque vous pouvez l'être sincèrement. Bien que cela ne soit pas toujours possible, vous serez surpris de voir le nombre de fois où vous pouvez faire usage de ce type de réponse, si simple.

2. *Tomber d'accord avec la perception de la personne qui vous critique* Et qu'en est-il des situations où il semble qu'il n'existe vraiment aucun élément sur lequel tomber d'accord? Vous avez écouté votre interlocuteur avec attention et lui avez posé des questions pour être certain de comprendre ses objections, mais plus vous l'écoutez, plus vous êtes persuadé que cette personne est la seule à penser ainsi. Même dans des cas semblables, il existe une façon de se mettre d'accord — cette fois-ci non pas avec les conclusions de la personne qui vous a critiqué, mais avec la façon dont elle entrevoit les choses:

A: Je ne peux pas croire que vous êtes réellement allé à tous ces endroits! Vous dites probablement cela pour nous impressionner.
B: Eh bien, je vois bien ce qui vous pousse à penser cela. Je connais certaines personnes qui

ne disent pas la vérité dans le seul but de recevoir l'approbation des autres.

C: Je veux vous faire savoir tout de suite que je n'étais pas d'accord que vous soyez engagée pour ce travail. Je suis persuadé que vous l'avez obtenu parce que vous êtes une femme.
D: Je peux comprendre que vous en soyez arrivé à cette conclusion à cause des mesures d'accès à l'égalité dont parlent les lois. J'espère cependant qu'une fois que j'aurai passé un certain temps ici, vous changerez d'opinion.

E: Je ne pense pas que vous vous montriez tout à fait honnête quant aux raisons qui vous poussent à rester à la maison. Vous invoquez un mal de tête, mais je suis persuadé que vous voulez éviter de rencontrer Mireille et Raymond.
F: Je comprends ce qui vous fait penser cela; Mireille et moi avons effectivement eu une dispute la dernière fois que nous nous sommes rencontrées. Tout ce que je peux dire, c'est que j'ai réellement mal à la tête.

Des réponses comme celles-ci font savoir à votre interlocuteur que vous admettez la légitimité de sa perception, même si vous choisissez de ne pas l'accepter vous-même ou de ne pas modifier votre conduite. Cette façon d'agir est correcte, car elle vous permet d'éviter de décider qui a raison et qui a tort, ce qui pourrait transformer en dispute un simple échange d'idées.

Faire face à la critique

Vous pouvez vous entraîner à réagir de façon non défensive aux critiques en suivant ces étapes à tour de rôle avec un partenaire:

1. Choisissez une critique sur la liste qui suit et donnez des instructions à votre partenaire sur la façon dont elle pourrait vous être adressée:

   a. Tu es parfois égoïste. Tu ne penses qu'à toi.

   b. Ne sois pas si susceptible.

   c. Tu dis me comprendre, mais ce n'est pas ce que tu fais réellement.

   d. J'aimerais que tu me donnes un coup de main.

   e. Tu es tellement critique!

Dialogue
RÉAGIR À DES CRITIQUES DE MANIÈRE NON DÉFENSIVE

Se défendre — même lorsqu'on a raison — n'est pas toujours la meilleure solution. Le dialogue qui suit montre qu'il est important de savoir se contrôler et de réfléchir avant de répondre lorsque l'on fait l'objet de critiques. L'employé se rend compte que contester ne modifiera en rien l'idée de son patron et décide de lui répondre de la façon la plus honnête qui soit sans se trouver sur la défensive.

Le patron: Comment les choses se sont-elles passées pendant mon absence?

L'employé: Assez bien, excepté une chose. M. Macintosh — il a dit que vous le connaissiez — est passé ici et désirait acheter pour 200 dollars de marchandises. Il voulait que je lui accorde le prix de gros; je lui ai donc demandé son numéro de compte comme vous me l'aviez dit. Comme il m'a répondu qu'il ne l'avait pas, je lui ai fait savoir qu'il devrait payer le prix de détail. Il s'est alors mis en colère.

Le patron: C'est un bon client. J'espère que vous lui avez accordé la remise.

L'employé: *(Commençant à être sur la défensive.)* Non, je ne l'ai pas fait. Vous m'aviez dit la semaine dernière que la règle était que nous devions facturer le plein prix ainsi que la taxe de vente, à moins que le client ne présente un numéro de compte.

Le patron: Oh, mon Dieu! Macintosh ne vous a-t-il donc pas dit qu'il avait bien un numéro?

L'employé: *(Devenant plus défensif.)* Il me l'a dit, mais il ne l'avait pas sur lui. Je ne voulais pas que vous vous fâchiez contre moi si je ne respectais pas les consignes.

Le patron: *(Cachant à peine son exaspération.)* Eh bien, les clients ne se souviennent pas toujours de leur numéro de compte. Macintosh vient ici depuis des années et nous rajoutons son numéro sur les registres un peu plus tard.

L'employé: *(Décidant de réagir de façon non défensive plutôt que de s'engager dans une dispute qu'il sait ne pas pouvoir gagner.)* Je peux comprendre maintenant pourquoi j'ai dû causer certaines difficultés à M. Macintosh. Vous ne lui demandez jamais son numéro et j'ai insisté, moi, pour l'avoir. *(Est d'accord avec la perception de son patron.)*

Le patron: Oui! Il y a pas mal de concurrence dans ce genre d'affaires et nous devons satisfaire nos clients — particulièrement les bons — ou nous allons les perdre. Macintosh traverse toute la ville pour venir ici. Il y a d'autres magasins près de chez lui. Si nous le brusquons, il ne viendra plus ici et nous perdrons un bon client.

L'employé: C'est tout à fait juste. *(Il est d'accord sur le fait qu'il est important de devoir contenter les clients.)* Et je désire savoir comment traiter les clients comme il faut. Mais je suis perplexe sur la façon de répondre à ceux qui demandent un rabais sans avoir leur numéro de compte. Que devrais-je faire? *(Demande à son patron ce qu'il attend exactement.)*

2. Tandis que votre partenaire émet les critiques sur vous, choisissez une réponse adéquate en vous référant aux pages précédentes. Efforcez-vous d'adopter une attitude qui reflète votre désir de comprendre les critiques et de trouver certains points sur lesquels vous pouvez sincèrement tomber d'accord.

3. Demandez à votre partenaire de porter un jugement sur vos réactions. Sont-elles conformes à celles des pages précédentes? Sont-elles sincères?

4. Reprenez la même scène, en essayant d'améliorer votre réponse.

Le patron: Eh bien, vous devez vous montrer un peu plus souple avec les bons clients.

L'employé: Comment cela? *(Demande des détails précis.)*

Le patron: Eh bien, il est tout à fait normal de faire confiance aux clients réguliers.

L'employé: Ainsi, je n'ai pas besoin de demander le numéro des clients réguliers. Je le vérifierai plus tard? *(Il utilise la reformulation pour clarifier la directive ambiguë de son patron de «faire confiance» aux clients réguliers.)*

Le patron: C'est cela. Il faut savoir se servir de sa tête dans les affaires.

L'employé: *(Ne tient pas compte de l'accusation indirecte sur le fait de «se servir de sa tête», reconnaissant qu'il n'a aucun intérêt à vouloir se défendre.)* D'accord. Lorsque des clients réguliers viendront, je ne leur demanderai pas leur numéro... c'est ça? *(Il utilise de nouveau la reformulation pour être certain que le message est exact. L'employé ne désire pas être de nouveau critiqué à ce sujet.)*

Le patron: Non, continuez à demander leur numéro. S'ils l'ont, cela nous évitera d'avoir à fouiller dans les registres plus tard. Mais s'ils ne l'ont pas, dites simplement que ça va et accordez-leur le rabais.

L'employé: J'ai compris. J'ai seulement une question: comment puis-je savoir si ce sont des clients réguliers? Est-ce que je dois les croire sur parole? *(Demande des précisions.)*

Le patron: Eh bien, vous finirez sûrement par connaître la majorité d'entre eux une fois que vous aurez été ici pendant quelque temps. Mais c'est correct de leur faire confiance jusque-là. S'ils affirment que ce sont des clients réguliers, croyez-les sur parole. Il faut bien faire *parfois* confiance aux gens, vous savez!

L'employé: *(Ne tient pas compte du fait que son patron lui a dit plus tôt de ne pas faire confiance aux gens et d'insister pour obtenir leur numéro. Il décide cependant d'être d'accord avec lui.)* Je comprends qu'il est important de faire confiance aux bons clients.

Le patron: C'est cela.

L'employé: Merci d'avoir clarifié cette question de numéros. Y a-t-il autre chose que je devrais savoir afin que tout se passe pour le mieux lorsque vous vous absentez du magasin? *(Demande si d'autres choses ne vont pas.)*

Le patron: Je ne pense pas. *(D'un air condescendant.)* Ne vous en faites pas: vous allez y arriver. Il m'a fallu 20 ans pour monter cette affaire. Accrochez-vous et un jour vous pourriez peut-être vous retrouver vous-même à la tête d'un magasin comme celui-ci.

L'employé: *(S'efforçant d'être d'accord avec son patron sans se montrer sarcastique.)* J'imagine que je pourrais.

Le refus de l'employé de réagir de façon défensive a transformé ce qui aurait pu être une réprimande en une discussion sur la façon de relever un défi dans l'avenir. L'employé pouvait ne pas aimer l'attitude condescendante de son patron, ni ses directives contradictoires, mais son habileté à communiquer a permis au climat relationnel de rester positif — ce qui est probablement la meilleure solution dans ce genre de situation.

RÉSUMÉ

Toute relation personnelle présente un climat de communication particulier. Les climats positifs se caractérisent par des messages de considération qui indiquent que les partenaires s'estiment l'un l'autre. La communication peut se faire, par contre, dans un climat négatif. D'une façon ou d'une autre, les messages transmis dans des relations négatives affichent une certaine indifférence ou de l'hostilité. Le climat de communication s'établit très vite dans une relation, à la fois par les messages verbaux et par les messages non verbaux. Une fois le climat établi, les échanges créent soit des spirales positives, soit des spirales négatives, dans lesquelles la fréquence et l'intensité des messages positifs ou négatifs auront tendance à se développer.

Les spirales défensives comptent parmi les types de communications les plus destructifs qui soient.

La plus forte défensive se manifeste lorsque les gens essaient de protéger certaines parties vitales d'une image extérieure qu'ils croient menacée. Les communicateurs sur la défensive réagissent en attaquant la personne qui les critique, en déformant l'information reçue ou en ne tenant pas compte des messages négatifs qui leur ont été envoyés. En adoptant des comportements positifs comme ceux qui ont été définis par Jack Gibb lorsqu'on reçoit des messages potentiellement menaçants, on peut arriver à réduire les risques de provoquer des réactions négatives chez les autres.

Lorsqu'on fait face aux critiques des autres, il est possible de réagir de façon non défensive en s'efforçant de comprendre la critique et de tomber d'accord soit sur les faits, soit sur la perception qu'a l'autre personne de la situation.

Mots clés

Agressivité verbale
Catégories de Gibb
Climat de communication
Communication descriptive
Communication empreinte de jugement
Communication négative
Communication positive
Compensation
Défensive
Déplacement
Dissonance cognitive
Dogmatique

Égalité
Empathie
Mécanismes de défense
Message axé sur la problématique
Message dominateur
Négation
Neutralité
Rationalisation
Régression
Relatif

Réponses abruptes
Réponses ambiguës
Réponses-échappatoires
Réponses fermées
Réponses hors de propos
Réponses impersonnelles
Réponses incongrues
Répression
Spontanéité
Stratégie
Supériorité

Bibliographie spécialisée

CLOUTIER, Richard, GROLEAU, Guylaine. «Responsabilisation et communication: les clés de l'adolescence», *Santé mentale au Québec,* vol. 13, n° 2, 1988, p. 59 à 68.

Un article de recherche très intéressant qui montre toute l'importance du synchronisme entre la recherche de l'autonomie chez les adolescents et la délégation décisionnelle chez les parents. Cet article représente bien le rôle joué par une communication de qualité sur la santé mentale.

MUCHIELLI, Alex. *Les réactions de défense dans les relations interpersonnelles,* Paris, Éditions E.S.F., 1978, 150 p.

L'auteur traite des mécanismes de défense sociale. Il propose des exercices rendant compte de l'influence de ces mécanismes dans nos vies.

MUCHIELLI, Alex. *Les mécanismes de défense*, Collection «Que sais-je?» (n° 1899), Paris, PUF, 1981, 128 p.

Muchielli traite des mécanismes de défense sociale dans la perspective plus générale des mécanismes de défense inconscients. Définitions et compte rendu psychodynamique de ces phénomènes psychologiques.

PETERSON, Margaret H. *Compréhension des mécanismes de défense,* Montréal, Ordre des infirmiers et des infirmières du Québec, 1973, 36 p.

Un excellent document permettant l'intégration de ces connaissances par l'enseignement programmé. Il s'agit des mécanismes de défense inconscients, mais les exemples et les explications fournis peuvent donner un éclairage nouveau sur l'utilisation de tels mécanismes dans nos rapports interpersonnels.

ZARIFIAN, Édouard. «La friture dans la communication», *Psychologies*, n°59, Loft international, novembre 1988, p. 83 à 86.

Cet article propose une analyse des différents facteurs qui contribuent à rendre difficile une relation interpersonnelle. Simple et accessible, il saura attiser la curiosité de chacun.

La résolution des conflits interpersonnels

Dans la troisième partie de ce travail, nous vous avons décrit les principaux obstacles qui nous empêchent de nous comprendre les uns les autres, et vous avez vu certaines méthodes pour les surmonter. Si vous avez appris à vous servir des techniques présentées dans ce livre, vous devriez maintenant penser qu'entretenir de bonnes relations avec les autres est ce que vous avez toujours désiré le plus, surtout lorsqu'aucun problème ne se pose, pas vrai?

Hélas!...

Il serait naïf de s'attendre à une vie exempte de conflits. Des problèmes vont obligatoirement se poser à partir du moment où deux personnes vont avoir affaire l'une avec l'autre. Certains seront suffisamment sérieux pour menacer la relation elle-même, à moins de savoir comment y faire face de la bonne manière.

Il n'existe malheureusement pas de solutions magiques pour résoudre tous les conflits que l'on rencontre. Il y a, par contre, certaines méthodes qui vous aident à y faire face de manière constructive. En les suivant, vos relations interpersonnelles deviendront encore plus fortes et plus satisfaisantes qu'auparavant.

La nature du conflit

Avant d'aborder la résolution des problèmes interpersonnels proprement dite, nous devons jeter d'abord un coup d'œil rapide sur ce que sont les conflits. Comment peut-on les définir? Pourquoi ne peut-on pas y échapper? En quoi peuvent-ils être bénéfiques?

Définition du conflit Avant d'aller plus loin, faites la liste de vos conflits interpersonnels. Ils impliquent probablement beaucoup de personnes différentes, portent sur des sujets et revêtent des formes également fort variées. Certains tournent en disputes bruyantes et enflammées. D'autres peuvent prendre la forme de discussions calmes et rationnelles. D'autres encore peuvent rester contenus, avec des crises passagères, mais pénibles.

Quelle que soit leur forme, tous les conflits interpersonnels ont cependant certains points en commun. Joyce Hocker et William Wilmot nous en donnent une définition sérieuse. Pour eux, un **conflit** est *un différend exprimé entre au moins deux parties interdépendantes qui reconnaissent avoir des motivations incompatibles, des gratifications limitées, et qui ont conscience de l'interférence de l'autre partenaire dans la poursuite de leurs objectifs*[1]. Une analyse plus approfondie des éléments de cette définition vous aidera à comprendre ce qu'est réellement un conflit.

UN DIFFÉREND EXPRIMÉ Il y a conflit seulement dans la mesure où les deux parties sont conscientes d'un certain désaccord. Vous pouvez, par exemple, être ennuyé depuis des mois par le bruit de la radio de votre voisin qui vous empêche de dormir la nuit, mais il n'y a pas de conflit entre vous et lui avant que ce dernier ne soit mis au courant du problème. Il n'est pas toujours nécessaire de faire connaître verbalement la nature d'un conflit. Vous pouvez manifester votre mécontentement à une personne sans prononcer une seule parole. Un regard réprobateur, le recours au silence ou le fait d'éviter cette personne sont autant de moyens de le lui faire savoir. D'une manière ou d'une autre, les deux parties doivent avoir connaissance du problème avant de se trouver en conflit.

DES MOTIVATIONS INCOMPATIBLES Dans tout conflit, il semble qu'il doive y avoir un gagnant et un perdant. Par exemple, pensez à votre voisin dont la radio vous empêche de dormir la nuit. Quelqu'un doit-il absolument perdre dans l'affaire? Si votre voisin baisse le volume de sa radio, il ne pourra plus avoir le plaisir d'écouter la musique à la puissance maximum; mais si, par contre, il ne baisse pas le volume, c'est vous qui resterez éveillé et qui serez malheureux.

Les objectifs, dans une situation semblable, ne sont cependant pas tout à fait irréconciliables — certaines solutions pouvant satisfaire les deux parties. Par exemple, vous pouvez retrouver la paix et la tranquillité en fermant votre fenêtre ou en obtenant que votre voisin ferme la sienne. Vous pouvez vous mettre des boules Quies dans les oreilles, ou votre voisin peut se procurer des écouteurs qui lui permettront d'écouter sa musique à la puissance maximum sans déranger qui que ce soit. Si l'une de ces solutions marche, le conflit n'a plus sa raison d'être.

Malheureusement, les gens ne réussissent pas souvent à trouver des solutions satisfaisantes à leurs problèmes. Il y aura conflit tant et aussi longtemps qu'ils *percevront* leurs motivations comme incompatibles.

DES GRATIFICATIONS LIMITÉES Il y a également conflit lorsque les gens pensent qu'ils ne disposent pas d'une ressource particulière en quantité suffisante. L'exemple le plus frappant est l'argent — à la source de nombreux conflits. Si un travailleur demande une augmentation de salaire et que son patron préfère garder cet argent pour l'investir

dans son entreprise, les deux parties sont en conflit.

Le temps est une autre denrée rare. Comme auteurs et pères de familles, nous avons tous deux à faire constamment face à des conflits sur la façon d'employer le peu de temps qui nous est alloué à la maison. Devrions-nous travailler sur ce livre, sortir avec nos épouses, jouer avec nos enfants ou nous offrir le luxe de rester seuls? Les journées ne comptant que 24 heures, nous sommes nécessairement amenés à des conflits avec nos familles, nos éditeurs, nos étudiants ou nos amis — tous réclamant plus de temps que nous ne pouvons décemment leur en accorder.

UNE INTERDÉPENDANCE Si elles peuvent se sentir antagonistes, les parties en conflit n'en restent pas moins dépendantes l'une de l'autre. Le bien-être et la satisfaction de l'une repose sur les actes posés par l'autre. S'il n'en était pas ainsi, alors même face à des motivations incompatibles et à des ressources insuffisantes, il n'y aurait aucune raison d'être en conflit. L'interdépendance existe entre des nations, des groupes sociaux, des organismes, des amis ou des amoureux. Dans chaque cas, si les deux parties n'avaient pas besoin l'une de l'autre pour résoudre leurs problèmes, elles s'en iraient chacune de son côté. En fait, bien des conflits ne trouvent pas de solution du fait que les parties ne parviennent pas à comprendre qu'elles sont interdépendantes. Une des premières étapes conduisant à la résolution des conflits consiste à reconnaître que «nous sommes tous dans le même bain».

Les conflits sont tout à fait naturels *Toute* relation interpersonnelle, quelle que soit sa profondeur, connaît des conflits. Peu importe votre degré d'intimité, de compréhension ou de compatibilité, il y aura toujours des moments où vos idées, vos actes, vos besoins ou vos objectifs ne correspondront pas à ceux des personnes qui vous entourent. Vous aimez la musique rock, mais votre compagnon préfère Beethoven; vous désirez sortir avec d'autres personnes, mais votre partenaire préfère une relation exclusive; vous pensez que le travail que vous venez d'écrire est bon, mais votre professeur vous demande de le modifier; vous aimez faire la grasse matinée le dimanche, mais vos colocataires aiment mettre la radio à plein volume! Les sujets de désaccords possibles sont innombrables et fort variés.

Tout comme les conflits sont un fait de la vie, les émotions qui les accompagnent — les blessures, la colère, la frustration, le ressentiment, la déception — le sont également. Ces sentiments étant quelque peu déplaisants, on est souvent tenté de vouloir les éviter ou de prétendre qu'ils n'existent pas. Mais de la même façon que les conflits sont inévitables, les émotions qui les accompagnent surviennent également.

Au départ, cela peut sembler plutôt déprimant. Si les problèmes sont inévitables même dans les relations les meilleures, est-ce à dire que l'on est condamné à revivre les mêmes disputes, à éprouver les mêmes blessures, encore et encore? La réponse est heureusement «non». Un non catégorique! Même si les conflits font partie de toute relation significative, il est possible de modifier notre façon d'y faire face.

Les conflits peuvent être bénéfiques Ayant constaté que des désaccords sérieux peuvent compromettre nos relations personnelles, nous sommes portés à redouter les conflits. Ce genre de dommage peut cependant être évité. Si nous savons faire face aux conflits de manière efficace, nous serons même en mesure de conserver des relations solides. Des études ont montré que les gens qui font appel aux techniques constructives décrites dans ce chapitre tirent davantage de satisfaction de leurs relations[2] et des solutions qu'ils ont trouvées à leurs conflits[3].

Une étude menée pendant neuf ans a confirmé la valeur des résolutions de conflits constructives en montrant comment les couples heureux en ménage faisaient face à leurs problèmes de manière fort différente de ceux qui l'étaient moins[4]. Les couples malheureux se disputaient d'une façon que

nous avons déjà appelée «destructive» dans ce livre. Ils étaient davantage occupés à défendre leur propre personne plutôt qu'à prêter attention au problème lui-même; les partenaires ne parvenaient pas à s'écouter de façon attentive, affichaient peu d'empathie ou aucune, avaient recours à un langage «à la deuxième personne» et ne tenaient pas compte des messages non verbaux que l'autre leur envoyait.

Dans leurs conflits, les couples heureux, par contre, savaient communiquer de façon beaucoup plus efficace. Tout en se disputant souvent violemment, les partenaires faisaient usage des techniques de vérification de perception pour essayer de comprendre la version de l'autre, et lui laissaient savoir ensuite qu'ils l'avaient bien saisie. Ils étaient prêts à admettre qu'ils étaient sur la défensive à l'occasion, et pouvaient de ce fait reprendre le dialogue pour chercher une solution au problème dont il était question. Comme vous pouvez le voir, les couples heureux en ménage faisaient usage d'un bon nombre des techniques que vous avez appris à connaître dans les chapitres précédents de ce livre.

Il est encourageant de savoir que l'on peut très bien apprendre ces techniques. Aux États-Unis, le National Institute of Health* a mis sur pied un programme d'une durée de trois ans qui a enseigné à 150 couples les techniques de communication, dont celles de savoir faire face aux conflits de manière constructive. Par des études complémentaires, on s'aperçut que les couples qui avaient suivi ces cours étaient susceptibles de poursuivre une heureuse relation, tandis que des groupes témoins qui n'avaient pas suivi cette formation connaissaient davantage de difficultés.

Nous allons ainsi passer en revue les techniques de communication qui peuvent rendre les conflits constructifs, et nous vous présenterons également d'autres méthodes qui vous aideront à faire face aux difficultés inévitables que vous rencontrerez. Auparavant, nous allons toutefois voir comment les gens se comportent lorsqu'ils font face à un conflit.

Le style personnel dans les conflits

Lorsque certains de leurs besoins ne sont pas assouvis, les personnes peuvent réagir de quatre façons différentes (voir le tableau 10-1). Chaque

> Existe-t-il vraiment des gens gentils et aimables dans ce monde? Oui, absolument, et ils se mettent aussi souvent en colère que vous et moi. Il est nécessaire pour eux de le faire, car autrement ils seraient pleins de sentiments vindicatifs et de sensiblerie, ce qui nuirait à leur gentillesse naturelle.
>
> Theodore Isaac Rubin

* L'équivalent de notre ministère de la Santé et des Services sociaux du Québec. (*Note de l'adaptateur.*)

Tableau 10-1 Styles personnels dans les conflits

	Passif	Agressif de façon directe	Manipulateur	Assuré
Manière d'aborder les autres	Ça ne va pas pour moi. Pour vous, si.	Ça va bien pour moi, mais pas pour vous.	Ça va bien pour moi, mais pas pour vous; mais je vous laisse penser que ça va bien pour vous.	Ça va bien pour moi, et pour vous également.
Prise de décision	Laisse décider les autres.	Décide pour les autres et ils le savent.	Décide pour les autres et ils ne le savent pas.	Choisit pour lui-même.
Indépendance	Faible.	Élevée ou faible.	Paraît élevée mais est généralement faible.	Généralement élevée.
Comportement en situation difficile	Fuite, sentiment d'être vaincu au départ.	Attaque franche.	Attaque cachée.	Affrontement direct.
Réaction des autres	Manque de respect, culpabilité, colère, déception.	Blessure, défensive, humiliation.	Confusion, déception, impression d'avoir été manipulés.	Respect mutuel.
Genre de succès	Réussit par chance ou par charité des autres.	Étouffe les autres.	Gagne grâce à ses manœuvres.	Tente des solutions «à victoire partagée».

Adaptation avec l'autorisation de S. Phelps et N. Austin, *The Assertive Woman*, San Luis Obispo, Calif: Impact, 1974, p. 11; et Gerald Piaget, *Training in Assertive Communication: A Practical Manual*, 3e édition, Portola Valley, Calif: IAHB, 1980.

comportement présente des caractéristiques particulières, comme nous pouvons le constater à la lumière d'un problème courant. À un moment ou à un autre, tout le monde a pu être dérangé par les aboiements d'un chien. Vous connaissez la suite de l'histoire: toute voiture qui passe, sirène lointaine, piéton ou feuille qui tombe provoquent des aboiements qui vous empêchent de dormir, de pouvoir bavarder tranquillement avec vos amis ou même d'étudier. Un exposé des manières de faire face à ce genre de situation vous montrera de façon évidente les différences qui existent entre un comportement passif, un comportement directement ou indirectement agressif et un comportement affirmatif.

Le comportement passif Le **comportement passif** se caractérise par l'incapacité d'exprimer ses pensées ou ses émotions lorsque cela est nécessaire; il est causé par un manque de confiance ou d'habileté, ou par les deux à la fois. Les personnes qui le manifestent font face aux conflits de deux manières. Parfois, elles ignorent totalement leurs besoins. Face au chien qui dérange, une personne

qui manque d'assurance essayerait par exemple d'oublier les aboiements en fermant sa fenêtre et en se concentrant davantage sur autre chose. Une autre façon de nier le problème serait d'affirmer qu'il est vraiment bénin et que ce ne sont pas de simples aboiements qui peuvent déranger. S'il est possible de faire disparaître certains problèmes en se contentant de ne pas y prêter attention, une telle façon d'aborder les choses est à conseiller jusqu'à un certain point. Dans beaucoup de cas, cependant, il n'est tout simplement pas très avisé de déclarer que tout va pour le mieux si ce n'est pas le cas.

Si, par exemple, votre santé est compromise par la fumée de la cigarette de votre voisin, vous vous nuisez clairement à vous-même en demeurant silencieux. Si vous avez besoin de plus d'information de la part de votre superviseur avant d'entreprendre un nouveau projet, vous compromettez la qualité de votre travail en prétendant avoir tout compris. Si vous acceptez une réparation insatisfaisante, vous avez versé de l'argent pour rien. Dans ces cas comme dans d'autres, prétendre simplement qu'il n'existe aucun problème, alors que vos besoins ne sont pas comblés, n'est pas la meilleure réponse qui soit.

Il existe une autre façon de rester passif: admettre que vos besoins ne sont pas comblés et accepter la situation, tout en espérant qu'elle va s'améliorer d'elle même sans que vous ayez à intervenir. Vous pourriez, par exemple, dans le cas du chien qui aboie, attendre que votre voisin déménage, que le chien passe sous une voiture ou qu'il meure de sa belle mort! Vous pourriez également attendre que son maître se rende compte du bruit que fait son chien et prenne des mesures pour le faire taire. Chacune de ces hypothèses est plausible, mais il serait tout à fait irréaliste de *compter* sur l'une d'elles pour résoudre votre problème. Et même si cela arrivait, par le plus grand des hasards, vous ne pourriez attendre que cela se reproduise dans d'autres secteurs de votre vie... à chaque fois!

De plus, en attendant qu'une de ces éventualités se présente, vous vous montreriez de plus en plus irrité contre votre voisin, rendant toute amitié entre vous impossible. Vous perdriez également une certaine partie de votre dignité personnelle, car vous vous considéreriez comme une personne incapable de faire face à la moindre contrariété courante de la vie. Bref, cette façon de se comporter n'est pas très satisfaisante dans ce cas-ci comme dans d'autres.

L'agressivité directe   À l'opposé de la passivité, il y a **agressivité directe** lorsqu'une personne réagit de manière excessive. Les conséquences habituelles de ce comportement sont la colère et la défensive ou une blessure et une humiliation. Dans les deux cas, les personnes qui se comportent ainsi se font valoir au détriment de leur entourage.

Vous pourriez, par exemple, faire face au problème causé par le chien qui aboie par une agressivité directe, en affrontant de manière grossière vos voisins, les traitant de tous les noms. Vous pourriez téléphoner à la fourrière la prochaine fois que vous verrez le chien sans laisse. Si votre municipalité a une loi obligeant qu'on tienne les chiens en laisse, vous seriez tout à fait en droit de faire cette démarche, et de cette façon vous parviendriez à ramener la paix et la tranquillité dans le quartier. Votre agressivité directe aurait malheureusement également d'autres conséquences moins positives. Vous cesseriez d'être en bons termes avec vos voisins et pourriez vous attendre à ce qu'à la première incartade de votre part à un règlement municipal, ils portent plainte contre vous. Si vous désirez habiter le quartier pendant un certain temps, ce genre d'hostilités n'est guère attirant.

Le comportement manipulateur   Lorsque la personne tente de satisfaire ses besoins de manière indirecte, détournée, on dit qu'il y a **comportement manipulateur**. En utilisant la flatterie, les compliments ou les menaces, l'individu amène son interlocuteur à adopter un comportement en conformité avec ses attentes, sans égards aux besoins de l'autre personne.

Ce type de comportement est difficile à cerner puisque nous utilisons tous des compliments de temps à autre pour atteindre nos buts... et nous ne sommes pas prêts à nous qualifier de «manipulateurs» pour autant. Cependant, certaines personnes adoptent ce style de communication de manière systématique.

Comme pour tout autre phénomène ou tout autre comportement, nous pouvons identifier des variantes dans les comportements manipulateurs: comme nous pouvons être parfois un peu gentil ou très gentil, nous pouvons utiliser le comportement manipulateur... un peu ou beaucoup. Comme nous le soulignons, le type peut varier, c'est pourquoi nous vous présentons le *comportement passif-*

> Quel est le nom de cette danse?
> Et quelles sont les règles du jeu?
> Tu y montres tant d'élégance
> Et moi je la connais si peu…
>
> Pierre Flynn

agressif et la *communication indirecte* comme étant représentatifs de cette catégorie de styles de communications. Nous vous demandons de garder à l'esprit qu'il s'agit du même style de comportement: un comportement manipulateur et non pas deux approches distinctes.

Il y a **comportement passif-agressif** lorsqu'une personne affiche une certaine forme d'hostilité, mais de façon déroutante. Dans plusieurs de ses travaux, le psychologue George Bach qualifie ce comportement de «**machiavélique**»[5]. Il se rencontre chez les personnes qui ont du ressentiment, de la colère et de la rage qu'elles ne peuvent ou ne veulent pas exprimer de façon directe. Plutôt que de garder ces émotions pour elles, ces personnes envoient des messages agressifs de façon subtile et indirecte, tout en conservant une façade de gentillesse. Cette dernière s'effrite cependant à l'occasion, les laissant désorientées et irritées d'avoir été bernées. Les cibles de ce genre d'individu peuvent soit réagir de manière agressive, soit se refermer sur elles-mêmes. L'agressivité passive n'a bien souvent que des effets fâcheux sur la relation interpersonnelle.

Vous pourriez réagir face à vos voisins et à leur chien de différentes façons passives-agressives. Une de ces stratégies consisterait à porter plainte auprès de la fourrière de la ville de façon anonyme et, une fois le chien embarqué, d'exprimer une certaine compassion. Vous pourriez également vous plaindre auprès de tous vos autres voisins, en espérant que leur hostilité forcerait les voisins en tort à calmer leur chien ou à risquer les foudres de l'ensemble du quartier.

Cette façon d'aborder les problèmes présente cependant plusieurs inconvénients: le premier serait que votre machiavélisme ne marche pas: les voisins pourraient ne pas saisir l'idée derrière vos attaques voilées et continuer à ne pas prêter attention aux aboiements du chien. D'un autre côté, ils pourraient saisir clairement votre message, mais, soit du fait de votre manque de sincérité, soit par pur entêtement, refuser d'esquisser le moindre

geste. Dans les deux cas, et dans cette situation comme dans d'autres, cette agressivité passive ne répondra en aucune façon à vos besoins non assouvis.

Même lorsque ce genre de comportement rencontre quelques succès à court terme, un second inconvénient vient de ses effets à long terme. Vous pourriez réussir à intimider vos voisins en les obligeant à faire taire leur chien, par exemple, mais en gagnant cette bataille vous pourriez perdre ce qui deviendrait à coup sûr une véritable guerre. Comme vengeance, ils pourraient mener leur propre campagne de dénigrement: parler en mal autour d'eux sur votre façon d'entretenir votre propriété ou porter plainte de mauvaise foi contre vos soirées soi-disant trop bruyantes. Il est clair que des querelles de ce genre vont à l'encontre de l'objectif visé et dépassent les avantages apparents présentés par le comportement passif-agressif.

Outre ces possibilités désagréables, un troisième inconvénient de l'agressivité passive est qu'elle ne permet pas aux personnes engagées de bâtir la moindre relation franche entre elles. Tant et aussi longtemps que vous considérerez vos voisins comme un obstacle qu'il faut éliminer de votre route, il y a fort peu de chances que vous parveniez à les connaître en tant que personnes; si cette idée ne vous dérange guère, le principe selon lequel l'agressivité passive nuit à toute intimité tient bon dans d'autres secteurs de la vie quotidienne. Dans la mesure où vous cherchez à manipuler vos amis, ces derniers ne parviendront pas à connaître votre personnalité réelle. Plus les besoins que vous consentez à dévoiler à vos collègues se font rares, moins vous aurez de chances de devenir de véritables amis. Ce principe est le même pour les personnes que vous comptez rencontrer dans l'avenir. L'agressivité passive empêche toute forme de rapprochement.

Nous choisissons parfois d'envoyer des messages indirects aux autres, en faisant certaines allusions plutôt qu'en nous exprimant franchement. La **communication indirecte** n'affiche pas l'hostilité du comportement passif-agressif précédent. Son objectif est simplement d'envoyer un message de façon détournée. Reprenons le cas du chien qui dérange par ses aboiements. Une approche indirecte consisterait à entamer une conversation amicale avec un de ses maîtres et à faire remarquer à l'occasion le problème que soulèvent les chiens

bruyants dans le quartier où vous habitez. Une forme de manipulation de l'information.

Une approche indirecte peut parfois aider l'autre personne à sauver la face. Si vos invités prolongent leur visite, il est certainement plus poli de faire semblant de bâiller, ou de faire certaines allusions à la dure journée qui vous attend le lendemain, que de leur demander carrément de partir. De la même façon, si vous ne tenez pas à sortir avec une personne qui vous l'a demandé, il semble qu'il soit plus aimable de lui faire savoir que vous êtes occupé plutôt que de dire ouvertement: «Je ne tiens pas du tout à te voir!»

Nous communiquons parfois de façon indirecte pour nous protéger. Vous préférerez peut-être tâter le terrain en faisant quelques allusions discrètes plutôt que de demander ouvertement une augmentation à votre patron; vous ferez savoir indirectement à votre partenaire que vous manquez d'affection plutôt que de le lui exposer directement. À des moments comme ceux-ci, une approche détournée peut faire passer le message tout en amortissant le choc en cas de réponse négative.

Qu'est-ce que t'es venu faire dans ma vie?
J'suis pas sûre d'avoir compris
Qu'est-ce que t'es venu faire dans ma vie?
T'as jamais su me dire oui
Y a des jours où je crie
Des jours où je prie
Quitte-moi

Geneviève Paris

---

* Le terme «assertion» ne signifie pas *proposition* dans le contexte où nous l'utilisons. Dans le cas des styles de communication, il s'agit de la traduction littérale du mot anglais *assertion* qui signifie «défense de ses droits». Il s'agit ici d'un anglicisme, et nous tentons donc d'éviter ce piège, dans la mesure du possible. Beaucoup d'expressions de la langue française tentent de rendre compte de

Avec les messages indirects, nous encourons le risque que l'autre partenaire puisse mal interpréter le message ou ne pas le recevoir du tout. L'importance d'une idée est parfois telle que les sous-entendus n'auront pas la portée souhaitée. Lorsque la clarté et la franchise sont vos premiers objectifs, une approche affirmative est de mise.

Le comportement affirmatif (l'assertion)*

Dans ce genre d'approche, le **message affirmatif** exprime les besoins, les pensées ou les émotions ressenties par la personne qui parle d'une manière claire et directe, sans porter de jugement et sans vouloir régenter les autres. De tels messages revêtent la forme décrite dans ce chapitre aux pages 277 à 285.

Se comporter de façon affirmative ne garantit en rien que vous allez toujours obtenir ce que vous désirez, mais offre souvent une meilleure chance d'atteindre votre objectif. De plus, ce genre de comportement vous permet de conserver votre dignité personnelle comme celle de la personne avec qui vous dialoguez. Les personnes engagées ont, en général, une assez bonne opinion d'elles-mêmes — et d'autrui en conséquence —, ce qui fait toute une différence avec les autres types de comportements agressifs ou non affirmatifs.

Une approche de ce type, dans le cas du chien qui aboie, consisterait à attendre quelques jours encore pour s'assurer que le bruit n'est pas l'effet du hasard. S'il se poursuit, vous pourriez aller trouver le propriétaire et lui expliquer où se situe le problème. Vous pourriez lui faire savoir que

cette réalité: affirmation de soi, comportement d'affirmation de soi, être assertif, assertion, assertiviness (sic), bref un concept rendu de différentes manières. Nous nous limiterons aux termes d'affirmation de soi, de comportement d'affirmation de soi et de comportement affirmatif pour rendre compte du concept que représente le terme anglais *assertion*. (*Note de l'adaptateur.*)

même s'il ne s'en est pas encore rendu compte, le chien joue souvent dans la rue et ne cesse d'aboyer au passage des voitures. Vous pourriez lui expliquer en quoi ce comportement vous dérange et que les aboiements vous empêchent de dormir la nuit ou de vous concentrer sur votre travail. Vous pourriez faire ressortir que vous ne voulez pas passer pour un grincheux et que vous ne tenez pas non plus à appeler les gens de la fourrière. Vous démontreriez ainsi à votre voisin que, plutôt que d'adopter ce genre de comportement, vous êtes venu voir quel genre de solution vous pourriez trouver ensemble qui puisse satisfaire les deux parties. Cette approche peut très bien échouer, et vous pouvez être amené à choisir: est-il plus important de manifester des sentiments négatifs ou d'obtenir la paix et la tranquillité? Les chances d'un dénouement heureux sont tout de même

meilleures avec ce genre d'approche. Peu importe l'issue, vous êtes en mesure de conserver votre dignité personnelle en vous comportant de cette manière directe et franche.

Quel est votre style de résolution de conflit?

1. Rappelez-vous cinq conflits que vous avez eus dernièrement. Plus ils sont courants, mieux ce sera; il devrait s'agir de conflits avec des personnes qui ont une certaine importance à vos yeux, des relations qui vous tiennent à cœur.

2. Prenez une feuille de papier et, dans le sens de la largeur, recopiez le tableau suivant. Pour disposer de suffisamment d'espace, étendez votre tableau sur une deuxième page.

I Le conflit	II Comment y ai-je fait face?	III Les résultats
(Décrivez avec qui vous l'avez eu et sur quoi il portait.)	(Qu'avez-vous dit? Qu'avez-vous fait?)	(Impressions ressenties? Impressions ressenties par les autres personnes engagées? Êtes-vous satisfait des résultats?)

3. Pour chaque conflit, remplissez les espaces appropriés sur le tableau.

4. En vous référant à ce que vous avez écrit, répondez aux questions suivantes:

   a. Êtes-vous satisfait de la façon dont vous avez fait face à ces conflits? Vous en sortez-vous en vous sentant mieux ou moins bien qu'avant?

   b. Vos conflits ont-ils resserré vos relations ou les ont-ils affaiblies?

   c. Reconnaissez-vous certains schémas types dans les conflits que vous avez? Retenez-vous votre colère à l'intérieur de vous, vous montrez-vous sarcastique ou perdez-vous patience facilement, par exemple?

   d. Si vous le pouviez, changeriez-vous la façon dont vous faites face à ces conflits?

Quel est le meilleur modèle? À ce stade de la lecture, vous pourriez penser que la communication affirmative est clairement supérieure à tous les autres modèles. Elle vous permet de vous exprimer de manière franche et semble avoir le plus de chances de réussir. Pourtant, c'est simplifier à l'extrême que de dire qu'un certain modèle de communication est le meilleur. Un communicateur chevronné et efficace saura décider du mode qui convient dans la situation donnée.

Comment savoir quel modèle de comportement sera le plus efficace? Il y a plusieurs facteurs à considérer.

LA SITUATION Lorsqu'il est évident que l'autre personne a du pouvoir sur vous, un comportement non affirmatif peut être la meilleure solution. Si votre patron vous dit de remplir la commande *immédiatement*, vous feriez probablement bien de

La communication passive-agressive

Quel est votre style de résolution de conflit? Pour vous donner une meilleure idée des stratégies inefficaces pour faire face à des conflits, nous allons décrire quelques comportements typiques qui peuvent affaiblir vos relations interpersonnelles. Dans notre étude, nous suivrons la démarche fascinante menée par George Bach, autorité reconnue en matière de conflit et de communication.

Bach explique qu'il existe deux types d'agression — la lutte franche et la lutte malhonnête. Soit parce qu'ils ne peuvent pas ou ne veulent pas exprimer leurs impressions de façon ouverte et constructive, les individus au comportement plus ou moins honnête ont souvent recours à des techniques machiavéliques pour exprimer leur ressentiment. Plutôt que d'exprimer leurs émotions de façon ouverte et bienveillante, ces personnes (souvent inconsciemment) utilisent de nombreux moyens détournés pour atteindre leurs cibles. Comme ces «attaques furtives» ne vont généralement pas jusqu'à la source du problème et qu'elles peuvent terriblement blesser, ces individus peuvent détruire la communication. Examinons certains d'entre eux.

Le fuyard

Il refuse de lutter. Lorsqu'un conflit éclate, il s'en va, s'endort ou prétend avoir du travail à faire; il s'arrange pour ne pas faire face au problème de quelque autre façon. Ce comportement ne permet pas à l'autre partenaire d'exprimer ses sentiments de colère, de frustration, etc., car son vis-à-vis ne réagira pas en retour. Se disputer avec ce genre d'individu est comme essayer de boxer avec quelqu'un qui n'enfilerait même pas ses gants de boxe.

Le pseudo-accommodant

L'individu de ce type refuse de faire face à un conflit, soit en s'avouant déjà vaincu au départ, soit en prétendant qu'il n'y a rien qui va mal. Il parvient à rendre son partenaire fou (lui qui a flairé le problème) et l'oblige à se sentir à la fois coupable et plein de ressentiment envers lui.

Le «culpabilisateur»

Au lieu de dire franchement ce qu'il ne veut pas ou n'apprécie pas d'une situation, cet individu cherche à modifier le comportement de son partenaire pour qu'il se sente responsable de lui avoir causé de la peine. Sa remarque préférée est la suivante: «Ça va; ne t'en fais surtout pas pour moi...», suivie d'un long soupir.

La girouette

Il ressemble en fait à la personne qui cherche à fuir, car il évite de faire face à l'agression en détournant toute conversation qui touche au domaine conflictuel. Grâce à sa tactique, cet individu et son partenaire n'ont jamais la chance d'explorer à fond le problème et de voir à y remédier.

Le «distracteur»

Plutôt que d'exprimer ses sentiments sur l'objet de son mécontentement, cet individu attaque d'autres aspects de la vie de son partenaire. Ainsi, il n'a pas à communiquer ce qu'il a en tête et peut éviter d'avoir à faire face à certains côtés douloureux de ses relations personnelles.

Le faux psychanalyste

Plutôt que de permettre à son partenaire d'exprimer franchement ses sentiments, cet individu fait l'analyse de son caractère, expliquant ce que l'autre cherche à dire ou ce qui ne va pas pour lui. En se comportant ainsi, il refuse de considérer son propre comportement et laisse peu de champ à son partenaire pour pouvoir s'exprimer.

Le trappeur

Cet individu joue un jeu particulièrement malhonnête en échafaudant un comportement qu'il veut faire adopter par son partenaire. Lorsqu'il y parvient, il attaque alors son partenaire sur ce qu'il lui a demandé lui-même de faire. Un exemple de cette technique consiste à dire: «Soyons francs l'un envers l'autre.» Puis, lorsque le partenaire fait part des impressions qu'il ressent, l'attaquer sur ses sentiments.

Le «chatouilleur»

Cet individu amène presque à la surface l'objet de ses inquiétudes sans jamais s'exprimer complètement. Plutôt que d'admettre qu'il est préoccupé par des questions financières, il demande innocemment: «Alors, combien cela a-t-il coûté?», faisant des insinuations plutôt lourdes, mais ne s'attaquant jamais au problème lui-même.

L'«accumulateur»

Cet individu ne réagit jamais immédiatement lorsqu'il est en colère. Il enfouit plutôt tout son ressentiment dans une sorte de grand sac, qui s'enfle de petits et de gros griefs. Lorsque le sac est prêt à éclater, cet individu déverse toute son agressivité refoulée sur la victime submergée — qui ne se doutait de rien.

Le tyran insignifiant

Plutôt que de faire part de son ressentiment de manière franche, cet individu fait des choses qu'il sait pertinemment taper sur les nerfs de son partenaire — comme laisser de la vaisselle sale dans l'évier, se couper les ongles dans le lit, roter très fort, mettre la télévision au maximum, etc.

Le méchant boxeur

Chacun a une «ceinture» psychologique au-dessous de laquelle se trouvent les sujets trop délicats pour être abordés sans risquer de compromettre la relation. Cette fragilité peut concerner des caractéristiques physiques, intellectuelles, une conduite antérieure ou certains traits de caractère profondément ancrés que la personne tente de surmonter. En essayant de «se venger» ou de blesser son partenaire, le «méchant boxeur» se servira de cette connaissance intime pour frapper au-dessous de la ceinture, là où il sait que cela fait très mal.

Le plaisantin

Craignant d'aborder ouvertement les conflits, ce genre d'individu se complaît à faire marcher son partenaire; lorsque ce dernier veut se montrer sérieux, il ne lui permet pas d'exprimer de sentiments importants.

Le «blâmeur»

Il est davantage intéressé à trouver des coupables qu'à chercher une solution au problème. Inutile de dire qu'il ne reporte généralement jamais le blâme sur lui. Ce genre de comportement ne règle presque jamais un conflit et met presque toujours le récepteur sur la défensive.

Le tyran sous contrat

Cet individu ne permettra pas à son partenaire de changer la conduite qu'il a toujours eue. Quels que soient les accords que les partenaires ont passés quant aux rôles à jouer et aux responsabilités à tenir, ils doivent demeurer inchangés: «C'est ton travail de donner à manger au bébé, de laver la vaisselle, d'éduquer les enfants...»

Le «détourneur»

Cet individu tire son nom de ce que, dans une dispute, il soulève toujours des questions qui sont tout à fait étrangères au sujet: la conduite de son partenaire la veille du jour de l'An, les comptes qui ne s'équilibrent pas, la mauvaise haleine, enfin n'importe quoi.

Le «refuseur»

Plutôt que d'exprimer sa colère de façon franche et directe, cet individu punit son partenaire en le privant de ses attentions — politesse, tendresse, bonne cuisine, humour, amour. Comme vous pouvez l'imaginer, cela aura tendance à provoquer un ressentiment encore plus grand chez son partenaire.

Le salaud!

Cet individu se venge de son partenaire en préconisant le sabotage, en ne le défendant pas contre ses agresseurs et en encourageant même la raillerie ou le manque de respect à son égard.

vous exécuter sans faire de commentaires. Une réponse plus assurée («Lorsque vous prenez ce ton, je me sens sur la défensive...») est peut-être plus claire, mais pourrait malheureusement vous coûter votre poste! De la même façon, il y a certaines situations dans lesquelles un message agressif peut être le plus approprié. Même les parents les plus conciliants peuvent témoigner qu'un jour ou l'autre tout enfant mérite d'être sèchement réprimandé: «Je t'ai déjà dit trois fois de ne pas torturer le chat. *Arrête immédiatement*, ou tu vas le regretter!»

LE RÉCEPTEUR Bien que les messages affirmatifs aient les meilleures chances de réussir avec la majorité des gens, certains récepteurs répondent cependant mieux à d'autres approches. Un homme d'affaires a illustré ce fait en décrivant comment son patron, ordinairement d'humeur égale, s'était mis à hurler au téléphone contre un interlocuteur particulièrement difficile:

Je ne l'avais jamais vu si en colère. Il était enragé. Son visage était rouge et les veines de son cou fortement gonflées. J'essayai d'attirer son attention pour le calmer, mais il me faisait signe avec impatience de m'en aller. Dès qu'il eut raccroché, il se tourna vers moi et en souriant me dit: «Dans ce cas-ci, il fallait vraiment le faire.» Si j'avais été la personne qu'il injuriait au téléphone, laissez-moi vous dire que cela m'aurait abasourdi. Mais tout était de la pure comédie[6]!

VOS OBJECTIFS Lorsque vous désirez résoudre un problème, un comportement affirmatif est certainement la meilleure approche à adopter. Il existe cependant d'autres raisons de vouloir communiquer lors d'un conflit. Votre souci primordial sera parfois de calmer une personne enragée ou décontenancée. Tolérer un emportement de votre voisin grincheux et malade vaut probablement mieux que de vous défendre et de déclencher une bataille. De la même façon, vous pouvez décider d'attendre tranquillement la fin des récriminations d'un membre de la famille plutôt que de gâter le repas de Pâques. Dans d'autres cas, vos principes moraux pourraient vous contraindre à faire une réflexion agressive même si elle ne devait pas vous conduire à ce que vous aviez pensé au départ: «J'en ai assez de tes blagues racistes. J'ai vainement essayé de t'expliquer pourquoi elles sont offensantes, mais apparemment tu ne m'as pas écouté. Je m'en vais!»

L'affirmation sans agression: un message clair!

Savoir *quand* se comporter de façon affirmative n'est pas la même chose que de savoir *comment* s'affirmer. Nous allons décrire une méthode qui vous permettra de communiquer de façon assurée. Elle s'applique à une foule de messages: vos espoirs, vos problèmes, vos doléances ou vos critiques[7]. En plus de vous faire savoir comment il est possible de vous exprimer de façon directe, cette forme de message clair permet également aux autres de vous comprendre plus facilement. Enfin, les messages affirmatifs étant généralement formulés dans le langage «à la première personne» que vous avez appris à connaître dans le chapitre 5, il y a moins de risques que des attaques agressives provoquent une réaction de défense pouvant engendrer des disputes inutiles ou l'interruption de la discussion.

Un message complet de ce type comprend généralement cinq parties. Nous allons les examiner pour ensuite voir comment vous pourrez les intégrer dans votre communication de tous les jours.

Le comportement Une **description du comportement*** nous fournit la base sur laquelle nous allons réagir. Elle devrait être *objective*, se bornant à décrire un événement sans l'interpréter.

En voici deux exemples:

Exemple 1

«Il y a une semaine, Jean m'a promis de me demander mon autorisation chaque fois qu'il voudrait fumer dans la même pièce que moi. Il vient tout juste d'allumer une cigarette sans demander mon avis.»

Exemple 2

«Julie s'est comportée de façon différente toute la semaine dernière. Je ne me souviens pas l'avoir vue rire depuis le week-end des vacances. Elle n'est pas passée chez moi comme elle en a l'habitude, ne m'a pas proposé de jouer avec elle au tennis et ne m'a pas téléphoné.»

Remarquez que, dans les deux cas, les énoncés descriptifs ne rapportent que des faits *observables*. Aucune interprétation n'est donnée; telles doivent être les descriptions du comportement.

L'interprétation L'**interprétation** est le processus qui consiste à donner une signification à un comportement donné. L'important est de se rendre compte qu'elle est *subjective*, et cela revient à dire qu'il existe plus d'une interprétation possible à un comportement donné. À preuve, les deux interprétations que l'on peut mettre en relation avec chacun des exemples précédents:

Exemple 1

Interprétation A: «Jean doit avoir oublié notre accord selon lequel il ne pouvait pas fumer sans me l'avoir préalablement demandé. Pour une chose qu'il sait me tenir à cœur, je suis certain qu'il est trop prévenant pour revenir sur sa parole.»

Interprétation B: «Jean est une personne grossière, qui n'a aucune considération pour les autres. Après m'avoir promis de me demander mon autorisation pour fumer en ma présence, il vient de le faire sans rien dire! Cela prouve bien qu'il ne pense qu'à lui. En fait, je parie qu'il le fait exprès pour me faire enrager!»

Exemple 2

Interprétation A: «Quelque chose doit préoccuper Julie. C'est probablement sa famille. Elle se sentira encore plus mal si je continue à la harceler.»

Interprétation B: «Julie est probablement en colère contre moi. C'est sûrement parce que je la taquine trop. Elle perd si souvent au tennis. Je ferais mieux de la laisser tranquille jusqu'à ce qu'elle se calme.»

Ces exemples montrent que les interprétations se basent sur plus de choses que de simples *faits*. Elles proviennent de facteurs comme:

Votre expérience passée: «Jean a toujours (ou jamais) tenu ses promesses jusqu'ici» ou: «Lorsque je suis préoccupé par mes problèmes personnels, je m'éloigne de mes amis.»

---

* Vous pouvez utiliser les termes «description behaviorale». Nous avons opté pour les termes «description du comportement» puisqu'ils représentent bien la réalité de ce concept. (*Note de l'adaptateur.*)

Vos suppositions: «Une promesse non tenue est un signe de négligence (ou d'étourderie)» ou: «Un manque de communication avec ses amis est le signe que quelque chose ne va pas.»

Vos attentes: «Jean cherche probablement (ou ne veut pas) la bagarre» ou: «Je pensais bien qu'une visite à sa famille (ou blaguer sur le tennis) la perturberait.»

Vos croyances: «Les fumeurs invétérés ne sont même plus conscients qu'ils allument une cigarette» ou: «Je sais que le père de Julie était souffrant ces derniers temps.»

Votre humeur actuelle: «Je suis très positif envers Jean et envers la vie en général» ou: «Je me suis montré terriblement sarcastique dernièrement. Je suis allé trop loin lorsque j'ai taquiné Julie sur sa façon de jouer au tennis.»

Une fois que vous avez pris conscience de la différence qui existe entre un comportement observable et l'interprétation que l'on peut en donner, les problèmes de communication deviennent évidents. Plusieurs problèmes surviennent lorsque la personne qui envoie le message ne parvient pas à décrire le comportement sur lequel se fonde l'interprétation qu'elle en donne. Imaginez, par exemple, la différence entre entendre un ami dire:

«Tu es radin!» *(aucune description du comportement)*

et le fait d'expliquer:

«Comme tu ne proposes jamais de me rembourser pour le café ou les repas que je t'achète souvent, j'ai des raisons de penser que tu es radin.» *(comportement et interprétation)*

Le manque de précision de la personne qui s'exprime sèmera la confusion chez le récepteur qui n'a aucun moyen de savoir ce qui a pu amener la remarque qui lui est faite. Ne pas donner de description réduit également les chances que le récepteur puisse modifier un comportement offensant, puisqu'après tout il n'en a aucune connaissance.

Tout comme il est important de spécifier le comportement dont il est question, il est important de qualifier l'interprétation qu'on en donne plutôt que de la présenter comme un fait établi. Voyez la différence entre dire:

«Il est évident que si tu te préoccupais davantage de moi, tu m'écrirais plus souvent.» *(interprétation présentée comme un fait)*

et

«Puisque tu ne m'écrivais pas, j'ai pensé que tu ne te préoccupais pas de moi.» *(l'interprétation est clarifiée)*

Comme vous l'avez appris dans le chapitre 5, vos remarques sont moins susceptibles d'engendrer des réactions défensives chez les autres lorsque vous les présentez dans un langage «à la première personne».

Évitez aussi de faire des remarques qui semblent énoncer des faits, mais qui sont plutôt des interprétations. Ne considérez pas, par exemple, les énoncés suivants comme des descriptions objectives:

«Je vois que tu es fatigué.» (*Fatigué* est ici une interprétation. Votre description de comportement aurait pu être: «Je vois que tes yeux se ferment et que ta tête oscille.»)

«Je vois que tu es pressé.» (*Pressé* est ici une interprétation. La description du comportement aurait pu être: «Je te vois regrouper tes livres et regarder l'heure.»)

«Je pense que tu as faim.» (*Tu as faim* est ici une interprétation, les faits étant les bruits d'estomac de votre ami.)

«Tu as hâte de partir.» (*Tu as hâte* est ici une interprétation. Que pourrait être le comportement décrit dans ce cas-ci? La rapidité avec laquelle votre ami a répondu au coup de sonnette? Les vêtements d'extérieur qu'il porte et qui indiquent qu'il était fin prêt?

Il n'y a rien de répréhensible en soi à faire ce genre d'interprétations. De fait, c'est une étape nécessaire, parce que c'est seulement en interprétant un comportement que nous arrivons à lui donner une signification. Nos interprétations sont cependant souvent inexactes et, lorsque nous ne faisons pas la distinction entre un comportement et son interprétation possible, nous nous bernons en croyant que nos interprétations représentent bien la réalité.

Des comportements et des interprétations...

1. Faites part à deux autres membres du groupe de plusieurs interprétations que vous avez récemment faites sur d'autres personnes de votre entourage. Pour chacune d'elles, décrivez le comportement sur lequel vous avez basé vos remarques.

2. Avec l'aide de votre partenaire, pensez à d'autres interprétations possibles de ces mêmes comportements, qui pourraient être aussi plausibles que celles que vous avez données.

3. Après avoir passé en revue les autres interprétations possibles, déterminez:

   a. lesquelles étaient les plus vraisemblables;

   b. comment vous pourriez faire part de ces interprétations (ainsi que des comportements) à la personne engagée, d'une manière suggérée et non dogmatique.

Les émotions   Rapporter un comportement et partager les interprétations qu'on en donne sont importants. Faire état de ses émotions (des **énoncés de sentiments**) ajoute cependant une nouvelle dimension au message. Pensez, par exemple, à la différence qu'il y a entre dire:

> «Lorsque tu m'embrasses et que tu me mordilles l'oreille pendant que nous regardons la télévision (comportement), je pense que tu as probablement envie de faire l'amour (interprétation) et *je suis tout excitée*.»

et

> «Lorsque tu m'embrasses et que tu me mordilles l'oreille pendant que nous regardons la télévision, je pense que tu as probablement envie de faire l'amour, et *cela me dégoûte*.»

Notez comment le fait d'exprimer des émotions différentes peut changer la signification d'un message:

> «Lorsque tu te moques de moi (comportement), je pense que tu trouves mes remarques ridicules (interprétation) et *je me sens gênée* (sentiment).»

> «Lorsque tu te moques de moi, je pense que tu trouves mes remarques ridicules, et *j'éprouve de la colère* (sentiment).»

Vous pouvez très certainement ajouter d'autres exemples dans lesquels différentes émotions peuvent radicalement modifier le message émis. Reconnaissant cela, nous trouvons logique de dire que nous devrions identifier nos sentiments dans nos conversations avec les autres. Pourtant, si nous pensons à tous les actes de communication de la vie quotidienne, nous nous apercevons qu'une telle divulgation ne se fait pas.

Il est important de reconnaître que certains énoncés qui *semblent* exprimer des sentiments ne sont en réalité que des interprétations ou des déclarations d'intention: «J'aimerais partir» (en réalité une intention) ou «J'ai l'impression que vous vous trompez» (une interprétation). Des énoncés de ce genre ne sont pas l'expression véritable de sentiments et devraient être évités.

Qu'est-ce qui empêche les gens de faire part de leurs émotions? C'est premièrement que cela peut causer beaucoup d'anxiété. Il peut être assez éprouvant de devoir déclarer abruptement: «Je suis en colère», «Je suis embarrassé» ou «Je vous aime», et souvent nous ne sommes pas prêts à prendre les risques qui accompagnent des affirmations aussi catégoriques.

Deuxièmement, les gens ne réussissent pas toujours à exprimer clairement leurs émotions parce qu'ils ne les reconnaissent tout simplement pas. Nous n'avons pas toujours conscience d'être en colère, embarrassés, impatients ou tristes. Le fait de se demander: «Mais comment est-ce que je me sens?» peut souvent révéler des informations importantes qui ont besoin d'être communiquées à son partenaire.

Trouvez le sentiment en cause

Pensez au sentiment que vous auriez tendance à éprouver dans chacun des messages suivants:

1. J'ai ressenti _____ lorsque j'ai découvert que tu ne m'avais pas invité à la sortie de camping. Tu m'as dit que tu pensais que je ne voudrais pas y aller, mais j'ai quand même du mal à l'accepter.

2. J'ai ressenti _____ lorsque tu m'as proposé de m'aider à déménager. Je sais que tu es tellement occupé.

3. Lorsque tu me dis que tu tiens encore à être mon ami mais que tu aimerais «prendre un peu le large», je pense que tu en as assez de moi et je ressens _____.

4. Tu m'as demandé de te donner une opinion franche à propos de tes peintures; lorsque je te dis vraiment ce que je pense, tu réponds que c'est parce que je ne les comprends pas. Je me sens _____.

En quoi l'effet de chaque message serait-il différent s'il ne comprenait pas l'expression de sentiments?

Les conséquences L'**énoncé des conséquences** s'ajoute au résultat atteint par le comportement décrit, à l'interprétation que vous en avez tirée et aux sentiments éprouvés. Il existe trois sortes de conséquences:

Ce qui vous arrive à vous, la personne qui s'est exprimée.

«Comme tu as oublié de me transmettre les messages téléphoniques hier (comportement), *je n'ai pas su que mon rendez-vous chez le médecin était retardé et j'ai dû attendre une heure dans son cabinet alors que j'aurais pu étudier ou travailler pendant ce temps-là* (conséquences). Il semble que tu ne te rendes pas compte de tout le travail que j'ai, pour ne pas me laisser ne serait-ce qu'une simple note (interprétation), et c'est cela qui me rend d'autant plus furieux (sentiment).»

«J'apprécie beaucoup (sentiment) l'aide que vous m'avez donnée pour mon exposé (comportement). J'ai ainsi l'impression d'être sur la bonne voie (interprétation) et *cela m'encourage à continuer à travailler sur cette idée* (conséquences).»

Ce qui arrive à la personne à qui vous vous adressez.

«Lorsque tu prends encore quatre ou cinq verres après que je t'aie pourtant averti de ralentir (comportement), *tu commences à te conduire de façon étrange: tu racontes des blagues crues qui*

offensent tout le monde et tu es un piètre chauffeur* (conséquences). Hier soir, par exemple, tu as failli heurter un poteau téléphonique en sortant du garage (comportement). Je ne pense pas que tu te rendes compte que tu as alors un comportement différent (interprétation) et je m'inquiète (sentiment) de ce qui va arriver si tu ne bois pas moins.»

Ce qui arrive aux autres.

«Tu ne le sais probablement pas parce que tu ne pouvais pas l'entendre pleurer (interprétation), mais lorsque tu répètes ton rôle sans prendre la précaution de fermer la porte (comportement), *le bébé ne peut pas dormir* (conséquences). Je suis particulièrement soucieuse (sentiment) du fait qu'elle vient d'avoir la grippe.»

«Je pensais que tu aimerais savoir (interprétation) que, lorsque tu taquines Bob au sujet de sa taille (comportement), il se sent gêné (sentiment) et, *habituellement, il ne dit plus rien ou quitte la pièce* (conséquences).»

De tels énoncés de conséquences sont précieux pour deux raisons. Premièrement, ils vous permettent de comprendre plus clairement pourquoi vous êtes fâché ou au contraire ravi du comportement de votre partenaire. Tout aussi important, le fait d'exposer aux autres les conséquences de leurs gestes leur permet d'avoir une idée plus claire des résultats de leur comportement. Nous pensons souvent que les autres *devraient* être conscients des conséquences sans qu'on ait à le leur dire; mais le fait est que bien souvent ils ne le sont pas. En les exposant clairement, vous pouvez vous assurer que vous ou votre message ne laissent rien à l'imagination de la personne qui vous écoute.

Lorsque vous faites état des conséquences possibles d'un comportement donné, il est important de décrire simplement ce qui se produit sans vouloir faire la morale. C'est une chose par exemple de dire: «Comme tu n'as pas pensé à m'appeler pour me faire savoir que tu serais en retard, je suis

---

Si je ne pense pas à moi, qui le fera?
Si je ne pense qu'à moi, que suis-je?

Rabbi Hillel

---

restée éveillée et je me suis fait du souci», et une autre de tempêter en disant: «Comment pourrai-je jamais te faire confiance? Tu vas me rendre folle!» Souvenez-vous-en, il est tout à fait légitime d'exprimer ses pensées et ses sentiments, mais il est important de les définir comme tels. Et lorsque vous désirez obtenir un changement chez une personne, vous pouvez faire usage d'énoncés d'intention comme nous allons maintenant le voir.

Il est facile de confondre certaines interprétations, sentiments ou énoncés d'intention avec les conséquences. Vous pourriez par exemple dire: «À cause de ton refus de mon invitation (comportement), j'ai l'idée (interprétation) que tu es fâché contre moi. Je suis inquiète (sentiment) et je veux savoir ce que tu penses vraiment (intention).» Dire que ce n'est pas une conséquence dans le sens où nous utilisons ce mot n'est pas une manière de couper les cheveux en quatre du point de vue sémantique. En effet, confondre les interprétations, les sentiments et les intentions avec les conséquences pourrait vous empêcher de mentionner les conséquences véritables — ce qui a résulté de l'événement. Dans notre exemple, un énoncé de conséquences véritables pourrait être: «... et c'est pourquoi j'ai été si tranquille ces derniers temps.» Comme vous le verrez à la page 284, une conséquence est parfois combinée avec un autre élément du message. Le point important à se rappeler, c'est que vous avez besoin d'expliquer d'une manière ou d'une autre les conséquences d'un incident donné si vous désirez que l'autre personne puisse saisir complètement le problème dont vous parlez.

L'intention Les **énoncés d'intention** représentent l'élément ultime d'un message affirmatif. Ils peuvent communiquer trois sortes de messages:

Votre position sur la question

«Lorsque vous nous appelez "les filles" alors que je vous ai déjà dit que nous préférions être appelées "les femmes" (comportement), j'ai dans l'idée que vous ne comprenez pas l'importance que cela revêt pour nous (interprétation), ni combien cela peut paraître avilissant (sentiment). Je me trouve maintenant dans une drôle de position: soit qu'il me faille continuer à remettre éternellement la question sur le tapis, soit que je laisse tout tomber et que je ne sois pas très heureuse du résultat. *Je veux que vous*

compreniez que cela compte beaucoup pour moi (intention).»

«Je vous suis vraiment très reconnaissant (sentiment) d'avoir parlé en ma faveur devant le patron hier (comportement). Cela demande vraiment beaucoup de courage (interprétation). Savoir que vous me soutenez me donne confiance (conséquence) *et je veux que vous sachiez combien j'apprécie votre soutien* (intention).»

Les demandes que vous adressez aux autres

«Comme tu ne m'as pas appelée hier soir (comportement), j'ai pensé que tu devais être fâché contre moi (interprétation). Je n'ai pu m'empêcher d'y penser depuis (conséquences) et je suis encore inquiète (sentiment). *J'aimerais vraiment savoir si tu es fâché ou non* (intention).»

«J'ai vraiment beaucoup apprécié (sentiment) ta visite (comportement) et je suis ravi que tu aies passé toi aussi un bon moment (interprétation). *J'espère que tu reviendras* (intention).»

Exposé de vos plans d'action

«Je t'ai demandé trois fois maintenant de me rembourser les 25 dollars que je t'ai prêtés (comportement). J'en viens à penser que tu cherches à m'éviter (interprétation), et j'en suis très fâché (sentiment). Je veux te dire qu'à moins de clarifier la situation immédiatement, *ne t'attends surtout pas à ce que je te prête quoi que ce soit à l'avenir* (intention).»

«Je suis ravi (sentiment) que vous ayez apprécié (interprétation) l'article que je viens d'écrire. *Je songe maintenant à suivre votre cours avancé de rédaction le prochain trimestre* (intention).»

Pourquoi est-ce si important de rendre vos intentions claires? Parce que si vous ne le faites pas, il sera beaucoup plus difficile pour les autres de savoir ce que vous attendez d'eux ou comment ils doivent agir. Voyez comment les énoncés suivants peuvent être confus du fait d'un manque d'intention très claire.

«Sensass! Une barre Snickers, je n'en ai pas eu depuis des années.» (La personne qui parle en veut-elle un morceau ou fait-elle seulement une réflexion innocente?)

«Merci pour l'invitation, mais je dois réellement étudier samedi soir.» (La personne qui parle désire-t-elle que vous lui réitériez votre demande ou laisse-t-elle entendre de façon indirecte qu'elle ne tient pas à sortir avec vous?)

«Pour vous dire la vérité, je dormais lorsque vous êtes passé, mais j'aurais dû être levé de toute façon.» (La personne qui parle veut-elle dire que vous êtes toujours le bienvenu ou veut-elle laisser entendre qu'elle n'apprécie pas que l'on vienne la voir à l'improviste?)

Vous pouvez voir par ces exemples qu'il est souvent difficile de faire une interprétation claire des idées d'une autre personne sans un énoncé direct d'intention. Notez également à quel point les énoncés deviennent plus directs lorsque les personnes qui parlent clarifient leur position.

«Sensass! Une barre Snickers! Je n'en ai pas eu depuis des années. *Si je n'avais pas déjà mangé, je vous en aurais sûrement demandé une bouchée.*»

«Merci pour l'invitation, mais je dois vraiment étudier samedi soir. *J'espère que vous m'inviterez à nouveau à sortir très bientôt.*»

«Pour vous dire la vérité, je dormais lorsque vous êtes passé, mais j'aurais dû être levé de toute façon. *La prochaine fois, il serait peut-être préférable que vous téléphoniez avant de passer pour être certain que je sois réveillé.*»

Comme dans les exemples précédents, nous sommes souvent poussés par une seule intention. Parfois cependant, nous le sommes par deux ou plus, qui peuvent même se trouver en conflit l'une avec l'autre. Lorsque cela se produit, nos besoins conflictuels nous rendent plutôt difficile la prise de décision.

«Je veux me montrer franc avec vous, mais je ne tiens pas à violer l'intimité de mes amis.»

«Je veux continuer à jouir de votre amitié et de votre compagnie, mais je ne tiens pas non plus à m'attacher trop tout de suite.»

«Je tiens à avoir du temps pour étudier et obtenir de bons résultats, mais je veux également trouver du travail et pouvoir gagner de l'argent.»

Si révéler vos intentions conflictuelles vous permet de pouvoir clarifier une certaine confusion, un énoncé direct comme ceux que nous venons de voir peut parfois vous aider à en arriver à une solution. Même lorsque vous êtes perplexe, le fait

d'exprimer des besoins contradictoires présente l'avantage de laisser les autres connaître votre position.

L'usage d'un message clair Avant d'essayer de transmettre des messages respectant la forme comportement / interprétation / sentiments / conséquences / intention, voici quelques points dont il faudrait vous souvenir. Premièrement, il n'est pas nécessaire ni toujours avisé que les éléments suivent l'ordre prescrit ici. Comme vous pouvez le constater en passant en revue les exemples des pages précédentes, il vaut parfois mieux commencer par exprimer ses sentiments. Dans d'autres cas, vous pouvez d'abord exprimer vos intentions ou votre interprétation, ou faire connaître les conséquences.

Vous devriez également formuler votre message d'une façon qui corresponde à votre style d'expression. Plutôt que de dire: «J'interprète votre comportement comme signifiant...», vous pourriez choisir de dire: «Je pense ...» ou «Il me paraît...» ou peut-être encore «J'ai l'idée...» De la même façon, vous pouvez exprimer vos intentions en disant: «J'espère que vous comprendrez (ou ferez)...» ou peut-être «J'aimerais que...» Il est bien sûr important que vous parveniez à transmettre votre message, mais vous devez le faire d'une façon qui vous permette d'être sincère.

Sachez que, dans certains cas, vous pouvez combiner deux éléments dans une même phrase. L'énoncé: «... et depuis je voulais vous en parler» exprime, par exemple, à la fois une conséquence et une intention. De la même façon, dire: «... et après que vous avez dit cela, je me suis senti confus.»

exprime à la fois une conséquence et un sentiment. Que vous combiniez certains éléments ou que vous en fassiez état de façon distincte, le point important est de vous assurer que chacun d'eux figure bien dans votre énoncé.

En dernier lieu, il vous faut comprendre qu'il n'est pas toujours possible de transmettre des messages comme ceux que nous avons vus ici en une seule fois, bien emballés dans de belles phrases. Il sera souvent nécessaire de répéter ou de reformuler une partie ou l'autre avant que le récepteur soit en mesure de réellement saisir ce que vous lui dites. Comme vous l'avez déjà vu, il existe de nombreux types de bruits psychologiques ou physiques qui rendent la compréhension difficile. Rappelez-vous donc ceci: vous n'avez pas réellement bien communiqué tant et aussi longtemps que le récepteur de votre message ne saisit pas tout ce que vous avez voulu lui dire. En communication comme dans d'autres sphères d'activité, la patience et la persévérance sont essentielles.

Exercez-vous maintenant à combiner tous les éléments dans l'exercice suivant.

Rassemblez votre message

1. Joignez-vous à deux autres membres du groupe. Chaque personne, à tour de rôle, fait part d'un message qu'elle pourrait vouloir envoyer à une autre personne, en s'assurant d'y inclure des énoncés de comportement, d'interprétation, de sentiments, de conséquences et d'intention.

2. Les autres personnes du groupe aideront la personne qui parle en lui offrant des informations rétroactives lui indiquant comment ses réflexions pourraient être plus claires, ou pour toute question concernant la signification du message.

3. Une fois que la personne qui doit parler a composé un message satisfaisant, elle s'exercera à le transmettre à un autre membre du groupe jouant le rôle du récepteur. Poursuivez jusqu'à ce que la personne qui parle soit convaincue d'avoir bien transmis son message.

4. Répétez ce processus jusqu'à ce que chaque membre du groupe ait eu la possibilité de s'entraîner à transmettre un message de façon satisfaisante.

Différents modèles de résolution de conflits

Nous avons vu jusqu'ici le comportement des personnes face à des défis de communication. La communication étant transactionnelle, l'issue d'un conflit repose sur la façon dont chacun des participants va communiquer. Dans les pages qui suivent, nous allons jeter un regard sur les différentes méthodes que les gens utilisent pour résoudre les conflits.

Face à un désaccord, les parties ont le choix entre trois possibilités:

Accepter le *statu quo*: «Je n'apprécie pas certains de tes amis, et tu n'es pas tellement enthousiaste des miens; il n'y a pas grand-chose que nous puissions faire. Je pense qu'il nous faut vivre comme cela.»

Utiliser la force — physique, sociale ou économique — pour imposer un règlement: «Soit que nous passions les vacances sac au dos, soit que je reste à la maison.»

Parvenir à un accord négocié: il y a **négociation** lorsque deux partenaires ou plus discutent de propositions spécifiques afin d'en arriver à un accord mutuellement acceptable. La négociation n'est pas infaillible: lorsqu'elle n'est pas bien menée, elle peut laisser un problème sans solution ou même l'aggraver. Par contre, une négociation habile peut amener à des solutions qui sauront améliorer la situation des deux partenaires.

Nous allons maintenant examiner les différentes issues qui peuvent résulter de ce genre d'approches. En considérant chacune d'elles, vous pourrez déterminer celles auxquelles vous pourriez faire appel lorsque vous serez confronté à un conflit interpersonnel.

Gagnant-perdant Dans la **résolution gagnant-perdant**, une des parties obtient ce qu'elle désire, mais pas l'autre. Les gens ont recours à cette méthode de résolution de conflits lorsqu'ils perçoivent une situation tranchée comme *soit que, ou bien…*: «Soit que j'obtienne ce que je veux, ou bien tu te débrouilles tout seul.» Les exemples les plus évidents de situations de ce genre se rencontrent à certains jeux comme au base-ball ou au poker, où les règles exigent un gagnant et un

perdant. Certains conflits interpersonnels semblent s'y conformer: deux collègues visant une promotion pour le même poste ou un couple qui n'est pas d'accord sur la façon de dépenser un budget assez limité.

Le pouvoir est la caractéristique distinctive de ce genre d'approche, car il est indispensable de l'emporter sur son adversaire pour obtenir ce que l'on désire. Il s'agit le plus souvent de contrainte physique. Certains parents menacent leurs enfants en leur donnant l'avertissement suivant: «Arrête de te comporter de cette façon ou je vais t'envoyer dans ta chambre.» Les adultes qui font usage de contrainte physique ne le font pas généralement de façon trop brutale, mais le système judiciaire laisse planer la menace suivante: «Observez les règlements ou vous vous retrouverez sous les verrous.»

La force réelle ou implicite n'est pas le seul genre de pouvoir utilisé dans les conflits. Les gens qui comptent sur une certaine forme d'autorité font appel à des méthodes gagnant-perdant sans même menacer d'une contrainte physique. Dans la plupart des sphères d'activité, les responsables ont l'autorité d'assigner les heures de travail, l'avancement, les tâches plus ou moins agréables, et bien sûr de congédier un employé qui ne donne pas satisfaction. Les enseignants peuvent se servir des notes pour contraindre les étudiants à se comporter comme ils le souhaitent.

Le pouvoir intellectuel ou mental peut être également un moyen de l'emporter sur un adversaire. Tout le monde connaît ces histoires où le héros apparemment faible réussit à vaincre un ennemi plus fort que lui grâce à son ingéniosité, démontrant par là que l'intelligence peut l'emporter sur les muscles. D'une façon moins admirable, les individus qui ont un comportement indirectement agressif, comme vous en avez vu certains exemples un peu plus tôt dans le chapitre, peuvent vaincre leurs partenaires en leur faisant éprouver une certaine culpabilité, en évitant les questions, en se gardant d'avoir la conduite souhaitée, en faisant semblant de s'accommoder, etc.

Même la règle de la majorité, principe démocratique généralement admiré, est une façon de résoudre des conflits sur le modèle gagnant-perdant. Tout équitable qu'il puisse paraître, ce système permet à un groupe d'obtenir ce qu'il veut, tandis que l'autre sera insatisfait.

Certaines circonstances requièrent une méthode de ce genre, comme lorsqu'on dispose de ressources limitées et que seulement une partie peut obtenir satisfaction. Si deux prétendants veulent, par exemple, épouser la même personne, un seul des deux peut arriver à ses fins. Et pour reprendre un des exemples déjà cités, il est souvent exact qu'un seul candidat pourra obtenir le poste

Lorsque nous pensons au mot coopération, nous avons tendance à associer ce concept à un certain idéalisme confus ou, au mieux, à la croire possible dans de très rares situations. Ceci peut venir de la confusion que l'on fait entre les termes «coopération» et «altruisme». Il n'est pas du tout exact que la rivalité réussisse du fait qu'elle repose sur la tendance à «vouloir être numéro un», la coopération supposant en revanche que nous désirions avant tout nous aider les uns les autres. La coopération structurale défie la dichotomie courante égoïsme/altruisme. En vous aidant, elle me permet de me venir en aide à moi aussi. Même si mes motifs pouvaient être égoïstes au départ, nos destins sont maintenant liés. Ou nous parvenons à surnager, ou nous coulons tous les deux. La coopération est une stratégie habile et hautement efficace.

Alfie Kohn

proposé. Mais ne soyez pas trop prompt à admettre que tous vos conflits sont du genre gagnant-perdant: comme vous allez le voir, beaucoup de situations qui semblent réclamer un perdant peuvent être résolues à la satisfaction de tous.

Il existe une deuxième catégorie de situations où la méthode gagnant-perdant peut être la meilleure. Même dans le cas où une coopération pourrait être envisageable, lorsque l'autre personne fait tout son possible pour essayer de vous anéantir, la réaction la plus logique serait de vous défendre en répondant à ses attaques. «Il faut être deux pour danser le tango», dit le vieux dicton, et il faut être également deux pour coopérer.

Une dernière justification, beaucoup moins fréquente, de vouloir l'emporter sur une autre personne: lorsque l'autre partie se comporte de façon vraiment odieuse et que la seule façon de pouvoir l'en empêcher est d'en avoir raison. Peu de gens se refuseraient à neutraliser une personne qui fait délibérément mal aux autres, même dans le cas où la liberté de l'agresseur doit être sacrifiée. Forcer quelqu'un à bien se comporter entraîne toujours un débat d'opinion: qui a raison et qui a tort? En gardant ce problème à l'esprit, il ne semblerait légitime que dans des circonstances extrêmes de contraindre les autres à se comporter comme nous pensons qu'ils devraient le faire.

Perdant-perdant

Dans la **résolution perdant-perdant**, aucune des parties ne sort satisfaite. Si le nom donné à cette méthode semble assez démoralisant pour qu'il soit difficile d'imaginer comment on peut y faire appel de bonne grâce, cette approche est en réalité une façon assez courante de faire face à des conflits. Dans maints exemples, les parties s'efforceront de gagner, mais le résultat montrera bien souvent qu'elles ont au contraire perdu. Sur la scène internationale, bien des guerres illustrent ce triste fait. Une nation qui obtient la victoire militaire au prix de milliers de vies, d'énormes pertes en biens, et qui en sort avec une conscience nationale ébranlée n'a vraiment pas gagné beaucoup. Sur le plan interpersonnel, le même principe prévaut. La majorité d'entre nous avons été témoins de batailles d'honneur dans lesquelles les deux parties se battent furieusement, mais souffrent également toutes deux.

Le compromis est parfois une forme de résolution de conflit sans gagnant. Les parties sont prêtes

à trouver un règlement qui leur accorde moins qu'elles le souhaitaient: elles croient qu'une satisfaction partielle est ce qu'elles peuvent espérer de mieux.

Dans son célèbre livre sur la résolution de conflits, Albert Filley signale un point intéressant sur notre attitude face à cette méthode[8]. Pourquoi, demande-t-il, lorsque quelqu'un dit: «Je vais faire certains compromis sur les valeurs auxquelles je crois», voyons-nous cet acte d'un œil défavorable, alors que nous avons une certaine admiration pour des adversaires qui, dans un conflit, arrivent à un compromis honorable? Si les compromis présentent des avantages dans certains types de conflits, il est important de se rendre compte que les partenaires, dans une dispute, peuvent souvent trouver de bien meilleures solutions en travaillant de concert. S'ils ne le font pas, le mot *compromis* prend alors une signification négative.

La plupart d'entre nous vivons entourés des résultats de mauvais compromis. Pensez à un exemple courant: le conflit qui existe entre un fumeur et une autre personne qui désire respirer un air pur. Les issues de cette situation sont évidentes: soit que le fumeur s'abstienne de fumer, soit que le non-fumeur voie son atmosphère viciée — aucune des solutions n'étant très satisfaisante. Un compromis dans lequel le fumeur ne peut avoir la jouissance que d'une seule cigarette de temps à autre ou doit quitter la pièce pour fumer, et dans lequel le non-fumeur doit encore inhaler certaines fumées ou se sentir comme un tyran, est à peine meilleur. Les deux parties ont perdu une grande part de leur bien-être et de leur bonne entente. Les coûts encourus dans d'autres formes de compromis sont bien sûr encore plus grands. Si un couple divorcé, par exemple, fait des compromis sur le soin à apporter aux enfants en marchandant leur garde et en s'accordant de mauvaise grâce sur le temps qui leur est alloué avec eux, il est bien difficile de dire que quelqu'un a gagné.

Gagnant-gagnant Dans la **résolution gagnant-gagnant**, l'objectif est de trouver une solution qui satisfasse les besoins de toutes les personnes concernées. Non seulement les parties évitent-elles de l'emporter sur le dos de l'autre, mais elles croient également qu'en travaillant ensemble elles peuvent trouver une solution qui permette à chacun d'atteindre ses objectifs.

Certains compromis s'approchent de cet idéal de victoire partagée. Pour une voiture d'occasion, le vendeur et vous-même pouvez convenir d'un prix qui se situe entre ce que le vendeur demande et ce que vous êtes prêt à payer. Si vous n'obtenez ni l'un ni l'autre tout ce que vous désiriez au départ, l'issue vous permettra quand même d'être satisfaits. De la même façon, votre compagnon et vous pouvez tomber d'accord pour voir un film qui corresponde à votre deuxième choix à tous deux dans le but de passer la soirée ensemble. Tant et aussi longtemps que chacun est satisfait de l'issue, il est juste de la définir comme une solution à victoire partagée.

Si les compromis peuvent être considérés parfois comme des victoires partagées, les meilleures solutions sont cependant celles pour lesquelles les parties obtiennent tout ce qu'elles désirent. En voici quelques exemples:

Martin était collectionneur de timbres; sa femme Nicole aimait beaucoup élever et faire concourir des chiens beagles. Leurs revenus ne leur permettaient pas à tous les deux de pratiquer leur passe-temps, et s'ils partageaient leur argent, cela ne leur en laissait pas suffisamment à chacun. La solution: mettre tout leur argent la première année dans les jeunes chiens et, lorsque ceux-ci

auraient grandi, utiliser les revenus obtenus par la vente de leurs portées et les prix gagnés pour acheter des timbres pour Martin.

Carmen aimait passer ses soirées à bavarder avec des gens du monde entier à l'aide de sa radio-amateur; son époux Charles se sentait par contre frustré des quelques heures qu'ils pouvaient passer ensemble chaque jour. Carmen ne désirait pas renoncer à son passe-temps, et Charles n'était pas prêt à sacrifier le temps dont il avait besoin par ailleurs pour se retrouver seul avec son épouse. La solution: trois ou quatre soirs par semaine, Carmen restait debout plus tard pour parler sur les ondes après avoir passé la soirée avec Charles. Le matin suivant, il la conduisait à son travail au lieu qu'elle prenne l'autobus, ce qui lui permettait de dormir plus longtemps.

Normand et Jacques étaient des compagnons de chambre qui avaient des habitudes différentes pour étudier. Normand aimait travailler le soir, ce qui lui laissait les journées libres pour faire autre chose; pour Jacques, par contre, les soirées étaient réservées à la détente. La solution: Normand passait ses soirées du lundi au mercredi à étudier chez son amie, tandis que Jacques faisait ce qu'il voulait. Le jeudi et le dimanche, Jacques consentait à ce que la maison soit tranquille, et le vendredi et le samedi, ils faisaient tous deux la fête.

Le propos ici n'est pas de dire que ces solutions conviennent à tous ceux qui se trouvent dans des situations semblables: l'approche à victoire partagée ne fonctionne pas de cette façon. Des personnes différentes auraient pu penser à d'autres solutions qui leur auraient davantage convenu. Ce que cette approche fait, c'est de vous indiquer une méthode, une façon créative de penser, visant la recherche d'une solution à un problème. En l'utilisant, vous pouvez vous trouver une façon bien personnelle de résoudre vos conflits qui permette à chacun de vivre à sa guise.

Vous devriez comprendre que cette approche ne demande pas de compromis dans lesquels les partenaires renoncent à une chose qu'ils désirent ou dont ils ont réellement besoin. Un compromis est parfois la seule solution, mais la méthode dont nous parlons ici en offre une qui satisfait tout le monde — et pour laquelle personne n'a à perdre.

> Repartons à neuf, en nous rappelant chacun que la courtoisie n'est en aucun cas un signe de faiblesse.
>
> John F. Kennedy

Techniques de communication gagnant-gagnant

La résolution gagnant-gagnant est nettement supérieure aux approches gagnant-perdant ou sans gagnant. Pourquoi alors y fait-on si peu souvent appel? Trois raisons expliquent cela. Premièrement, on n'en prend pas conscience. Certaines personnes ont tellement l'habitude de la rivalité qu'elles pensent, à tort, que pour gagner il faut absolument abattre son «adversaire».

Même s'ils ont une meilleure connaissance, une autre raison empêche pourtant les gens de chercher des solutions à victoire partagée. Les conflits sont souvent des affaires émotionnelles pour lesquelles ils réagissent avec combativité, sans prendre le temps de penser à des solutions de rechange plus satisfaisantes. Du fait de ce réflexe émotionnel qui empêche de penser à des solutions constructives, il est nécessaire de s'arrêter avant de s'exprimer de façon agressive et de commencer une escalade défensive. L'adage consacré de «compter jusqu'à 10» s'applique tout à fait ici. Une fois que vous aurez *réfléchi* au problème, vous serez en mesure d'*agir* de manière constructive plutôt que de *réagir* d'une façon susceptible de conduire à une solution dont personne ne sortira gagnant.

Une troisième raison qui explique que les solutions à «victoire partagée» sont rares, c'est qu'elles demandent la coopération de l'autre personne. Il est difficile de négocier de façon constructive avec quelqu'un qui tient absolument à l'emporter sur vous. Lorsque l'on fait face à ce genre d'individu, on a besoin d'utiliser les meilleures techniques de persuasion qui soient pour expliquer que, en travaillant ensemble, on peut arriver à trouver une solution qui satisfasse les deux parties en conflit.

Malgré ces difficultés, il est possible de s'améliorer. Dans les pages qui suivent, nous allons mettre en évidence une méthode qui accroîtra vos chances de pouvoir faire face aux conflits que vous rencontrerez, qui vous conduira à un règlement à victoire partagée et qui vous permettra, ainsi qu'à la personne engagée, d'assouvir vos besoins. En apprenant à utiliser cette méthode, vous vous apercevrez que vos conflits se résolvent de mieux en mieux. Si une satisfaction totale n'est pas toujours possible, cette approche peut cependant vous aider en vous indiquant comment régler vos problèmes de la meilleure façon qui soit, et en empêchant tout conflit personnel de venir ruiner votre interaction future avec les personnes engagées.

Avant de présenter cette méthode, il y a certains points dont il faudrait vous souvenir. Cette technique est fort structurée. Dès le début, il est important que vous en observiez attentivement toutes les étapes. Chacune d'elles est essentielle au succès de votre entreprise, et vouloir en sauter une ou plus conduirait à des malentendus, ce qui menacerait votre entretien et pourrait même causer une «méchante confrontation». Avec l'exercice et la familiarisation, cette méthode deviendra pratiquement une seconde nature pour vous. Vous serez en mesure de faire face à n'importe quel conflit sans avoir à suivre la méthode point par point. Mais pour le moment, essayez d'être patient et croyez en la valeur de cette démarche.

En lisant les étapes suivantes, essayez de vous imaginer en train de les appliquer à un problème qui vous préoccupe actuellement.

Étape 1 — Identifier le problème et les besoins insatisfaits.

Avant de vous exprimer de manière franche, il est important de prendre conscience que le problème à la source du conflit est le vôtre. Que vous désiriez retourner une marchandise qui ne vous satisfait pas, vous plaindre auprès d'un voisin bruyant que vous ne pouvez pas dormir ou demander des conditions de travail différentes à votre employeur, le problème est le vôtre. Pourquoi? Parce que, dans chaque cas, *vous* êtes la personne qui n'est pas satisfaite. Vous êtes celle qui a payé pour l'article défectueux; le marchand qui vous l'a vendu a bien reçu votre argent. Vous êtes la personne qui est en train de perdre le sommeil à cause des activités de vos voisins; eux ne demandent qu'à continuer ainsi. Vous, et non pas votre patron, êtes la personne qui n'est pas satisfaite de ses conditions de travail*.

Le fait de vous rendre compte que le problème est vôtre vous guidera lorsque le temps viendra d'approcher votre partenaire. Plutôt que de porter tout de suite des jugements, vous aurez davantage tendance à exposer le problème d'une façon descriptive; ce sera non seulement plus efficace, mais cela réduira également les risques d'une réaction défensive chez votre partenaire.

Une fois que vous avez pris conscience que le problème est vôtre, la seconde partie de l'étape consiste à identifier les besoins inassouvis qui vous laissent insatisfait. Dans l'affaire du chien qui ne cesse d'aboyer, par exemple, vous avez besoin de dormir ou d'étudier sans être dérangé. Dans le cas de l'ami qui vous taquine en public, vous voudriez bien ne plus vous sentir embarrassé.

Savoir identifier ses besoins n'est parfois pas aussi simple qu'il y paraît. Derrière le contenu apparent du problème se cachent bien souvent des besoins relationnels. Voyez les exemples suivants:

> Un ami ne vous a pas rendu l'argent que vous lui avez prêté depuis longtemps. Votre besoin apparent dans cette situation serait peut-être de recouvrer cet argent. En y pensant un tout petit peu, vous vous apercevrez sans doute que ce n'est pas votre unique souci ou ce que vous désirez le plus. Même si vous rouliez sur l'or, vous voudriez probablement que l'emprunt vous soit remboursé du fait d'un besoin beaucoup plus impératif: *éviter de vous sentir la victime du manque de considération de votre ami.*

> Une personne qui vous tient à cœur et qui habite dans une ville éloignée n'a pas répondu à plusieurs de vos lettres. Votre besoin manifeste peut être d'obtenir une réponse aux questions que vous lui avez posées; vous avez cependant un autre souci plus fondamental: *l'assurance que vous avez encore suffisamment d'importance à ses yeux pour mériter une réponse de sa part.*

Comme vous le verrez bientôt, la capacité d'identifier vos besoins réels joue un rôle essentiel dans la résolution de vos problèmes

interpersonnels. Un point à vous rappeler pour le moment: avant de faire connaître le problème à votre partenaire, vous devez avoir une idée très nette de vos besoins insatisfaits.

Étape 2 — Fixer une rencontre Les conflits destructifs débutent souvent parce que leur instigateur fait face à un partenaire qui n'est pas prêt. Bien des fois, la personne n'est pas dans l'état d'esprit de faire face à un conflit, peut-être à cause de la fatigue, ou parce qu'elle est trop pressée pour y consacrer le temps nécessaire, qu'elle est préoccupée par d'autres soucis ou qu'elle ne se sent pas bien. En de pareilles circonstances, il n'est pas très juste de vouloir lui «sauter dessus» sans l'avoir prévenue; ne vous attendez pas à ce qu'elle prête toute son attention à votre problème. Si vous y tenez vraiment, vous aurez probablement une horrible dispute sur les bras.

Ayant une idée très nette du problème, approchez donc votre partenaire avec une demande précise pour essayer de résoudre le conflit. Vous pourriez dire, par exemple: «Quelque chose me tracasse. Pouvons-nous en discuter?» Si la réponse est affirmative, vous êtes maintenant prêt à aller de l'avant. Si ce n'est pas le bon moment d'affronter votre partenaire, fixez un moment qui vous conviendra à tous les deux.

Étape 3 — Exposer le problème et les besoins Votre partenaire ne peut raisonnablement pas satisfaire vos besoins sans savoir pourquoi vous êtes contrarié ni ce que vous désirez: c'est à vous de lui exposer le problème aussi précisément que possible. La meilleure façon de lui transmettre un message complet et exact est d'utiliser la forme de message comportement / interprétation / sentiments / conséquences / intention.

Remarquez à quel point cette approche fonctionne bien dans les exemples suivants:

Exemple 1

> «Voici mon problème: tu laisses constamment traîner des affaires sales dans la maison; je t'ai pourtant dit que cela me dérangeait

---

* Bien sûr, d'autres personnes engagées peuvent avoir leurs propres problèmes. Le marchand, le voisin bruyant ou votre patron peuvent, par exemple, se trouver ennuyés par votre demande. Mais le fait demeure que la raison qui vous pousse à parler franchement de ces questions est que *vous* êtes insatisfait. Ainsi, le problème est le vôtre... au moins au début.

(comportement). C'est un problème, parce que je dois faire constamment le tour de la maison pour ramasser tes choses lorsque des invités viennent, et ce n'est pas très plaisant (conséquences). Je commence à penser que tu ne fais pas attention à mes demandes ou que tu veux me rendre folle (interprétation), et dans les deux cas je deviens de plus en plus irritée (sentiment). J'aimerais trouver une façon de garder la maison propre sans avoir à être la bonne ou à te faire continuellement des reproches (intention).»

Exemple 2

«Voici mon problème: lorsque tu viens à l'improviste et que je suis en train d'étudier (comportement), je ne sais pas si je dois te recevoir ou te demander de partir (pensée). Dans les deux cas, je me sens mal à l'aise (sentiment) et il me semble que, quoi que je fasse, j'y perds toujours: soit que j'aie à te renvoyer, soit que je prenne du retard dans mon travail (conséquences). J'aimerais trouver un moyen de faire mon travail et d'avoir également le temps de bavarder avec toi (intention).»

Exemple 3

«Quelque chose me tracasse. Lorsque tu dis que tu m'aimes mais que tu passes cependant pratiquement toutes tes heures libres avec tes autres amis (comportement), je me demande si tu le penses vraiment (pensée). Je suis inquiète (sentiment) et je commence à me montrer maussade (conséquences). J'ai besoin de savoir réellement quels sont tes sentiments à mon égard (intention).»

Étape 4 — Considérer le point de vue de l'interlocuteur
Après avoir fait état de votre problème et fait savoir ce dont vous avez besoin, il est important de vous assurer que votre partenaire a bien saisi ce que vous lui avez dit. Comme vous vous le rappelez depuis notre discussion sur l'écoute dans le chapitre 7, il y a de gros risques — particulièrement dans un conflit difficile — que vos paroles puissent être mal interprétées.

Il ne faut pas insister pour que votre partenaire paraphrase votre déclaration, et il existe heureusement d'autres façons plus subtiles et plus délicates de vous assurer d'avoir été bien compris. Vous pourriez dire par exemple: «Je ne suis pas certain

de m'être exprimé très clairement — peut-être devrais-tu me faire savoir ce que tu as compris pour que je sache si je l'ai bien fait.» Dans tous les cas, assurez-vous que votre partenaire comprenne l'ensemble de votre message avant d'aller plus loin. Les compromis valables sont suffisamment difficiles à établir pour que vous vous gardiez d'envenimer un conflit qui n'en est même pas un.

Une fois que vous avez clairement fait connaître votre position, il est temps que vous appreniez ce dont votre partenaire a besoin pour être lui aussi satisfait. Découvrir ses besoins est important pour deux raisons. Premièrement, c'est tout à fait légitime. L'autre personne a autant le droit que vous d'être satisfaite, et si vous voulez obtenir son aide pour assouvir vos besoins, il est tout à fait raisonnable que vous vous comportiez de la même façon avec elle. Outre la simple décence, il y a également une autre raison pratique qui vous pousse à vous préoccuper des besoins de votre partenaire. Tout comme un partenaire malheureux vous empêchera souvent de vous sentir totalement satisfait, un partenaire heureux sera d'autant plus enclin à coopérer et à vous aider à atteindre vos objectifs. Aussi, il y va de votre propre intérêt de découvrir et de satisfaire ses besoins.

Vous pouvez les connaître en les lui demandant simplement comme ceci: «Maintenant que je t'ai dit ce que je désirais et que je t'en ai donné la raison, dis-moi à ton tour ce que tu attends de moi pour être tout à fait satisfait.» Une fois que votre partenaire commence à parler, votre tâche consiste alors à faire usage des techniques d'écoute vues antérieurement pour être certain de bien le comprendre.

Étape 5 — Négocier un arrangement
Maintenant que votre partenaire et vous comprenez vos besoins respectifs, l'objectif est de trouver une façon de les satisfaire. Ceci se fait en essayant de

> Une dispute entre amis, une fois qu'elle est terminée, ajoute un nouveau maillon à l'amitié, comme la callosité qui se forme autour d'un os brisé le rend plus solide qu'auparavant.
>
> Saint François de Sales

proposer le plus de solutions possibles et d'en faire ensuite l'évaluation pour savoir lesquelles répondent le plus à vos besoins. La meilleure explication de ce genre d'approche a été donnée par Thomas Gordon dans son livre *Parents efficaces*[9]. Les étapes suivantes sont une version modifiée de cette approche:

A. *Identifier et définir le conflit* Nous avons déjà parlé de l'identification et de la définition du conflit dans les pages précédentes. Il s'agit de découvrir le problème et les besoins de chaque partenaire, de préparer le terrain pour y faire face.

B. *Suggérer plusieurs solutions envisageables* Dans l'étape B, les partenaires travaillent ensemble pour réfléchir au plus grand nombre de solutions envisageables. Le mot clé est ici *quantité*: il est important d'exprimer autant d'idées qu'il vous est possible d'avoir, sans vous inquiéter de savoir lesquelles sont bonnes et lesquelles ne conviennent pas. Notez chaque idée qui vous vient à l'esprit, peu importe qu'elle soit réalisable ou non. La suggestion la plus saugrenue peut parfois mener à une autre plus réalisable.

C. *Faire l'évaluation des solutions envisageables* C'est le moment de voir quelles solutions sont susceptibles de marcher et quelles autres ne fonctionneront pas. Il est important que chacun se montre franc sur sa volonté de coopérer. Si une solution est mise en œuvre, toutes les personnes engagées doivent la soutenir.

D. *Décider de la meilleure solution* Maintenant que vous avez vu toutes les possibilités, choisissez celle qui convient le mieux à tout le monde. Il est important de s'assurer que tous la comprennent et sont prêts à l'essayer. Rappelez-vous que votre décision n'a pas à être finale, mais la solution retenue devrait quand même pouvoir porter certains fruits.

Étape 6 — Tirer parti de la solution retenue

Vous ne pouvez pas être certain que la solution retenue va être efficace jusqu'à ce que vous l'ayez essayée. Après l'avoir testée pendant un certain temps, c'est une bonne idée que de prendre quelques instants pour discuter de ses progrès. Vous pouvez penser qu'il faudrait y apporter quelques modifications, ou même repenser l'ensemble de la question. L'idée est de ne pas se laisser dépasser par le problème et de continuer à manifester de la créativité pour y trouver une solution.

De tels arrangements ne sont pas toujours possibles. Il y aura des moments où même les personnes les mieux intentionnées ne seront tout simplement pas capables de trouver une façon de satisfaire tous leurs besoins. Dans un cas semblable, le processus de négociation doit comprendre certains compromis. Mais même dans ce cas, les étapes précédentes n'auront pas été vaines. Le désir réel de chercher à connaître les besoins de l'autre personne et la volonté de la satisfaire aideront à créer un climat favorable et amélioreront également votre relation pour l'avenir.

Les résolutions gagnant-gagnant et vous

1. Dressez une liste des situations de votre vie personnelle où un conflit sur le plan des besoins crée une certaine tension entre une autre personne et vous.

2. Analysez ce que vous faites actuellement pour trouver une solution à chacun de ces conflits et indiquez si votre comportement connaît un certain succès.

3. Choisissez au moins un des problèmes de la liste et, avec les personnes engagées, essayez de trouver un arrangement en suivant les étapes indiquées dans les pages précédentes.

4. Après avoir franchi les étapes 1 à 5, faites part des résultats de votre consultation à la classe. Prenez le temps de tester cet arrangement, puis rapportez les progrès enregistrés et discutez de la consultation qui a suivi, comme à l'étape 6.

Les conflits constructifs: des questions et des réponses...

Après avoir vu ce qu'est une négociation «gagnant-gagnant», les gens expriment souvent des doutes quant à l'efficacité de cette méthode. «C'est semble-t-il une bonne idée, disent-ils, mais...» Trois questions reviennent souvent et méritent de trouver réponse.

Cette approche n'est-elle pas trop belle pour être vraie? Des études montrent que la recherche de bénéfices mutuels est non seulement souhaitable, mais aussi efficace. En fait, cette approche produit de meilleurs résultats que la méthode de négociation gagnant-perdant.

Dans une série d'expériences, Robert Axelrod a présenté à des sujets une situation de compromis appelée «le dilemme du prisonnier»: on avait à choisir entre aider ou trahir un complice[10]. Il y a trois types de solutions dans le dilemme du prisonnier: un partenaire peut gagner gros en trahissant un complice; les deux peuvent y gagner en voulant bien coopérer; les deux peuvent également perdre en se trahissant l'un l'autre.

Bien que certaines personnes cyniques puissent penser que la stratégie la plus rentable soit celle qui consiste à trahir son partenaire (l'approche gagnant-perdant), Axelrod a montré que la coopération est vraiment le choix le plus difficile, mais le meilleur. Il organisa un tournoi dans lequel les participants jouaient contre un ordinateur programmé pour présenter différentes stratégies de négociation. La stratégie gagnante fut celle qui avait pour nom «Tit-for-Tat»*. Elle commence par la collaboration et continue de même jusqu'à ce qu'un adversaire la trahisse. Après cela, le programme exécute toujours ce que l'autre joueur a fait au tour précédent. Il ne punit jamais un adversaire plus d'une fois pour une trahison et sera toujours prêt à coopérer si l'autre joueur fait de même.

Une stratégie de ce type réussit pour plusieurs raisons[11]. Premièrement, elle ne fait pas de victime. Elle répond rapidement à la trahison en décourageant les autres de tirer parti de la situation. En même temps, elle est prompte à pardonner. Elle ne garde pas rancune: dès que l'autre partie coopère, elle fait de même. Finalement, elle n'est pas trop sournoise. En affichant un comportement clair et prévisible, cette stratégie permet de créer une atmosphère de confiance.

Certains conflits ne peuvent trouver de solution avec ce genre de stratégie. Un seul prétendant peut épouser la princesse et une seule personne peut obtenir le poste annoncé. De plus, il est impossible d'arriver à un arrangement partagé si votre partenaire refuse de coopérer. La plupart du temps, cependant, de bonnes intentions et une pensée créative peuvent mener à des résultats qui satisferont les besoins de chacun.

Est-il possible de changer les autres? Les lecteurs trouvent, en général, que la résolution gagnant-gagnant serait sensationnelle. «Comment puis-je amener l'autre personne à vouloir coopérer?», telle est la question...

Vous ne serez pas toujours en mesure d'amener votre partenaire à vouloir coopérer, mais un bon travail d'approche peut faire l'affaire la plupart du temps. Il vous faut démontrer qu'il y va de l'intérêt de l'autre personne de travailler de concert avec vous: «Penses-y, si nous ne pouvons parvenir à une entente, nous allons tous deux être malheureux. Mais si nous pouvons trouver une réponse satisfaisante, vois comme nous allons nous en sentir soulagés tous deux.» Remarquez que ce genre d'explication décrit à la fois les conséquences favorables d'une coopération et les coûts encourus par une rivalité.

Vous pouvez également augmenter vos chances de voir votre partenaire coopérer en modelant les techniques de communication décrites dans ce livre. Vous avez appris qu'un comportement provoquant des réactions défensives est généralement réciproque; la communication positive l'est également. Si vous pouvez écouter de façon sincère, éviter les attaques empreintes de jugements et manifester de l'empathie aux problèmes des autres, il y a de fortes chances que vous receviez le même genre de traitement en retour. Et même dans le cas où votre attitude coopérante ne vous rapporte rien, vous y gagnerez en dignité personnelle en sachant au moins que vous vous êtes comporté de façon franche et constructive.

La négociation à victoire partagée n'est-elle pas *trop* rationnelle? Les lecteurs frustrés trouvent souvent que cette approche est tellement délicate que seul un saint pourrait s'en servir avec succès. «Parfois, je suis tellement en colère que je m'en fous d'être positif, compréhensif ou quoi que ce soit d'autre, disent-ils. Je veux tout simplement exploser de rage!»

Lorsque vous vous sentez ainsi, il vous est pratiquement impossible de vous montrer rationnel.

* Littéralement «un prêté pour un rendu».

Cette conversation montre comment une résolution gagnant-gagnant peut réussir même lorsqu'un des partenaires ne se montre pas très coopératif. Ce genre de négociation requiert de la créativité et de la maîtrise de soi, mais les résultats à court comme à long terme justifient les efforts.

Il est 7 h 15 du matin, un jour de classe ordinaire. Michèle entre dans la cuisine et trouve l'évier rempli de vaisselle sale du souper de la veille. C'était au tour de sa colocataire Carmen de faire la vaisselle. Elle soupire de dégoût et commence à laver la vaisselle en faisant pas mal de bruit avec les casseroles, les poêles, les assiettes et les couverts.

Carmen: Pourrais-tu faire un peu moins de bruit, s'il te plaît? Je n'ai pas de cours avant 10 h et j'aimerais rattraper du sommeil.

Michèle: (*Exprimant son agressivité de façon indirecte, d'un ton de voix sarcastique.*) Excuse-moi de te déranger. J'étais en train de laver la vaisselle d'hier soir.

Carmen: (*Ne saisissant pas le message.*) Bon, mais pourrais-tu le faire moins bruyamment? J'ai étudié assez tard hier soir et je suis crevée.

Michèle: (*Décide de montrer son irritation de façon plus directe, sinon agressive.*) Eh bien, si tu avais fait la vaisselle hier soir, je n'aurais pas à la faire maintenant.

Carmen: (*Se rend compte finalement que Michèle est furieuse contre elle et réagit de façon défensive.*) Je l'aurais faite en me levant. J'ai eu deux examens de mi-trimestre cette semaine et j'ai étudié jusqu'à minuit hier soir. Qu'est-ce qui est plus important? De bons résultats ou une cuisine impeccable?

Michèle: (*Continuant la spirale défensive amorcée.*) J'ai des cours moi aussi. Cela veut-il donc dire que nous devons vivre comme des cochons!

Carmen: (*Apparaît, furieuse.*) Laisse tomber! Si tu en fais toute une affaire, je ne laisserai plus jamais une assiette sale traîner! (*Elle sort dignement de la pièce.*)

Michèle et Carmen s'évitent l'une l'autre en finissant de se préparer pour les cours. Pendant toute la journée, Michèle ne peut s'empêcher de penser à la dispute. Elle sait très bien qu'elle est en droit de se plaindre, mais elle se rend également compte qu'attaquer Carmen ne fera qu'envenimer les choses. Elle décide donc d'adopter une conduite plus constructive plus tard dans la journée.

Michèle: Ce n'était pas très amusant ce matin. Veux-tu en parler?

Carmen: Il faut bien. Je dois cependant sortir pour étudier avec Nadia et Mélissa d'ici quelques minutes.

Michèle: (*Se rendant compte qu'il est important de choisir le bon moment pour parler.*) Si tu dois partir bientôt, ne le faisons pas tout de suite. Nous pourrions parler lorsque tu vas revenir, qu'en dis-tu?

Carmen: D'accord, si je ne suis pas trop fatiguée.

Michèle: Ou bien alors demain avant les cours.

Carmen: D'accord.

Plus tard ce soir-là, Carmen et Michèle reprennent leur conversation.

Michèle: (*Définit le problème comme le sien en utilisant un style affirmatif, au message clair.*) J'ai détesté commencer la journée par une dispute. Je déteste également avoir à faire la vaisselle lorsque ce n'est pas mon tour (comportement). Il ne m'apparaît pas très juste de faire mon travail et le tien (interprétation); c'est pourquoi j'étais tellement furieuse (sentiment) et je t'ai fait certains reproches (conséquences).

Carmen: Mais j'avais à étudier! Tu sais que j'ai beaucoup de travail. Ce n'est pas comme si j'étais en train de faire la fête.

Michèle: (*Évite d'attaquer Carmen, mais est tout à fait d'accord sur les faits et explique encore pourquoi elle était si découragée.*) Je sais bien. Ce n'est pas seulement la vaisselle de ce matin qui m'avait mise dans cet état. C'est que j'ai souvent à faire et mon travail et le tien ici.

Carmen: (*De manière défensive.*) Comme quand?

Michèle: (*Donne une description spécifique du comportement de Carmen.*) Eh bien, c'est la troisième fois cette semaine que je fais la vaisselle à ta place, et je pense aussi à deux autres fois dernièrement où j'ai dû ranger tes affaires dans le salon avant que des amis ne viennent ici.

Carmen: Je ne vois pas pourquoi tu en fais tout un plat. Si tu laisses tout, je vais ramasser mes affaires.

Michèle: (*Essayant encore de s'expliquer, en continuant à employer un langage «à la première personne».*) Je sais bien que tu le ferais. J'imagine qu'il m'est plus difficile de tolérer un appartement en désordre que ce ne l'est pour toi.

Carmen: Ouais, si tu relaxais un peu plus, la vie serait peut-être plus facile!

Michèle: (*Indignée que l'accusation de Carmen indique que le problème vient entièrement d'elle.*) Eh, une minute! Ne me mets pas tout sur le dos. C'est simplement que nous avons des critères différents. Tu penses peut-être que je suis trop tatillonne sur le fait de vouloir garder l'appartement propre...

Carmen: Oui, tout à fait cela.

Michèle: ... Et si nous faisions comme tu dis, cela voudrait dire que je renonce à mes principes. Je devrais soit vivre dans un endroit plus en désordre que je ne le souhaite, soit faire le ménage moi-même. Je serais furieuse après toi et l'atmosphère serait plutôt tendue ici. (*Décrit les conséquences désagréables si elles ne résolvaient pas le problème à leur entière satisfaction à toutes les deux.*)

Carmen: Je suppose que oui.

Michèle: Ce qu'il nous faut c'est réfléchir à une façon de prendre soin de l'appartement qui nous rende à toutes deux la vie agréable. (*Expose les grandes lignes d'une solution gagnant-gagnant.*)

Carmen: Oui, c'est cela.

Michèle: Que pourrions-nous donc faire?

Carmen: (*Paraissant résignée.*) Eh bien, à partir de maintenant, je ferai la vaisselle immédiatement après les repas. Cela ne vaut pas la peine d'en discuter.

Michèle: Au contraire. Si tu es fâchée, l'appartement pourra bien être propre, mais cela n'en vaudra pas la peine!

Carmen: (*Avec scepticisme.*) Eh bien, que suggères-tu?

Michèle: Bien, je n'en suis pas très sûre. Tu n'es pas chaude à l'idée de faire la vaisselle tout de suite après les repas et je ne tiens pas à faire mon travail plus le tien. Tu es d'accord?

Carmen: Ouais. (*Encore sceptique.*) Qu'allons-nous donc faire — engager une femme de ménage?

Michèle: (*Refusant de laisser Carmen détourner la discussion.*) Ce serait formidable, mais nous ne pouvons pas nous le permettre. Que dirais-tu d'utiliser des assiettes en carton? Ce serait plus facile pour nettoyer après les repas, non?

Carmen: Ouais, mais il resterait encore les poêles et les casseroles.

Michèle: Eh bien, ce n'est pas parfait, mais cela pourrait aider un peu. (*Continue à suggérer d'autres idées.*) Que dirais-tu de préparer des repas qui ne salissent pas beaucoup de vaisselle — peut-être davantage de salade et moins de friture, bref moins de trucs qui collent dans les casseroles? Ce serait également meilleur pour la santé.

Carmen: Ouais. Je déteste vraiment avoir à frotter les casseroles toutes sales! Mais cela ne résout pas ton problème de vouloir que le salon soit toujours impeccable, et je parie que je ne laisserais pas encore la cuisine aussi propre que tu le désires. Garder l'appartement tout à fait net ne compte pas autant pour moi que pour toi.

Michèle: C'est juste, et je ne *tiens pas* à avoir à te faire constamment des reproches! (*Clarifie la solution qu'elle recherche.*) Tu sais, ce n'est pas vraiment le ménage qui m'ennuie. C'est le fait de faire plus que ma part de travail. Je me demande s'il n'y aurait pas moyen que je m'occupe davantage de la cuisine et du salon, si tu pouvais de ton côté faire quelque chose d'autre pour me rendre la tâche moins lourde.

Carmen: Es-tu sérieuse? J'*adorerais* ne plus faire la vaisselle! Tu veux dire que tu la ferais toi... ainsi que le ménage... si je m'occupais de quelque chose d'autre?

Michèle: Si le travail est égal et que tu remplis bien tes tâches sans que j'aie à te le rappeler, oui.

Carmen: Que voudrais-tu donc que je fasse?

Michèle: Nettoyer la baignoire, par exemple? C'est une chose que je déteste faire!

Carmen: Oublie ça. C'est pire que de faire la vaisselle!

Michèle: Et faire la cuisine?

Carmen: Cela pourrait marcher certaines fois, mais nous devrions alors prendre toujours nos repas à la même heure. C'est agréable de pouvoir faire sa cuisine quand on veut, c'est plus souple comme cela.

Michèle: Bon, et les courses alors? Je déteste y perdre du temps et il semble que cela ne te déplaise pas tant que cela à toi, pas vrai?

Carmen: Tu veux dire faire le marché? Tu m'échangerais cela contre le ménage de la cuisine?

Michèle: Certainement. Et remettre en ordre le salon. Cela prend une heure chaque fois que nous allons faire les courses et nous les faisons deux fois par semaine. Faire la vaisselle serait beaucoup plus rapide.

Carmen: Alors c'est d'accord.

Le plan n'a pas fonctionné à la perfection; au début, Carmen a repoussé l'échéance jusqu'à ce qu'il n'y ait vraiment plus rien à manger et Michèle en a aussi profité pour demander à Carmen de faire d'autres courses chaque fois qu'elle allait au magasin. Leur arrangement a cependant mieux fonctionné que dans la situation antérieure. L'appartement a été mieux rangé et la charge de travail plus égale, ce qui satisfaisait Michèle. Carmen a moins été l'objet des reproches de Michèle, et elle n'avait plus de corvées à la cuisine, ce qui la rendait plus heureuse. Ce qui est tout aussi important, c'est que la relation entre Michèle et Carmen est maintenant plus harmonieuse grâce à cette résolution «gagnant-gagnant» du problème.

Ce qui soulage le plus est alors de laisser sortir toutes vos émotions — ce que George Bach appelle un «Vésuve», une explosion spontanée et incontrôlée. Ce peut être un moyen fantastique de «laisser échapper la vapeur» et, après l'avoir fait, il est souvent plus facile de penser à une approche rationnelle du problème.

Aussi, nous vous encourageons à être un «Vésuve» quand il le faut, avec toutefois les précautions suivantes: assurez-vous que votre partenaire comprenne ce que vous êtes en train de faire et se rende compte que tout ce que vous allez dire ne demande pas nécessairement de réponse. Il devrait pouvoir vous laisser tempêter et délirer aussi longtemps que vous le désirez sans se montrer défensif ou «prendre fait et cause». Lorsque votre éruption se calmera, vous pourrez alors prendre vos dispositions pour régler ce qui vous contrarie encore.

La haine… m'ennuie
La haine… m'épuise
Elle m'amenuise
La haine…
Et je m'enfuis
J'veux pas d'histoires
J' suis pas un soldat
J'aime pas l'combat
La haine…
C'est pas pour moi
Surtout la nuit
Quand il fait noir
Et désespoir
Et démoli
J'aime pas la vie
J'aime pas la vie
Si c'est comme ça
Ni le velours
Ni les lilas
Quand les vautours
Sont maîtres et rois
Je n'en veux plus
J'supporte mal
Les calembours
Les contes de fées
Et les printemps ensoleillés
La haine…
Ni temps perdu
Ni perte de temps
Ni dévolu
Ni dévorant
D'une guerre d'entrailles
Victoire kaki
Grisaille et ruines
Et démuni
Si c'est la vie
Je n'en veux pas
Ni même d'amour
Si c'est comme ça
La haine… m'ennuie
La haine… m'épuise
La haine… elle m'amenuise
Elle me brise
Et je m'enfuis.

Paul Piché

RÉSUMÉ

Dans toute relation interpersonnelle, des conflits existent. La manière dont ils sont pris en charge joue un rôle capital pour la qualité de la relation. Lorsqu'on y fait face de manière constructive, ils peuvent mener à un dialogue plus profond et plus satisfaisant; mais lorsque, à l'inverse, on ne s'en occupe pas adéquatement, les relations peuvent en souffrir.

Il existe quatre façons de faire face à un conflit. Un comportement passif *l'évite* simplement. L'approche directement agressive attaque l'autre partenaire, tandis que le comportement manipulateur communique le message de façon détournée: l'approche passive-agressive affiche une certaine hostilité et l'approche indirecte opère par sous-entendus sur la nature du problème. L'approche affirmative fait face au problème de façon directe, sans pour autant attaquer l'autre partenaire. Un message affirmatif décrit un comportement, en donne au moins une interprétation et présente les conséquences de la situation, ainsi que les sentiments et les intentions de la personne qui s'exprime.

Il y a trois solutions aux conflits: une approche gagnant-perdant, une approche perdant-perdant et une approche gagnant-gagnant. Une approche gagnant-perdant débouche souvent sur une situation où les deux parties sont perdantes et ont à en souffrir. Les arrangements à victoire partagée sont souvent possibles, si les partenaires ont l'attitude et les compétences voulues.

Mots clés

Agressivité directe
Communication indirecte
Comportement manipulateur
Comportement passif
Comportement passif-agressif
Conflit

Description du comportement
Énoncé de sentiments
Énoncé des conséquences
Énoncé d'intentions
Interprétation
Machiavélique

Message affirmatif
Négociation
Résolution gagnant-gagnant
Résolution gagnant-perdant
Résolution perdant-perdant

Bibliographie spécialisée

BACH, George R., WYDEN, Peter. *Ennemis intimes,* Montréal, Le Jour et Actualisation, 1983, 332 p.

Best-seller aux États-Unis, cet ouvrage présente une étude minutieuse des styles de conflits destructifs qui caractérisent la façon de régler un conflit dans le couple. Les auteurs suggèrent une autre avenue pour résoudre les conflits: il s'agit des batailles «loyales». De nombreux exemples d'interactions illustrent les points de vue des auteurs.

BOISVERT, Jean-Marie, BEAUDRY, Madeleine. *S'affirmer et communiquer,* Montréal, Les Éditions de l'Homme et CIM, 1979, 328 p.

Les auteurs québécois donnent de l'information sur le phénomène de la communication. Les chapitres 1, 2 et 3 expliquent ce qu'est l'affirmation de soi et comment adopter ce comportement dans les relations interpersonnelles. Les chapitres 9 à 12 précisent comment faire face à des refus ou régler des conflits; bref, des suggestions qui permettront d'améliorer vos relations.

DE BONO, Edward. *Conflits: vers la médiation constructive,* Paris, InterÉditions, 1988, 285 p.

Un titre évocateur: les quatrième et cinquième parties du livre traitent spécifiquement du conflit et des stratégies de résolution des conflits.

Chapitre 11

La communication dans les groupes

Au cours des chapitres précédents, nous avons présenté des façons d'améliorer nos communications interpersonnelles. Dans la majorité des cas, nous faisions allusion aux difficultés ou aux phénomènes de la communication tels qu'ils pourraient se présenter entre deux individus. Cependant, le processus de la communication s'effectue tout aussi bien dans les groupes de personnes qu'entre deux personnes tout simplement. C'est pourquoi nous étudierons dans ce dernier chapitre les phénomènes de communication dans les groupes. Avant de présenter les grandes lignes des thèmes abordés dans ce chapitre, posons-nous d'abord ces quelques questions de réflexion.

Quelle importance ont les groupes?

Pensez aux groupes auxquels vous appartenez en ce moment ainsi qu'à ceux auxquels vous avez déjà appartenu: la famille dans laquelle vous avez grandi, les cours que vous avez suivis, les équipes dont vous avez fait partie, les groupes sociaux dont vous avez été membre... La liste risque d'être longue! Imaginez maintenant, en les prenant un à un, que vous n'ayez jamais appartenu à aucun de ces groupes. Commencez par les moins importants — les conséquences ne sont pas si dramatiques. Très vite cependant, vous allez vous apercevoir qu'une grande partie de ce que vous avez appris (de même que les avantages que vous en avez tirés) provient du fait d'avoir appartenu — ou d'appartenir encore — à un groupe d'individus. Rappelez-vous... même votre concept de soi est né des réactions des gens à votre égard. Alors c'est dire toute l'importance qu'ont les groupes dans nos vies.

Cela ne signifie pas pour autant que toutes les expériences en groupe soient bonnes. Certaines valent tout juste la peine d'être vécues, se comparant un peu à de la nourriture qui n'apporte aucune énergie; d'autres sont franchement pitoyables. S'il est facile parfois de comprendre pourquoi un groupe a du succès alors qu'un autre n'en a pas, dans d'autres cas les choses ne sont pas aussi tranchées.

Ce chapitre vous aidera à mieux comprendre ce qu'est la communication dans un groupe. Nous commencerons par expliquer ce qu'est un «groupe» pour apprendre ensuite les raisons qui poussent les gens à former des groupes, et nous identifierons certaines caractéristiques communes à tous les groupes. De plus, nous vous présenterons

le processus de résolution de problèmes en précisant les types de relations à entretenir à l'intérieur d'un groupe pour rendre ce procédé efficace et harmonieux. Nous analyserons le concept de leader et de leadership en suggérant comment les groupes peuvent fonctionner de manière encore plus efficace. Pour terminer, nous dresserons la liste de plusieurs problèmes courants que les groupes peuvent rencontrer, et nous indiquerons comment y faire face.

Qu'est-ce qu'un groupe?

Imaginez que vous passiez un examen sur les phénomènes de communication dans les groupes. Qu'identifieriez-vous comme groupes?

Une foule de badauds regardant un bâtiment en flammes?

Une poignée de passagers, au comptoir d'une compagnie aérienne, discutant de leurs possibilités d'obtenir un siège sur un vol très en demande?

Un bataillon de l'armée?

Toutes ces situations semblent faire référence à des groupes. Mais votre expérience d'étudiant vous dit qu'une réponse évidente vous plongera, peut-être, dans l'embarras. En effet, lorsque des spécialistes en sciences humaines parlent de groupes, ils utilisent le mot d'une façon particulière qui exclut chacun des exemples précédents.

Que faut-il donc entendre par le terme «groupe»? Selon notre perspective, un **groupe** représente «un petit ensemble de personnes qui interagissent, habituellement face à face, pendant un certain temps, dans le but d'atteindre des objectifs précis». Un examen plus approfondi de cette définition nous fera comprendre pourquoi aucun des ensembles de personnes décrits plus haut ne constitue un groupe en lui-même.

Interaction Un ensemble de personnes ne constitue pas un groupe s'il n'y a pas une certaine interaction entre elles. Pensez, par exemple, aux badauds qui regardent l'incendie. Bien qu'ils se trouvent sur les mêmes lieux au même moment, ils n'ont virtuellement rien à faire les uns avec les autres. S'ils devaient interagir — travailler ensemble — comme apporter les premiers soins ou

secourir les victimes — la situation serait différente. Cette condition d'interaction souligne la différence qui existe entre des groupes véritables et un ensemble de personnes qui se contentent *de co-agir* — c'est-à-dire qui se trouvent à avoir une activité similaire sans pour autant communiquer les unes avec les autres. Des étudiants qui écoutent passivement un cours ne constituent pas un groupe, techniquement parlant, avant le moment où ils commencent à échanger des messages entre eux ou avec le professeur. (Cela explique pourquoi certains d'entre eux se sentent isolés alors qu'ils passent une grande partie de la journée dans un campus bondé. Même s'ils sont entourés d'autres personnes, ils n'appartiennent pas réellement à un groupe en particulier.)

Comme vous l'avez vu aux chapitres 5 et 6, dans toute situation de communication, l'interaction revêt principalement deux formes. La première et la plus évidente est verbale: les personnes échangent des paroles, oralement ou par écrit. Elles n'ont cependant pas toujours besoin de se parler pour communiquer en tant que groupe: elles peuvent le faire également par les canaux non verbaux. Imaginez la situation suivante: nous en sommes à la dixième semaine de cours et le professeur n'a donné, jusqu'ici, que des cours magistraux. Au cours de ces premières rencontres,

il n'y a eu que très peu d'interaction — les étudiants étant trop occupés à prendre des notes et à se demander comment ils allaient pouvoir se rendre à la fin du trimestre et obtenir une note de passage acceptable. En s'habituant peu à peu à la classe, ils ont probablement commencé à partager entre eux leurs impressions sur le cours. Les mouvements d'yeux et les soupirs sont nombreux lorsque le professeur commence à dicter la somme de travail qu'il attend d'eux, et ils poussent maintenant d'autres soupirs en entendant les mêmes plaisanteries pour la nième fois! Ainsi, sans même avoir eu d'échange verbal sur les sentiments que le professeur provoquait chez ces étudiants, la classe s'est transformée peu à peu en un groupe — d'une façon assez intéressante ici, comme vous pouvez le constater, puisque le groupe n'inclut pas le professeur...

Durée Un ensemble de personnes qui interagissent pendant un court laps de temps ne constituent pas un groupe. Comme vous allez bientôt le voir, les groupes qui travaillent ensemble pendant un certain temps vont présenter certaines caractéristiques que l'on ne retrouve pas dans les rassemblements temporaires. Certaines normes de conduite, par exemple, vont commencer à s'établir, et la façon dont les individus se sentent les uns vis-à-vis des autres affectera leur comportement face aux objectifs du groupe comme celui qu'ils auront entre eux. Selon ce critère, les badauds rassemblés sur les lieux de l'incendie ont peu de chance de passer pour un groupe, car ils ne font que coopérer momentanément dans une situation d'urgence. Le facteur temps exclut clairement les

Est-ce cela un groupe?

rassemblements temporaires comme celui des passagers au comptoir de la compagnie aérienne. Ces situations ne respectent pas la majorité des principes que nous allons vous présenter dans ce chapitre.

Taille du groupe Notre définition du groupe comprenait également le mot «petit». La majorité des spécialistes en communication s'accordent pour dire qu'il faut au minimum trois personnes pour que l'on puisse parler de groupe. Cette décision n'est pas arbitraire: il existe en effet certaines différences notoires entre une communication à deux ou à trois personnes. Les voies qui s'offrent à deux personnes pour résoudre un conflit sont limitées: faire changer d'avis leur partenaire, céder ou encore en arriver à un compromis. Dans un groupe plus important, la possibilité de former des alliances existe, soit pour faire davantage pression sur les membres dissidents, soit pour les mettre en minorité[1].

Le consensus est moins net, par contre, sur la question de savoir quand un groupe cesse d'être considéré comme petit. Bien qu'aucun spécialiste ne soit prêt à appeler un bataillon de 500 soldats un «groupe» dans le sens que nous donnons ici à ce mot (on parlerait plutôt d'organisation), la plupart d'entre eux hésitent à fixer une limite supérieure. La meilleure définition de «petitesse» que l'on puisse donner ici s'arrête à la capacité pour chaque membre du groupe de connaître les autres membres et d'avoir des échanges avec eux. Nous nous bornerons donc à parler de groupes variant de trois à sept ou vingt personnes.

Objectifs L'appartenance à un groupe n'est pas toujours volontaire, à preuve les recrues de l'armée ou les prisonniers. Mais toutes les fois que des personnes choisissent volontairement de se joindre à un groupe, elles le font parce qu'elles savent que cela leur permettra d'atteindre un ou plusieurs objectifs précis. À première vue, une telle adhésion peut paraître simple et évidente. En vérité, cependant, il existe plusieurs types d'objectifs que nous allons maintenant passer en revue.

Objectifs du groupe et de ses membres

Nous pouvons parler de deux types d'objectifs pour ce qui est des groupes. Le premier a trait aux objectifs individuels — les motifs personnels de chacun des membres — et le deuxième aux objectifs du groupe — les buts que le groupe s'est fixés.

Objectifs individuels Nous retrouvons, pour les objectifs individuels, deux grandes classes.

OBJECTIFS RELIÉS À LA TÂCHE Atteindre certains objectifs reliés à la tâche — autrement dit accomplir un travail donné — est la raison la plus évidente qui pousse des individus à se joindre à un groupe. Certaines personnes adhèrent à un groupe d'études, par exemple, pour augmenter leurs connaissances dans un domaine précis. D'autres se joignent à des groupes à caractère religieux pour améliorer leur qualité de vie comme celle des autres. (Il peut y avoir d'autres raisons de vouloir étudier ou d'appartenir à un groupe religieux, comme nous allons le voir immédiatement.)

OBJECTIFS SOCIAUX Qu'en est-il des groupes qui n'ont pas d'objectif particulier? Pensez, par exemple, à des rassemblements «d'habitués» sur la plage, les week-ends ensoleillés, ou à un groupe d'amis qui se retrouvent pour déjeuner plusieurs fois par semaine. Des rassemblements de ce genre répondent aux critères que nous avons déjà examinés: les personnes ont des échanges entre elles, se rencontrent pendant une assez longue période et sont en nombre suffisant. Qu'est-ce qui les fait donc se rassembler? Dans les exemples que nous venons de citer, les objectifs ne peuvent pas être ceux de se faire dorer au soleil ou de prendre un repas, car de telles activités peuvent très bien se faire isolément. La réponse à cette question introduit la notion d'**objectifs sociaux**, le second type d'objectifs individuels. Dans beaucoup de cas, les gens se rassemblent par besoin d'inclusion, de pouvoir ou d'affection, ce dont nous avons fait mention dans le premier chapitre.

Nous adhérons à un grand nombre de groupes à la fois — pour ne pas dire à tous — pour accomplir une tâche définie et pour atteindre certains objectifs sociaux. Le collège (ou l'université) devient donc un endroit où il est possible d'acquérir des connaissances et des compétences essentielles, en même temps qu'il offre l'occasion de rencontrer des amis valables. Le travail devient un moyen de nous procurer le nécessaire et d'obtenir la reconnaissance de notre compétence. Il importe de faire la distinction entre les objectifs

> Y a parfois des pièges
> Durs à éviter,
> Des panneaux dans lesquels
> On doit tomber.
> Avant que tu réalises
> Qu'on jouait avec ta tête,
> T'avais pensé trouver la famille
> Qui te manquait en fait.
>
> Geneviève Paris

reliés à la tâche à accomplir et les objectifs purement *sociaux* pour mettre l'accent sur l'importance des objectifs sociaux, trop souvent inexprimés ou même ignorés par les membres du groupe. Ainsi, le fait de se demander si les objectifs sociaux sont satisfaits peut être une façon d'identifier et de surmonter certains blocages qui nuisent à l'efficacité du groupe.

Objectifs du groupe Jusqu'ici nous avons présenté les facteurs qui motivent, à l'échelle individuelle, les membres du groupe. À ces motifs individuels, il faut ajouter les objectifs du groupe. Les équipes sportives, par exemple, sont créées dans le but de rivaliser entre elles, comme les différents niveaux scolaires existent pour transmettre des connaissances.

Il y a parfois une étroite relation entre les objectifs du groupe et les objectifs individuels. Dans les équipes sportives, l'objectif du groupe est de gagner et les objectifs de chacun des membres, entre autres, d'aider le groupe à y parvenir. Si vous y réfléchissez un peu plus longtemps cependant, vous vous apercevrez que chaque membre du groupe a également d'autres objectifs en tête: améliorer sa condition physique, s'amuser, surmonter les défis personnels qu'entraîne la rivalité, bénéficier souvent des avantages sociaux liés au fait d'être un athlète. La différence entre les objectifs individuels et les objectifs du groupe est encore plus prononcée lorsque ces derniers sont incompatibles. Pensez, par exemple, au cas d'une équipe sportive dont l'un des membres est davantage intéressé à jouer les vedettes (satisfaire un besoin de reconnaissance personnelle) qu'à aider son équipe à gagner. Rappelez-vous les classes que vous avez connues où le peu d'enthousiasme affiché par les étudiants montrait que l'objectif personnel de

beaucoup d'entre eux était de réussir le cours en travaillant le moins possible — objectif assez éloigné de celui du groupe, qui était de transmettre des informations. L'écart entre les objectifs individuels et les objectifs du groupe est parfois connu de tous, tandis que dans d'autres cas l'objectif d'un individu reste un **secret bien gardé**. Dans tous les cas, cette divergence peut être dangereuse pour le bien-être du groupe et les besoins qu'il a à combler. Nous verrons cela plus en profondeur un peu plus loin dans le chapitre.

Objectifs individuels et objectifs du groupe

Choisissez deux groupes dont vous faites partie et répondez aux questions suivantes:

1. Quels sont vos objectifs liés à la tâche dans chacun de ces groupes?

2. Quels sont vos objectifs sociaux?

3. Les buts personnels que vous vous êtes fixés entrent-ils en conflit avec ceux des autres membres du groupe?

4. En reprenant la liste des buts personnels de la question 3, entrent-ils en conflit avec ceux que le groupe s'est fixés?

5. Quel est, sur l'efficacité du travail en groupe, l'impact de la compatibilité ou de l'incompatibilité des différents objectifs?

Les caractéristiques des groupes

Les groupes remplissent différentes fonctions: les *groupes de croissance* mettent l'accent sur la connaissance individuelle, par exemple, comme les *groupes sociaux* se forment pour satisfaire des besoins d'inclusion, de contrôle et d'affection — qui sont les besoins à la base de notre désir de communication (voir le chapitre 1). Quelle que soit leur fonction, les groupes ont tous certaines caractéristiques en commun. Les comprendre permet d'acquérir un comportement plus positif à l'intérieur de son propre groupe.

Normes Les normes sont des ententes indiquant la façon dont les individus devraient se comporter les uns vis-à-vis des autres[2] Certaines normes —

appelées «lois» ou «règlements» par les sociologues — sont *officielles,* exposant clairement les comportements qui sont appropriés et ceux qui ne le sont pas. Dans une salle de cours, les **normes officielles** ont trait au nombre d'absences autorisées, à faire savoir si les travaux doivent être rendus dactylographiés ou manuscrits, etc. Les **normes officieuses** ont autant de portée et d'importance que les normes officielles, mais diffèrent en ce qu'elles ne sont pas ouvertement édictées. Vous ne trouverez probablement pas un énoncé du genre de plaisanteries qui sont permises ou défendues dans les règlements des groupes auxquels vous appartenez, mais vous en connaissez très bien le code implicite si vous prenez le temps d'y réfléchir quelques instants. Les plaisanteries à caractère sexuel sont-elles autorisées? En quelle quantité et de quels genres? Qu'en est-il des plaisanteries à caractère religieux? Jusqu'où pouvoir taquiner les autres? Les questions de cet ordre varient d'un groupe à l'autre, selon les normes qui leur sont propres.

Il existe trois catégories de normes de groupe: les normes sociales, les normes de procédure et les normes de travail[3]. Les **normes sociales** régissent les relations entre les membres. Jusqu'à quel point se montrer francs et directs les uns envers les autres? Quelles émotions exprimer ou ne pas exprimer, et de quelle façon le faire? Les questions comme celles-ci sont établies par des normes, officieuses pour la plupart. Les **normes de procédure** indiquent la façon dont le groupe doit fonctionner. Le groupe prendra-t-il ses décisions en acceptant le vote de la majorité, ou les membres continueront-ils à discuter d'une question jusqu'à ce qu'un consensus soit atteint? Une seule personne dirigera-t-elle les réunions ou se feront-elles sans leader? Les **normes de travail** concernent la façon dont la tâche doit être accomplie. Le groupe se penchera-t-il sur une question jusqu'à ce que tout le monde tombe d'accord que la solution trouvée est la meilleure possible, ou les membres s'entendront-ils sur une solution acceptable, quoiqu'imparfaite? La réponse à cette question fait l'objet d'une norme de travail. Tous les groupes — sans exception — ont des normes sociales. Les groupes de croissance personnelle, les groupes de

Tableau 11-1 Normes prévues lors de la première séance d'un groupe de discussion

NORMES SOCIALES	NORMES DE PROCÉDURE	NORMES DE TRAVAIL
Il est permis de:	**Il est permis de:**	**Il est permis de:**
— servir des rafraîchissements	— faire la présentation des personnes	— critiquer les idées (et non pas les personnes)
— s'habiller d'une façon décontractée	— planifier les interventions	— appuyer la meilleure idée
— s'appeler par le prénom	— fixer les objectifs	— s'engager dans les résolutions de groupe
— discuter de sujets qui ne soulèvent pas de controverse	— établir l'ordre du jour	— participer à la charge de travail
— raconter des blagues amusantes	— tenir des séances de routine d'une heure	— faire savoir si l'on est en désaccord
— raconter des blagues à caractère politique (elles seront tolérées)	— nommer un responsable	— poser des questions sur les idées concernant le groupe
— rapporter des bons mots ou des plaisanteries à la mode	— s'asseoir les uns en face des autres	**Il n'est pas permis de:**
— exprimer des banalités de mise	**Il n'est pas permis de:**	— imposer son idée au groupe
Il n'est pas permis de:	— quitter la séance sans raison	— soutenir une idée simplement en raison des personnes qui la présentent
— fumer (peut-être)	— monopoliser la conversation	— user de violence verbale si l'on n'est pas d'accord avec certaines idées
— prononcer des jurons	— se lever pour aller parler en petits groupes (en général)	— penser que ses idées seules comptent
— arriver en retard	— réclamer de prendre la tête	
— être absent sans excuse	— refuser de parler lorsqu'on vous adresse la parole	
— raconter des blagues à caractère sexiste, raciste, ethnique, en rapport avec l'âge ou la religion		

formation et les groupes axés sur la résolution de problèmes ont, en plus des normes sociales, des normes de procédure et des normes de travail.

Le tableau 11-1 énumère la liste de certaines normes habituellement présentées lors de la première séance d'un groupe de travail. Il est important de prendre conscience que les normes généralement admises comme celles que nous voyons ici sont *idéalisées* et que les normes réelles du groupe vont s'établir au fur et à mesure que les membres vont avoir appris à vivre quelque temps ensemble. Prenons par exemple la question de la ponctualité. La norme généralement admise dans notre société dit que les réunions doivent commencer à l'heure prévue; cependant, certains groupes établissent très vite l'accord, généralement implicite, selon lequel les affaires sérieuses ne commenceront à être discutées que 10 à 15 minutes plus tard. À un niveau plus élevé, la norme reconnaît habituellement que toutes les personnes doivent être traitées avec égard et respect; dans certains groupes cependant, le manque d'attention, les sarcasmes et même l'hostilité manifeste font que ce principe de politesse est transgressé.

Rôles Si les normes définissent les critères acceptables par le groupe, les **rôles** font référence aux styles de comportement que l'on s'attend à voir jouer par les membres[4]. Tout comme les normes, certains rôles sont reconnus de façon officielle. Ils sont souvent accompagnés d'un titre comme «professeur», «président» ou «étudiant». D'autres rôles sont officieux; ils sont bien réels, même si certains membres du groupe peuvent ne pas reconnaître — ou même ne pas avoir conscience — de leur existence. Vous pouvez penser à beaucoup de groupes informels dont certains membres jouent le rôle de leaders et les autres celui de suiveurs, même si ces rôles n'ont pas été officiellement attribués.

Les titres officiels ne décrivent pas tous les rôles qui sont représentés dans les groupes. Les spécialistes en communication ont constaté que certains **rôles fonctionnels** doivent être absolument remplis si les groupes de travail veulent accomplir une tâche précise (voir le tableau 11-2). Ces rôles ne sont pas officiellement attribués à des membres en particulier; de fait, ils ne sont même que très rarement reconnus comme tels. Beaucoup de ces rôles

peuvent être tenus par plus d'un membre, et certains peuvent être remplis par différentes personnes en différentes occasions. Il est important qu'il y ait toujours une personne qui les remplisse dans les moments cruciaux.

La liste des rôles fonctionnels du tableau 11-2 est un outil précieux, car elle peut servir de liste de vérification pour savoir pourquoi un groupe fonctionne ou ne fonctionne pas de manière efficace. Notez que les rôles se répartissent en deux catégories: ceux qui se rapportent à la *tâche* et ceux qui se rapportent à l'*entretien*. Les **rôles reliés à la tâche** aident le groupe à réaliser ses objectifs et les **rôles reliés à l'entretien des relations** (appelés également «rôles sociaux») aident à garder les rapports harmonieux entre tous les membres du groupe. (Le tableau 11-2 donne également la liste de plusieurs **rôles dysfonctionnels** qui empêchent un groupe de fonctionner de manière efficace.)

ÉMERGENCE DES RÔLES Nous avons dit plus tôt que la majorité des membres d'un groupe ne sont pas conscients de l'existence des rôles fonctionnels. Il est somme toute assez rare de rencontrer des personnes qui expriment des réflexions comme: «Vous serez la personne qui poserez la majorité des questions, j'émettrai *moi* des opinions, et vous là-bas pourrez être celle qui fait la récapitulation.» Pourtant, il est assez évident qu'au bout d'un certain temps, certains membres commencent à assumer des fonctions spécifiques. Comment cela se produit-il?

Il y a deux facteurs à envisager. Un des agents permettant une différenciation des rôles provient certainement des caractéristiques personnelles de chaque membre. Certaines personnes semblent avoir l'esprit plus critique que d'autres et se sentent ainsi à l'aise dans des rôles qui consistent à poser un diagnostic ou à faire une évaluation. D'autres sont particulièrement informées sur la dynamique des groupes et trouvent facile de s'entendre avec d'autres personnes, ce qui en fait de bons sujets pour harmoniser et résoudre les conflits interpersonnels.

En plus de ces compétences et de ces caractéristiques individuelles, la particularité de chaque groupe conditionnera les rôles que chacun de ses membres assumera. Autrement dit, chaque personne joue un rôle différent selon le groupe auquel

Tableau 11-2 Rôles fonctionnels des membres du groupe

Rôles	Comportements types	Exemples
1. Incitation/collaboration	Donne des idées et fait des suggestions; propose des solutions ou des décisions; suggère de nouvelles idées ou exprime certaines idées de façon nouvelle.	«Et pourquoi ne pas adopter une approche différente pour cette corvée? Supposons que nous...»
2. Recherche d'information	Demande un éclaircissement sur les remarques qui ont été faites quant à leur utilité; demande des informations ou des faits ayant rapport avec le problème; suggère que des informations sont nécessaires avant de pouvoir prendre des décisions.	«Pensez-vous que les autres seront d'accord avec cela?» «À combien nous reviendra le projet?» «Quelqu'un sait-il si ces données sont disponibles?»
3. Apport d'information	Expose des faits ou des généralisations pouvant se rapporter aux activités du groupe.	«Je parie que Luc en connaîtrait la réponse.» «*L'Actualité* a fait paraître un article sur le sujet il y a deux mois environ qui disait...»
4. Recherche d'opinions	Demande un éclaircissement des opinions émises par les autres membres du groupe et recherche comment ils se sentent.	«Quelqu'un a-t-il une autre idée à ce sujet?» «C'est une idée intéressante, Isabelle. Combien de temps faudrait-il pour qu'elle puisse être mise sur pied?»
5. Apport d'opinions	Expose des convictions ou des opinions ayant rapport aux suggestions faites; indique ce que devrait être l'attitude du groupe.	«Je pense que nous devrions suivre le second projet. C'est celui qui correspond le mieux aux conditions auxquelles nous devons faire face dans cette usine...»
6. Élaboration/éclaircissement	Approfondit les idées et les suggestions; fait un exposé rationnel des suggestions qui ont été faites; essaie de savoir comment une idée ou une suggestion fonctionnera si le groupe l'adopte.	«Si nous suivions la suggestion de Jean et Marie, chacun de nous aurait besoin de passer trois coups de téléphone.» «Voyons... à 35 cents la brochure, le coût total serait de 525 $.»
7. Coordination	Met l'accent sur les liens existant entre les informations, les opinions, les idées ou suggère une façon d'intégrer les informations, les opinions ou les idées des sous-groupes.	«Jean, vous semblez inquiet au sujet de problèmes éventuels. Marie semble au contraire être confiante qu'ils peuvent tous se régler. Jean, pourquoi ne feriez-vous pas la liste des problèmes un par un et Marie pourrait ensuite y répondre.»
8. Identification	Suggère ce que sont les problèmes.	«Vous passez à côté du plus important, je pense. Le problème est que nous ne pouvons pas nous permettre...»
9. Orientation/récapitulation	Fait le résumé de ce qui s'est passé; indique les entorses aux objectifs fixés; essaie de ramener le groupe sur les questions fondamentales, soulève des questions sur l'orientation que prend le groupe.	«Voyons où nous en sommes. Hélène et Danielle conseillent d'agir immédiatement. Bernard nous dit d'attendre. Véronique n'est pas certaine. Pouvons-nous mettre cela de côté pendant quelque temps et y revenir après que nous...?»
10. Stimulation	Pousse le groupe à aller de l'avant.	«Allons, nous avons perdu suffisamment de temps. Revenons au sujet qui nous occupe.»

Tableau 11-2   Rôles fonctionnels des membres du groupe (suite)

Rôles	Comportements types	Exemples
11. Élaboration des procédures	S'occupe des travaux de routine comme la répartition des sièges, l'acquisition de matériel et la distribution des documents appropriés.	«Je me porte volontaire pour m'assurer que les formulaires soient bien imprimés et distribués.» «Je serais ravi de vérifier les données qui sont disponibles.»
12. Secrétariat	Prend note des progrès enregistrés par le groupe.	«Pour les dossiers, je vais rédiger une note de service concernant les décisions qui viennent d'être prises et j'en ferai parvenir un exemplaire à chacun.»
13. Évaluation/critique	Analyse de façon constructive les réalisations du groupe en conformité avec certaines normes; vérifie qu'un consensus a été atteint.	«Nous avons dit que nous ne disposons que de deux semaines et cette proposition en nécessitera au moins trois. Cela veut-il dire qu'elle n'a aucune chance de réussir ou devons-nous modifier notre orientation?»

Rôles sociaux et entretien des relations	Comportements types	Exemples
1. Soutien/encouragement	Fait les éloges, est en accord et accepte la contribution des autres; apporte une certaine chaleur, solidarité et reconnaissance.	«J'aime vraiment beaucoup cette idée, Élisabeth.» «La suggestion de Michèle me semble bonne. Pourrions-nous en parler davantage?»
2. Harmonisation	Résout les désaccords, sert d'intermédiaire dans les conflits; réduit les tensions en donnant aux membres du groupe une chance d'examiner leurs différences.	«Je ne crois pas que vous soyez aussi éloignés l'un de l'autre que vous le pensez. Francine, voulez-vous dire que _____? Angelo, vous semblez dire que _____. Est-ce vraiment ce que vous voulez dire?»
3. Relâchement de la tension	Plaisante ou contribue d'une certaine façon à détendre l'atmosphère; calme les membres du groupe.	«Faisons une pause... en prenant peut-être un verre.» «Vous êtes un dur à cuire, Louis. Je suis ravi que vous soyez de notre bord!»
4. Conciliation	Propose de nouvelles options lorsque ses idées sont impliquées dans un conflit; s'efforce d'admettre ses erreurs pour que le groupe conserve toute sa cohésion.	«Il semble que la solution se situe à mi-chemin entre vous et moi, Christiane. Peut-on trouver un terrain d'entente?»
5. Vigilance	Garde les canaux de communication ouverts; encourage et facilite le dialogue des membres qui demeurent habituellement silencieux.	«Sylvain, vous n'avez encore rien dit sur le sujet. Je sais que vous avez étudié le problème. Que pensez-vous de _____?»
6. Expression des sentiments	Rend explicite les sentiments, les humeurs et les relations entre les membres du groupe; partage ses sentiments personnels avec les autres.	«Je suis vraiment ravi que nous ayons éclairci les choses aujourd'hui.» «Je suis vraiment épuisé. Pouvons-nous en terminer là aujourd'hui et recommencer à zéro demain?»
7. Rôle de suiveur	Suit le mouvement du groupe de façon passive, acceptant les idées des autres, faisant office d'auditoire.	«Je suis d'accord. Oui, je vois très bien ce que vous voulez dire. Si c'est ce que veut le groupe, je suis...»

Tableau 11-2 Rôles fonctionnels des membres du groupe (suite)

Rôles dysfonctionnels	Comportements types	Exemples
1. Obstruction	S'oppose à la progression des choses en rejetant les idées ou en ayant une attitude négative sur tous les sujets; refuse de coopérer.	«Une minute! Ce n'est pas juste! Cette idée est absurde.» «Vous aurez beau parler toute la journée, mon idée est faite.»
2. Agressivité	Se bat pour le prestige en rabaissant les autres; se vante; critique.	«O.K., c'est *vraiment* formidable! Imbéciles! Vous avez de nouveau tout bousillé.» «Vos chamailleries incessantes sont seules responsables de cette cochonnerie. Laissez-moi vous dire comment vous devriez faire.»
3. Désertion	Se retire d'une certaine façon; demeure indifférent, distant, parfois compassé; rêvasse; s'écarte du sujet; s'engage dans les conversations hors sujet.	«J'imagine que c'est correct... Cela ne m'intéresse vraiment pas.»
4. Domination	Interrompt et engage de longs monologues; se montre autoritaire; essaie de monopoliser le temps du groupe.	«Florent, vous n'y êtes pas du tout! Voici ce que nous devrions faire. D'abord...»
5. Recherche de reconnaissance	Essaie de retenir l'attention de manière exagérée; se vante généralement d'accomplissements antérieurs; relate des expériences qui n'ont aucun rapport, généralement pour essayer de se gagner la sympathie des autres.	«Cela me rappelle un type que je connaissais... Laissez-moi vous dire comment je m'y étais pris avec lui...»
6. Playboy	Affiche un manque de participation dans le groupe par un humour déplacé, du chahut ou un certain cynisme.	«Pourquoi essayer de vouloir les convaincre? Il n'y a qu'à laisser le peuple les zigouiller.» «Hé, chérie, ne voudrais-tu pas être ma compagne de chambre à la conférence des ventes?»

Adapté de Gerald L. Wilson et Michael S. Hanna, *Groups in Context: Leadership and Participation in Decision-Making Groups.* © Random House, Inc. 1986, p. 144 à 146.

elle appartient. Une personne qui ne manifeste pas tellement d'assurance, par exemple, pourrait faire office d'instigateur ou de donneur de directives dans un groupe où il ne se trouve personne pour remplir les rôles de premier ordre. Dans certains cas, cette appropriation de rôles non spécifiques n'est pas volontaire; des membres assignent officieusement à d'autres des rôles qu'ils n'auraient autrement pas assumés. Ce genre d'attribution de rôle se rencontre dans les films: l'infortuné passager (ou l'agent de bord inexpérimenté mais courageux) sauve l'avion, alors qu'un incident empêche le pilote d'agir. Dans des situations plus banales mais courantes, vous avez souvent dû entendre des personnes assigner des rôles à d'autres en faisant des réflexions comme: «Vous

avez certaines connaissances dans ce domaine, que pensez-vous donc de...?» Il s'agit d'une invitation très claire à fournir certaines informations ou à exprimer des opinions.

PROBLÈMES RELATIFS AUX RÔLES Deux genres de problèmes relatifs aux rôles à tenir peuvent se poser. Le premier survient lorsqu'un ou plusieurs rôles fonctionnels clés ne sont pas remplis. L'exemple le plus courant est celui de n'avoir personne pour tenir le rôle de responsable de la distribution de l'information. Un vide plus subtil (mais tout aussi dangereux) se crée lorsque les rôles sociaux ne sont pas assurés. Si personne n'intervient pour soulager les tensions internes, faire certaines louanges ou encore résoudre les problèmes

> Alors qu'il était occupé à monter l'agence de publicité la plus extraordinaire de son temps, Bill Bernbach avait une table de conférence ronde dans son bureau. Il avait bien essayé la disposition rectangulaire conventionnelle, mais comme il se plaisait à le dire: «Les jeunes cadres sont toujours assis en bout de table alors que je me trouve au centre, et je me suis aperçu que le feu de la conviction brille souvent dans leurs yeux. Autour d'une table ronde, je me trouve ainsi beaucoup plus proche d'eux et moins susceptible de le manquer.»
>
> Robert Townsend

interpersonnels dans les moments critiques, le groupe aura bien des difficultés à accomplir la tâche qu'il s'est donnée. Il y a d'autres cas où le problème ne vient pas de l'_absence_ de candidats pour remplir certains rôles mais plutôt de leur _surabondance._ Cette situation peut mener à une rivalité non déclarée entre certains membres, ce qui nuit à l'efficacité du groupe. Vous avez probablement rencontré des groupes dans lesquels deux membres désirent jouer le rôle de la personne qui cherche à réduire les tensions internes. En pareil cas, les membres en question sont davantage occupés à détendre l'atmosphère qu'à contribuer à la tâche.

Des normes et des rôles

Choisissez un groupe dont vous faites partie présentement:

> classe
>
> équipe de travail
>
> groupe des pairs au collège
>
> groupe des pairs à l'extérieur du collège

Maintenant, tentez, à l'aide des questions suivantes, de faire la liste des normes qui régissent le fonctionnement du groupe auquel vous appartenez et d'identifier les rôles qui vous caractérisent à l'intérieur de ce groupe. (Il est peut-être difficile de faire cet exercice. Cependant, si vous relisez attentivement le texte et le tableau 11-2, la tâche vous apparaîtra plus facile et l'exercice, dans son ensemble, très profitable. Cet exercice demande aussi un effort de retour sur soi.)

1. Quelles sont les normes _explicites_ régissant le comportement des membres du groupe? Sont-elles clairement exprimées (de vive voix, dans un plan du cours, un pacte entre amis…)?

2. Quelles sont les normes _implicites_? Quels sont les faits qui démontrent leur existence?

3. En vous aidant du tableau 11-2 des pages 306 à 308, donnez deux exemples pertinents de ce que sont les _normes sociales,_ les _normes de procédure_ et les _normes de travail._

4. Réfléchissez à nouveau au groupe que vous avez choisi pour faire cet exercice:

   a. Quels _rôles fonctionnels_ remplissez-vous dans ce groupe?

   b. Sont-ils différents d'autres rôles adoptés dans d'autres groupes?

   c. Y a-t-il des rôles qui ne sont pas tenus dans votre groupe? Quel en est l'impact sur le fonctionnement du groupe?

Schémas d'interaction Dans le premier chapitre, nous avons vu que la communication entraîne la circulation d'information entre les personnes. Cet échange doit être total et efficace pour que les communicateurs puissent atteindre leurs objectifs. Dans les communications interpersonnelles ou devant un auditoire, l'échange d'information est relativement simple, empruntant principalement deux voies: soit qu'il se fasse entre deux personnes dans les conversations interpersonnelles, soit qu'il se fasse entre un orateur et son auditoire lorsqu'on prend la parole en public*.

Dans les groupes, cependant, les choses ne sont pas aussi simples. La formule mathématique indiquant le nombre d'interactions possibles entre les individus est:

$$\frac{n\,(n\,-\,1)}{2}$$

---

* À dire vrai, c'est peut-être ici simplifier les choses à l'extrême. Lorsqu'on parle en public, les membres de l'auditoire peuvent également échanger des messages entre eux par leurs rires, leurs mouvements d'agitation, etc. Il n'en reste pas moins que l'échange d'information se fait à double sens.

dans laquelle *n* représente le nombre de personnes dans le groupe[5]. Ainsi, dans un groupe relativement petit de cinq personnes, il y a 10 combinaisons possibles de conversations à deux et un nombre encore plus grand d'interactions possibles entre plusieurs personnes. En plus de la simple quantité d'échange d'information, les structures de groupes plus complexes affectent également la circulation de l'information d'autres manières.

DISPOSITION PHYSIQUE Il est plus facile de dialoguer avec une personne que l'on voit bien. Le fait de ne pas bien voir l'autre personne n'est pas un problème en soi lorsque l'échange se fait à deux; cela peut être gênant cependant dans les groupes. Les personnes assises en cercle, par exemple, auront davantage tendance à échanger avec les personnes qui se trouvent en face d'elles qu'avec celles qui se trouvent à leurs côtés[6]. Les choses sont différentes lorsque les personnes sont assises autour d'une table rectangulaire. Des recherches effectuées auprès de membres de jurys comptant 12 personnes ont indiqué que les personnes assises aux extrémités des tables participaient davantage à la discussion et avaient, selon l'avis de tous, plus d'influence lors de la prise de décisions[7]. Une disposition des sièges autour d'une table rectangulaire a également d'autres effets. Des études menées sur des groupes de six personnes assises autour de tables de cette forme ont indiqué que plus la distance entre les personnes augmentait, moins les personnes se sentaient proches, amicales et loquaces entre elles[8]. Pensez aux réceptions données dans les grandes occasions. Vous avez probablement tendance à discuter avec les personnes à proximité de vous et — bien malgré vous — à ignorer les autres qui sont éloignées.

RÉSEAUX DE COMMUNICATION Lorsque les membres d'un groupe se rencontrent face à face, l'informa-

tion peut circuler librement entre eux. Cette structure ouverte n'existe pas toujours. Pensez, par exemple, aux groupes de travail dont les membres occupent des bureaux séparés, ou même à des groupes sociaux dans lesquels les membres se parlent un à un par téléphone. Le système que les canaux de communication individuels forment entre les membres est appelé **réseau**. La figure 11-1 illustre plusieurs réseaux de communication pour des groupes de six personnes, les cercles représentant les membres du groupe et les traits, les communications qui s'établissent entre eux.

La structure du réseau de communication a-t-elle un effet sur l'interaction du groupe? De nombreuses expériences indiquent que oui. L'effet peut-être le plus révélateur semble être celui de l'apparition d'un leader. Dans les groupes sans leader officiel, la personne qui occupe une position centrale — et ce dans n'importe quel type de réseau — a le plus de chances d'assurer ce rôle[9]. Ce principe donne un conseil pratique aux aspirants leaders: faites tout votre possible pour tenir le rôle de la personne par qui passe toute l'information du groupe. Offrez de tenir les

Figure 11-1 Réseaux de communication par petits groupes

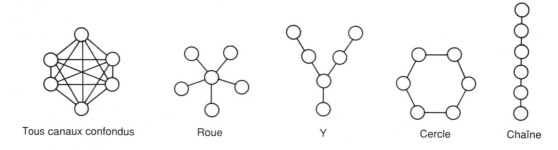

Tous canaux confondus   Roue   Y   Cercle   Chaîne

membres informés des dernières nouvelles, recueillez les informations qu'ils vous donnent, assistez à toutes les réunions des sous-groupes et bavardez librement avec les membres du groupe chaque fois que vous en avez la chance.

Les réseaux de communication ont également une incidence sur la résolution des problèmes du groupe. Il existe deux types principaux de réseaux: ceux qui sont centralisés et ceux qui sont décentralisés. Dans une structure centralisée, une seule personne reçoit toutes les informations et résout les problèmes en se servant des informations que les autres membres lui font parvenir. Dans les réseaux décentralisés, par contre, chacun des membres a un accès égal à l'information et une chance égale de contribuer à la résolution des problèmes du groupe. Des études poussées ont démontré que les réseaux centralisés affichaient de meilleurs résultats dans certaines situations, tandis que les réseaux décentralisés réussissaient mieux dans d'autres. Lorsque les groupes font face à une tâche ambiguë, une approche décentralisée est plus efficace — probablement du fait qu'un déploiement d'une plus grande quantité d'énergie augmente les chances d'en arriver à une solution satisfaisante*.

Une approche centralisée donne de meilleurs résultats dans les travaux de simple routine, car la communication mobilise moins de temps et interfère moins, de ce fait, avec la tâche à accomplir[10].

La prise de décision: quelques méthodes Une autre manière de classifier les groupes est d'identifier l'approche utilisée pour prendre des décisions. Les groupes disposent de plusieurs méthodes à cet effet. Nous allons les mentionner maintenant en considérant leurs avantages et leurs inconvénients[11].

DÉCISION IMPOSÉE D'AUTORITÉ, SANS DISCUSSION C'est la méthode la plus couramment utilisée par les leaders *autocratiques* (nous verrons un peu plus loin de quoi il s'agit). Bien qu'elle semble dictatoriale, cette approche offre parfois certains avantages. En premier lieu, elle est rapide; il y a certaines circonstances où le groupe ne dispose

tout simplement pas de temps pour discuter les décisions qui s'imposent. Cette méthode est également acceptable pour les questions de routine qui ne demandent pas de discussion pour être approuvées. Utilisée de manière abusive, elle peut présenter certains inconvénients. La plupart du temps, les décisions de groupe sont de plus grande qualité et obtiennent davantage l'appui des membres que les décisions formulées par une seule personne. Ainsi, le fait de ne pas consulter les membres du groupe peut conduire à une perte d'efficacité, même dans le cas où la décision du leader est raisonnable.

DÉCISION ADOPTÉE SELON L'OPINION DU SPÉCIALISTE Un membre du groupe sera parfois désigné comme spécialiste et, en tant que tel, aura le pouvoir de prendre les décisions. Cette méthode peut donner de bons résultats lorsque le jugement de cette personne est réellement supérieur. Par exemple, si un groupe part sac au dos dans la nature et qu'une personne se blesse, il serait probablement stupide de mettre en doute les conseils prodigués par le médecin du groupe. Dans la plupart des cas, cependant, les choses ne sont pas aussi simples. Qui est le spécialiste? Il y a souvent désaccord sur cette question. Parfois, un des membres peut penser qu'il est le plus qualifié pour prendre les décisions, mais d'autres ne seront pas d'accord. Dans un cas semblable, le groupe n'appuiera pas l'avis de cette personne même s'il est très valable.

DÉCISION IMPOSÉE D'AUTORITÉ, APRÈS DISCUSSION Cette méthode est moins autocratique que les deux précédentes, parce qu'elle prend en considération l'opinion de plusieurs personnes. Ainsi, la décision unilatérale d'une autorité, à la suite d'une discussion avec les membres du groupe, y gagne en qualité et en responsabilité, du fait de l'interaction du groupe, de même qu'en rapidité, du fait qu'elle évite une discussion plus longue. Cette approche a cependant des inconvénients: certains membres du groupe seront souvent tentés de faire savoir au leader ce qu'ils désirent entendre, et dans d'autres cas ils seront en rivalité pour impressionner la personne chargée de prendre la décision.

---

* Les structures de groupes centralisées comme celles qui sont en chaîne ou en étoile (voir la figure 11-1) peuvent également accomplir leur tâche d'une façon décentralisée à l'aide de notes de service, de messages verbaux ou d'autres méthodes. Bien que de

tels exploits soient toujours possibles, ils sont difficiles. Lorsque la communication décentralisée est celle qui convient le mieux, il est bien préférable de structurer le groupe en conséquence.

DÉCISION PAR LE POUVOIR DE LA MAJORITÉ Une croyance répandue veut que la méthode démocratique — fondée sur le «principe de la majorité» — l'emporte toujours. Et qu'elle est sans conteste la meilleure. Elle a ses avantages dans les cas où le soutien de tous les membres n'est pas nécessaire, mais sur des questions plus importantes elle présente certains risques. Souvenez-vous que, même si une majorité de 51 p. 100 adopte un projet, 49 p. 100 des membres pourraient encore s'y opposer — ce qui apporte à peine le soutien nécessaire à une décision qui réclame l'appui de tous pour pouvoir fonctionner.

DÉCISION SUR PROPOSITION D'UNE MINORITÉ Quelques membres du groupe prendront parfois les décisions. Cette approche a de bons résultats sur les questions plus ou moins critiques qui feraient perdre le temps à l'ensemble du groupe. Sous la forme d'un comité, une minorité des membres peut également étudier une question plus en détail que ne le ferait le groupe tout entier. Lorsqu'un sujet revêt une importance telle qu'il nécessite le soutien de tous, il est préférable de connaître au moins les conclusions du rapport du comité pour obtenir l'approbation de tous les membres.

DÉCISION ADOPTÉE PAR CONSENSUS Il y a **consensus** lorsque tous les membres d'un groupe appuient une décision. Les avantages qu'il présente sont évidents. La participation de l'ensemble du groupe peut accroître la qualité des décisions comme l'engagement de tous les membres à apporter leur soutien. Cette procédure est particulièrement importante pour les décisions à prendre sur des sujets critiques ou complexes; dans des cas semblables, les méthodes plus expéditives pourraient réduire la qualité de la décision ou le soutien qu'elle recueille. En dépit de ses avantages, le consensus présente cependant certains inconvénients: il nécessite beaucoup de temps, ce qui le rend peu approprié dans les situations d'urgence. De plus, c'est une approche souvent pénible: les émotions peuvent être vives sur des questions importantes et il peut être difficile de manifester toute la patience nécessaire à la résolution du problème ou de la question. Du fait qu'il faille tenir compte de pressions émotionnelles, le consensus exige souvent plus d'habiletés de communication que les autres méthodes. Mais comme dans beaucoup d'autres sphères de la vie, le consensus offre des compensations qui sont à la mesure du prix élevé à payer pour l'obtenir.

Quelle méthode est la meilleure? Il n'y a pas de réponse unique. La méthode la plus efficace dépend des circonstances: le temps dont on dispose, l'importance de la décision à prendre, les capacités du leader du groupe et l'attitude des membres envers lui. La meilleure approche pourrait être de se servir des indications données pour chacune des méthodes comme des lignes directrices pour décider quelle méthode employer dans une situation particulière. Faites maintenant l'exercice de la page 313.

La résolution de problèmes en groupe

Prendre des décisions en groupe est une tâche relativement répandue: que ce soit au sein de l'organisation industrielle ou du gouvernement, d'un travail de session à préparer en équipe ou du choix de l'endroit où passer ses vacances, une décision doit être prise et doit, idéalement, satisfaire tous les membres du groupe. Une fois que vous aurez réellement saisi ce qu'est la résolution de problèmes, vous comprendrez aisément pourquoi, peu importe la nature du groupe, les spécialistes en communication se sont penchés souvent sur les processus impliqués dans cette activité. Les *problèmes,* au sens où nous l'entendons ici, ne font pas seulement référence à des difficultés. Les termes *défis à relever* ou *tâches à accomplir* seraient peut-être plus exacts. Les choses ayant été replacées dans leur contexte, vous pouvez maintenant

La prise de décision en groupe par consensus

Cet exercice compte deux parties. Une partie individuelle et une seconde en groupe.

Dans un premier temps, lisez le court récit qui suit et indiquez si chaque *fait* est vrai, faux ou inconnu. Dans la deuxième partie de l'exercice, vous répondrez collectivement aux mêmes questions en tentant de prendre une décision par *consensus*.

Récit

Un commerçant venait tout juste d'éteindre lorsqu'un homme apparut et exigea de l'argent. Le propriétaire ouvrit un tiroir-caisse. L'homme rafla le contenu de la caisse et s'enfuit. On avertit promptement un agent de police.

Quels sont les faits?	*Individu*	*Groupe*
a. Un homme apparut après que le propriétaire eut éteint les lumières de son magasin.	_____	_____
b. Le voleur était un homme.	_____	_____
c. L'homme n'exigea pas d'argent.	_____	_____
d. L'homme qui ouvrit le tiroir-caisse était le propriétaire.	_____	_____
e. Le propriétaire a raflé le contenu de la caisse et s'est enfui.	_____	_____
f. Quelqu'un a ouvert un tiroir-caisse.	_____	_____
g. Une fois que l'homme exigeant l'argent eut ramassé le contenu de la caisse, il s'enfuit.	_____	_____
h. On sait que le tiroir-caisse contenait de l'argent, mais l'histoire *ne* révèle *pas* combien.	_____	_____
i. Le voleur demanda de l'argent au propriétaire.	_____	_____
j. Le récit contient une suite d'événements et trois personnages: le propriétaire du magasin, un homme qui a exigé de l'argent et un agent de police.	_____	_____
k. Les faits suivants sont vrais: quelqu'un a exigé de l'argent, on a ouvert un tiroir-caisse, on a raflé le contenu et un homme est sorti du magasin à la course.	_____	_____

1. Qui a obtenu le meilleur score, l'individu ou le groupe?

2. Qu'est-ce qui a favorisé l'une ou l'autre possibilité? Était-ce difficile d'atteindre le consensus à l'intérieur du groupe? Comment améliorer la prise de décision par consensus?

3. Quelle est la valeur des décisions prises en groupe? Êtes-vous plus sûr des décisions prises en groupe ou des décisions prises de manière individuelle? Pourquoi?

4. Réfléchissez à une relation interpersonnelle que vous entretenez présentement. Est-ce que les présomptions sont choses courantes dans la relation présentement? Comment peuvent-elles influencer le climat d'une relation?

Réponse: Le troisième est faux, le sixième est vrai, et les autres sont inconnus.

Exercice adapté de William Pfeiffer et John E. Jones, *Le répertoire de l'animateur de groupe*, volume n° 4, *Travail en groupe*, Montréal, Actualisation idh, 1982, p.1481.

comprendre pourquoi la «résolution de problèmes» peut non seulement occuper une grande partie de notre vie active, mais également jouer un rôle important dans d'autres domaines. À un moment ou à un autre, tous les groupes ont à faire face à ce genre de défis.

Tout groupe qui se respecte doit posséder deux sortes de compétences de communication pour proposer de bonnes solutions. La première concerne la tâche que le groupe s'est fixée: comment analyser un problème, opter pour la meilleure solution et voir à ce qu'elle fonctionne. La deuxième a trait à l'établissement et à l'entretien de bonnes relations interpersonnelles: s'assurer d'abord que tous les membres sont en bons termes les uns avec les autres, et s'assurer ensuite qu'ils puissent prendre plaisir à travailler ensemble.

Pourquoi faire appel à des groupes pour résoudre certains problèmes?

Les recherches qui, au cours des 50 dernières années, ont comparé la résolution de problèmes en groupe et celle menée de façon individuelle montrent que, dans la plupart des cas, les groupes sont en mesure de suggérer un plus grand nombre de solutions que les individus qui œuvrent seuls... et que ces solutions sont, en général, de meilleure qualité[12].

Des idées, des idées et encore des idées...

«Vous vous retrouvez seul sur une île déserte et tout ce que vous avez en votre possession est votre pantalon à moitié déchiré...»

1. Faites la liste de toutes les utilisations possibles de votre vêtement: à quoi pourrait-il bien vous servir dans cette situation? C'est une question de survie... alors?

2. En groupe, reprenez l'exercice.

3. Comparez les deux listes en répondant à ces questions:

   a. Qui a eu le plus d'idées, l'individu ou le groupe?

   b. Qu'est-ce qui facilite la tâche dans le processus de résolution du problème en groupe?

(Tentez de répondre à cette question avant même de poursuivre l'étude de ce chapitre.)

c. Lors de la recherche des utilisations possibles du vêtement, quelles ont été les attitudes des participants? (Blocage des idées, gêne, peur du ridicule, foisonnement des idées, rires et simplicité... quoi d'autre?)

d. Si vous et d'autres membres du groupe demeuriez silencieux, tentez de comprendre pourquoi: est-ce l'attitude de certaines personnes du groupe qui vous embêtait? L'ambiguïté de la tâche? L'irréalisme de la tâche?

Les groupes ont révélé leur supériorité dans un vaste éventail d'activités — de l'assemblage de pièces de puzzle à la résolution de problèmes de raisonnement très complexes. Plusieurs raisons expliquent l'efficacité affichée par les groupes[13].

Les ressources Pour beaucoup d'activités, les groupes disposent de plus de ressources que les individus isolés. Les ressources sont parfois physiques. Trois ou quatre personnes, par exemple, peuvent mieux dresser une tente ou creuser un fossé qu'une personne seule. Pour d'autres problèmes, les ressources communes mènent à de meilleures solutions du point de vue *qualitatif*. Pensez, par exemple, aux occasions où vous avez étudié avec d'autres camarades avant un examen, et vous vous souviendrez combien le groupe pouvait mieux se préparer à toutes les questions qui pouvaient être posées et à y trouver des réponses. (Cela bien entendu dans la mesure où les différents partenaires se souciaient suffisamment de l'examen pour l'avoir étudié avant de se réunir.) Les groupes disposent non seulement de plus de ressources que les individus isolés, mais ils sont également davantage en mesure de les mobiliser grâce à l'interaction qui se fait entre les membres. Discuter d'un examen imminent avec les autres peut rafraîchir la mémoire sur des points auxquels on n'aurait peut-être pas pensé en travaillant seul à sa préparation.

La précision La probabilité accrue de pouvoir identifier les erreurs est un autre avantage lié au travail en groupe. À un moment ou à un autre, nous commettons tous des erreurs stupides, comme cet homme qui s'était construit un bateau dans son sous-sol et qui n'a pu ensuite le sortir par la porte! Un travail en groupe évite que des erreurs semblables ne se glissent. Les erreurs ne sont pas toutes aussi grossières, bien entendu, ce qui rend les groupes d'autant plus précieux en tant que mécanismes qui réussissent à les identifier. Le revers de la médaille est par contre le risque que les membres du groupe ne s'entraident que pour une idée qui, en soi, n'est pas bonne. Nous verrons ce problème lorsque nous parlerons de conformité un peu plus loin dans le chapitre.

L'engagement En plus de suggérer de meilleures solutions, la formation en groupe génère un *engagement* plus approfondi pour appliquer les solutions choisies. Les membres d'un groupe acceptent plus facilement des solutions qu'ils ont aidé à trouver, et ils travailleront avec d'autant plus d'acharnement à les voir se concrétiser. C'est le principe de la **prise de décision active**, selon lequel les personnes qui ont contribué à mettre sur pied un projet aideront à ce qu'il se réalise[14]. C'est un principe particulièrement important pour les personnes qui jouissent d'une certaine autorité, comme les responsables, les enseignants ou les parents. En tant que professeurs, nous avons pu constater la différence entre la basse complaisance des étudiants qui avaient été plus ou moins forcés d'accepter certains règlements sur lesquels ils n'étaient pas d'accord et la coopération — Oh! combien plus spontanée! — des classes qui avaient contribué à les élaborer. Bien que l'avantage de participer activement à la prise de décision soit grand, nous avons besoin d'y apporter une réserve ici: il y a des moments où une approche autocratique consistant à imposer une décision sans l'avoir au préalable discutée s'avère plus efficace. Nous reparlerons de la question de savoir quand se montrer plus démocratique et quand imposer des directives au moment d'étudier le leadership.

Les étapes de la résolution de problèmes

Vous avez lu un peu plus haut dans le chapitre que les personnes qui travaillent en groupe ont le potentiel pour résoudre certains problèmes de manière plus efficace. Cela ne signifie pas que *tous* les groupes axés sur la résolution de problèmes

réussissent. Qu'est-ce qui fait que certains groupes ont du succès et que d'autres échouent? Il semble que, dans une large mesure, l'efficacité du groupe soit fonction du fait qu'il aborde les problèmes de manière rationnelle et systématique. Tout comme un mauvais plan ou des fondations mal assurées peuvent affaiblir une maison, les groupes peuvent échouer en voulant sauter une ou plusieurs étapes importantes de la résolution de problèmes.

Le schéma suivant contient les éléments communs à la plupart des approches structurées mises au point au cours des 75 dernières années:

1. Identifier le problème
   a. Quels sont les objectifs du groupe?
   b. Quels sont les objectifs individuels de ses membres?

2. Analyser le problème
   a. Formuler le problème en une question préliminaire
   b. Recueillir l'information pertinente
   c. Déterminer les forces positives et les forces négatives

3. Élaborer des solutions de rechange
   a. Éviter toute critique à ce stade
   b. Encourager l'expression d'idées «libres»
   c. Combiner deux ou plusieurs idées individuelles

4. Faire l'évaluation des solutions en demandant laquelle
   a. Apportera les changements souhaités
   b. Est la plus réalisable
   c. Présente le moins d'inconvénients sérieux

5. Mettre le plan à exécution
   a. Déterminer les tâches spécifiques
   b. Déterminer les ressources nécessaires
   c. Définir les responsabilités individuelles
   d. Prévoir les urgences

6. Assurer un suivi
   a. Organiser des réunions pour évaluer les progrès
   b. Réviser l'approche si nécessaire

Identifier le problème   Le problème d'un groupe est parfois facile à identifier. L'équipage d'un navire en perdition, par exemple, n'a pas à tenir de discussion pour comprendre que son objectif est d'éviter la noyade ou le risque d'être mangé par quelques gros poissons...

Le problème que doit affronter un groupe n'est cependant pas toujours aussi clair. Pensez, par exemple, à une équipe sportive qui occupe la dernière place au classement, alors que la saison est déjà bien avancée. À première vue, le problème semble évident: l'incapacité de l'équipe à remporter une victoire. En considérant la situation de plus près, on peut cependant s'apercevoir que certains autres objectifs ne sont pas atteints — qu'il y a donc d'autres difficultés. Certains membres de l'équipe peuvent, par exemple, avoir des objectifs qui ne sont pas directement liés à la victoire: vouloir se faire des amis, obtenir une reconnaissance de leurs compétences en tant qu'athlètes... sans mentionner l'objectif simple de vouloir s'amuser — de jouer au sens récréatif du mot. Vous pouvez probablement comprendre que si l'entraîneur ou les membres de l'équipe considéraient la situation de façon simpliste, en regardant uniquement la fiche des victoires et des défaites de l'équipe, en analysant les erreurs des joueurs, les méthodes d'entraînement, etc., plusieurs des problèmes importants continueraient à passer inaperçus. Dans une situation semblable, les résultats de l'équipe pourraient certainement être améliorés en se penchant sur les problèmes fondamentaux — à savoir la frustration des joueurs de voir leurs besoins personnels inassouvis. La morale de l'histoire? *Pour commencer à comprendre le problème d'un groupe, il faut d'abord identifier les préoccupations de chacun de ses membres*[15].

Et si les groupes n'ont pas de problèmes? Plusieurs amis projetant une soirée surprise d'anniversaire ou une famille décidant de l'endroit où aller passer ses vacances ne semblent pas se trouver dans la situation désespérée de l'équipe sportive: ils désirent simplement s'amuser. Dans des cas de ce genre, il peut être utile de substituer le mot *défi* au terme *problème* ici plutôt déprimant. Que nous l'exprimions d'une façon ou d'une autre, le même principe s'applique à tous les groupes visant l'accomplissement d'une tâche. La meilleure façon de commencer le travail est d'identifier ce que chaque membre recherche en voulant faire partie du groupe.

Analyser le problème   Une fois que vous avez identifié le genre de défi auquel doit faire face le groupe, vous êtes prêt à considérer le problème plus en détail. Il y a plusieurs étapes à suivre pour exécuter ce travail important.

FORMULER LE PROBLÈME EN UNE QUESTION PRÉLIMINAIRE[16]
Si vous avez déjà assisté à un débat officiel, vous savez que la question à débattre est formulée en proposition, par exemple: «La France devrait réduire ses dépenses d'aide à l'étranger.» Beaucoup de groupes axés sur la résolution de problèmes définissent leur tâche d'une façon à peu près similaire. «Nous devrions passer nos vacances à la montagne», suggère un membre de la famille. La difficulté inhérente à la formulation des problèmes en propositions est qu'elle pousse les gens à vouloir prendre position. Si cette approche est appropriée dans les débats officiels (qui sont des luttes plutôt que de simples parties de cartes ou de football), une prise de position prématurée crée un conflit inutile dans la plupart des groupes.

Une meilleure approche consiste à poser le problème sous la forme d'une question. Notez que ce devrait être une **question préliminaire** — une question ouverte qui encourage la réflexion exploratoire. Le fait de demander: «Devrions-nous prendre nos vacances à la mer ou à la montagne?»

B.C. autorisation de Johnny Hart et du Creator's Syndicate, Inc.

oblige pourtant encore les personnes à prendre position. Une approche encore meilleure consisterait à poser une question qui aide à définir les objectifs généraux qui sont ressortis à l'étape de l'identification du problème: «Que voulons-nous faire de nos vacances?» Une détente? Une aventure? Un moment inoubliable... mais économique?

Remarquez que cette question est réellement exploratoire. Elle encourage les membres de la famille à travailler en coopération, ne les obligeant pas à faire un choix qu'ils devraient ensuite défendre. Cette absence de choix «ou bien... ou» augmente les chances que les membres s'écoutent de façon ouverte les uns les autres plutôt que de façon sélective en défendant leurs propres positions. Il y a même une chance que ce climat exploratoire et coopératif résultant de la formulation d'une question aide la famille à en arriver à un consensus sur l'endroit où passer ses vacances, en éliminant ainsi toute discussion ultérieure.

RECUEILLIR L'INFORMATION PERTINENTE Les groupes ont souvent besoin de connaître les faits importants avant de prendre certaines décisions ou même de comprendre le problème. Nous nous souvenons d'un groupe d'étudiants bien déterminés à réussir un exposé qu'ils allaient faire devant la classe. Un de leurs objectifs était d'obtenir la note A. Ils savaient fort bien que, pour réussir, ils devraient présenter un sujet qui intéresserait à la fois le professeur et le reste de la classe. Leur premier travail consistait donc à faire quelques recherches préparatoires pour trouver des sujets susceptibles d'intéresser leur auditoire.

Ils interrogèrent le professeur, lui demandant quels sujets avaient eu du succès et quels autres en avaient moins eu les semestres précédents. Ils en testèrent quelques-uns auprès de leurs camarades en notant leurs réactions. En faisant cette recherche, ils ont pu ainsi être en mesure de modifier leur question préliminaire originale: «Comment pouvons-nous choisir et développer un sujet qui nous permettra d'obtenir la note A?» en une autre plus spécifique: «Comment pouvons-nous choisir et développer un sujet qui contienne une certaine dose d'humour, d'action, beaucoup d'information (pour montrer au professeur que nous savons faire des recherches) et des renseignements pratiques qui pourront éventuellement améliorer la vie

sociale, le niveau scolaire ou la condition financière de l'auditoire?»

IDENTIFIER LE CHAMP DES FORCES EN PRÉSENCE Une fois que les membres comprennent ce qu'ils cherchent, l'étape suivante consiste à voir quels éléments les séparent de leurs objectifs. Un moyen utile d'y arriver est de faire l'analyse du champ de forces[17]. Cette analyse consiste à identifier les forces positives (qui aident le groupe à atteindre ses objectifs) et les forces négatives (qui entravent la recherche des objectifs). La façon la plus facile de comprendre ce concept est de regarder la figure 11-2. En reprenant notre exemple de l'équipe sportive qui connaît certaines difficultés, nous pouvons voir comment les forces en présence fonctionnent. Supposons que le groupe ait défini la question/ problème comme étant la suivante: «Comment pouvons-nous (a) davantage nous amuser et (b) devenir des amis plus proches?»

Une force négative en (a) était évidemment la fiche des défaites de l'équipe. Mais, de façon plus intéressante, la discussion a révélé qu'un autre obstacle à leur plaisir venait de l'obsession qu'avait l'entraîneur de vouloir à tout prix gagner et de son comportement de tristesse communicatif chaque fois que l'équipe subissait un revers. La principale force négative en (b) était en fait un manque de socialisation entre les membres de l'équipe pendant leurs moments libres. Les forces agissantes en (a) comprenaient le sens de l'humour affiché par plusieurs membres de l'équipe et l'aveu de la plupart d'entre eux que la victoire n'était pas aussi importante à leurs yeux qu'on pouvait le penser. La force positive en (b) était le désir de tous les membres de l'équipe de devenir de meilleurs amis. De plus, le fait que les membres partagent beaucoup d'intérêts était un atout additionnel.

Il est important de se rendre compte que pour la majorité des problèmes, il y a beaucoup de forces positives et négatives qui se font face et que celles-ci doivent toutes être identifiées à ce stade; elles nécessiteront peut-être des recherches plus poussées.

Une fois que toutes les forces en présence ont été identifiées, le groupe est prêt à passer à l'étape suivante — c'est-à-dire à décider comment augmenter les forces positives et diminuer celles qui sont négatives.

Figure 11-2   Le champ de forces. Les flèches qui pointent vers le bas représentent les forces qui empêchent le groupe d'atteindre ses objectifs, tandis que les flèches qui pointent vers le haut représentent les forces qui appellent au changement. Remarquez la différence de grandeur entre les flèches, ce qui indique que certaines forces ont plus d'importance que d'autres.

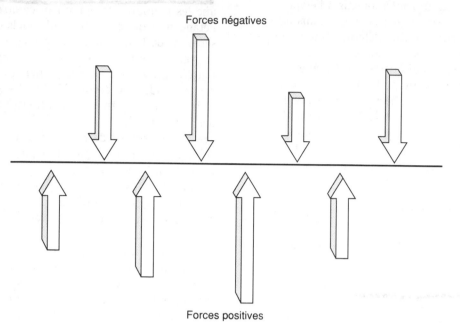

Forces négatives

Forces positives

TROUVER DES SOLUTIONS DE RECHANGE   Une fois que le groupe a établi une liste des critères de succès, sa tâche suivante consiste à réfléchir aux différentes façons d'atteindre les objectifs qu'il s'est fixés. Au cours de cette phase de développement, la créativité est primordiale. L'objectif visé est de générer un certain nombre d'approches et non de s'en tenir à une seule. Le plus grand danger ici est que les membres veuillent défendre leur idée tout en critiquant celles des autres. Ce genre de comportement conduit à deux problèmes: le premier, une critique émise sous forme de jugement, garantit pratiquement toujours une réaction défensive de la part des personnes dont les idées ont été attaquées. La deuxième conséquence est l'étouffement de la créativité. Les gens qui viennent juste d'entendre repousser une idée — même si cela se fait de façon polie — auront certaines difficultés à penser à d'autres solutions de rechange, à les exposer ouvertement et à risquer des critiques éventuelles.

L'approche probablement la mieux connue pour encourager la créativité et éviter les dangers qui viennent d'être cités est d'avoir recours à la méthode du ***brainstorming***[18] ou «remue-méninges». Quatre règles importantes y sont reliées:

1. *La critique est interdite*   Comme nous l'avons déjà dit, rien n'arrêtera plus rapidement la circulation des idées que des jugements négatifs.

2. *La «liberté d'expression» est encouragée*   Parfois les idées les plus saugrenues s'avèrent réalisables; une suggestion impraticable pourrait soulever une idée envisageable.

3. *La quantité est ce qui importe*   Plus il y a d'idées émises, plus les chances sont bonnes d'en trouver une qui convienne.

4. *Les combinaisons et les améliorations sont souhaitables*   Les membres sont invités à se servir des idées déjà émises pour les modifier ou les combiner à d'autres.

La censure et les idées: un mélange imparfait...

Reprenez l'exercice de la page 314 en l'appliquant à cette nouvelle situation:

«Le métro s'arrête dans le tunnel entre deux stations... Vous êtes le seul individu à bord puisque ce métro expérimental fonctionne sans conducteur. Bref, il fait noir et déjà 20 minutes se sont écoulées. Vous décidez d'agir au lieu d'attendre des secours qui n'arriveront pas de sitôt... du moins c'est ce que vous présumez. C'est l'hiver à l'extérieur du métro. Que feriez-vous dans cette situation? Vous avez déjà fait le tour du wagon, mais aucun objet n'est disponible pour vous aider à sortir de ce pétrin. Il y a un interphone, mais il semble être hors d'usage.»

1. Faites l'exercice en appliquant *rigoureusement* les principes du «remue-méninges».

2. Comparez le fonctionnement du groupe durant cet exercice avec la façon dont il a réglé le problème de l'île. Qu'y a-t-il de différent entre ces deux exercices?

FAIRE L'ÉVALUATION DES SOLUTIONS POSSIBLES Une fois que les solutions possibles ont été portées sur une liste, le groupe peut en faire l'évaluation. Une bonne façon d'identifier les solutions les plus réalisables est de se poser les trois questions suivantes[19]:

1. *Cette suggestion amènera-t-elle les changements souhaités?* Une façon de le savoir est de voir si elle réussit à contrer les éléments négatifs dans l'analyse des forces en présence.

2. *Cette proposition peut-elle être mise en pratique par le groupe?* Les membres peuvent-ils ainsi consolider les forces positives et diminuer les forces négatives? Peuvent-ils influencer les autres à le faire? Si ce n'est pas possible, l'idée n'est pas bonne.

3. *Cette suggestion présente-t-elle de sérieux inconvénients?* Parfois, le prix à payer pour atteindre l'objectif est trop lourd. Par exemple, dévaliser une banque est une façon d'obtenir de l'argent. Bien que ce plan soit réalisable, il soulève plus de problèmes qu'il n'en résout.

RÉALISER LE PROJET Tous ceux qui ont pris des résolutions le premier jour de l'année savent la différence qui existe entre prendre certaines résolutions et les mettre en pratique. Il y a sept étapes importantes à franchir pour mettre sur pied et réaliser un projet[20].

Identifier les tâches spécifiques à exécuter Quels sont les besoins à remplir? Même un travail relativement simple nécessite habituellement plusieurs étapes. C'est maintenant le moment de prévoir toutes les tâches auxquelles doit s'atteler le groupe. Essayez de ne rien oublier maintenant pour éviter une précipitation de dernière minute un peu plus tard.

Déterminer les ressources nécessaires Identifier l'équipement, le matériel et les autres ressources dont le groupe aura besoin pour accomplir sa tâche.

Définir les responsabilités de chacun Qui fera quoi? Tous les membres savent-ils ce qu'ils ont à faire? Le plan le plus sûr ici est de mettre par écrit la tâche de chacun en y incluant la date de remise. Cela peut paraître contraignant, mais l'expérience prouve que cela augmente les chances de voir les tâches exécutées dans les délais prévus.

Prévoir les urgences La loi de Murphy affirme: «Dès qu'une chose peut mal tourner, elle tourne mal.» Quiconque a l'habitude du travail en groupe comprend la pertinence de cette remarque. Les personnes oublient leurs obligations, tombent malades ou s'en vont; le matériel tombe en panne. (Un corollaire de la loi de Murphy dit que «la machine à photocopier tombera en panne juste le jour où on en aura le plus besoin».) Toutes les fois que cela est possible, vous devriez prévoir des plans d'urgence qui couvrent les problèmes prévisibles. La meilleure suggestion que nous puissions vous faire ici est de planifier le travail pour qu'il soit terminé bien avant la date limite, sachant bien que, compte tenu des problèmes de dernière minute, votre marge de temps vous permettra simplement de terminer à temps.

ASSURER LE SUIVI Même les meilleurs plans ont besoin de certaines modifications une fois qu'ils ont été mis en pratique. Vous pouvez améliorer l'efficacité du groupe et minimiser les déceptions en suivant ces deux étapes:

Organiser périodiquement des rencontres pour faire l'évaluation des progrès Des réunions assurant le suivi devraient faire partie de pratiquement tout bon projet. Le meilleur moment pour fixer la date de ces réunions est de le faire lorsqu'on commence à mettre en application le projet. C'est à ce moment précis qu'un bon leader ou un autre membre devrait suggérer: «Retrouvons-nous dans une semaine (ou dans quelques jours ou dans un mois selon la nature du travail à accomplir). Nous verrons alors comment les choses se passent et nous réglerons tout problème éventuel.»

Réviser l'approche du groupe si nécessaire Ces réunions assurant le suivi iront plus loin que de féliciter les gens d'avoir suggéré de bonnes solutions. Les problèmes sont susceptibles de surgir à tout moment et ces rencontres périodiques, où les acteurs les plus importants sont présents, sont l'endroit idéal où pouvoir les résoudre.

Bien que ces étapes ne donnent qu'une esquisse pratique de la résolution de problèmes, elles serviront davantage de lignes directrices plutôt que de formules précises que tout groupe doit suivre. Comme le laisse entendre le tableau 11-3, certaines parties du modèle peuvent demander à être plus approfondies selon la nature du problème donné; cette approche générale proposera virtuellement à n'importe quel groupe une façon utile de considérer et de résoudre un problème.

Maintenir des relations positives

Les suggestions émises concernant la tâche à accomplir ne seront pas d'un grand secours si les membres du groupe ne s'entendent pas bien les uns avec les autres. Nous devons donc nous pencher sur certaines façons d'entretenir de bonnes relations entre les membres. Les principes décrits dans les chapitres 1, 7, 8, 9 et 10 s'appliquent ici. Étant donné leur importance significative, nous allons les revoir de manière succincte.

Des compétences fondamentales L'ingrédient — probablement le plus important — de bonnes relations interpersonnelles est le respect mutuel, et la meilleure façon d'en montrer à l'autre personne est de l'*écouter* attentivement. Une tendance plus naturelle, bien sûr, conduit à présumer que l'on comprend parfaitement la position des autres personnes, à les interrompre ou à réfuter ce qu'elles disent. Même si vous avez raison, ce genre de réaction peut laisser des traces négatives. Une écoute attentive améliore au moins le climat de communication... et vous apprendra même certaines choses.

Les groupes sont appelés à avoir des désaccords à un moment ou à un autre. Lorsque cela se produit, les méthodes de résolution de problèmes gagnant-gagnant décrites au chapitre précédent augmentent les chances de trouver une solution immédiate de la façon la plus constructive qui soit. Comme vous l'avez vu plus tôt dans le chapitre, voter et laisser une majorité imposer ses règles peut souvent laisser à l'écart quelques membres dont l'insatisfaction viendra peut-être hanter les activités futures du groupe. Un consensus est souvent difficile à atteindre à court terme, mais s'avère beaucoup plus bénéfique à long terme.

Obtenir une certaine cohésion La **cohésion** peut se définir comme un ensemble de forces qui poussent les membres à se sentir partie intégrante d'un groupe et à désirer réellement le demeurer.

Vous pouvez comparer cette cohésion à de la colle qui lie les individus les uns aux autres, leur

Tableau 11-3 Adaptation des méthodes de résolution de problèmes aux situations exceptionnelles

Caractéristiques	Solutions
Les membres réagissent fortement au problème.	Accorder une période de ventilation émotionnelle avant de s'attaquer systématiquement à résoudre le problème.
La tâche à exécuter est très difficile.	Suivre très attentivement les étapes de la résolution de problèmes.
Plusieurs solutions sont possibles.	Encourager le remue-méninges.
L'approbation de la majorité des membres est requise.	Définir soigneusement les besoins de tous les membres et chercher des solutions qui puissent les satisfaire.
Un haut niveau de qualité technique est requis.	Mettre l'accent sur l'évaluation des idées; inviter si nécessaire des spécialistes de l'extérieur à venir donner leur avis.

Adapté de John Brilhart, *Effective Group Discussion*, 5e édition, Dubuque, Iowa, W. C. Brown, 1986, p. 310.

donnant un sentiment d'identité collective. Les groupes sont unis si certaines conditions sont remplies. En les comprenant bien, vous pourrez alors les appliquer à n'importe quel type de groupe. Vous aurez ainsi le moyen à la fois de mesurer la cohésion du groupe et de savoir comment la renforcer. Huit facteurs y contribuent[21]:

OBJECTIFS COMPATIBLES OU PARTAGÉS   Les gens ont tendance à se rapprocher lorsqu'ils partagent un objectif semblable ou lorsque leurs buts peuvent être réciproquement satisfaits. Des membres d'un groupe écologique pourraient, par exemple, ne pas avoir beaucoup de choses en commun jusqu'à ce qu'une partie de la forêt entourant la ville soit menacée par l'expansion urbaine. Certains d'entre eux peuvent tenir à ce morceau de terre pour sa beauté; d'autres parce que c'est un endroit où l'on peut pêcher et chasser; d'autres encore parce que ce voisinage accroît la valeur de leur propriété. Aussi longtemps que leurs objectifs sont compatibles, ce rassemblement d'individus pensera qu'un lien existe entre eux qui les fait se rapprocher les uns des autres.

PROGRÈS RÉALISÉS   Aussi longtemps qu'un groupe progresse, ses membres en sentent la cohésion; lorsque les progrès ralentissent, la cohésion diminue à son tour. L'ensemble des autres éléments demeurant identique, les membres d'une équipe sportive se sentiront plus proches lorsque l'équipe remportera des victoires. Si les défaites se répètent, les joueurs se sentiront moins positifs face à leur équipe et moins prêts à s'identifier comme membres du groupe.

PARTAGE DES NORMES ET DES VALEURS   Même si les groupes qui ont du succès tolèrent certaines différences d'attitude et de comportement chez leurs membres et réussissent à les surmonter, une trop grande variation dans la définition des actes ou des croyances admissibles réduira la cohésion du groupe. Si un nombre significatif de membres ont des idées différentes sur le comportement à adopter, le groupe aura tendance à s'effriter. Des désaccords sur les valeurs ou les normes peuvent survenir dans plusieurs domaines comme dans celui qui touche à l'humour, aux questions financières, au degré de franchise ou au temps alloué au travail et à la détente.

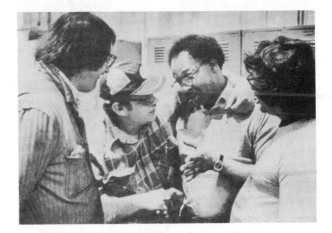

ABSENCE DE MENACES ENTRE LES MEMBRES   Les membres d'un groupe cohésif ne voient aucune menace à leur statut, à leur dignité, à leur bien-être émotionnel ou matériel. Lorsque de telles menaces se font sentir, elles peuvent être très destructrices. La rivalité apparaît souvent à l'intérieur des groupes et les membres se sentent en conséquence menacés. Parfois, la lutte survient pour savoir qui sera le leader attitré. Certains membres, par rivalité ou par critique, prêtent à d'autres l'intention de vouloir remplir un rôle fonctionnel (résoudre les problèmes ou donner des informations, etc.). Que la menace soit réelle ou imaginaire, le groupe doit réussir à la neutraliser ou à faire face aux conséquences qui ne manqueront pas d'amoindrir sa cohésion.

INTERDÉPENDANCE DES MEMBRES   Les groupes deviennent cohésifs lorsque les besoins de leurs membres ne peuvent être satisfaits qu'avec l'aide des autres membres. Lorsqu'un travail peut être exécuté de la même façon par une personne seule, le besoin d'appartenir à un groupe se fait moins sentir. Le facteur d'interdépendance explique l'existence des coopératives d'alimentation, des ventes de garage de quartier et des campagnes de politiques communautaires. Toutes ces activités permettent aux participants d'atteindre leurs objectifs avec plus de succès que s'ils agissaient seuls.

MENACE DE L'EXTÉRIEUR   Lorsque les membres perçoivent que le groupe ou son image (les groupes ont des concepts de soi tout comme les individus) sont menacés, ils se rapprochent les uns des autres. Tout le monde connaît une famille dont les membres semblent en conflit permanent les uns avec les autres — jusqu'à ce qu'un étranger vienne critiquer l'un d'eux. Alors brusquement toutes les chamailleries internes cessent et le groupe se ligue contre l'ennemi commun. Le même principe s'applique, à une plus grande échelle: les nations s'empressent de régler leurs différends internes lorsqu'elles font face à une agression venue de l'extérieur.

ATTRACTION ET AMITIÉ RÉCIPROQUES Le facteur de l'attraction et de l'amitié réciproques fonctionne en quelque sorte en spirale, car ces sentiments sont souvent le résultat des éléments qui viennent d'être soulevés; les groupes s'unissent plus étroitement parce que leurs membres s'apprécient les uns les autres.

EXPÉRIENCES PARTAGÉES Lorsque les membres d'un groupe ont vécu certaines expériences inhabituelles ou pénibles, ils ont tendance à se rapprocher les uns des autres. Cela explique pourquoi des soldats qui ont combattu ensemble se sentent souvent proches et restent en contact des années durant. Les épreuves de serments de fraternité et autres initiations sont également des expériences partagées. Beaucoup de sociétés ont de ces rituels que tous leurs membres respectent, ce qui renforce la cohésion du groupe.

Rappelez-vous deux groupes dont vous faites partie: un dont le niveau de cohésion vous semble bas et un autre, à la cohésion plus grande. Servez-vous des éléments répertoriés pour analyser ce qui a contribué au niveau d'engagement dans chacun de ces groupes. Comment les choses pourraient-elles être améliorées dans le groupe qui présente le moins de cohésion? Faites une liste de vos suggestions et partagez-les avec les membres de votre groupe.

Il est important de reconnaître que les huit éléments qui viennent d'être décrits interagissent les uns avec les autres, souvent de façon contradictoire. Les membres de certains groupes, par exemple, peuvent être de bons amis pour être passés par toutes sortes d'épreuves (ce qui a contribué à la cohésion du groupe), tout en se sentant également moins dépendants les uns des

autres qu'auparavant. La lutte pour remplir certains rôles reprend. Dans des cas comme celui-ci, la cohésion du groupe équivaudra au solde des forces positives et négatives.

Encourager la participation Dans la plupart des groupes, la participation des membres n'est pas identique. Il n'est probablement pas souhaitable que tout le monde s'exprime de façon égale sur tous les sujets, mais il n'est pas bon non plus qu'un ou plusieurs membres restent complètement silencieux. Il existe deux raisons à cela. La première: le groupe pourrait certainement bénéficier de sources d'information supplémentaires; la deuxième: le fait que des membres n'interviennent jamais peut devenir éprouvant pour les nerfs, à la fois des personnes qui ne s'expriment pas comme de celles qui le font. Comment donc encourager la participation?

GARDER UN GROUPE DE TAILLE RÉDUITE Le bon sens indique que plus un groupe grandit, moins les membres disposent de temps pour s'exprimer. Mais de plus, le déséquilibre créé entre les personnes qui s'expriment et celles qui ne le font pas s'accroît au fur et à mesure que le nombre de membres augmente[22]. Dans les petits groupes de trois ou quatre personnes, la participation est assez uniforme; mais une fois que l'on arrive à cinq ou huit personnes, le fossé de participation commence à se creuser. C'est pourquoi une façon simple d'accroître la participation de tous est de garder le groupe aussi petit que possible lorsque la tâche le permet.

SOLLICITER LA PARTICIPATION DES MEMBRES SILENCIEUX On peut parfois obtenir la participation des membres silencieux en leur demandant simplement de s'engager, en leur posant ouvertement certaines questions qui les obligent à donner une réponse élaborée: «Que suggérez-vous pour améliorer cette idée, Gaston?» Dans d'autres cas, le leader attitré peut assigner à ces personnes certaines tâches qui assureront leur participation, comme celle de faire un rapport au groupe pour une recherche précise.

RENFORCER LA PARTICIPATION Lorsqu'un membre plutôt effacé apporte sa contribution, il est particulièrement important pour les autres d'en accuser réception. On peut le faire de façon directe: «Merci de nous suggérer cette idée, Lisa.» Une autre façon d'appuyer une réflexion est d'y faire référence un peu plus tard dans la conversation: «Cela vient renforcer ce qu'a dit William il y a quelques instants...»

Il y a bien sûr le risque de passer pour un faux jeton en faisant trop d'éloges. Trop flatter des personnes timides les découragera de vouloir recommencer; assurez-vous donc que vos compliments soient sincères sans être trop démonstratifs...

Après avoir relu ces suggestions qui encouragent la participation, nous nous sommes rendu compte qu'elles paraissaient tellement évidentes que nous avons failli les jeter au panier. Avant de le faire cependant, nous avons pensé rapidement aux groupes auxquels nous appartenons et nous avons conclu que le fait de suivre ces trois étapes tellement simples fait réellement sortir de leur coquille les personnes timides. Aussi, nous vous encourageons à ne pas sous-estimer ces suggestions évidentes mais tout à fait efficaces.

Leadership de groupe

Pour la majorité d'entre nous, le leadership se classe très près derrière la maternité dans la hiérarchie des valeurs. «Êtes-vous un leader ou un suiveur?» nous demande-t-on, et nous savons très bien quel est le meilleur rôle. Au travail, par exemple, leadership signifie promotion. Même dans les petites classes à l'école, nous savions fort bien qui étaient les leaders et nous les admirions. Mais qu'est-ce que le leadership?

Leadership et leaders: une question de pouvoir

La majorité des gens utilisent les mots «leader» et «leadership» de façon interchangeable, alors qu'il existe une grande différence de fait entre ces deux concepts. Certains leaders n'exercent pas de leadership et une grande partie du leadership ne vient pas des leaders... ou du moins des personnes à qui nous donnons ce qualificatif. Expliquons-nous.

Nous donnerons pour commencer une définition du terme «**leadership**»: *capacité d'influer sur le comportement des autres dans un groupe.* Comment les gens sont-ils influencés? Par un certain pouvoir qui revêt plusieurs formes[23].

POUVOIR LÉGITIME La capacité d'influer sur les autres du fait d'un pouvoir légitime vient de la position que l'on occupe: responsable, parent, professeur, etc. Dans beaucoup de situations, ce genre de pouvoir vient du titre seul: nous obéissons aux ordres des agents de police pour circuler, parce que nous pensons qu'ils savent ce qu'ils font. Mais le titre d'une personne n'est pas toujours la motivation première.

POUVOIR COERCITIF Nous faisons parfois ce que nous dit notre patron, non par respect pour la sagesse de sa décision, mais parce que les conséquences, en cas de désobéissance, pourraient être désagréables. Des contraintes économiques, la désapprobation sociale, un travail désagréable et même un châtiment corporel... sont tous des facteurs coercitifs influant sur le comportement.

POUVOIR RÉMUNÉRATEUR La capacité de récompenser est l'opposé du pouvoir coercitif. Comme les châtiments, les récompenses peuvent être sociales, matérielles ou physiques.

POUVOIR DU SPÉCIALISTE Nous sommes parfois influencés par des personnes du fait de leurs connaissances ou de leurs compétences. Dans une situation d'urgence médicale, par exemple, la plupart des membres d'un groupe laisseront intervenir avec empressement un médecin, une infirmière ou un autre technicien du fait de leurs connaissances évidentes.

POUVOIR DU RÉFÉRENT Nous pourrions considérer le pouvoir du référent comme un pouvoir social du fait que nous parlons ici de l'influence du respect, de l'attirance ou de la sympathie d'un membre pour un autre membre du groupe.

POUVOIR DE L'INFORMATION La connaissance que possède un membre du groupe de certains faits qui demeureraient autrement obscurs peut modifier la façon dont fonctionne un groupe. Si vous travaillez à un projet de groupe, l'expérience acquise par l'un de vos camarades qui a déjà suivi un autre cours avec le professeur peut vous apporter certains renseignements sur la façon d'aborder le sujet. Cet exemple montre bien la différence qui existe entre le pouvoir du spécialiste («Je peux me servir d'une base de données informatique en direct pour rechercher cette information.») et le pouvoir de l'information («Ce professeur est un obsédé des fautes d'orthographe et de la structuration.»). La compétence technique et l'information détenue par l'initié sont toutes deux importantes et peuvent être détenues par des personnes différentes.

«J'allais dire: "Ce n'est pas moi qui établis les règlements." Mais, de fait, c'est *bien moi* qui les établis.»

Dessin de Leo Cullum; © 1986 The New Yorker Magazine, Inc.

La logique induit que si le leadership est le pouvoir d'influencer les autres, un **leader** est donc la personne qui exerce cette influence. Un regard sur les exemples que vous venez de lire indique que les choses ne sont pas aussi simples. Il y a par exemple certaines situations dans lesquelles le **leader en titre** — la personne désignée par son titre pour diriger les activités du groupe — n'a que peu d'influence sur ce dernier. Nous pouvons nous rappeler ces jours heureux du primaire ou du secondaire où un certain professeur suppléant prenait la relève d'un cours. S'il avait bien le titre de professeur, il ne faisait cependant aucunement la loi dans la classe. À sa place, une bande d'étudiants chahuteurs, entraînés par deux individus au pouvoir social important, menaient le bal: ils racontaient des blagues, tombaient de leurs chaises et finissaient par s'échapper de la pièce par une fenêtre ouverte. Au bout du compte, le pouvoir coercitif du directeur de l'école était le seul moyen de venir à bout de la rébellion.

La leçon à tirer de cette histoire de chahut d'adolescents est que certains leaders en titre ne dirigent pas nécessairement et que, par contre, certains membres du groupe sans grand pouvoir apparent sont en fait les véritables instigateurs du mouvement et les meneurs… Une façon d'analyser l'influence exercée par un leader en titre est de connaître son pouvoir réel sur le groupe en appliquant les six qualificatifs dont nous venons de parler. Si le leader attitré obtient d'assez bons résultats dans chacune des catégories citées, son

pouvoir est assez fort. Si, par contre, le pouvoir est disséminé à travers le groupe, son influence n'est pas aussi importante.

N'allez pas conclure pour autant qu'un leadership centralisé, puissant et hautement visible soit le meilleur garant de l'accomplissement d'une tâche donnée. Dans beaucoup de cas, un leadership partagé est tout aussi efficace. Nombre de leaders efficaces présentent la capacité de se rallier subtilement le soutien puissant — à l'aide des pouvoirs du référent, du spécialiste, de coercition ou de récompense — des autres membres pour appuyer une politique. Même les leaders qui désirent avoir un rôle visible et hautement influent ne peuvent pas tout accomplir. Rappelez-vous notre discussion sur les rôles fonctionnels à la section précédente, et vous vous rendrez compte que personne ne peut réellement venir à bout de toutes les tâches requises pour voir le groupe atteindre ses objectifs. Nous aurons davantage de choses à dire sur les avantages et les inconvénients du leadership centralisé et autoritaire un peu plus loin, lorsque nous discuterons des méthodes autocratiques ou démocratiques des leaders désignés.

Pourquoi les leaders ont-ils tant de succès?

La position de leader attitré revêt une importance telle dans notre société que nous allons décrire dans les pages qui suivent les facteurs qui contribuent au prestige de cette image.

ANALYSE DES TRAITS DE CARACTÈRE Il y a plus de 2000 ans, Aristote déclarait: «Dès leur naissance, certaines personnes sont destinées à être soumises et d'autres à commander[24].» C'est une définition assez radicale de la conception du leadership du «grand homme» (ou de la «grande femme»). Les spécialistes des sciences humaines ont entamé leurs recherches sur les qualités déterminantes du leader en menant des centaines d'études qui ont mis en comparaison des leaders avec d'autres personnes qui ne l'étaient pas. Les résultats de toutes ces recherches ont été variables. Il en ressort pourtant un certain nombre de caractéristiques distinctives qui entrent dans différentes catégories[25].

Apparence physique En règle générale, les leaders ont tendance à être légèrement plus grands, plus forts et plus beaux physiquement que les autres personnes. Ils semblent également avoir plus

Nous sommes à la veille du jour où deux grandes puissances doivent signer un traité de paix.

Nixon et Brejnev se rencontrent à l'ambassade soviétique où est donné un grand dîner.

Je me trouve, moi, placée entre l'ambassadeur russe et Kissinger.

Surprise par ce qui se passe autour de moi, je m'efforce de déchiffrer les codes dans le ronron des clichés échangés de part et d'autre de la table. Je me retrouve apparemment en pleine confraternité masculine sacrée et je finis, au bout d'un moment, par me sentir comme à l'école lorsque les garçons discutaient entre eux de quelque chose et que j'éprouvais, quant à moi, toutes les peines du monde à me convaincre qu'ils puissent être vraiment sérieux avec leurs airs importants et leurs formules.

Gromyko est pâle. Il est assis, le dos voûté, à un coin de table. Sa bouche est pincée et triste.

Il me fait penser à un oncle mélancolique qui était venu à mon mariage.

Ses yeux, cependant, ne sont pas sans humour. Il rougit, chaque fois que son nom est prononcé dans un discours.

Brejnev a l'air un peu fat, mais j'éprouve une immédiate sympathie pour lui lorsqu'il prend ma main entre ses deux larges paumes et me dit qu'il a aimé Les Émigrants. *Je bénis le ciel de n'avoir aucun rôle politique quand je vois avec quelle facilité je succombe à la flatterie. Assis, Nixon a l'air tellement petit! Son torse est presque aussi petit que sa tête. Son maquillage a légèrement coulé et je suis heureuse pour lui que la séance de prises de vues soit terminée. J'éprouve une sorte de compassion pour ce visage — là où le noir qui entoure les yeux charbonne un peu. Il aurait fait un personnage tragique fantastique dans un film de Bergman, si seulement il était meilleur comédien.*

Nous dégustons du caviar apporté de Russie par avion et buvons de la vodka également

apportée par avion, servis par des garçons amenés eux aussi par avion et qui seront remmenés par avion immédiatement après la fin du banquet.

Tout cela est presque aussi solennel qu'un dîner auquel j'ai participé en Italie, où le valet de pied qui se tenait derrière chaque chaise changeait de gants pour chaque plat, et de veste pour le café!

Je sais que les longues discussions et rencontres privées se dérouleront derrière l'écran de ce dîner, que les grands accomplissements et les grandes catastrophes sont négociés par quelques personnes seulement dans le secret de locaux où le public n'a pas accès. Mais ce soir, en tout cas, rien n'a encore l'air décidé. Le traité de paix qui doit en principe être signé demain matin — et que le monde entier attend — n'est pas encore certain.

Se pourrait-il que l'on décide de notre avenir durant le temps du dessert?

Tout le monde a l'air occupé à un jeu de salon.

Un horrible soupçon se fait jour en moi. Je commence à penser que le sérieux avec lequel les journalistes rendent compte des rencontres de ces hommes est soit un autre genre de jeu, soit une manipulation délibérée des faits.

J'ai personnellement l'impression de me trouver à un banquet de soir de première au Théâtre norvégien.

Les mêmes discours, les mêmes mots, les mêmes toasts et les mêmes promesses qui n'engagent à rien et n'ont aucune signification.

Se pourrait-il que le monde entier participe à la même comédie? Un petit nombre d'hommes dans les rôles principaux; les reporters dans les rôles secondaires, mais encore très importants; et nous, tous les autres, dans le rôle du public.

Et aussi des victimes.

Liv Ullmann

Leadership

Nous vous présentons une fiche de classement des fonctions de l'association étudiante. Classez les fonctions de l'association selon l'importance que vous leur accordez. Inscrivez un 1 devant celle que vous jugez la plus importante, un 2 devant celle que vous jugez moins importante, etc. Prenez quelques minutes pour faire cet exercice.

Lorsque les membres de votre groupe auront terminé leur travail individuel, vous passerez au stade de classement en groupe. Prenez environ 30 minutes pour exécuter ce travail. Ne désignez pas de leader officiel.

Groupe	Individu	
_____	_____	a. Les associations étudiantes visent à aider les étudiants et les étudiantes des collèges à atteindre une maturité sociale.
_____	_____	b. Les associations étudiantes devraient viser à rendre la vie étudiante plus intéressante.
_____	_____	c. Les rencontres d'une association étudiante vous permettent d'établir des contacts professionnels et sociaux qui vous seront utiles lorsque vous aurez terminé vos études.
_____	_____	d. Les associations étudiantes sont un «foyer» où vous vous sentez acceptés et désirés.
_____	_____	e. Les associations étudiantes cherchent à développer la fraternité entre les étudiants et les étudiantes malgré l'anarchie et l'aliénation qui règnent aujourd'hui dans le monde.
_____	_____	f. Les associations offrent une expérience de vie qui vous permet de découvrir vos préjugés et d'essayer de vous en défaire.
_____	_____	g. Votre participation aux activités de l'association étudiante vous offre l'occasion de pratiquer la direction d'un groupe.
_____	_____	h. Les associations étudiantes viennent renforcer et rehausser les expériences d'apprentissage des étudiantes et des étudiants.
_____	_____	i. Les membres des associations étudiantes sont traités en adultes et non en adolescents qui ont besoin d'être contrôlés.
_____	_____	j. Les associations sont des laboratoires de formation à la démocratie.
_____	_____	k. Le système d'association étudiante est une forme de service social qui vient en aide aux défavorisés.

1. Lors de l'exercice en groupe, avez-vous observé l'émergence d'un leadership de groupe assuré par un individu? Qui? Est-ce que d'autres membres de votre groupe de travail partagent votre opinion?

2. Quels sont les critères utilisés pour décider quelle est la personne qui faisait preuve de leadership dans votre groupe?

3. Dans le cas où personne n'assurait le rôle de leader, comment en êtes-vous arrivés à un consensus sur les points qui ne faisaient pas l'unanimité? Partagez vos réflexions sur ce sujet avec les membres de votre groupe de classe.

Exercice adapté de William Pfeiffer et John E. Jones, *Le répertoire de l'animateur de groupe*, volume n°4, *Travail en groupe*, Montréal, Actualisation idh, 1982, p.1562.

d'aptitudes physiques et plus d'endurance.

Sociabilité C'est la capacité de maintenir des liens personnels à l'intérieur du groupe. Les leaders, par exemple, s'expriment plus souvent et avec plus de facilité, et sont considérés comme plus populaires, plus coopératifs et plus doués socialement parlant que les autres personnes.

Efficacité Les leaders possèdent certaines aptitudes qui aident les groupes à remplir les tâches qu'ils se sont fixées. Ils sont en quelque sorte plus intelligents, détiennent plus d'information pertinente et sont plus sérieux que les autres membres.

Goût du leadership Les leaders *désirent* réellement tenir ce rôle et font tout pour l'obtenir. Ils prennent des initiatives, font preuve de persévérance et expriment leurs convictions de manière assurée.

En dépit de ces constatations générales, les recherches sur les **théories des traits du leadership** sont d'une utilité pratique assez limitée: des recherches postérieures ont indiqué que beaucoup d'autres facteurs entrent en jeu dans la détermination du succès remporté par les leaders; de plus, tous ceux qui possèdent ces traits ne deviennent pas nécessairement des leaders. C'est ce que nous allons maintenant voir.

STYLES DE LEADERSHIP Certains leaders ont un style de **leadership autoritaire** (ou **autocratique**), se servant d'un pouvoir légitime, coercitif ou rémunérateur pour dicter ce qui se fera dans un groupe. D'autres font usage d'un style de **leadership démocratique**, invitant les autres membres à partager la prise de décisions. Dans un troisième style, appelé **leadership du laissez-faire**, le leader renonce à son pouvoir de dicter les ordres, transformant le groupe en un rassemblement d'individus égaux sans aucun dirigeant. Les premières recherches ont montré que le style de leadership démocratique était celui qui donnait les meilleurs résultats[26], mais d'autres expériences ont indiqué que les choses n'étaient pas aussi simples. Par exemple, des groupes dont les leaders étaient autocratiques se révélaient être plus productifs dans des conditions difficiles, alors que des groupes dont les leaders étaient plus démocratiques en affichaient de meilleurs lorsque les conditions étaient moins stressantes[27].

Quel est votre style de leadership?

Reprenez vos observations de l'exercice précédent:

a. Comment pourriez-vous qualifier le leadership de la personne qui semblait l'assurer?

b. Quels sont les faits sur lesquels vous vous appuyez pour affirmer que c'est bien de ce style dont il s'agit ici?

c. Même si vous n'avez pas assuré le leadership dans cet exercice, réfléchissez aux situations où vous sembliez être le leader — ou du moins votre décision était prise en grande considération… Quel serait donc *votre* style de leadership? Pouvez-vous dire pourquoi ce style plutôt qu'un autre? (Convictions personnelles, attitudes générales face aux tâches, personnalité, les gens avec qui vous vous êtes retrouvé pour effectuer un travail précis, ambigu…)

APPROCHES CONTEMPORAINES Après plus d'un demi-siècle de recherches, il est apparu que certains types de leadership fonctionnaient bien dans telles circonstances et plutôt mal dans d'autres. Dans le but d'arriver à connaître quelle approche fonctionne le mieux dans un type de situation donné, le psychologue Fred Fiedler a essayé de découvrir dans quelles circonstances une approche axée sur la tâche à accomplir était la plus efficace et quand une approche axée davantage sur les liens personnels donnait de meilleurs résultats[28]. D'après ces recherches, Fiedler a élaboré une **théorie situationnelle du leadership**. Bien que l'ensemble de la théorie soit trop complexe pour être décrit ici, la conclusion générale est que l'approche du leader devrait pouvoir être modifiée en fonction des circonstances. Une approche axée sur la tâche à accomplir donne de meilleurs résultats lorsque les conditions sont franchement favorables (bonnes relations leader/membres, fort pouvoir du leader, structure claire de la tâche) ou franchement défavorables (mauvaises relations leader/membres, faible pouvoir du leader, tâche ambiguë), tandis qu'une approche axée sur les relations personnelles est plus appropriée dans des conditions passablement favorables ou passablement défavorables.

Figure 11-3 La grille de gestion*

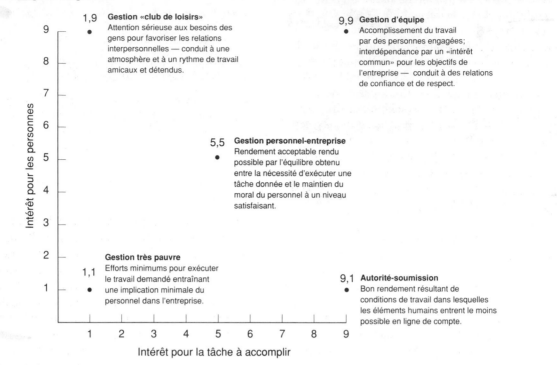

1,9 Gestion «club de loisirs» Attention sérieuse aux besoins des gens pour favoriser les relations interpersonnelles — conduit à une atmosphère et à un rythme de travail amicaux et détendus.

9,9 Gestion d'équipe Accomplissement du travail par des personnes engagées; interdépendance par un «intérêt commun» pour les objectifs de l'entreprise — conduit à des relations de confiance et de respect.

5,5 Gestion personnel-entreprise Rendement acceptable rendu possible par l'équilibre obtenu entre la nécessité d'exécuter une tâche donnée et le maintien du moral du personnel à un niveau satisfaisant.

1,1 Gestion très pauvre Efforts minimums pour exécuter le travail demandé entraînant une implication minimale du personnel dans l'entreprise.

9,1 Autorité-soumission Bon rendement résultant de conditions de travail dans lesquelles les éléments humains entrent le moins possible en ligne de compte.

Intérêt pour les personnes (axe vertical)

Intérêt pour la tâche à accomplir (axe horizontal)

Deux chercheurs du domaine de la communication d'entreprise, Robert R. Blake et Jane S. Mouton, ont également étudié l'interaction des facteurs tâche et liens personnels du leadership, mais en ont tiré des conclusions différentes[29]. Ils ont établi une grille de gestion* consistant en un schéma en deux dimensions (voir la figure 11-3). L'axe horizontal mesure l'intérêt du leader pour ce qui a trait à la tâche à accomplir. Il met l'accent sur la façon de l'exécuter à l'intérieur de l'entreprise, l'efficacité étant le mobile principal. L'axe vertical mesure l'intérêt du leader pour les idées et les émotions des personnes. Blake et Mouton suggèrent que le leader le plus efficace est celui qui adopte une approche de 9,9 sur la courbe indiquant une préoccupation importante à la fois pour la tâche à accomplir et pour les relations personnelles.

En résumé, les théoriciens situationnels laissent entendre qu'un bon leader n'adopte pas une approche de 1,9 (relations personnelles ayant une importance supérieure) ou de 9,1 (tâche ayant une importance supérieure) sur l'échelle pour s'y tenir ensuite; l'efficacité au contraire vient du fait de pouvoir s'ajuster à l'approche que la situation réclame. Les partisans de cette grille pressent les leaders de montrer des préoccupations élevées à la fois pour la tâche à accomplir et pour les relations personnelles[30]. Ce chapitre n'est pas l'endroit où trancher le différend entre les partisans de l'approche situationnelle et ceux de «la meilleure approche». Malgré tout, un point important et utile se dégage: les leaders doivent considérer à la fois les besoins de leurs subordonnés et les impératifs de la tâche à remplir.

Les dangers de la discussion en groupe

Même les groupes faisant preuve des meilleures intentions qui soient se trouvent parfois dans l'incapacité de trouver des solutions satisfaisantes. Dans d'autres occasions, ils prennent certaines décisions qui se révèlent plus tard être mauvaises. Bien qu'il n'existe pas de méthode infaillible pour

* Le «Managerial Grid» ® de Robert R. Blake et Jane S. Mouton, *The Managerial Grid III*, Houston, Gulf Publishing Co., Copyright © 1985, p. 12. Reproduction autorisée.

garantir un travail de groupe de haute qualité, il y a plusieurs dangers à éviter.

Une absence d'information critique Beaucoup de groupes désirent tellement prendre des décisions qu'ils le font sans avoir recueilli toutes les informations importantes. Tel ce groupe que nous connaissons qui avait prévu d'organiser une soirée pour recueillir des fonds sans avoir suffisamment fait preuve de prévoyance: elle tombait le même soir qu'une joute décisive au hockey. Une petite vérification aurait pu prévenir beaucoup de déception et aurait ainsi permis au groupe de recueillir les fonds dont il avait grandement besoin.

La domination par une minorité Nous avons dit plus tôt que la participation des membres n'était pas toujours égale. En plus de laisser les membres silencieux, blessés et peu enthousiastes, la domination par quelques membres plus bruyants peut réduire la capacité d'un groupe à régler ses problèmes de façon efficace. Les recherches montrent que la proposition qui reçoit le plus grand nombre de commentaires favorables est habituellement celle qui est retenue, même si ce n'est pas la meilleure[31]. De plus, les idées des membres qui ont une position élevée (qui ne sont pas toujours ceux qui s'expriment le plus) font l'objet de plus de considération que celles des personnes dont la position est inférieure[32]. La morale de l'histoire? Ne pas présumer que la quantité du discours tenu ou la position de la personne qui parle détermine automatiquement la qualité d'une idée: rechercher plutôt et considérer sérieusement les idées des membres plus silencieux.

Une tendance au conformisme Les membres d'un groupe ont souvent tendance à suivre le mouvement, ce qui a pour résultat la prise de mauvaises décisions. Une étude classique de Solomon Asch a illustré ce point[33]. On avait demandé à des étudiants de niveau collégial à qui on avait montré trois lignes de différentes longueurs d'indiquer celle qui correspondait à une quatrième ligne cible. Bien que la réponse ait été évidente, l'expérience était un trucage: Asch avait indiqué à tous les membres des groupes expérimentaux à l'exception d'un seul de voter en faveur de la mauvaise ligne. Avec comme résultat que plus d'un tiers des sujets qui n'avaient pas été prévenus n'ont pas tenu

Dessin de Levin; © 1983. The New Yorker Magazine Inc.

compte de leur jugement personnel (qui, *lui*, était juste) pour voter simplement comme la majorité. Si un simple exercice comme celui-ci entraîne un tel conformisme, il est facile de voir comment suivre la foule (qui se trompe parfois) est d'autant plus susceptible de se produire pour les tâches plus complexes et plus ambiguës que doivent affronter les groupes. Il est intéressant de noter que les pressions pour un certain conformisme sont plus fortes lorsque les membres du groupe ont moins confiance en leur capacité de résoudre un problème, lorsqu'ils ont beaucoup d'attirance pour le groupe, ou encore lorsque la majorité qui fait preuve de conformisme est relativement importante[34].

Une prise de décision prématurée Probablement du fait que l'incertitude n'est pas un état très plaisant, beaucoup de groupes s'attachent à une solution de rechange très rapidement dans le processus de prise de décision[35]. Cela les conduit à ne pas tenir compte d'autres idées qui pourraient s'avérer meilleures. Cette tendance explique pourquoi on devrait avoir recours à la méthode du remue-méninges décrite à la page 318 sans toutefois émettre de critiques durant les premières étapes de la discussion.

> Et la majorette silencieuse elle a répondu elle a pas répondu parce que la majorette silencieuse elle a toujours l'opinion pudique en tout cas elle a pas dit non et dans son langage ça veut dire oui.
>
> Marc Favreau

Une confusion entre désaccord et aversion

Beaucoup de membres de groupes considèrent la critique de leurs idées comme une attaque personnelle. Cela mène souvent soit à un retrait de la discussion, soit à une attaque violente en retour envers la personne ou la proposition à l'origine de la critique. Pénible comme cela peut parfois l'être, il est cependant important de faire la distinction entre un désaccord et une aversion[36].

RÉSUMÉ

Les groupes tiennent un rôle important dans de nombreuses sphères de la vie: famille, éducation, travail et amitiés, pour n'en citer que quelques-unes. Ils présentent certaines caractéristiques qui les distinguent des autres contextes de communication. Ils impliquent l'interaction, pendant un certain temps, d'un petit nombre de participants qui se sont fixé un ou plusieurs objectifs. Les groupes ont leurs propres objectifs comme en ont les individus qui les composent. Ces derniers peuvent être de deux ordres: objectifs liés à l'accomplissement d'une tâche et objectifs sociaux. Les objectifs du groupe et ceux des individus sont parfois compatibles, mais il arrive parfois également qu'ils soient en conflit.

Les groupes peuvent être classifiés de différentes façons: groupes de formation et de croissance, groupes axés sur la résolution de problèmes et groupes sociaux. Ils présentent tous cependant des caractéristiques communes: normes de groupe, rôles individuels pour les membres, schémas d'interaction en fonction de la structure du groupe et choix d'une ou de plusieurs méthodes dans la prise de décisions.

En dépit de la mauvaise réputation dont jouissent les groupes dans certains milieux, les recherches indiquent qu'ils constituent souvent le cadre idéal pour qui désire accomplir certaines tâches. Ils ont à leur disposition de meilleures ressources — tant sur le plan quantitatif que sur le plan qualitatif — que des individus ou qu'une poignée de personnes travaillant de façon isolée. Ils ont tendance à commettre moins d'erreurs, et les solutions constructives qu'ils proposent amènent un engagement plus grand de la part de leurs membres.

Les groupes font appel à différents genres de discussions pour résoudre leurs problèmes. La forme la plus appropriée sera celle qui correspondra le mieux à la nature de la tâche à exécuter aussi bien qu'aux caractéristiques présentées par le groupe.

Les groupes ont les meilleures chances de trouver des solutions efficaces s'ils commencent leur travail en identifiant d'abord le problème, en prenant bien soin de reconnaître les besoins cachés de chacun de leurs membres. L'étape suivante consiste à analyser le problème et notamment à identifier les forces positives et négatives qui séparent les groupes de leur objectif. C'est seulement à ce stade qu'on devrait commencer à penser aux solutions possibles, en faisant bien attention de ne pas étouffer la créativité par une évaluation trop prématurée de ces dernières. Pendant la phase de la mise en œuvre de la solution retenue, les groupes devraient surveiller attentivement la situation et apporter tous les changements qui s'imposent.

Les groupes qui ne prêtent attention qu'à la dimension reliée à la tâche à accomplir risquent de voir certaines tensions se développer en leur sein. La plupart de ces problèmes interpersonnels peuvent être évités en faisant appel aux techniques décrites aux chapitres 9 et 10 ainsi qu'en suivant les directives de ce chapitre sur la façon d'assurer la cohésion du groupe et d'encourager la participation de tous les membres.

Plusieurs observateurs non avertis confondent les concepts de «leader» et de «leadership». Nous définissons le leadership comme la capacité d'influencer le comportement des autres membres grâce à une ou à plusieurs formes de pouvoir — légitime, coercitif, rémunérateur, du spécialiste ou du référent. Nous avons vu que beaucoup de leaders en titre partagent leur pouvoir avec d'autres membres. Le leadership a fait l'objet d'études sous différentes perspectives — analyse des traits, types de leadership et variables situationnelles.

Plusieurs dangers courants peuvent nuire à l'efficacité des groupes axés sur la résolution de problèmes: manque d'information critique, domination par quelques membres bruyants, pressions pour un certain conformisme, prise de décision prématurée et confusion des membres entre un simple désaccord et une aversion.

Mots clés

Analyse du champ de force
Brainstorming (remue-méninges)
Cohésion
Consensus
Groupe
Leader
Leader en titre
Leadership
Leadership autoritaire ou autocratique
Leadership démocratique
Leadership du laissez-faire
Normes de procédure
Normes de travail

Normes officielles
Normes officieuses
Normes sociales
Objectifs du groupe
Objectifs individuels
Objectifs reliés à la tâche
Objectifs sociaux
Pouvoir coercitif
Pouvoir de l'information
Pouvoir du référent
Pouvoir du spécialiste
Pouvoir légitime

Pouvoir rémunérateur
Prise de décision active
Question préliminaire
Réseau
Rôle dysfonctionnel
Rôle fonctionnel
Rôles
Rôles reliés à la tâche
Rôles reliés à l'entretien des relations
Secret bien gardé
Théorie situationnelle du leadership
Théories des traits du leadership

Bibliographie spécialisée

AUBRY, Jean-Marie, SAINT-ARNAUD, Yves. *Dynamique des groupes,* Montréal, Les Éditions de l'Homme et CIM, 1975, 109 p.

Comment travailler en groupe? Quelles sont les techniques qui aident à diriger efficacement le travail en équipe et qui doivent être connues? Ce sont les questions fondamentales abordées dans ce livre. Les notions de groupe et de leadership y sont bien développées.

BEAUCHAMP, André, GRAVELINE, Roger, QUIVIGER, Claude. *Comment animer un groupe,* Montréal, Les Éditions de l'Homme et CIM, 1976, 120 p.

On vous propose d'animer un groupe. Quoi faire? Voici un petit livre pratique dans lequel vous trouverez matière à réflexion sur ce qu'est l'animation. On y étudie les différents modes d'animation. De plus, les auteurs proposent différents tests qui serviront à identifier votre style d'animation.

FRANÇOIS, Pierre-Henri. «Être un leader, avoir du charisme», *Le journal des psychologues,* n° 81, Hommes et Perspectives, octobre 1990, p. 54 à 60.

Une étude tente de répondre à la question suivante: est-ce que le charisme est une caractéristique essentielle du leader? La réponse de l'auteur nous conduit à la notion du leadership «tranformationnel», concept qui dépasse la simple notion du charisme.

JOHNSON, David, W. *Les relations humaines dans le monde du travail,* Montréal, ERPI, 1988, 280 p.

C'est un livre essentiellement pratique axé sur les relations humaines dans le milieu de travail. La deuxième partie de cet ouvrage a trait à la notion de groupe. L'auteur aborde les notions de coopération et de leadership. Un langage clair et accessible.

LEFEBVRE, Gérald. *Savoir organiser, savoir décider,* Montréal, Les Éditions de l'Homme et CIM, 1975, 166 p.

Comment devenir un gestionnaire efficace? Telle est la question à l'étude dans ce livre pratique. La dernière partie s'intitule «Sur l'art de la gestion» et aborde des notions comme le travail d'équipe, la délégation, la participation et la consultation.

MUCCHIELLI, Roger. *Communication et réseaux de communications,* Paris, ESF, 1971, 169 p.

Cette collection dirigée par l'auteur traite, dans le troisième exposé du livre, des réseaux de communications et des contraintes qui y sont propres: la genèse des réseaux, les propriétés formelles de ces réseaux et la théorie des graphes. Ce dernier thème permettra l'analyse des réseaux de communications. Des exercices permettent l'application de ces connaissances.

PFEIFFER, William, JONES, John E. *Le répertoire de l'animateur de groupe,* Montréal, Actualisation idh, 1982, 6 volumes, 2127 p.

Des volumes où vous pourrez puiser mille et un exercices qui feront de vous le plus imaginatif des animateurs. Pour notre propos, les volumes 3, 4 et 5 traitent spécifiquement des phénomènes de groupe. Attention: ce sont des *exercices* que les auteurs proposent. En conséquence, vous devez nécessairement connaître l'aspect théorique des phénomènes à l'étude pour rendre intelligible l'ensemble des activités.

Notes

Chapitre 1

1. ROSS, J. B. et McLAUGHLIN, M. M. (éd.). *A Portable Medieval Reader*, New York, Viking, 1949.
2. SCHACHTER, S. *The Psychology Of Affiliation*, Stanford (Calif.), Stanford University Press, 1959, p. 9-10.
3. UPI, *Wisconsin State Journal*, 7 septembre 1978.
4. NAREM, R. «Try a Little TLC», dans *Science*, 1980 (80: 1), p. 15.
5. LYNCH, J. *The Broken Heart, The Medical Consequences of Loneliness*, New York, Basic Books, 1977, p. 239-242.
6. *Ibid.*
7. LILJEFORS, E. A. et RAHE, R. H. «Psycho-social Characteristics of Subjects with Myocardial Infarction in Stockholm», dans GUNDERSON, E. K. et RAHE, R. H. (éd.), *Life Stress Illness*, Springfield (Ill.), Thomas, Charles C., 1974, p. 90-104.
8. REES, W. D. et LUTKINS, S. G. «Mortality of Bereavement», dans *British Medical Journal*, 1967 (4), p. 13.
9. SHATTUCK, R. *The Forbidden Experiment: The Story of the Wild Boy of Aveyron*, New York, Farrar, Straus & Giroux, 1980, p. 37.
10. SCHUTZ, W. *The Interpersonal Underworld*, Paso Alto (Calif.), Science and Behavior Books, 1966.
11. MASLOW, A. H. *Toward a Psychology of Being*, New York, Van Nostrand, Reinhold, 1968.
12. ROGERS, E. M. et KINCAID, D. L. *Communication Networks, Toward a New Paradigm for Research*, New York, Free Press, 1981, p. 43-48 et 63-66.
13. Adapté de McCROSKEY, J. et WHEELESS, L. *Introduction to Human Communication*, Boston, Allyn and Bacon, 1976, p. 3-10.
14. *Ibid.*, p. 5.
15. Pour de plus amples informations sur les caractéristiques de la communication impersonnelle et interpersonnelle, voir Bochner, Arthur P. «The Functions of Human Communication in Interpersonal Bonding», dans ARNOLD, C. C. et BOWERS, J. W. (éd.), *Handbook of Rhetorical and Communication Theory*, Boston, Allyn and Bacon, 1984, p. 550; Trenholm, S. et Jensen, A. *Interpersonal Communication*, Belmont (Calif.), Wadsworth, 1987, p. 37; Stewart, J. et D'Angelo, G. *Together, Communicating Interpersonally*, 3e éd., New York, Random House, 1988, p. 5.
16. Voir WATZLAWICK, P., BEAVIN, J. H. et JACKSON, D. D. *Pragmatics of Human Communication*, New York, Norton, 1967; LEDERER, W. J. et JACKSON, D. D. *The Mirages of Marriage*, New York, Norton, 1968.
17. TANNEN, D. *That's Not What I meant! How conversational Style Makes or Breaks Your Relations with Others*, New York, Morrow, 1986, p. 190.
18. WATZLAWICK, BEAVIN et JACKSON, *op. cit.*
19. Pour un résumé des recherches sur l'aptitude à communiquer, voir WIEMANN, J. et WIEMANN, M. *Interpersonal Competence*, Newbury Park (Calif.), Sage, 1991.
20. WIEMANN, J. M. et BACKLUND, P. M. «Current Theory and Research in Communication Competence», dans *Review of Educational Research*, 1980 (50), p. 185-199. Voir également REDMOND, M. V. «The Relationship between Perceived Communication Competence and Perceived Empathy», dans *Communication Monographs*, décembre 1985 (52), p. 377-382.
21. WACKMAN, D. B., MILLER, S. et NUNNALLY, E. W. *Student Workbook, Increasing Awareness and Communication Skills*, Minneapolis, Interpersonal Communication Programs, 1976, p. 6.
22. Adapté de l'ouvrage de HART, R. P. et rapporté par KNAPP, M. L. *Interpersonal Communication and Human Relationships*, Boston, Allyn and Bacon, 1984, p. 342-344. Voir également HART, R. P. et BURKS, D. M. «Rhetorical Sensitivity and Social Interaction»,

dans *Speech Monographs*, 1972 (39), p. 75-91;
HART, R. P., CARLSON, R. E. et EADIE, W. F.
«Attitudes Toward Communication and the
Assessment of Rhetorical Sensitivity», dans
Communication Monographs, 1980 (47),
p. 1-22.

Chapitre 2

1. COOLEY, C. H. *Human Nature and the Social
   Order*, New York, Scribner's, 1912.
   Pour une définition concise mais complète de
   l'évaluation réfléchie et de la comparaison
   sociale, voir ROSENBERG, Morris. *Conceiving
   the Self*, New York, Basic Books, 1979.
2. L'ÉCUYER, R. *Le concept de soi*, Paris, PUF
   (Psychologie d'aujourd'hui), 1978, 211 p.
3. STEINFATT, T. M. «Personality and Communication, Classical Approaches», dans
   McCROSKEY, J. C. et DALY, J. A. (éd.),
   Personality and Interpersonal Communication,
   Newbury Park (Calif.), Sage, 1987, p. 42.
4. Adapté de KRINCH, J. W. «A formalized
   Theory of the Self-Concept», dans *Symbolic
   Interaction*, 2ᵉ éd., MANIS, J. et MELTZER,
   B. N. (éd.), Boston, Allyn and Bacon, 1972,
   p. 245-252.
5. Rapporté dans HAMACHECK, D. E. *Encounters with Others, Interpersonal Relationships
   and You*, New York, Holt, Rinehart and
   Winston, 1982, p. 3-5.
6. CHALOM, M. *Étude comparative de la représentation de soi chez l'enfant de 9 ans, en
   regard des différents milieux*, mémoire de
   maîtrise inédit, Montréal, Université de
   Montréal, 1983.
7. OUELLET, R. et JOSHI, P. «Le sentiment de
   solitude en relation avec la dépression et
   l'estime de soi», dans *Revue Québécoise de
   Psychologie*, vol. 8, n° 3, 1987, p. 40-48.
8. LEYENS, J.-P. *Sommes-nous tous des psychologues?*, Bruxelles, Mardaga, 1983, 288 p.
9. ROSENTHAL, R. et JACOBSON, L. *Pygmalion
   in the Classroom*, New York, Holt, Rinehart
   and Winston, 1968.

Chapitre 3

1. WATZLAWICK, P. et JACKSON, D. D. *Pragmatics of Human Communication*, New York,
   Norton, 1967, p. 56.

2. RATHUS, S. A. *Psychologie générale*, Montréal,
   Études Vivantes, 1991.
3. BARTOSHUK, L. «Separate Worlds of Taste»,
   dans *Psychology Today*, septembre 1980 (14),
   p. 48-56 et 63.
4. MONCRIEFF, R. W. *Odours Preferences*,
   Londres, Leonard Hill, 1966.
5. PIAGET, J. *The Origins of Intelligence in
   Children*, New York, International Universities
   Press, 1952.
6. WURTMAN, R. J. et WURTMAN, J. J. «Carbo-
   hydrates and Depression», dans *Scientific
   American*, vol. 260, n° 1, Jonathan Piel,
   janvier 1989, p. 68-75.
7. HALL, E. T. *The Hidden Dimension*, New
   York, Doubleday Anchor, 1969, p. 160.
8. WIEMANN, J. M., CHASE, V. et GILES, H.
   «Beliefs About Talk and Silence in a Cultural
   Context», conférence présentée à l'assemblée
   annuelle de la Speech Communication
   Association, Chicago, 1986.
9. HORN, J. «Conversation Breakdowns, As
   different as Black and White», dans *Psychology Today*, mai 1974 (8), p. 30.
10. ZIMBARDO, P. G., HANEY, C. et BANKS,
    W. C. «A Pirandellian Prison», dans *New York
    Times Magazine*, 8 avril 1973.
11. Voir par exemple BARON, P. «Self-Esteem,
    Ingratiation, and Evaluation of Unknown
    Others», dans *Journal of Personality and
    Social Psychology*, 1974, p. 104-109.
12. HAMACHEK, D. E. *Encounters with Others,
    Interpersonal Relationships and You*, New
    York, Holt, Rinehart and Winston, 1982, p. 3.
13. HAMACHEK, *op. cit.*, p. 23-40.
14. REPS, Paul. «Pillow Education in Rural
    Japan», dans *Square Sun, Square Moon*, New
    York, Tuttle, 1967.

Chapitre 4

1. EKMAN, P., LEVENSON, R. W. et FRIESEN,
   W. V. «Automatic Nervous System Activity
   Distinguishes Among Emotions», dans
   Science, 16 septembre 1983 (221),
   p. 1208-1210.
2. VALINS, S. «Cognitive Effects of False Heart-
   Rate Feedback», dans *Journal of Personality
   and Social Psychology*», 1966 (4), p. 400-408.

3. ZIMBARDO, P. *Shyness, What It Is, What to Do About It*, Reading (Mass.), Addison-Wesley, 1977, p. 53.
4. *Ibid.*, p. 54.
5. PLUTCHIK, R. «A Language for the Emotions», dans *Psychology Today*, février 1980 (14), p. 68-78. Pour des explications supplémentaires, voir PLUTCHIK, R. *Emotion, A Psychoevolutionary Synthesis*, New York, Harper & Row, 1980.
6. *Ibid.*
7. SHIMANNOFF, S. B. «Commonly Named Emotions in Everyday Conversations», dans *Perceptual and Motor Skills*, 1984 (58), p. 514. Voir également GOTTMAN, J. M. «Emotional Responsiveness in Marital Conversations», dans *Journal of Communication*, 1982 (32), p. 108-120.
8. SHIMANOFF, S. B. «Degree of Emotional Expressiveness as a Function of Face-Needs, Gender, and Interpersonal Relationship», dans *Communication Reports*, 1988 (1), p. 1-8.
9. SHIMANOFF, S. B. «Rules Governing the Verbal Expression of Emotions Between Married Couples», dans *Western Journal of Speech Communication*, 1985 (49), p. 149-165.
10. SHIMANOFF, S. B. «Expressing Emotions in Words, Verbal Patterns of Interaction», dans *Journal of Communication*, 1985 (35), p. 16-31.
11. BOWERS, J. W., METTS, S. M. et DUNCANSON, W. T. «Emotion and Interpersonal Communication», dans *Handbook of Interpersonal Communication*, Beverly Hills (Calif.), Sage, 1985.
12. ROSENFELD, L. B. «Self-Disclosure and Avoidance, Why Am I Afraid to Tell You What I Am?», dans *Communication Monographs*, 1979 (46), p. 63-74.
13. BECK, A. *Cognitive Therapy and the Emotional Disorders*, New York, International Universities Press, 1976.
14. ELLIS, A. et HARPER, R. *A New Guide to Rational Living*, North Hollywood (Calif.), Wilshire Books, 1977.
15. AUGER, L. *Pourquoi l'autre et pas moi? Le droit à la jalousie,* Montréal, Éditions de l'Homme, 1988, 274 p.

Chapitre 5

1. WALLSTEN, T. «Measuring the Vague Meanings of Probability Terms», dans *Journal of Experimental Psychology*, General, 1986 (115), p. 348-365.
2. ALBERTS, J. K. «An Analysis of Couples' Conversational Complaints», dans *Communication Monographs*, 1988 (55), p. 184-197.
3. Voir par exemple HAAS, A. et SHERMAN, M. A. «Conversational Topic as a Function of Role and Gender», dans *Psychological Reports*, 1982 (51), p. 453-454; HAAS, A. et SHERMAN, M. A. «Reported Topics of Conversation Among Same-Sex Adults», dans *Communication Quaterly,* 1982 (30), p. 332-342.
4. Pour un résumé des recherches sur les différences reliées au sexe dans le comportement de conversation, voir GILES, H. et STREET, R. L. Jr. «Communication Characteristics and Behavior», dans KNAPP, M. L. et MILLER, G. R. (éd.), *Handbook of Interpersonal Communication,* Beverly Hills (Calif.), Sage, 1985, p. 205-261; KOHN, A. «Girl Talk, Guy Talk», dans *Psychology Today*, février 1988 (22), p. 65-66.
5. AEBISCHER, V. et FOREIL, C. *Parlers masculins, parlers féminins?*, Paris, Delachaux et Niestlé, 1983, 200 p.
6. DUMAIS, H. *Pour un genre à part entière,* Québec, Les Publications du Québec (MÉQ), 1988, p. 5.
7. *op. cit.*, p. 5
8. *op. cit.*, p. 6
9. *op. cit.*, p. 16

Chapitre 6

1. MEHRABIAN, A. et WIENER, M. «Decoding of Inconsistent Communications», dans *Journal of Personality and Social Psychology*, 1967 (6), p. 109-114; également MEHRABIAN, A. et FERRIS, S. «Interference of Attitudes from Nonverbal Communication in Two Channels», dans *Journal of Consulting Psychology*, 1967 (31), p. 248-252.
2. BIRDWHISTELL, R. *Kinesics and Context*, Philadelphie, University of Pennsylvania Press, 1970.

3. BIRDWHISTELL, R. *Kinesics and Context,* Philadelphie, University of Pennsylvania Press, chapitre 9.

4. GODBOUT, J. *L'écran du bonheur*, Montréal, Éditions du Boréal, 1990.

5. HALL, E. *The Hidden Dimension*, Garden City (N. Y.), Anchor Books, 1969.

6. *Ibid.*

7. LAFRANCE, M. et MAYO, C. «Racial Diffe-rences in Gaze Behavior During Conversations, Two Systematic Observational Studies», dans *Journal of Personality and Social Psychology*, 1976 (33), p. 547-552.

8. WEITZ, S. (éd.). *Nonverbal Communication, Readings with Commentary*, New York, Oxford University Press, 1974.

9. EIBL-EIBENSFELDT, J. «Universal and Cultu-ral Differences in Facial Expressions of Emotions», dans COLE, J., *Nebraska Symposium on Motivation*, Lincoln (Nebr.), University of Nebraska Press, 1972.

10. BURGEON, J., BULLER, D., HALE, J. et TURCK, M. «Relational Messages Associated with Nonverbal Behaviors», dans *Human Communication Research*, printemps 1984 (10), p. 351-378.

11. Voir EKMAN, P. «Communication Through Nonverbal Behavior, A Source of Information About an Interpersonal Relationship», dans TOMKINS, S. et IZARD, C. E. (éd.), *Affect, Cognition, and Personality*, New York, Springer, 1965.

12. EKMAN, P. et FRIESEN, W. V. «The Reper-toire of Nonverbal Behavior, Categories, Origins, Usage, and Coding», dans *Semiotica*, 1969 (1), p. 49-98.

13. Résumé dans HICKSON III, M. L. et STACKS, D. W. *NVC, Nonverbal Communication, Studies and Applications*, Dubuque (Iowa), W. C. Brown, 1985, p. 117-118.

14. Pour un exposé détaillé sur la duperie non verbale, voir EKMAN, P. *Telling Lies, Clues to Deceit in the Marketplace, Politics and Marriage*, New York, Norton, 1985.

15. EKMAN, P. et FRIESEN, W. «Nonverbal Leakage and Clues to Deception», dans *Psychiatry*, 1969 (32), p. 88-106.

16. Voir par exemple DEPAULO, B. M. «Detecting Deception Modality Effects», dans WHEELER, L., *Review of Personality and Social Psycho-logy*, vol. 1, Beverly Hills (Calif.), 1980; GREENE, J., O'HAIR, D., CODY, M. et YEN, C. «Planning and Control of Behavior During Deception», dans *Human Communication Research*, 1985 (11), p. 335-364.

17. DRUCKMANN, D., ROZELLE, R. et BAXTER, J. *Nonverbal Communication, Survey, Theory, and Research*, Beverly Hills (Calif.), Sage, 1982, p. 52.

18. MOTLEY, M. et CAMDEN, C. «Facial Expres-sions of Emotion, A Comparison of Posed Versus Spontaneous Expressions in an Inter-personal Communication Setting», dans *Western Journal of Speech Communication*, 1988 (52), p. 1-22.

19. «Updating the Hot Line to Moscow», dans *Newsweek*, 30 avril 1984, p. 19.

20. KNAPP, M. L. *Nonverbal Communication in Human Interaction*, New York, Holt, Rinehart and Winston, 1978.

21. HALL, J. A. «Gender, Gender Roles, and Non-verbal Communication Skills», dans ROSENTHAL, R. (éd.), *Skill in Nonverbal Communication, Individual Differences*, Cambridge (Mass.), Oelgeschlager, Gunn and Hain, 1979, p. 32-67.

22. Résumé dans BURGOON, J. «Nonverbal Signals», dans KNAPP, M. L. et MILLER, G. R. (éd.), *Handbook of Interpersonal Commu-nication*, Beverly Hills (Calif.), Sage, 1985.

23. MEHRABIAN, A. *Silent Messages,* 2e éd., Belmont (Calif.), Wadsworth, 1981, p. 47-48 et 61-62.

24. MYERS, M. B., TEMPLER, D. et BROWN, R. «Coping Ability of Women Who Became Victims of Rape», dans *Journal of Consulting and Clinical Psychology*, 1984 (52), p. 73-78. Voir également RUBENSTEIN, C. «Body Language That Speaks to Muggers», dans *Psychology Today*, août 1980, p. 20; MEER, J. «Profile of a Victim», dans *Psychology Today*, mai 1984 (24), p. 76.

25. SCHEFLEN, A. E. «Quasi-Courting Behavior in Psychotherapy», dans *Psychiatry*, 1965 (228), p. 245-257.

26. EKMAN, P. *Telling Lies*, p. 109-110.

27. EKMAN, P. et FRIESEN, W. V. «Nonverbal Behavior and Psychopathology», dans

FRIEDMAN, R. J. et KATZ, M. N. (éd.), *The Psychology of Depression, Contemporary Theory and Research*, Washington (D. C.), J. Winston, 1974.

28. EKMAN, P. *Telling Lies*, p. 107.
29. EKMAN, P. et FRIESEN, W. V. *Unmasking the Face, A guide to Recognizing Emotions from Facial Clues*, Englewood Cliffs (N. J.), Prentice-Hall, 1975.
30. *Ibid.*, p. 150.
31. HESS, E. H. et POLT, J. M. «Pupil Size as Related to Interest Value of Visual Stimuli», dans *Science*, 1960 (132), p. 349-350.
32. HALL, E. T. *The Silent Language*, New york, Fawcett, 1959.
33. STARKWEATHER, J. A. «Vocal Communication of Personality and Human Feelings», dans *Journal of Communication*, 1961 (11), p. 69; SCHERER, K. R., KOIWUNAKI, J. et ROSENTHAL, R. «Minimal Cues in the Vocal Communication of Affect, Judging Emotions from Content-Masked Speech», dans *Journal of Psycholinguistic Speech*, 1972 (1), p. 269-285.
34. MEHRABIAN et WIENER, *op. cit.*; MEHRABIAN et FERRIS, *op. cit.*
35. EKMAN, P. *Telling Lies*, p. 93.
36. ANDERSON, P. A. «Nonverbal Communication in the Small Group», dans CATHCART, R. S. et SAMOVAR, L. A. (éd.), *Small Group Communication, A Reader*, 4ᵉ éd., Dubuque (Iowa), W. C. Brown, 1984.
37. HESLIN, R. et ALPER, T. «Touch, A Bonding Gesture», dans WIEMANN, J. M. et HARRISON, R. P. (éd.), *Nonverbal Interaction*, Beverly Hills (Calif.), Sage, 1983, p. 47-75.
38. *Ibid.*
39. *Ibid.*
40. THAYER, S. «Close Encounters», dans *Psychology Today*, mars 1988 (22), p. 31-36.
41. KLEINKE, C. R. «Compliance to Requests Made by Gazing and Touching Experimenters in Field Settings», dans *Journal of Experimental Social Psychology*, 1977 (13), p. 218-223.
42. WILLIS, F. N. et HAMM, H. K. «The Use of Interpersonal Touch in Securing Compliance», dans *Journal of Nonverbal Behavior*, 1980 (5), p. 49-55.
43. CRUSCO, A. H. et WETZEL, C. G. «The Midas Touch, Effects of Interpersonal Touch on Restaurant Tipping», dans *Personality and Social Psychology Bulletin*, 1949 (10), p. 512-517.
44. BAKWIN, H. «Emotional Deprivation in Infants», dans *Journal of Pediatrics*, 1949 (35), p. 512-521.
45. MONTAGU, A. *Touching, The Human Significance of the Skin*, New York, Harper & Row, 1971.
46. YARROW, L. J. «Research in Dimension of Early Maternal Care», dans *Merrill-Palmer Quarterly*, 1963 (9), p. 101-122.
47. GUNTHER, B. *Sense Relaxation, Below Your Mind*, New York, Macmillan, 1968.
48. THOURLBY, W. *You Are What You Wear*, New York, New American Library, 1978, p. 1.
49. FORTENBERRY, J. H., MACLEAN, J., MORRIS, P. et O'CONNELL, M. «Mode of Dress as a Perceptual Cue to Deference», dans *The Journal of Social Psychology*, 1978, p. 104.
50. BICKMAN, L. «Social Roles and Uniforms, Clothes Make the Person», dans *Psychology Today*, avril 1974 (7), p. 48-51.
51. LEFKOWITZ, M., BLAKE, R. R. et MOUTON, J. S. «Status of Actors in Pedestrian Violation of Traffic Signals», dans *Journal of Abnormal and Social Pychology*, 1955 (5), p. 704-706.
52. HOULT, T. F. «Experimental Measurement of Clothing as a Factor in Some Social Ratings of Selected American Men», dans *American Sociological Review*, 1954 (19), p. 326-327.
53. HALL, E. T. *The Hidden Dimension*.
54. CRANE, D. R. «Diagnosing Relationships with Spatial Distance, An Empirical Test of a Clinical principle», dans *Journal of Marital and Family Therapy*, 1987 (13), p. 307-310.
55. MASLOW, A. et MINTZ, N. «Effects of Aesthetic Surroundings, Initial Effects of Those Aesthetic Surroundings upon Perceiving 'Energy' and 'Well-Being' in Faces», dans *Journal of Psychology*, 1956 (41), p. 247-254.
56. SOMMER, R. *Personal Space, The Behavorial Basis of Design*, Englewood Cliffs (N. J.), Prentice-Hall, 1978.

Chapitre 7

1. BARKER, L., EDWARDS, R., GAINES, C., GLADNEY, K. et HOLLEY, F. «An Investigation of Proportional Time Spent in Various

Communication Activities by College Students», dans *Journal of Applied Communication Research*, 1981 (8), p. 101-109.

2. WOLVIN, A. et COAKLEY, C. G. *Listening*, 3ᵉ éd., Dubuque (Iowa), W. C. Brown, 1988, p. 208.

3. NICHOLS, R. «Listening is a Ten-Part Skill», dans HUSEMAN, R. C. *et al.* (éd.), *Readings in Interpersonal and Organizational Communication*, Boston, Holbrook Press, 1969, p. 476.

4. BURLESON, B. et SAMTER, W. «Cognitive Complexity, Communication Skills, and Friendship», présenté au Seventh International Congress on Personal Construct Psychology, Memphis (Tenn.), août 1987.

5. Voir par exemple EKENRODE, J. «Impact of Chronic and Acute Stressors on Daily Reports of Mood», dans *Journal of Personality and Social Psychology*, 1984 (46), p. 907-918; KANEER, A. D., COYNE, J. C., SCHAEFER, C. et LAZARUS, R. S. «Comparison of Two Modes of Stress Measurement, Daily Hassles and Uplifts Versus Major Life Events», dans *Journal of Behavioral Medicine*, 1981 (4), p. 1-39; DELONGIS, A., COYNE, J. C., DAKOF, G., FOLKMAN, S. et LAZARUS, R. S. «Relation of Daily Hassles, Uplifts, and Major Life Events to Health Status», dans *Health Psychology*, 1982 (1), p. 110-136.

6. DAVIDOWITZ, M. et MYRICK, R. D. «Responding to the Bereaved, An Analysis of 'Helping' Statements», dans *Death Education*, 1984 (8), p. 1-10.

7. Voir par exemple SILVER, R. et WORTMAN, C. «Coping with Undesirable Life Events», dans GARBER, J. et SELIGMAN, M. (éd.), *Human Helplessness, Theory and Applications*, New York, Academic Press, 1981, p. 279-340; YOUNG, C. E., GILES, D. E. et PLANTZ, M. C. «Natural Networks, Help-Giving and Help-Seeking in Two Rural Communities», dans *American Journal of Community Psychology*, 1982 (10), p. 457-469.

8. Voir la recherche citée dans BURLESON, B. «Comforting Communication, Does It Really Matter?», conférence donnée à l'assemblée annuelle de la Western Speech Communication Association, San Diego, 1988; BURLESON, B. (1986). «Comforting Messages, Their Significance and Effects», dans DALY,

J. A. et WIEMANN, J. M. (éd.), *Communicating Strategically, Strategies in Interpersonal Communication*, Hillside (N. J.), Erlbaum, 1990.

Chapitre 8

1. Ces théories sont résumées dans HAMACHEK, D. E. *Encounters with Others, Interpersonal Relationships and You*, New York, Holt, Rinehart and Winston, 1982, p. 52-69; BERSCHEID, E. et WALSTER, E. H. *Interpersonal Attraction*, 2ᵉ éd., Reading (Mass.), Addison-Wesley, 1978.

2. KNAPP, M. L. *Interpersonal Communication and Human Relationships*, Boston, Allyn and Bacon, 1984, p. 32-54.

3. *Ibid.*, p. 36.

4. Recherche de PINER, K. et BERG, J., présentée à l'assemblée annuelle de l'American Psychological Association, 1987. Rapportée dans *Psychology Today*, 1987 (22), p. 13.

5. ALTMAN, I. et TAYLOR, D. A. *Social Penetration, The Development of Interpersonal Relationships*, New York, Holt, Rinehart and Winston, 1973.

6. LUFT, J. *Of Human Interaction*, Palo Alto (Calif.), Natural Press, 1969.

7. Adapté de DERLEGA, V. J. et GREZLAK, L. «Appropriateness of Self-Disclosure», dans CHEMUNE, G. J. (éd.), *Self-Disclosure*, San Francisco, Josey-Bass, 1979.

8. Voir DERLEGA, V. J. et CHAIKIN, A. L. *Sharing Intimacy, What We Reveal to Others and Why*, Englewood Cliffs (N. J.), Prentice-Hall, 1975.

9. ROSENFELD, L. B. et KENDRICK, W. L. «Choosing to Be Open, Subjective Reasons for Self-Disclosing», dans *Western Journal of Speech Communication*, automne 1984 (48), p. 326-343.

10. RUNGE, T. E. et ARCHER, R. L. «Reactions to the Disclosure of Public and Private Self-Information», dans *Social Psychology Quarterly*, décembre 1981 (44), p. 357-362.

11. KLEINKE, C. L. «Effects of Personal Evaluations», dans *Self-Disclosure*, San Francisco, Josey-Bass, 1979.

12. TURNER, R. E., EDGELY, C. et OLMSTEAD, G. «Information Control in Conversation,

Honesty Is Not Always the Best Policy», dans *Kansas Journal of Sociology*, 1975 (11), p. 69-89.

13. BAVELAS, J. «Situations That Lead To Disqualification», dans *Human Communication Research*, 1983 (9), p. 130-145.

14. HAMPLE, D. «Purposes and Effects of Lying», dans *Southern Speech Communication Journal*, 1980 (46), p. 33-47.

15. BAVELAS, 1983, *op. cit.*

Chapitre 9

1. CISSNA, K. et SEIBERG, E. «Patterns of Interactional Confirmation and Disconfirmation», dans WILDER-MOTT, C. et WEAKLANDS, J. H. (éd.), *Rigor and Imagination, Essays from the Legacy of Gregory Bateson*, New York, Praeger, 1981, p. 253-287.

2. SEIBERG, E. «Confirming and Discomfirming Communication in an Organizational Setting», dans OWEN, J., PAGE, P. et ZIMMERMAN, G. (éd.), *Communication in Organizations*, St. Paul (Minn.), West, 1976, p. 129-149.

3. WILMOT, W. *Dyadic Communication*, Reading (Mass.), Addison-Wesley, 1979, p. 123.

4. POWELL, J. *Why Am I Afraid to Tell You Who I Am?*, Chicago, Argus Communications, 1969, p. 12.

5. FESTINGER, L. *A Theory of Cognitive Dissonance*, Stanford (Calif.), Stanford University Press, 1957.

6. GIBB, J. «Defensive Communication», dans *Journal of Communication*, septembre 1961 (11), p. 141-148. Voir également EADIE, W. F. «Defensive Communication Revisited, A Critical Examination of Gibb's Theory», dans *Southern Speech Communication Journal*, 1982 (47), p. 163-177.

7. Adapté de SMITH, M. *When I say No, I Feel Guilty*, New York, Dial Press, 1975, p. 93-110.

Chapitre 10

1. HOCKER, J. L. et WILMOT, W. W. *Interpersonal Conflict*, 2e éd., Dubuque (Iowa), W. C. Brown, 1985, p. 22-29.

2. GOTTMAN, J. M. «Emotional Responsiveness in Marital Conversations», dans *Journal of Communication*, 1982 (32), p. 108-120. Voir également CUPAH, W. R. «Communication

Satisfaction and Interpersonal Solidarity as Outcomes of Conflict Message Strategy Use», conférence présentée à l'International Communication Association, Boston, mai 1982.

3. KOREN, P., CARLTON, K. et SHAW, D. «Marital Conflict, Relations Among Behaviors, Outcomes, and Distress», dans *Journal of Consulting and Clinical Psychology*, 1980 (48), p. 460-468.

4. METTETAL, G. et GOTTMAN, J. M. «Affective Responsiveness in Spouses, Investigating the Relationship Between Communication Behavior and Marital Satisfaction», conférence présentée à la Speech Communication Association, New York, novembre 1980. Voir également GOTTMAN, J. M. *Marital Interaction, Experimental Investigations*, New York, Academic Press, 1979; BRANDT, A. «Avoiding Couple Karate», dans *Psychology Today*, octobre 1982 (16), p. 39-43.

5. Voir par exemple BACH, G. *Aggression Lab, The Fair Fight Manual*, Dubuque (Iowa), Kendall-Hunt, 1971, p. 193-200.

6. TAVRIS, C. «Anger Defused», dans *Psychology Today*, novembre 1982 (16), p. 34.

7. Adapté de MILLER, S., NUNNALLY, E. W. et WACKMAN, D. B. *Alive and Aware, How to Improve Your Relationships Through Better Communication*, Minneapolis (Minn.), International Communication Programs, 1975.

8. FILLEY, A. C. *Interpersonal Conflict Resolution*, Glenview (Ill.), Scott Foresman, 1975, p. 23.

9. GORDON, T. *Parent Effectiveness Training*, New York, Wyden, 1970, p. 236-264.

10. AXELROD, R. *The Evolution of Cooperation*, New York, Basic Books, 1984.

11. KINSLEY, M. «It Pays to Be Nice», dans *Science 222*, 1984, p. 162.

Chapitre 11

1. MORTENSEN, DAVID C. *Communication, The Study of Human Interaction*, New York, McGraw-Hill, 1972, p. 267-268.

2. BABBIE, Earl R. *Society by Agreement, An Introduction to Sociology*, Belmont (Calif.), Wadsworth, 1977.

3. CRAGAN, John F. et WRIGHT, David W. *Communication in Small Group Discussions*,

A Case Study Approach, St. Paul (Minn.), West Publishing, 1980, p. 56.

4. KOWITZ, Albert C. et KNUTSON, Thomas J. *Decision Making in Small Groups, The Search for Alternatives*, Boston, Allyn and Bacon, 1980, p. 98.

5. ROGERS, E. M. *Diffusion of Innovations*, 3ᵉ éd., New York, Free Press, 1983, p. 294.

6. STEINZOR, B. «The Spatial Factor in Face-to-face Discussion Groups», dans *Journal of Abnormal and Social Psychology*, 1950 (45), p. 552-555.

7. STRODTBECK, F. L. et HOOK, L. H. «The Social Dimensions of a Twelve Man Jury Table», dans *Sociometry*, 1961 (24), p. 397-415.

8. RUSSO, N. F. «Connotations of Seating Arrangements», dans *Cornell Journal of Social Relations*, 1967 (2), p. 37-44.

9. SHAW, Marvin E. *Group Dynamics, The Psychology of Small Group Behavior*, 3ᵉ éd., New York, McGraw-Hill, 1981, p. 153.

10. *Ibid.*, p. 156.

11. Adapté de JOHNSON, David W. et JOHNSON, Frank P. *Joining Together, Group Theory and Group Skills*, Englewoods Cliffs (N. J.), Prentice-Hall, 1975, p. 80-81.

12. SHAW, Marvin E. *Group Dynamics, The Psychology of Small Group Behavior*, 3ᵉ éd., New York, McGraw-Hill, 1981, p. 61-64.

13. *Ibid.*, p. 391.

14. REDDING, Charles W. *Communication Within the Organization*, New York, Industrial Communication Council, 1972.

15. PATTON, Bobby R. et GIFFIN, Kim. *Problem-Solving Group Interaction*, New York, Harper & Row, 1973, p. 131.

16. Adapté de POTTER, David et ANDERSEN, Martin P. *Discussion in Small Groups, A Guide to Effective Practice*, Belmont (Calif.), Wadsworth, 1976, p. 20-22.

17. LEWIN, Kurt. *Field Theory in Social Science*, New York, Harper & Row, 1951, p. 30-59.

18. OSBORN, Alex. *Applied Imagination*, New York, Scribner's, 1959.

19. PATTON et GIFFIN, *op. cit.*, p. 167-168.

20. *Ibid.*, adapté des p. 182-185.

21. Adapté de BORMANN, Ernest G. *Discussion and Group Methods, Theory and Practice*, 2ᵉ éd., New York, Harper & Row, 1975, p. 141-171.

22. BALES, R. F., STRODTBECK, F. L., MILLS, T. M. et ROSEBOROUGH, M. E. «Channels of Communication in Small Groups», dans *American Sociological Review*, 1951 (16), p. 461-468.

23. FRENCH, John R. et RAVEN, Bertram. «The Basis of Social Power», dans CARTWRIGHT, Dorwin et ZANDER, Alvin (éd.), *Groups Dynamics*, New York, Harper & Row, 1968, p. 565.

24. ARISTOTLE, *Politics*, New York, Oxford University Press, 1958, Livre 7.

25. CRAGAN, John F. et WRIGHT, David W. *Communication in Small Group Discussions, A Case study Approach*, St. Paul (Minn.), West Publishing, 1980, p. 74.

26. LEWIN, Kurt, LIPPITT, R. et WHITE, R. K. «Patterns of Aggressive Behavior in Experimentally Created Social Climates», dans *Journal of Social Psychology*, 1939 (10), p. 271-299.

27. ROSENBAUM, L. L. et ROSENBAUM, W. B. «Morale and Productivity Consequences of Group Leadership Style, Stress, and Type of Task», dans *Journal of Applied Psychology*, 1971 (55), p. 343-358.

28. FIEDLER, Fred E. *A Theory of Leadership Effectiveness*, New York, McGraw-Hill, 1967.

29. BLAKE, Robert R. et MOUTON, Jane S. *The Managerial Grid*, Houston, Gulf Publishing, 1964.

30. BLAKE, Robert R. et MOUTON, Jane S. *Towards Resolution of The Situationalism vs. «One Best Style...» Controversy in Leadership Theory, Research, and Practice*, Austin (Tex.), Scientific Methods, 1981.

31. HOFFMAN, Richard L. et MAIER, Norman R. F. «Valence in the Adoption of Solutions by Problem-Solving Groups, Concept, Method, and Results», dans *Journal of Abnormal and Social Psychology*, 1964 (69), p. 264-271.

32. TORRENCE, E. P. «Some Consequences of Power Differences on Decision Making in Permanent and Temporary Three-man Groups», dans *Research Studies*, Washington State College, 1954 (22), p. 130-140.

33. ASCH, Solomon E. «Effects of Group Pressure upon the Modification and Distortion of Judgments», dans GUETZKOW, H. (éd.), *Groups, Leadership and Men*, Pittsburgh, Carnegie Press, 1951, p. 177-190.

34. SHAW, *op. cit.*, p. 398.

35. HOFFMAN et MAIER, *op. cit.*

36. PATTON et GIFFIN, *op. cit.*, p. 158.

Glossaire

Accentuation   Signes non verbaux qui mettent l'accent sur une partie d'un message verbal.

Accomplissement de soi   Un des cinq besoins sociaux, selon Maslow. Désir d'atteindre son plein potentiel.

Affection   Besoin social de prêter attention aux autres et de faire l'objet de leur attention en retour.

Affinité   Degré d'appréciation des personnes les unes pour les autres.

Agressivité directe   Expression des pensées ou des émotions de l'émetteur qui attaque la position et la dignité du récepteur.

Agressivité verbale   Mécanisme de défense par lequel une personne évite de faire face à une situation désagréable en attaquant verbalement une autre personne.

Analyse de la situation   Approche dans laquelle la personne qui écoute propose une interprétation du message de son interlocuteur, dans le but de lui venir en aide.

Analyse du champ de forces   Méthode d'analyse qui identifie les forces qui contribuent ou nuisent à la résolution du problème.

Androgyne   Qui possède des traits à la fois masculins et féminins.

Appréciation (langage)   Mot dont la signification est obtenue par comparaison.

Attribution   Processus qui consiste à identifier les causes d'un comportement donné.

Auto-observation   Processus qui consiste à prêter attention à son comportement et à se servir de ces observations pour modeler sa conduite.

Autoréalisation d'une prophétie   Prédiction ou attente d'un événement qui rend l'issue plus susceptible de se produire qu'il en aurait été autrement.

Autorité   Besoin social d'influer sur les autres.

Bruits   Distractions extérieures, physiologiques et psychologiques qui nuisent à la bonne transmission et à la bonne réception d'un message.

Bruits extérieurs   Éléments entourant le récepteur qui nuisent à la bonne réception du message.

Bruits physiologiques   Facteurs biologiques chez le récepteur qui nuisent à la bonne réception du message.

Bruits psychologiques   Forces internes qui nuisent à l'expression ou à la compréhension efficace du message par le communicateur.

Canal   Voie empruntée par un message pour aller de l'émetteur au récepteur.

Catégories de Gibb   Six approches opposées de comportement verbal et non verbal. Chacune d'elles décrit un style de message susceptible de provoquer de la défensive et une réaction qui la préviendra ou l'amoindrira.

Circonspection   Étape relationnelle où les partenaires commencent réciproquement à réduire l'étendue de leurs contacts et de leur engagement.

Cliché   Expression trop souvent utilisée, offerte en réponse à une situation donnée.

Climat de communication   Ton émotionnel d'une relation entre deux individus ou plus.

Cohésion   Ensemble des facteurs qui permettent aux membres de faire partie intégrante du groupe et de vouloir y demeurer.

Communication   Processus transactionnel continu et irréversible entre des communicateurs qui occupent des environnements différents, mais qui se chevauchent, et qui sont à la fois des émetteurs et des récepteurs de messages dont une grande partie sont déformés par des bruits physiques ou psychologiques.

Communication à double sens   Type de communication où le récepteur envoie à son tour des messages à l'émetteur.

Communication à sens unique   Type de communication où le récepteur ne donne aucune information en retour à l'émetteur.

Communication descriptive   Type de communication où les messages décrivent le point de vue de la personne qui parle, sans porter de jugement sur celui des autres. *Synonyme de* Langage «à la première personne».

Communication empreinte de jugement Type de communication où les messages portent d'une certaine façon un jugement sur le récepteur, ce qui provoque le plus souvent une réaction défensive de sa part.

Communication impersonnelle Type de communication où les personnes sont traitées comme des objets plutôt que comme des humains. *Voir* Communication interpersonnelle.

Communication indirecte Type de communication où on fait continuellement des allusions plutôt que d'exprimer clairement des pensées ou des émotions. *Voir également* Comportement passif-agressif *et* Comportement d'affirmation de soi.

Communication interpersonnelle Type de communication où les parties se considèrent comme des individus uniques plutôt que comme des objets. Se caractérise par l'emploi minimal de stéréotypes, par l'utilisation de règles sociales uniques (idiosyncrasiques) et par un haut niveau d'échange d'information.

Communication négative Type de communication où les messages traduisent un manque d'attention ou de respect pour l'autre personne.

Communication non verbale Type de communication où les messages sont exprimés par des moyens non linguistiques.

Communication positive Type de communication où les messages expriment une certaine attention et un certain respect pour l'autre personne.

Comparaison sociale Évaluation par rapport ou par comparaison aux autres.

Compensation Mécanisme de défense par lequel une personne met l'accent sur ses points forts dans un domaine donné pour compenser ses faiblesses dans un autre domaine.

Compétence à communiquer Capacité d'atteindre les objectifs personnels que l'on s'est fixés de façon à maintenir la relation dans des conditions acceptables pour toutes les parties.

Complément Comportement non verbal qui renforce un message verbal.

Complexité cognitive Capacité d'établir plusieurs schémas possibles lorsqu'on aborde une question.

Comportement d'affirmation de soi (assertion) Expression directe des besoins, des pensées ou des émotions de l'émetteur, de façon à n'attaquer aucunement la dignité du récepteur.

Comportement manipulateur (comportement non verbal) Type de comportement dans lequel une personne, en interaction avec une autre, tente de satisfaire ses besoins par des moyens indirects — flatteries, compliments — sans égard aux besoins de l'autre.

Comportement manipulateur (style de communication) Type de comportement qui vise à transmettre des messages de manière détournée. *Voir* Comportement passif-agressif *et* Communication indirecte.

Comportement passif Type de comportement dans lequel une personne est incapable d'exprimer ses pensées ou ses émotions lorsque c'est nécessaire. Peut être dû à un manque de confiance ou d'habileté à communiquer.

Comportement passif-agressif Type de comportement dans lequel une personne exprime de l'agressivité d'une manière indirecte et conserve une façade de gentillesse.

Concept de soi Ensemble relativement stable des perceptions que chaque individu a de sa personne.

Confirmation du soi Selon L'Écuyer, deuxième étape dans le développement du concept de soi. Cette période s'échelonne de l'âge de 2 à 5 ans et correspond à la période du négativisme. Cette tendance de l'enfant à dire «non» laisse croire qu'il se confirme dans la conception qu'il a de lui-même.

Conflit Lutte exprimée entre au moins deux parties interdépendantes, qui reconnaissent avoir des motivations incompatibles et qui ont conscience de l'interférence de l'autre partenaire dans la poursuite de leurs objectifs.

Connotations Messages qui ne se contentent pas de donner une description objective et qui expriment l'attitude de l'émetteur. Associations émotionnelles d'un terme. *Voir* Dénotation.

Conseiller Réponse du récepteur qui contient des suggestions sur la façon dont son interlocuteur devrait aborder le problème.

Consensus Accord entre tous les membres du groupe sur une décision.

Contenu (des messages) Message qui communique de l'information sur le sujet discuté. *Voir également* Message relationnel.

Contradiction Comportement non verbal qui ne correspond pas au message verbal.

Contrôle (de la relation) En communication, besoin social d'influer sur les autres. *Équivalent de* Autorité.

Décoder Donner, pour le récepteur, une signification à un message. *Synonyme d'*Interprétation.

Découverte Une des premières étapes du développement relationnel qui consiste à se trouver des points communs. Si elle est positive, la relation pourra passer au stade du renforcement des liens; dans le cas contraire, elle pourra tout simplement disparaître.

Déduction Énoncé basé sur l'interprétation des données recueillies par les sens.

Défensive Tentative de protéger son image que l'on croit menacée.

Définition opérationnelle Définition qui renvoie à des référents observables plutôt qu'à des mots sans signification concrète.

Dénotation Signification objective d'un terme, dépourvue d'émotions.

Déplacement Mécanisme de défense par lequel une personne accable de sentiments hostiles ou agressifs une autre personne qui ne peut lui répondre, plutôt que de les décharger sur la véritable personne cible.

Description du comportement Énoncé descriptif où seuls les comportements observables sont pris en considération.

Différenciation Étape émotionnelle au cours de laquelle les parties rétablissent leur identité personnelle après s'être au préalable liées.

Différenciation du soi Selon L'Écuyer, quatrième étape dans le développement du concept de soi. Cette période couvre celle de l'adolescence; la construction d'une nouvelle image corporelle, l'apparition de pensée hypothético-déductive et l'importance accordée au groupe des pairs contribuent à cette différenciation de l'image personnelle.

Dissonance cognitive Inconsistance entre deux informations, attitudes ou comportements conflictuels. Les communicateurs s'efforcent de la réduire souvent au moyen de mécanismes de défense qui permettent de garder une bonne image extérieure.

Distance intime Une des quatre zones de distance de Hall, allant du contact physique à 45 cm.

Distance personnelle Une des quatre zones de distance de Hall, allant de 45 cm à 1, 25 m.

Distance publique Une des quatre zones de distance de Hall, s'étendant au-delà de 3,60 m.

Distance sociale Une des quatre zones de distance de Hall, s'étendant de 1,20 à 3,60 m.

Dogmatique Type de communication décrit par Gibb, où les messages sous-entendent que le point de vue de la personne qui parle est tout à fait juste et que les idées de son interlocuteur ne valent pas la peine d'être considérées. Elle a tendance à susciter une réaction défensive.

Double message Contradiction entre un message verbal et un ou plusieurs indices non verbaux.

Échelle de généralisation Gamme de termes allant du plus abstrait au plus concret pour décrire un événement ou un objet.

Écoute défensive Réaction dans laquelle le récepteur perçoit les réflexions de l'émetteur comme une attaque.

Écoute insensible Incapacité de reconnaître les pensées ou les émotions qui ne sont pas directement exprimées par la personne qui parle; prendre les paroles de l'autre au pied de la lettre.

Écoute piégée Écoute attentive du récepteur dans le but de recueillir des informations dont il se servira ensuite pour attaquer l'émetteur.

Écoute protégée Écoute dans laquelle le récepteur ne tient pas compte des informations qu'il ne désire pas entendre.

Écoute sélective Écoute dans laquelle le récepteur réagit seulement aux messages qui l'intéressent.

Égalité Type de comportement positif décrit par Gibb, laissant entendre que l'émetteur considère le récepteur comme digne de respect.

Emblèmes Messages non verbaux délibérés à signification précise, qui sont connus de pratiquement tous les membres d'un groupe culturel donné.

Émergence du soi Selon L'Écuyer, première étape dans le développement du concept de soi. Par la communication non verbale, le nourrisson parvient à faire une distinction entre ce qui est «soi» et «non-soi».

Émetteur Créateur du message.

Émotions combinées Combinaison d'émotions fondamentales, qui peuvent parfois être exprimées par un seul mot (comme peur, remords) ou par plus d'un terme (comme gêné, en colère, soulagé, reconnaissant).

Émotions constructives Émotions qui contribuent à un fonctionnement positif.

Émotions fondamentales Huit émotions fondamentales identifiées par des chercheurs: joie, acceptation, peur, surprise, tristesse, dégoût, colère et appréhension.

Émotions négatives (affaiblissantes) Émotions qui empêchent une personne de fonctionner efficacement.

Empathie Capacité de se mettre à la place de l'autre personne pour connaître ses pensées et ses émotions. L'empathie est considérée comme une sympathie «froide». *Voir également* Sympathie.

Encoder Traduire sa pensée au moyen de symboles ou de mots connus de tous.

Engagement Étape du développement relationnel où les parties en cause posent des gestes symboliques pour signifier qu'elles ont des liens entre elles.

Énoncé d'intention Prise de position de la personne qui parle sur ses désirs et sur la façon dont elle a l'intention d'agir à l'avenir.

Énoncé de sentiments Expression des émotions résultant de l'interprétation des données recueillies par les sens.

Énoncé des conséquences Présentation des conséquences résultant soit du comportement de la personne à qui le message est adressé, soit de l'interprétation donnée par la personne qui parle. L'énoncé des conséquences explique ce qui se produit pour l'émetteur, le récepteur et les autres personnes.

Énoncé des faits Énoncés basés sur l'observation directe des données recueillies par les sens.

Environnement Contexte physique où se produit la communication et perspectives personnelles des parties en cause.

Estime de soi Degré de considération que l'on porte à sa propre personne.

Expansion du soi Selon L'Écuyer, troisième étape dans le développement du concept de soi (de 6 à 12 ans). Lors de son entrée dans le milieu scolaire (primaire), l'enfant est confronté à de nombreuses expériences lui permettant d'entretenir des «images» nouvelles qu'il tentera d'intégrer, d'une manière ou d'une autre, à la conception qu'il a de lui-même.

Évitement Phase relationnelle précédant la rupture dans laquelle les parties en cause réduisent au minimum les contacts entre elles.

Fausse écoute Imitation de l'écoute véritable dans laquelle l'esprit du récepteur est ailleurs.

Fenêtre de Johari Schéma décrivant la relation qui existe entre l'ouverture de soi et la prise de conscience personnelle.

Fins Objectifs qu'une personne s'est fixés. Les fins sont souvent confondues avec les moyens, ce qui provoque des conflits inutiles. *Voir également* Moyens.

Fuites Comportements non verbaux qui révèlent des informations qu'un communicateur n'exprime pas verbalement.

Fusion Étape relationnelle dans laquelle les parties commencent à présenter une seule identité, c'est-à-dire «nous».

Grille de gestion (*Managerial Grid*®) Schéma en deux dimensions qui décrit les différentes combinaisons possibles des préoccupations d'un leader face à la tâche à accomplir et aux objectifs relationnels.

Groupe Ensemble de personnes qui interagissent pendant un certain temps, habituellement face à face, afin d'atteindre des objectifs précis.

Groupe axé sur la résolution de problèmes Groupe dont l'objectif est de résoudre un problème touchant l'ensemble des membres.

Groupe de croissance Groupe dont les membres ont pour objectif d'aider les personnes à mieux se connaître.

Groupe de formation Groupe dont l'objectif est d'augmenter ses connaissances sur un sujet donné. *Voir également* Groupe de croissance.

Groupe social Groupe dont l'objectif est de satisfaire les besoins sociaux des membres plutôt que les objectifs liés à une tâche en particulier.

Groupes de référence Groupes auxquels nous nous comparons et qui influencent par conséquent notre concept de soi et notre estime personnelle.

Harmonisation Uniformisation des messages verbaux et non verbaux transmis par un communicateur.

Hypothèse Whorf-Sapir Théorie selon laquelle la structure d'une langue conditionne la représentation du monde qu'en ont ses utilisateurs.

Illusion d'approbation Croyance irrationnelle selon laquelle il est impératif de gagner l'approbation de la presque totalité des personnes avec qui on communique.

Illusion d'impuissance Croyance irrationnelle selon laquelle la satisfaction dans la vie est conditionnée par des éléments hors de son contrôle.

Illusion de causalité Croyance irrationnelle selon laquelle les émotions sont provoquées par les autres et non par la personne qui les éprouve.

Illusion de perfection Croyance irrationnelle selon laquelle un communicateur digne de ce nom devrait pouvoir faire face à n'importe quelle situation en toute confiance et compétence.

Illusion des «ça devrait» Croyance irrationnelle selon laquelle les gens devraient se comporter de la façon la plus souhaitable.

Illusion des prévisions catastrophiques Croyance irrationnelle selon laquelle la pire des issues ne manquera pas de survenir.

Illusion par généralisation excessive Croyance irrationnelle selon laquelle (1) certaines conclusions (généralement négatives) sont basées sur des preuves limitées ou selon laquelle (2) les communicateurs amplifient leurs défauts.

Inclusion Besoin social de faire partie intégrante d'une relation avec les autres.

Indices de duplicité Comportements non verbaux qui traduisent le caractère mensonger d'un message verbal.

Influence *Voir* Autorité.

Interpénétration sociale Schéma qui décrit l'étendue et la profondeur des relations.

Interprétation (perception) Processus qui consiste à prêter une signification aux données recueillies par les sens. *Synonyme de* Décoder.

Intimité Proximité intellectuelle, émotionnelle et physique.

Investiguer (poser des questions) Chercher à obtenir de l'émetteur un supplément d'information. Ces questions sont parfois de véritables conseils déguisés.

Jugement réfléchi Théorie selon laquelle le concept de soi d'une personne correspond à la façon dont elle croit être perçue par les autres.

Juger Porter un jugement favorable ou défavorable sur l'émetteur d'un message.

Kinésie Étude du mouvement du corps.

Langage «à la deuxième personne» Énoncé qui exprime ou implique un jugement sur l'autre personne. *Voir également* Langage «à la première personne».

Langage «à la première personne» Énoncé qui décrit la réaction de la personne qui parle face au comportement de son interlocuteur, sans porter de jugement quant à la valeur de ce dernier. *Voir également* Langage «à la deuxième personne».

Langage désexisé Ensemble de propositions qui permettent l'utilisation d'un langage exempt de connotations sexistes.

Leader *Voir* Leader en titre.

Leader en titre Personne identifiée par son titre comme leader du groupe.

Leadership Capacité d'influer sur le comportement des autres dans un groupe.

Leadership autoritaire (ou autocratique) Leadership dans lequel le leader en titre se sert d'un pouvoir légitime, coercitif ou rémunérateur pour dicter les actions des membres du groupe.

Leadership démocratique Leadership dans lequel le leader en titre favorise la participation de tous les membres du groupe dans la prise de décision.

Leadership du laissez-faire Leadership dans lequel le leader en titre renonce à son rôle officiel, faisant du groupe un rassemblement de personnes sans leader.

Machiavélisme *Voir* Agressivité passive.

Manipulateurs Mouvements avec lesquels une partie du corps touche, masse, lisse, tient, pince, etc. une autre partie du corps.

Mécanisme de défense Moyen psychologique dont on se sert pour conserver une image extérieure que l'on croit menacée.

Mensonge pieux Dissimulation délibérée ou déformation de la vérité dans l'intention de venir en aide au récepteur ou de ne plus le heurter.

Message Information qui va d'un émetteur à un récepteur.

Message axé sur la problématique Style de communication positif décrit par Gibb, dans lequel les communicateurs mettent l'accent sur la résolution commune des problèmes au lieu d'essayer d'imposer leurs propres solutions.

Message dominateur Type de message dans lequel l'émetteur essaie d'imposer certaines issues au récepteur, ce qui engendre souvent une réaction défensive de sa part.

Message équivoque Langage ambigu à deux significations possibles ou plus.

Message relationnel Type de message qui exprime la relation sociale existant entre deux individus ou plus.

Messages impersonnels Comportement d'une personne qui considère les autres comme des objets et non comme des individus. *Voir également* Communication interpersonnelle.

Métacommunication Messages (habituellement relationnels) qui font référence à d'autres messages: communication sur la communication.

Méthode de l'oreiller Type de méthode dans laquelle les personnes considèrent une situation selon différents points de vue plutôt que d'afficher une attitude égocentrique: «J'ai raison et vous avez tort.»

Micro-expressions Expressions du visage très brèves.

Mimiques Comportements non verbaux qui accompagnent et renforcent les messages verbaux.

Mise en vedette Type d'écoute dans laquelle le récepteur est plus préoccupé par son point de vue personnel que par la compréhension de son interlocuteur.

Moyens Façons de parvenir à ses fins; il en existe généralement beaucoup. Les conflits inutiles surviennent lorsque les personnes se disputent autour d'un nombre limité de moyens plutôt que de se concentrer sur la meilleure façon d'atteindre leur objectif.

Négation Mécanisme de défense dans lequel une personne évite de reconnaître — de ressentir — une certaine émotion, prétendant ne pas tenir compte d'un événement donné.

Négociation Processus dans lequel deux parties ou plus discutent de propositions spécifiques afin d'en arriver à un accord acceptable pour tous.

Neutralité Comportement décrit par Gibb et suscitant la défensive, dans lequel l'émetteur exprime une certaine indifférence pour le récepteur.

Normes de procédure Normes qui décrivent les règles concernant les activités du groupe. *Voir également* Normes de travail *et* Normes sociales.

Normes de travail Normes qui mettent l'accent sur la façon dont un groupe devrait atteindre ses objectifs. *Voir également* Normes sociales *et* Normes de procédure.

Normes officielles Normes publiquement définies. *Voir également* Normes officieuses.

Normes officieuses Normes qui ne sont pas publiquement annoncées. *Voir également* Normes officielles.

Normes régulatrices Règles indiquant laquelle des interprétations possibles d'un message est la bonne, selon le contexte.

Normes sociales Normes qui régissent les relations des membres du groupe entre eux. *Voir également* Normes de travail *et* Normes de procédure.

Objectifs du groupe Objectifs que le groupe cherche collectivement à atteindre. *Voir également* Objectifs individuels.

Objectifs individuels Motifs personnels des membres qui influent sur leur comportement à l'intérieur du groupe. *Voir également* Objectifs du groupe.

Objectifs reliés à la tâche Objectifs concernant l'accomplissement de la tâche que le groupe s'est fixée.

Objectifs sociaux Motifs personnels des membres du groupe concernant la satisfaction de leurs besoins sociaux, comme le besoin d'inclusion, d'autorité et d'affection. *Voir également* Objectifs reliés à la tâche.

Offrir son soutien Rassurer, réconforter ou distraire la personne qui a besoin d'aide.

Organisation (perception) Étape du processus de la perception qui consiste à classer les données recueillies.

Ouverture de soi Révélation délibérée d'informations pertinentes sur sa personne, qui sont inconnues des autres.

Paralangage Moyens non linguistiques d'expression vocale: débit, ton, hauteur de la voix, etc.

Personnalité Ensemble de traits relativement constants affichés par une personne dans différentes situations.

Personne déterminante Personne dont l'opinion est suffisamment importante pour avoir un effet certain sur notre concept de soi.

Phase initiale Première étape du développement relationnel au cours de laquelle les parties expriment de l'intérêt l'une pour l'autre.

Ponctuation Processus de détermination de l'ordre causal des événements.

Pouvoir coercitif Capacité d'influer sur les autres par la menace ou l'imposition de conséquences désagréables.

Pouvoir conversationnel Capacité de déterminer qui doit s'exprimer dans la conversation.

Pouvoir de l'information Capacité d'influer sur les autres en raison de l'information qui est détenue par un membre et qui, autrement, demeurerait obscure. *Voir également* Pouvoir du spécialiste.

Pouvoir décisionnel Dans une relation, capacité d'influer sur l'autre personne et de décider des activités à poursuivre.

Pouvoir du référent Capacité d'influer sur les autres en raison de son niveau d'appréciation ou de respect.

Pouvoir du spécialiste Capacité d'influer sur les autres en raison de ses compétences reconnues sur un sujet donné. *Voir également* Pouvoir de l'information.

Pouvoir légitime Capacité d'influer sur le groupe en raison de sa position hiérarchique dans celui-ci. *Voir également* Leader en titre.

Pouvoir rémunérateur Capacité d'influer sur les autres à cause de l'octroi ou de la promesse de conséquences agréables.

Prise de décision active Mise sur pied active de solutions par les personnes engagées.

Proxémie Étude de l'utilisation de l'espace par les personnes et les animaux.

Question préliminaire Question ouverte utilisée pour analyser un problème, qui encourage la réflexion préparatoire.

Rationalisation Mécanisme de défense par lequel des explications logiques mais erronées aident à préserver une image extérieure ou un soi idéal irréalistes.

Récepteur Personne qui remarque le message et y prête attention. De manière générale, personne à qui est destiné le message.

Réflexion intérieure Processus de pensée non oral. À un certain niveau, survient lorsqu'une personne interprète le comportement d'une autre personne.

Reformulation Procédé qui consiste à répéter, dans ses propres mots, les pensées et les émotions de la personne qui vient de parler.

Règles sémantiques Règles qui régissent la signification du langage, par opposition à sa structure. *Voir également* Règles syntaxiques.

Règles syntaxiques Règles qui régissent la façon dont les symboles doivent être ordonnés, par opposition à leur signification. *Voir également* Règles sémantiques.

Régression Mécanisme de défense par lequel une personne évite d'assumer ses responsabilités, prétextant qu'elle «ne peut pas» faire une chose donnée au lieu de simplement admettre qu'elle «ne veut pas» la faire.

Régulation Comportements non verbaux qui contrôlent la circulation des messages verbaux dans une conversation.

Réitération Comportements non verbaux qui répètent le contenu d'un message verbal.

Relation complémentaire Relation dans laquelle le pouvoir est inégalement réparti, où une partie mène et l'autre suit.

Relations *Voir* Relations interpersonnelles.

Relations interpersonnelles Association dans laquelle les parties satisfont leurs besoins sociaux réciproques à un degré plus ou moins élevé.

Relations parallèles Relation où l'équilibre du pouvoir oscille entre les parties, selon la situation.

Relations symétriques Relation dans laquelle le pouvoir est également réparti entre les deux parties.

Relativisme Style de communication positif décrit par Gibb, dans lequel l'émetteur exprime son désir de considérer le point de vue de son interlocuteur.

Remue-méninges (brainstorming) Méthode pour susciter des idées de manière créative en groupe, qui minimise la critique et encourage le plus grand nombre possible d'idées en ne tenant pas compte de leur faisabilité ou de leur provenance.

Renforcement des liens Étape relationnelle précédant la fusion, dans laquelle les parties augmentent les contacts, l'étendue et la profondeur de l'ouverture de soi.

Réponse abrupte Réponse négative avec laquelle un communicateur coupe la parole à un autre.

Réponse ambiguë Réponse négative, message à plusieurs sens qui laisse une personne indécise quant à la position de son interlocuteur.

Réponse-échappatoire Réponse négative qui utilise les réflexions de la personne qui parle comme point de départ pour changer de sujet.

Réponse fermée Réponse négative qui ne tient pas compte des tentatives de communication de l'autre personne.

Réponse hors de propos Réponse négative dans laquelle les réflexions du communicateur n'ont aucun lien avec les idées de la personne qui a parlé précédemment.

Réponse impersonnelle Réponse négative, superficielle ou banale.

Réponse incongrue Réponse négative dans laquelle deux messages (dont l'un est habituellement non verbal) se contredisent l'un l'autre.

Répression Mécanisme de défense par lequel une personne évite de faire face à une situation ou à un événement désagréables en niant son existence.

Réseaux Systèmes que les canaux de communication individuels forment entre les membres du groupe.

Résolution de problèmes gagnant-gagnant Approche dans laquelle les parties travaillent de concert pour atteindre tous leurs objectifs.

Résolution de problèmes gagnant-perdant Approche dans laquelle une des parties atteint son objectif au détriment de l'autre.

Résolution de problèmes perdant-perdant Approche dans laquelle aucune des parties n'atteint ses objectifs. Résulte parfois du fait que les deux parties cherchent à l'emporter l'une sur l'autre. Dans d'autres cas, elles en viennent à un arrangement (compromis) parce qu'elles ne trouvent pas de solution plus satisfaisante.

Respect Besoin social d'être tenu en estime par les autres.

Rétroaction Réponse perceptible du récepteur au message de l'émetteur.

Rôle sexuel Orientation sociale (plutôt que genre biologique) régissant le comportement.

Rôles Schémas de comportement attendus par les membres du groupe.

Rôles dysfonctionnels Rôles qui sont joués par certains membres du groupe et qui entravent le fonctionnement efficace de ce dernier. *Voir également* Rôles fonctionnels.

Rôles fonctionnels Rôles (habituellement non exprimés) qui doivent être remplis pour que le groupe puisse atteindre ses objectifs. *Voir également* Rôles reliés à la tâche *et* Rôles reliés à l'entretien des relations.

Rôles reliés à la tâche Rôles fonctionnels concernant l'accomplissement de la tâche fixée par le groupe. *Voir également* Rôles d'entretien des relations.

Rôles reliés à l'entretien des relations Rôles fonctionnels visant au maintien des relations personnelles harmonieuses au sein du groupe. Appelés aussi «rôles sociaux». *Voir également* Rôles reliés à la tâche.

Rupture (comportement non verbal) Verbalisation non linguistique comme «hum», «heu»…

Rupture (niveau relationnel) Fin d'une relation; elle se caractérise par le fait que l'une des parties, ou les deux, reconnaît que la relation est terminée.

Schéma de communication interactif Communication à double sens dans laquelle un émetteur et un récepteur échangent des messages.

Schéma de communication linéaire Communication à sens unique dans laquelle le message va de l'émetteur au récepteur.

Schéma de communication transactionnel Communication caractérisée par l'envoi et la réception simultanés de messages dans un processus irréversible.

Secrets bien gardés Objectifs individuels que les membres du groupe ne souhaitent pas dévoiler.

Sélection (perception) Étape du processus psychologique de la perception au cours de laquelle nous sélectionnons les sensations qui serviront à construire notre perception.

Soi extérieur Image qu'une personne présente aux autres. Peut être identique ou différent du soi personnel et du soi idéal.

Soi idéal Personne que nous aimerions être. Peut être identique ou différent du soi personnel et du soi extérieur.

Soi personnel Personne que nous pensons être dans nos moments de sincérité. Peut être identique ou différent du soi extérieur et du soi idéal.

Sonder Faire usage de silences et d'énoncés brefs pour faire parler son interlocuteur.

Spontanéité Comportement de communication positif décrit par Gibb, dans lequel l'émetteur exprime un message sans tenter de manipuler les autres personnes.

Stagnation   Étape relationnelle caractérisée par une baisse d'enthousiasme et des comportements stéréotypés.

Stimuli intéroceptifs   Sensations activées par la réaction des organes internes (par exemple, avoir l'estomac comprimé ou le cœur qui bat).

Stratégie   Type de communication suscitant la défensive décrit par Gibb, dans lequel l'émetteur essaie de manipuler ou de tromper le récepteur.

Substitution   Comportement non verbal qui prend la place d'un message verbal.

Supériorité   Type de communication suscitant la défensive décrit par Gibb, dans lequel l'émetteur indique ou sous-entend que le récepteur n'est pas digne de respect.

Sympathie   Compassion envers la situation de l'autre personne. *Voir également* Empathie.

Territorialité   Espace fixe revendiqué par un individu.

Théorie de l'échange   Théorie selon laquelle les gens recherchent les relations qui leur permettent de retirer des avantages équivalents ou supérieurs au prix qu'il leur faut payer.

Théorie des traits du leadership   Théorie selon laquelle il est possible d'identifier les leaders par leurs traits personnels, comme l'intelligence, le physique ou la sociabilité.

Théorie implicite de personnalité   Ensemble des croyances qu'une personne entretient par rapport à la «personnalité». Techniquement, il s'agit de matrices de corrélation qui permettent la formation des impressions, le jugement, la compréhension et la prédiction de son comportement et du comportement des autres. On dit que ces théories sont implicites parce qu'elles sont fondées sur les idées naïves que les gens entretiennent sur la nature humaine.

Théorie situationnelle du leadership   Théorie selon laquelle le leadership le plus efficace varie en fonction des relations entre les membres et le leader, le pouvoir du leader en titre et la structure de la tâche à accomplir.

Vérification de perception   Méthode en trois parties qui permet de vérifier l'exactitude des interprétations, incluant une description des données recueillies par les sens, deux interprétations possibles et une demande de confirmation des interprétations.

Index

Les entrées en gras renvoient aux exercices.

Sources

Photos et illustrations

autorisée. **227** © Ulrike Welsch 1978, gracieuseté du Boston Globe. **231** © Ken Heyman. **223** «Miss Peach» de Mell Lazarus. © 1973. Avec l'autorisation de Mell Lazarus et du Creators Syndicate, Inc. **235** © 1986 Glénat, Quino, *Le club de Mafalda*.

Chapitre 9   241 Ginette Gratton. **243** «Peanuts» de Charles Schulz. © 1965 United Media. Reproduction autorisée. **246** «Sans titre», 1981, Jerry N. Uelsmann. **248** AP/Wide World. **251** © Jim Harrison, Stock, Boston. **260** Rod De Kysscher. **263** © 1981 Glénat, Quino, *Mafalda revient*. **266** «La fin du théâtre de répertoire civique», 1937-1938, Aaron Siskind. **271** © Patricia Hollander Gross, Stock, Boston. **273** «Peanuts» de Charles Schulz. © 1963 United Media. Reproduction autorisée. **278** © Frank Siteman, Stock, Boston. **279** © 1981 Glénat, Quino, *Mafalda revient*. **284** «Ziggy» de Tom Wilson. © 1983 Universal Press Syndicate. Reproduction autorisée. Tous droits réservés. **286** © Barbara Rios, Photo Researchers. **287** David S. Stickler/ The Picture Cube.

Chapitre 11   299 © Ulricke Welsch. **301** (Haut) © Frank Siteman, EKM - Nepenthe. (Bas) Tiré de *Individuals and Groups*, de A. A. Harrison. Copyright © 1976 Wadsworth, Inc. Reproduit avec l'autorisation de l'éditeur, Brooks/Cole Publishing Co., Monterey, CA. **312** © Fredrik D. Bodin, Stock, Boston. **316** Avec l'autorisation de Johnny Hart et du Creators Syndicate, Inc. **321** © Michael Hayman, Photo Researchers. **324** Dessin de Leo Cullum; © 1986 The New Yorker Magazine, Inc. **329** Dessin de Levin; © 1988 The New Yorker Magazine, Inc.

358 Jean-François Lemire

Citations

Chapitre 1   4 (Haut) HERTEL, François. *Six femmes, un homme*, Paris, Éditions de l'Ermite, 1949. (Bas) BLONDIN, Robert. *Le mensonge amoureux*, Montréal, Éditions Quinze, 1985, p. 133. **6** (Haut) *Ibid.*, p. 130. (Bas) *Ibid.*, p. 134. **7** PÉLICIER, Yves. Cité dans DE BALEINE, Marina, «L'enfer c'est nous», *Psychologies*, Loft International, mars 1984, p. 30. **14** Tiré de *Presumed Innocent*, de Scott Turow. Copyright © 1987 Scott Turow. Reproduit avec l'autorisation de Farrar, Straus and Giroux, Inc. (Trad. libre) **16** SANSON, Véronique. «Mi-maître mi-esclave», *7e*, WEA 2-52180, 1979, 33t. **23** Tiré de *Notes on Love and Courage*, de Hugh Prather. Copyright © 1977 Hugh Prather. Reproduit avec la permission de Doubleday & Company, Inc. (Trad. libre)

Chapitre 2   35 BOMBARDIER, Denise et ST-LAURENT, Claude. *Le mal de l'âme*, Paris, Robert Laffont, 1989, p. 33. **36** BLONDIN, Robert, *op. cit.*, p. 120. **37** «Love and the Cabbie» d'Art Buchwald. Reproduit avec la permission de l'auteur et du Los Angeles Times Syndicate. (Trad. libre) **39** *Ibid.*, p. 17. **42** (Haut) POLLAK, Véra. *Nuit en solo*, Montréal, Éditions Quinze, 1988, p. 126. (Bas) BRISSON, Véronique. «Le développement de l'estime de soi et le développement de la

volonté: une façon d'appliquer le programme de l'éducation préscolaire», *Vie Pédagogique*, ministère de l'Éducation, janvier-février 1990, p. 16. **43** BOMBARDIER, Denise et ST-LAURENT, Claude, *op. cit.*, p. 58. **46-47** «Cipher in the Snow» de Jean Mizer. Tiré de *Today's Education*, novembre 1964. Reproduit avec la permission de Jean Todhunter Mizer et de *Today's Education*. (Trad. libre)

Chapitre 3   67-68 FALLACI, Oriana. *Un homme*, Paris, Grasset, 1981, p. 137. **71** SANSON, Véronique. «Santa Monica», *Laissez-la vivre*, WEA, 2-52288, 1981, 33t. **76-77** «Field Experiment: Preparation for the Changing Police Role» de Fred Ferguson. Reproduit avec la permission de l'auteur. (Trad. libre)

Chapitre 4   92 BREL, Jacques. «La quête»; TODD, Olivier, *Jacques Brel, une vie*, Paris, Robert Laffont, p. 233. **98** BLONDIN, Robert, *op. cit.*, p. 39. **99** BOMBARDIER, Denise et ST-LAURENT, Claude, *op. cit.*, p. 65. **101** PLAMONDON, Luc. «Je reprends mon souffle»; GODBOUT, Jacques, *Plamondon, un cœur de rocker*, Montréal, Éditions de l'Homme, 1988, p. 165. **104** FALLACI, Oriana, *op. cit.*, p. 379. **105** BLONDIN, Robert, *op. cit.*, p. 53. **112** LABORIT, Henri. *L'éloge de la fuite*, Paris, Gallimard, coll. «Folio», 1976, p. 25.

Chapitre 5   120 VAN LIER, Henri. *L'animal signé*, Rhode-St-Genese, De Visscher, s.d., p. 35. **121** SZASZ, Thomas S. *Le péché second*, Paris, Petite bibliothèque Payot, 1973, p. 42. **122** VAN LIER, Henri, *op. cit.*, p. 20. **125-127** «The Great Mokusatsu Mistake», de William J. Coughlin. Copyright © 1953 *Harper's Magazine*. Tous droits réservés. Tiré du numéro de mars grâce à une autorisation spéciale. (Trad. libre) **128** (Haut) ECO, Umberto. *Le Nom de la rose*, Paris, Grasset et Fasquelle, coll. «Le livre de poche», no 5859, 1982, p. 614-615. (Bas) WATZLAWICK, Paul. *La réalité de la réalité*, Paris, Éditions du Seuil, coll. «Points», 1979, p. 211. **129** SZASZ, Thomas S., *op. cit.*, p. 47. **130** (Haut) SZASZ, Thomas S., *op. cit.*, p. 40. (Bas) VAN LIER, Henri, *op. cit.*, p. 22. **131** YOURCENAR, Marguerite. *Le temps ce grand sculpteur*, Paris, Gallimard, 1983, p. 48. **139** (Haut) Tiré de l'article «Man to Man, Woman to Woman» de Mark Sherman et Adelaide Hass, paru dans *Psychology Today*, juin 1984. Reproduit avec la permission de Psychology Today Magazine. Copyright © 1984 (PT Partners, L.P.). (Trad. libre) (Bas) BOMBARDIER, Denise et ST-LAURENT, Claude, *op. cit.*, p. 149. **140** Tiré de *That's Not What I Meant!* (p. 103-104) de Deborah Tannen, copyright © 1986 Deborah Tanner. Reproduit avec l'autorisation de William Morrow & Co., Inc. (Trad. libre) **142** BOMBARDIER, Denise et ST-LAURENT, Claude, *op. cit.*, p. 11. **144** LALIBERTÉ, Thérèse. «Les femmes ne parlent pas le même français que les hommes» dans *Châtelaine*, avril 1976, p. 90.

Chapitre 6   150-151 GODBOUT, Jacques. *L'écran du bonheur*, Montréal, Éditions du Boréal, 1990. **152** BRUNEL, Marie-Lise. «L'empathie en counseling interculturel» dans *Santé mentale*

Québec, vol. 1, n° 14, p. 85. **157** «Nothing», tiré de *Love ems for the Very Married* de Lois Wyse. Copyright © 1967 Lois Wyse. Reproduit avec l'autorisation de Harper & Row, Publisher, Inc. (Trad. libre) **162** «The Look of a Victim», tiré de *Introduction to Nonverbal Communication* de Loretta Malandro et Larry L. Barker. Copyright © 1982 Random House. Reproduction autorisée. (Trad. libre) **171-173** «Touch Sparks Love», de Phyllis Spangler. Tiré de *Good Housekeeping Magazine* (août 1971) © 1971 Hearst Corporation. Reproduction autorisée. (Trad. libre) **178** BARBARA. «Ma maison», *La louve*, Philips 6325073, 1973, 33t.

Chapitre 7   195 BRUNEL, Marie Lise, *op. cit.*, p. 92. **199** YOURCENAR, Marguerite, *op. cit.*, p. 11. **208** (Haut) «The Superactive Listener», tiré d'un article de Kristin Sheridan Libbee et Michael Libbee publié dans *Personnel and Guidance Journal*, Vol. 58, n° 1. Copyright 1979 American Personnel and Guidance Association. Reproduction autorisée. (Trad. libre) (Bas) FRÉDEN, L., cité dans BESSETTE, Lise. «Chômage et dépression chez les femmes: le rôle du support social», *Santé mentale au Québec*, XII (2), 1987, p. 82-91.

Chapitre 8   213 BREL, Jacques. «La chanson des vieux amants», *Quinze ans d'amour*, Polygram LP816-833-1, 1988, 33t. **214** (Haut) PARIS, Geneviève. «Je brûle», *Miroirs*, Audiogram, 1990. (Bas) DUCHARME, Réjean. *La fille de Christophe Colomb*, Paris, Gallimard NRF, 1971. BLONDIN, Robert, *op. cit.*, p. 167. **218** (Gauche) BLAIS, Marie-Claire. *Le*

loup, Montréal, Éditions du Jour, 1972. (Droite) PLAMONDON, Luc. «On n'est pas fait pour vivre seul»; GODBOUT, Jacques, *Plamondon, un cœur de rocker*, Montréal, Éditions de l'Homme, 1988, p. 317. **219** (Haut) SANSON, Véronique. «Jet Set», *Moi, le venim*, WEA CD 44627, 33t. (Bas) LÉVEILLÉE, Claude. «Emmène-moi au bout du monde», CBS, 1962. **220** (Haut) YOURCENAR, Marguerite, *op. cit.*, p. 221. (Bas) BOMBARDIER, Denise et ST-LAURENT, Claude, *op. cit.*, p. 93. **222** YOURCENAR, Marguerite, op. cit., p. 11. **226** CORNEAU, Guy. *Père manquant fils manqué*, Montréal, Éditions de l'Homme, 1989. **238** PHILIPPE, Marie et BONIN, Jean-Pierre. «Pourquoi j'ai fait ça?», Marie Philippe, Trafic TFX 87-16, 1986, 33t.

Chapitre 9   247 (Haut) WATZLAWICK, Paul, *op. cit.*, p. 61. (Bas) SEGUIN, Fernand. *La bombe et l'orchidée*, Montréal, Libre Expression, 1987, p. 34. **250** SANSON, Véronique. «C'est le moment», *Amoureuse*, WEA CD244 821-2, 1972, 33t.

Chapitre 10   272 FLYNN, Pierre. «Tu veux ma peau», *Le parfum du hasard*, Audiogram, 1987. **273** PARIS, Geneviève. «Quitte-moi», *Miroirs*, Audiogram, 1990. **297** PICHÉ, Paul. «La haine», *Sur le chemin des incendies*, Audiogram, 1987.

Chapitre 11   303 PARIS, Geneviève. «Frères de sang», *Miroirs*, Audiogram, 1990. **325** ULLMANN, Liv. *Devenir*, Montréal, Éditions de l'Étincelle/Stock, 1977, p. 269-271.

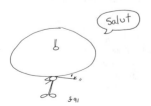